ISOCRATE

TOME IV

Il a été tiré de cet ouvrage :

*200 exemplaires sur papier pur fil Lafuma
numérotés de 1 à 200.*

COLLECTION DES UNIVERSITÉS DE FRANCE
publiée sous le patronage de l'ASSOCIATION GUILLAUME BUDÉ

ISOCRATE

TOME IV

TEXTE ÉTABLI ET TRADUIT

PAR

GEORGES MATHIEU

Professeur à la Faculté des Lettres
de l'Université de Paris

ET PAR

ÉMILE BRÉMOND

Agrégé des Lettres

PARIS

SOCIÉTÉ D'ÉDITION « LES BELLES LETTRES »

95, BOULEVARD RASPAIL

1962

Conformément aux statuts de l'Association Guillaume Budé, ce volume a été soumis à l'approbation de la commission technique, qui a chargé M. Robert Clavaud d'en faire la revision et d'en surveiller la correction, en collaboration avec M. Émile Brémond.

14782

INDEX SIGLORUM

Γ *Urbinas gr.* 111, IX. aut X. sæculi.

Δ *Vaticanus gr.* 936, XIV. saec.

E *Ambrosianus* O-144-sup., XV. saec.

Z *Scaphusianus* 43, XV. saec.

Θ *Laurentianus* LXXXVII-14, XIII. saec.

Λ *Vaticanus gr.* 65, anno 1063 scriptus.

Ξ *Marcianus* 415, XV. saec.

T *Parisinus gr.* 2930, XV. saec.

Π *Parisinus gr.* 2932, XV. saec.

Σ *Laurentianus* LV-7, XIV. saec.

Υ *Parisinus gr.* 2010, XIV. saec.

Φ *Vaticanus gr.* 64, anno 1270 scriptus.

Pap. Fragmenta in papyris servata.

vulg. Editiones quæ ante *Urbinatem* inventum prodie-
runt et deteriores codices sequuntur.

Vict. Annotationes a Victorio (P. Vettori) in margine
editionis Aldinæ scriptæ.

XX

PHILIPPE

par Georges MATHIEU

NOTICE

Après la publication du *Sur l'Échange*, Isocrate attendit
sept ans environ avant de publier un nouveau discours. Cette
période de silence est à peu de chose près la plus longue
que nous trouvions dans la carrière de l'orateur; elle n'a
d'égale que celle qui sépare le *Philippe* du *Panathénaïque*
(et, encore, pour cette dernière, interrompue par plusieurs
lettres, nous savons que la maladie a été cause d'un arrêt
de trois ans dans le travail d'Isocrate). Sans doute l'âge
est-il pour quelque chose dans ce ralentissement d'activité. Mais d'autres raisons encore peuvent contribuer à
l'expliquer : les attaques dont Isocrate avait été l'objet
en tant que chef d'école, l'avaient fort touché, à en juger
par l'importance qu'il leur attribue dans le *Sur l'Échange*;
et, quelque décidée qu'eût été sa réplique, il put hésiter
à attirer l'attention sur lui par la publication à bref délai,
d'un nouveau discours « hellénique et politique ». Peut-
être aussi serait-il légitime d'admettre que l'orateur voulait
voir si ses deux derniers discours politiques (*Sur la Paix*
et *Aréopagitique*) n'allaient pas produire quelque résultat
pratique et si notamment la politique d'Eubule n'abou-
tirait pas à une réalisation, au moins partielle, de l'idéal
isocratique. En outre, à dater de 352, la lutte entre Athènes
et Philippe devint de plus en plus active; or aucune des
œuvres précédentes d'Isocrate n'avait vu le jour en un
moment où la guerre battait son plein; soucieux de ménager
à ses exhortations l'accueil le plus favorable, l'orateur
attendait le moment où l'état de paix était rétabli ou,
tout au moins, celui où des pourparlers faisaient espérer
un retour au calme. Sans doute des préoccupations ana
logues agirent-elles encore sur lui pendant la guerre contre

Philippe, et il est probable qu'il ne commença à préparer
sérieusement son discours qu'au début des négociations
qui devaient aboutir à la paix de Philocrate.

Auparavant déjà, Isocrate s'était intéressé à la Macédoine ou, plus exactement, à ses rois; à mesure que les
années passaient, il regardait ceux-ci d'un œil plus favorable. En 380, Amyntas n'était pour lui qu'un adversaire
de la liberté grecque, qu'il confondait dans la même
aversion que Denys de Syracuse et le roi de Perse et dont
il blâmait l'alliance avec Sparte[1]. Vers 376, (s'il faut
du moins se fier à une lettre que Speusippe adressait à
Philippe en 343 ou 342[2]), les « lettres écrites avec Timothée »
contenaient des attaques contre la Macédoine. Mais en
366, Amyntas (alors décédé) était mentionné comme un
modèle d'énergie et un exemple à imiter[3]. Enfin, en 356,
apparaissait pour la première fois, dans le *Sur la Paix*[4],
le nom de Philippe : selon Isocrate, le conflit qui l'opposait
à Athènes à propos d'Amphipolis, avait son origine dans
l'impérialisme athénien, et Philippe ne demandait pas
mieux que de rendre à une Athènes pacifique le territoire
contesté.

Les événements avaient donné tort à l'orateur; mais il
conservait son ancienne opinion sur le caractère de Philippe[5], et ainsi s'explique que, dès les premiers espoirs
de paix (en 347 sans doute), il ait jugé l'occasion favorable
pour préparer un discours adressé aux belligérants et,
par-dessus eux, à l'opinion publique grecque.

La guerre entre Philippe et Athènes durait depuis
357; elle avait eu pour origine l'occupation par le premier
d'Amphipolis, ancienne colonie d'Athènes : celle-ci, nous
dit-on, avait cherché par neuf fois en un siècle et demi[6]

1. *Panégyrique*, 126.

2. Speusippe, *Lettres socratiques*, xxx, 13 (pour la date,
cf. l'édition de Bickermann et Sykutris, et le *Supplément critique
au Bulletin de l'Association Guillaume Budé*, 1929, p. 94).

3. *Archidamos*, 46.

4. *Sur la Paix*, 22.

5. En 346, Isocrate croit encore possible que Philippe fasse
des sacrifices territoriaux en faveur d'Athènes (*Philippe*, 5).

6. Scholie d'Eschine, *Sur l'Ambassade*, 31.

à s'assurer de cette place qui servait à la fois de débouché aux bois de la Thrace et à l'or du Pangée [1]. Après dix ans de luttes, en général défavorables à Athènes et à ses alliés, les deux partis souhaitaient le rétablissement de la paix. Du côté athénien, la situation était peu favorable : en admettant même que, en 343, Eschine, par intérêt personnel, pousse au noir le tableau où il représente ce qu'on pouvait remarquer quatre ans plus tôt [2], il n'en est pas moins vrai que les Athéniens avaient perdu un bon nombre de leurs alliés, qu'ils ne voulaient ou ne pouvaient plus faire d'efforts sérieux et que leur domination maritime elle-même était menacée. En 346, Démosthène en personne, devant la lenteur avec laquelle s'exécutaient toutes les mesures obtenues à grand peine, était découragé et doutait du succès [3].

D'autre part, Philippe souhaitait une paix, qui lui laissât ses conquêtes et lui permît d'intervenir en Grèce : il était, par Amphipolis et la Thrace, en possession de débouchés sur la mer et de ressources en or et en bois de constructions navales; son influence était solidement assise en Thessalie. Mais la Macédoine n'était pas sans avoir souffert de dix années pendant lesquelles à la guerre contre Athènes et les villes de Chalcidique étaient venues s'ajouter des opérations en Thessalie et en Illyrie. Enfin la troisième guerre sacrée qui, depuis 356, mettait aux prises les Thébains (soutenus par la majeure partie de la Grèce du Nord) et les Phocidiens (alliés à Athènes et à Sparte), fournissait à Philippe une occasion de prendre pied en Grèce et de pénétrer dans l'amphictyonie de Delphes. Son intervention était sollicitée à la fois par les Thébains et les Phocidiens [4], et il semble bien que, pendant quelque temps, Philippe ait hésité sur le camp dans lequel il se rangerait, tout en étant décidé à profiter de

1. Thucydide, IV, 108; Démosthène, *Contre Aristocratès*, 110-113.
2. Eschine, *Sur l'Ambassade*, 70-72; cf. Théopompe (faisant parler Philocrate) dans Didymos, *Commentaire sur Démosthène*, col. XIV, 1. 52 et suiv.
3. Eschine, *Sur l'Ambassade*, 37.
4. Argument anonyme de Démosthène, *Sur l'Ambassade*, 2.

ces avances; mais, pour intervenir au Sud des Thermopyles, il lui fallait au moins la neutralité d'Athènes.

Des pourparlers avaient été amorcés au printemps de 348, d'abord par l'intermédiaire des Eubéens, puis par celui d'un prisonnier athénien, Phrynon de Rhamnonte[1]. Interrompues lors de la prise d'Olynthe, les négociations officieuses reprirent en 347 grâce aux acteurs Néoptolèmos et Aristodèmos. Enfin, pendant l'hiver 347/346, Athènes envoya à Philippe une ambassade de dix membres (dont Démosthène et Eschine), assistés d'un représentant des alliés (Aglaocréon de Ténédos)[2]. On aboutit ainsi à la paix « de Philocrate » (ainsi désignée du nom d'un des envoyés athéniens).

L'ambassade revint à Athènes vers mars 346 (Élaphébolion) avec un projet de traité : les deux adversaires devaient conserver leurs conquêtes. Athènes renonçait ainsi à Amphipolis et tout l'avantage était pour Philippe. Néanmoins tout le monde fut d'accord pour accepter ces conditions, bien que personne ne se fît d'illusions sur les pertes qu'elles sanctionnaient[3]. Le traité fut ratifié par l'assemblée athénienne (sur la proposition de Démosthène) les 18 et 19 Élaphébolion, et une ambassade fut désignée pour recevoir le serment de Philippe[4]. La chose était urgente si l'on voulait tenter de sauver les alliés d'Athènes, les Phocidiens et surtout le roi de Thrace, Kersebleptès, dont le stratège athénien Charès signalait alors la situation critique[5]. C'est que, d'après le droit international grec, chaque partie n'était liée qu'à dater du moment où elle avait prêté serment. Cependant l'ambassade partit seulement quatorze jours plus tard (3 Munychien), mit vingt-trois jours à gagner Pella où elle resta pendant vingt et un jours, s'en tenant à la lettre de ses instructions, mais permettant ainsi à Philippe

1. Eschine, *Sur l'Ambassade*, 12; argument de Démosthène, *Amb.*, 3.
2. Eschine, *Amb.*, 15 sqq., 68; Démosthène, *Amb.*, 315 et argument anonyme, 4-7.
3. *Philippe*, 7; Démosthène, *Amb.*, 150; Eschine, *Amb.*, 6 et 9.
4. Démosthène, *Amb.*, 59; Eschine, *Amb.*, 61.
5. Eschine, *Amb.*, 90.

d'écraser Kersebleptès et de s'assurer de la Thrace [1].
Encore l'ambassade accompagna-t-elle Philippe en Thes-
salie et ne reçut-elle son serment qu'aux environs de
Phères [2].

Quand les envoyés rentrèrent à Athènes après trois
mois d'absence, la paix était devenue moins avantageuse
encore que lors de leur désignation; cependant la ratification définitive fut votée par l'Assemblée le 16 Skirophorion (environ juin). On envoya d'ailleurs à Philippe
une nouvelle ambassade, sans doute pour essayer de
profiter de ses prétendues bonnes dispositions et de le
faire intervenir contre les Thébains; mais à peine avait-
elle atteint l'Eubée qu'on apprit (24 Skirophorion) que
les Phocidiens, se jugeant abandonnés, s'étaient remis à
la discrétion de Philippe [3]. La session d'automne de l'Amphictyonie régla le sort des Phocidiens qui durent déman-
teler leurs villes, payer au sanctuaire pythique une amende
de soixante talents par an et furent exclus du conseil
amphictyonique (les deux voix qu'ils possédaient furent
attribuées à Philippe).

Les allusions qu'Isocrate fait dans le *Philippe* aux événements de cette période, sont suffisamment précises
pour qu'on puisse déterminer, à quelques semaines près,
la date où le discours fut publié. Isocrate avait entrepris
de traiter de la question d'Amphipolis; sans doute avait-il
commencé à rédiger son œuvre quand un sérieux espoir
de paix résulta des premières négociations, c'est-à-dire
dans la seconde moitié de 347. En rapprochant ce que
l'auteur lui-même nous en dit, de quelques lignes qui,
dans le *Sur la Paix*, font allusion aux conflits entre Athènes
et Philippe [4], il est permis de supposer qu'Isocrate espé-
rait amener les deux adversaires à se faire des concessions mutuelles. Mais la question d'Amphipolis se trouva
réglée avant la publication du discours que son auteur
dut remaner pour l'approprier aux circonstances nouvelles.

1. Démosthène, *Amb.*, 57 et 155; Eschine, *Amb.*, 91 et 98.
2. Démosthène, *Amb.*, 158.
3. Démosthène, *Amb.*, 59-60 et 125.
4. *Philippe*, 3-6; *Sur la Paix*, 22.

De ce changement brusque de dessein, même si l'orateur ne nous en avertissait pas, nous aurions un indice dans la brièveté extraordinaire du passage qui concerne la situation d'Athènes [1]; il y avait là un développement qui a été supprimé et que rien n'est venu remplacer.

Le *Philippe*, dans sa forme actuelle, est donc postérieur au 19 Elaphébolion 346, date à laquelle l'Assemblée athénienne accepta les conditions de paix. D'autre part on voit que les clauses ne satisfont pas entièrement l'opinion athénienne, ce qui implique qu'un certain temps s'est écoulé et que des déceptions sont survenues. Par contre, Isocrate compte encore sur Philippe pour mettre fin à la guerre sacrée; mais aucune décision n'a été prise par le roi de Macédoine; l'orateur parle de succès remportés par les Phocidiens sur les Thébains, et c'est à ces derniers qu'il réserve toute son hostilité [2]. En outre Isocrate fait allusion au conflit qui oppose Athènes et Thèbes au sujet d'Oropos [3]; il y a là comme un rappel discret des espoirs de compensations territoriales qu'Eschine et ses amis avaient répandus dans Athènes; or, dans le cours de l'été, une lettre de Philippe vint dissiper ces illusions [4].

Tous ces indices amènent à conclure qu'Isocrate a mis la dernière main au *Philippe* dans le cours du printemps de 346, entre la ratification de la paix à Athènes (19 Élaphébolion) et le moment où l'on y apprit la capitulation des Phocidiens (27 Skirophorion). C'était le temps où les Athéniens cherchaient à tirer le meilleur parti de la paix qu'ils avaient acceptée et où Philippe passait pour l'arbitre désintéressé des affaires de Grèce.

Isocrate propose à Philippe une double tâche : réconcilier les cités grecques et les conduire à la conquête de l'empire perse, ou tout au moins de sa partie occidentale. Le *Philippe* est destiné à la fois à convaincre le roi de Macédoine et (plus encore) à préparer l'opinion publique à accepter une telle politique. Le but du discours est

1. *Philippe*, 56.
2. *Philippe*, 53-55 (cf. cependant Cloché, *Rev. hist.*, 1943, pp. 290-292.
3. *Philippe*, 53.
4. Démosthène, *Sur l'Ambassade*, 22, 220, 326 et 37-39.

analogue à celui du *Panégyrique* et Isocrate fait remarquer lui-même les ressemblances qui existent entre les deux œuvres [1].

Le plan, extrêmement clair, est imposé par la double nature de la propagande isocratique. L'entrée en matière (§ 1-8) est fournie par le discours auquel la paix a forcé l'orateur à renoncer, et il exprime le contentement de celui-ci devant la réconciliation de sa patrie et de Philippe. Entrant en matière, Isocrate expose pourquoi il a résolu de s'adresser à Philippe comme au seul homme capable de réaliser son double idéal (§ 9-16), et, en feignant d'exposer l'opinion de ses disciples, il célèbre la puissance et les qualités du roi de Macédoine (§ 17-23). Suit la première partie des conseils proprement dits, celle qui porte sur la réorganisation de la Grèce qui doit se grouper autour de Philippe. Isocrate affirme que c'est à la fois le devoir et l'intérêt de ce dernier de se consacrer à cette tâche (§ 24-38) et qu'en outre les circonstances sont favorables à la réalisation de ce projet (§ 39-72), étant donné d'une part la situation des principales puissances grecques (Sparte, Argos, Thèbes. Athènes étant, de par la paix de Philocrate, l'amie de Philippe), étant donné aussi les exploits accomplis par des gens (Alcibiade, Conon, Denys l'Ancien, Cyrus) moins bien doués que ne l'est le roi de Macédoine. Celui-ci, d'ailleurs, est averti des critiques que ses ennemis dirigent contre lui et, sous prétexte de le justifier, l'orateur lui donne quelques conseils et lui signale les fautes à éviter (§ 73-77). Enfin, pour entraîner Philippe, Isocrate évoque la gloire qui résultera pour lui de cette réconciliation (§ 78-82).

L'union de tous les Grecs n'est, en général, dans la propagande isocratique, que le prélude d'une expansion dirigée contre les Barbares. Le *Philippe* insiste fortement sur la liaison des deux tâches (§ 83-88) et montre combien le roi de Macédoine dispose de ressources supérieures à celles de son adversaire, le roi de Perse (§ 89-104). Conformément à son habitude (qui est aussi celle de beaucoup de ses prédécesseurs et de ses contemporains), Isocrate

1. *Philippe*, 11, 84.

a recours à des arguments tirés de l'histoire ancienne et
de la mythologie, et il prétend démontrer ainsi que l'expédition à laquelle il convie Philippe, est conforme aux traditions qui lui viennent de ses ancêtres et en particulier
du plus illustre d'entre eux, Héraclès, dont le discours
contient un éloge réduit à ses lignes essentielles (§ 105-118).
Arrive enfin l'exposé des résultats qui, au dire de l'orateur,
seront ceux de la politique qu'il préconise : au point de
vue matériel, Philippe deviendra le maître de l'empire
perse, ou, tout au moins, de l'Asie Mineure en son entier,
et il y établira des colonies de mercenaires grecs, assurant
ainsi la sécurité de l'Hellade en même temps que des
débouchés pour son excédent de population et de nouvelles
sources de richesse (§ 119-127); c'est d'ailleurs sur les
résultats moraux de l'expédition qu'Isocrate insiste encore
plus (§ 132-148) et il croit persuader Philippe en exposant
longuement la gloire qu'il y aura pour lui à attacher son
nom à la victoire de la Grèce sur la Perse.

La conclusion associe Philippe et Isocrate dans la
double tâche qu'il s'agit de mener à bien (§ 149-153),
le roi de Macédoine étant destiné par les dieux à la réalisation du plan que l'orateur est chargé de faire accepter
par l'opinion publique. Le discours s'achève par un rappel
des résultats à atteindre, résultats résumés en quelques
formules frappantes (§ 154-155) : Philippe doit être « le
bienfaiteur des Grecs, le roi des Macédoniens, le maître
du plus grand nombre possible de Barbares ».

Isocrate avait quatre-vingt-dix ans quand il composa
le *Philippe*; il prétend que son âge, et aussi la hâte qu'il
avait de répandre ses idées, l'ont empêché de donner à
son œuvre un caractère aussi artistique que celui de ses
discours précédents [1]. C'est même avec quelque irritation
qu'il parle des éloges accordés d'ordinaire à son style,
et c'est avec complaisance qu'il affirme la prééminence
du fond sur la forme [2]. Sans doute craint-il d'être à nouveau en butte aux critiques dont l'éloquence d'apparat

---

1. *Philippe*, 10, 27-30, 83, 110, 149, 153.
2. *Philippe*, 4, 94.

avait été l'objet; elles remontaient au début du ivᵉ siècle ¹,
mais c'est principalement après 360 qu'Isocrate s'était
senti touché par elles; il avait consacré la majeure partie
du *Sur l'Échange* à leur répondre. Il prétend faire du
Philippe non pas une manifestation oratoire, mais, avant
tout, un acte politique ².

D'ailleurs cette simplicité du *Philippe* n'est justifiée
que par comparaison avec les œuvres antérieures du même
auteur, et Isocrate se refuse à oublier les procédés les plus
caractéristiques de son art. Certes le vocabulaire n'a rien
de rare, et ses qualités primordiales sont l'exactitude et
la pureté; mais c'est en cela, à en croire l'orateur ³, que
réside précisément le caractère inimitable de son style;
et, des mots empruntés à la langue usuelle, il sait former
des expressions variées, en évitant ainsi la monotonie.
La redondance n'est pas absente du *Philippe*, mais elle
y est rare ⁴; d'autre part l'auteur, comme dans ses autres
œuvres, sait utiliser la distinction des synonymes pour
préciser certaines nuances de pensée ⁵. Quelques hyperbates, quelques emplois archaïques de τε ⁶ peuvent pro-
venir d'une imitation plus ou moins volontaire de Thucydide. Comme on peut s'y attendre, Isocrate fidèle à ses
préceptes, évite l'hiatus et la répétition de syllabes identiques; mais il ne va pas jusqu'à une application méca-
nique de la règle qui eût abouti à faire de sa phrase une
construction purement artificielle ⁷. Quant aux figures
de style, elles sont extrêmement rares ⁸.

1. Cf. Platon, *Gorgias*, 463 a - 466 a; Alkidamas, *Contre les
Sophistes*, 4-6.
2. *Philippe*, 12-13.
3. *Philippe*, 4; cf. *Panathénaïque*, 3.
4. *Philippe*, 53, 67.
5. *Philippe* 139 (ἄνθρωπος et ἀνήρ), 7 (ὑμῶν αὐτῶν marquant
une nuance que ne donnerait pas ἀλλήλων).
6. Hyperbates: *Phil.*, 17, 18, 22, 24, 116. — τε répété:
Phil., 54, 80.
7. Syllabes répétées: *Phil.*, 14, 78, 89, 98. — Hiatus: *Phil.*,
1, 10, 19, 62, 72, 76, 83, 85, 109 (περί); 22, 85 (ὅτι); 65, 122
(πρό); 14, 38 (καί).
8. *Philippe* 108 (anaphore), 122 (homoioteleuton), 134
(paronomase), 149 (métonymie banale). Il est curieux de

Mais, ce qui caractérise essentiellement le style isocratique, c'est l'emploi de la période, celle-ci consistant, non pas en un groupement purement matériel de mots, mais en une phrase organisée où l'idée principale s'accompagne harmonieusement de tous ses éléments accessoires. Or, dans le *Philippe*, Isocrate continue à manier la période avec sa maîtrise ordinaire. Certes nous n'y trouvons rien qui soit égal à certaines longues périodes du *Panégyrique* ou du *Sur l'Échange*, où l'architecture compliquée de la phrase est destinée à mettre en relief toutes les nuances de la pensée. Il n'en reste pas moins vrai que, le plus souvent, l'idée est présentée sous deux aspects parallèles (...μὲν...δέ...) ou opposés (οὐκ...ἀλλά...) et que la plupart des propositions principales sont éclairées par une série de subordonnées où le rythme est moins employé pour lui-même que pour faire ressortir les rapports entre les idées [1]. Isocrate ne s'interdit même pas des constructions plus compliquées : dans la longue phrase où il oppose les qualités et la situation matérielle des Grecs et des Barbares [2], le mouvement rebondit par trois fois au moyen de ὥστε, sans que la pensée perde de sa clarté. Telle est la virtuosité de l'orateur dans le maniement de la période qu'il réussit même à l'employer pour l'exposition des faits : par exemple toute l'histoire de Sparte depuis Leuctres jusqu'à la paix de Philocrate est résumée et clairement exposée en une seule phrase [3].

Enfin d'autres procédés, plus personnels encore, servent à la fois à l'ornement du discours et à l'argumentation. L'orateur cède parfois la parole à ses élèves, comme il le fait plus d'une fois dans la dernière partie de sa vie, et cette fiction lui permet de faire plus librement l'éloge

noter que tous ces exemples se rencontrent dans la dernière partie du discours.

1. Cf. à titre d'exemple *Philippe*, 15-16, où les expressions parallèles qui expriment la puissance du roi de Macédoine, sont autant d'arguments en faveur de son rôle comme chef de la Grèce.

2. *Philippe*, 124-126.

3. *Philippe*, 48-50.

de Philippe [1]. D'autre part, il reprend la méthode qu'il avait employée dans l'*Hélène* et dans le *Busiris* et qui consistait à transformer les héros mythologiques en vue d'une prédication morale; c'est ainsi qu'il personnifie en Héraclès le héros civilisateur [2].

La simplicité du *Philippe* est donc toute relative, quoi qu'en dise son auteur, et on y trouve encore réunis les principaux procédés de l'école isocratique.

Néanmoins Isocrate prétendait faire avant tout œuvre d'homme politique et, dans sa pensée, son discours était destiné à modifier, au moins pour une part, les destinées de la Grèce. Or il se trouve que, pendant longtemps, ceux qui ont étudié les ouvrages d'Isocrate et l'histoire du ive siècle, ont refusé toute importance politique à son discours. Déjà le professeur anonyme auquel nous devons l'*argument* que nous ont transmis certains manuscrits, ne croyait pas que Philippe eût prêté attention aux suggestions d'Isocrate, et il reportait tout l'effet du discours au règne d'Alexandre. Un jugement encore plus sévère a été porté sur le *Philippe* par beaucoup de critiques et d'historiens du xixe et du début du xxe siècle : on ne veut voir dans cette œuvre que pensées superficielles et arrangement habile de périodes [3]. Une réaction cependant s'est produite depuis une quarantaine d'années, principalement en

1. *Philippe*, 18-21; cf. *Aréopagitique* 56-57, *Panathénaïque*, 204-214.

2. *Philippe*, 109-112; cf. l'éloge d'Agamemnon dans le *Panathénaïque*, 72-89.

3. Cf. par exemple E. Havet, édition du *Sur l'Échange*, p. xlvii-xlviii; H. Ouvré, *Les formes littéraires de la pensée grecque*, pp. 509 et 514; A. Croiset, *Hist. de la littérature grecque*, IV, p. 486; E. Cavaignac, *Hist. de l'antiquité*, II, p. 232; Jardé, *La formation du peuple grec*, p. 406; Gomperz, *Les Penseurs de la Grèce*, trad. Reymond, II, p. 439; M. Croiset, édition de Démosthène, *Harangues*, I, p. xxvii; Glotz-Cohen, *Hist. gr.* III, pp. 300 et 451. P. Cloché, dans Roussel et Cloché, *La Grèce et l'Orient*, pp. 345 et 351, admet qu'Isocrate traduit un certain état de l'opinion grecque, mais que son action sur Philippe est douteuse et son action sur Alexandre, nulle.

Allemagne [1], et certains ont voulu voir en Isocrate l'homme
clairvoyant, le défenseur de la seule politique qui pût
sauver la Grèce [2]. Des vues intermédiaires ont été exprimées [3], et c'est en elles que risque de se trouver la plus
grande part de vérité.

C'est précisément dans les campagnes d'Alexandre que
l'on saisit le moins l'influence d'Isocrate : leurs résultats
dépassent de beaucoup les espérances de l'orateur (et de
tous les Grecs), et la politique d'assimilation des peuples
conquis s'oppose à la fois aux conseils d'Isocrate et à
l'enseignement d'Aristote [4]; néanmoins l'établissement de
colonies militaires aux confins de l'empire rappelle, avec
le souvenir des clérouchies athéniennes, le plan de colonisation que l'orateur proposait pour un domaine moins
étendu [5].

Par contre l'organisation de la ligue de Corinthe, autant
du moins que notre documentation fragmentaire nous
permet d'en juger [6] semble reposer sur quelques-uns des
principes soutenus par Isocrate : paix générale entre les
Grecs, liberté et autonomie des cités, exemption de tribut,
mesures prises pour éviter les coups de mains des bannis,

---

1. Lenschau (dans Kroll, *Die Altertumswissenschaft im letzten
Vierteljahrhundert*, 1905, p. 167); E. Meyer, *Sitzungsbe- richte
der Berliner Akad.*, 1909, I, pp. 765 et 775-776; Kahrstedt,
Forschungen zur Geschichte des vierten Jahrhunderts, pp. 127-
128; Kessler, *Isokrates und die panhellenische Idee*, p. 18; Drerup,
Aus einer alten Advokatenrepublik, pp. 24-40; Beloch, *Griechische
Geschichte*, 2e éd., III, I, p. 255.

2. W. Deonna, *Revue des Études grecques*, 1922, p. 150.

3. Wendland, *Nachrichten der Gesellschaft der Wissenschaften Zu Goettingen*, 1910, p. 135; Kaerst, *Geschichte des
Hellenismus*, I, pp. 142 et 275, note 3; R. Cohen, *La Grèce et
l'hellenisation du monde antique*, p. 366.

4. Cf. *Philippe* 154; Lettre III, 5; Plutarque, *Sur la fortune
d'Alexandre*, I, 6.

5. *Philippe* 122 (cf. antérieurement *Sur la Paix*, 24); voir
G. Radet, *Alexandre le Grand*, pp. 97 et 391.

6. Une inscription d'Épidaure, datant sans doute de 302,
donne quelques renseignements intéressants (cf. Cavvadias,
Arch. Ephem., 1918, pp. 128-148; P. Roussel, *Revue archéo-
logique*, 1923, I, pp. 117-140).

indépendance du roi de Macédoine à l'égard des États grecs avec lesquels il doit collaborer.

Dès le lendemain de Chéronée, certains actes de Philippe étaient conformes à la doctrine isocratique; les préparatifs de guerre contre la Perse étaient poussés activement, et le roi de Macédoine remettait à Athènes le territoire d'Oropos qu'Isocrate reprochait aux Thébains d'avoir enlevé [1].

Philippe n'avait même pas attendu ce moment pour utiliser, en vue de sa propagande, les conseils d'Isocrate. En 340/339, il adressait aux Athéniens une note diplomatique traitant des points en litige entre les deux puissances. Nous en possédons (outre quelques fragments transmis par Didymos dans son *Commentaire sur Démosthène*) une rédaction en laquelle on peut voir celle qui figurait dans l'histoire d'Anaximénès de Lampsaque [2]. Or des analogies frappantes existent entre cette lettre et le *Philippe*, non seulement dans le style, mais aussi dans le fond : hostilité contre la Perse regardée comme l'ennemie héréditaire des Grecs, appel à l'exemple de Denys, attaques contre les orateurs du parti national [3]. Dès la fin de 344, les ambassades de Philippe faisaient espérer aux Athéniens que leur souverain se montrerait plus favorable à Athènes et à ses alliés; et, au printemps de 343, Python de Byzance offrait en son nom une révision de la paix de Philocrate [4].

Si Philippe n'a pas dédaigné de suivre certaines des suggestions d'Isocrate, c'est qu'on pouvait constater que l'orateur n'était pas un isolé, mais le porte-parole le plus connu d'un certain nombre d'Athéniens. Quand

1. Pausanias, I, 34; *Philippe*, 53.
2. P. Foucart, *Étude sur Didymos*, pp. 70-71. M. Croiset (édition de Démosthène, *Harangues*, II, p. 144) fait cependant des réserves sur l'attribution à Anaximénès, tout en reconnaissant la valeur historique du document.
3. Sur ce dernier point, il y a même identité presque absolue entre Isocrate (*Philippe*, 73, 81) et [Démosthène] XII (c'est-à-dire la *Lettre de Philippe*), 19.
4. A ce moment d'ailleurs, Isocrate s'est déjà adressé de nouveau à Philippe (cf. notice de la *Lettre II*).

en 343 Eschine prétend exposer la politique qu'il conseillait à Philippe au printemps de 346, celle-ci ressemble fortement à certaines idées contenues dans le *Philippe* : hostilité à l'égard des Thébains, espoir de compensations pour Athènes notamment à Oropos, appel aux légendes pour soutenir les revendications athéniennes, rappel des services rendus autrefois, conseils de prudence donnés à Philippe [1].

Il y a donc trop de points de contact entre le *Philippe* et la politique ultérieure de la Macédoine pour que l'on voie dans le discours une œuvre sans résultat. Philippe, qui savait comment on pouvait manier l'opinion grecque, n'était pas homme à négliger dans les idées d'Isocrate ce qui était utile à ses plans et il les a employées plus d'une fois. L'orateur athénien peut donc être légitimement rangé parmi ceux auxquels Hégésippos, en 343, reproche d'avoir « fait la leçon » à l'ambassadeur de Philippe [2]. Ce n'est pas à dire cependant que tout, dans la politique macédonienne après 346, puisse s'expliquer par l'influence d'Isocrate ; les plans de celui-ci ont été souvent dépassés et même démentis par les faits ; mais, dans une certaine mesure, l'orateur a préparé l'hégémonie macédonienne qui, sans lui, se serait heurtée à des résistances bien plus vives, et sa vanité ne l'aveugle pas complètement quand il déclare [3] que sa collaboration est nécessaire au succès de la politique de Philippe.

Tradition manuscrite. — Le *Philippe* nous a été conservé par vingt-deux manuscrits ; il est donc loin d'avoir été, à la fin du Moyen Age et lors de la Renaissance, l'un des plus lus parmi les discours politiques d'Isocrate. Les manuscrits qui ont été, et à juste titre, à la base des éditions du xixe siècle, sont, comme pour les autres discours,

---

1. Eschine, *Sur l'Ambassade*, 119, 31, 114 ; Démosthène, *Sur l'Ambassade*, 22 ; cf. *Philippe*, 52-54, 109-112, 68, 140.
2. [Démosthène] (c'est-à-dire Hégésippos), *Sur l'Halonnèse*, 23.
3. *Philippe*, 150-151 ; *Lettre III*, 3.

ceux du groupe ΓΔΕ : *Urbinas gr.* 111 [1], *Vaticanus gr.* 936,
Ambrosianus O 144. Ont été utilisés en outre dans le groupe
dit « de la vulgate » le *Vaticanus gr.* 65 (Λ, qui a surtout
servi à Coraï), le *Laurentianus* LXXXVII-14 (Θ) et le
Parisinus gr. 2932 (Π = K d'Auger), tous deux collationnés
par Buermann. De plus Auger avait consulté les *Parisini
gr.* 2930 (T), 2931, 2990, 2991 (d'ailleurs 2990 ne contient
que les paragraphes 1-17 et 125-155 du *Philippe*), tous du
xve s. Le *Marcianus* 415 (Ξ) a été étudié par Bekker,
puis par Keil (*Hermes*, 1887, p. 641 sqq.); et les leçons
d'un manuscrit de Schaffhouse (*Scaphusianus* 43 = Z),
du xve s., ont été relevées par Baiter.

Un seul papyrus, du iie s. après J.-C., appartenant à la
collection Rainer [2], nous a conservé quelques fragments
des paragraphes 144-117.

Enfin quelques leçons intéressantes se retrouvent dans
les notes que Pietro Vettori (Victorius) avait mises en
marge de son exemplaire de l'édition aldine d'après un
manuscrit maintenant perdu.

G. M.

L'annotation du *Philippe* est due à M. Robert Clavaud,
qui s'est inspiré des travaux de G. Mathieu.

1. Comme pour les volumes précédents, nous avons pu utiliser une reproduction photographique de l'*Urbinas*, appartenant à l'Association Guillaume Budé.
2. Wessely, *Mitteilungen aus der Sammlung der Papyrus
Erzherzog Rainer*, II-III, p. 74; Haeberlin, *Griechische Papyri*,
1897, n° 80; Keil, *Hermes*, 1888, pp. 383-385.

PHILIPPE
(V)

Argument du discours adressé a Philippe. Auteur inconnu.

Il faut savoir qu'Isocrate écrivit ce discours pour
Philippe après la paix due à Eschine, à Démosthène
et à leurs collègues; c'est ce qui lui fournit l'occasion
de s'adresser directement à Philippe devenu ami de
l'État athénien. Sous le voile d'éloges qu'il lui adresse,
Isocrate donne à Philippe le conseil de réconcilier les
grandes puissances grecques, en conflit les unes avec
les autres, et d'organiser une expédition contre les
Perses. « Il te revient, lui dit-il, de faire cela, puisque
tu descends d'Héraclès et que tu es si puissant. » Philippe,
après avoir reçu et lu le discours, ne fut pas convaincu
par ses arguments et remit l'affaire à un autre moment.
Plus tard son fils Alexandre, poussé par la lecture du
discours, partit en expédition contre Darios II surnommé
Okhos [1] (de son véritable nom on l'appelait Okhos, mais
par flatterie les Perses lui donnaient le surnom de
Darios, comme par allusion à ses plus anciens ancêtres).
Le sujet du discours porte sur des questions de fait;
car il donne des conseils. Isocrate l'écrivit dans sa
vieillesse, peu avant sa mort et celle de Philippe, à ce
que dit Hermippos.

1 Ne sois pas surpris, Philippe, que je commence
par parler, non du discours qui doit t'être adressé

---

1. Confusion entre Artaxerxès III Okhos (358-337) contemporain du *Philippe* et Darios III Codoman (335-330).

ΦΙΛΙΠΠΟΣ
(V)

Ὑπόθεσις τοῦ πρὸς Φίλιππον λόγου,
ἀδήλου τοῦ γράψαντος.

Ἰστέον ὅτι τὸν λόγον τοῦτον ἔγραψε τῷ Φιλίππῳ ὁ
Ἰσοκράτης μετὰ τὴν εἰρήνην τὴν γενομένην ὑπὸ τῶν περὶ
τὸν Αἰσχίνην καὶ Δημοσθένην· διὸ καὶ ἔσχε καιρὸν
γράψαι αὐτῷ Φιλίππῳ, ὡς φίλῳ γενομένῳ τῆς Ἀθηναίων
πόλεως. Ἐν σχήματι δὲ τοῦ ἐγκωμιάσαι αὐτὸν παραινεῖ
αὐτῷ διαλλάξαντα τὰς Ἑλληνικὰς πόλεις τὰς μεγάλας,
πρὸς ἑαυτὰς στασιαζούσας, στρατεῦσαι κατὰ Περσῶν.
Πρέπει γάρ σοι, φησί, τοῦτο ποιῆσαι, Ἡρακλείδῃ ὄντι
καὶ οὕτω δυνατῷ. Καὶ ὁ μὲν Φίλιππος λαβὼν τὸν λόγον
καὶ ἀναγνοὺς οὐκ ἐπείσθη τοῖς λεγομένοις, ἀλλ᾽ ἀνεβάλετο
τέως· ὕστερον δὲ ὁ παῖς ὁ τούτου Ἀλέξανδρος ἀναγνοὺς
τὸν λόγον καὶ ἐρεθισθεὶς ἐστράτευσε κατὰ Δαρείου τοῦ
ὑστέρου καὶ λεγομένου Ὤχου. Τὸ μὲν γὰρ κύριον ὄνομα
Ὦχος ἐλέγετο, κολακεύοντες δ᾽ αὐτὸν οἱ Πέρσαι ἐπίκλην
αὐτὸν ὠνόμαζον Δαρεῖον, ὡς πρὸς τοὺς πρώτους προγόνους.

Ἡ δὲ στάσις τοῦ λόγου πραγματική· συμβουλεύει γάρ.
Ἔγραψε δὲ ὁ Ἰσοκράτης τὸν λόγον γέρων ὤν, μικρὸν πρὸ
τῆς ἑαυτοῦ καὶ Φιλίππου τελευτῆς, ὥς φησιν ὁ Ἕρμιπ-
πος.

1 Μὴ θαυμάσῃς, ὦ Φίλιππε, διότι τοῦ λόγου ποιήσομαι
τὴν ἀρχὴν οὐ τοῦ πρὸς σὲ ῥηθησομένου καὶ νῦν δειχθήσεσθαι

Argumentum. **9** οὕτω Benseler: τοιούτῳ codd.

et qui va maintenant t'être présenté, mais de celui que
j'ai écrit au sujet d'Amphipolis. Je veux en dire d'abord
quelques mots pour te faire voir, ainsi qu'aux autres,
que je n'étais ni ignorant des événements ni abusé sur
ma faiblesse présente quand j'ai entrepris de composer
le discours que je t'adresse, qu'au contraire j'ai eu raison
et que j'y ai été amené peu à peu.

2 Voyant tous les maux que produisait la guerre
engagée entre toi et mon pays au sujet d'Amphipolis,
j'avais entrepris d'exposer, touchant cette ville et le pays
d'alentour, des arguments qui ne ressemblent en rien
à ceux de tes compagnons ni à ceux des orateurs de chez
nous, mais qui au contraire s'écartent le plus possible de
leur état d'esprit. **3** Ceux-ci en effet vous excitaient
à la guerre en parlant dans le sens de vos désirs. Pour moi,
je n'exposais aucun des points en litige et je ne m'occupais
que de l'argument que je jugeais le plus propre à amener
la paix, en disant que tous deux vous vous trompez sur
le but à atteindre, que tu combats pour nos intérêts, et
notre cité, pour ta puissance, car il te serait profitable [1]
que nous possédions ce pays et notre ville n'aurait en
aucun cas du profit à le recevoir. **4** Mon exposé paraissait tel à ceux qui l'entendaient, qu'aucun ne louait la
précision et la pureté de la forme et de l'expression (ce
que certains font d'ordinaire), mais qu'ils admiraient
surtout la justesse des pensées et estimaient qu'il n'y
avait qu'un moyen de faire cesser vos conflits : **5** ce
serait que tu te persuades que l'amitié d'Athènes te sera
plus précieuse que les revenus d'Amphipolis, et que notre
cité puisse comprendre qu'elle doit éviter les entreprises
de colonisation semblables à celles qui quatre ou cinq fois
ont fait périr les citoyens qu'on y établissait et chercher
des régions éloignées des gens capables de commander

---

1. L'argument était familier aux Athéniens, car Démosthène
le mentionne comme bien connu de ses auditeurs dans le
plaidoyer contre *Aristocratès* (XXIII, 111), prononcé en 352.

μέλλοντος, ἀλλὰ τοῦ περὶ Ἀμφιπόλεως γραφέντος. Περὶ
οὗ μικρὰ βούλομαι προειπεῖν, ἵνα δηλώσω καὶ σοὶ καὶ τοῖς
ἄλλοις ὡς οὐ δι' ἄγνοιαν οὐδὲ διαψευσθεὶς τῆς ἀρρωστίας
τῆς νῦν μοι παρούσης ἐπεθέμην γράφειν τὸν πρὸς σὲ
λόγον, ἀλλ' εἰκότως καὶ κατὰ μικρὸν ὑπαχθείς.

2 Ὁρῶν γὰρ τὸν πόλεμον τὸν ἐνστάντα σοὶ καὶ τῇ πόλει
περὶ Ἀμφιπόλεως πολλῶν κακῶν αἴτιον γιγνόμενον, ἐπε-
χείρησα λέγειν περί τε τῆς πόλεως ταύτης καὶ τῆς χώρας
οὐδὲν τῶν αὐτῶν οὔτε τοῖς ὑπὸ τῶν σῶν ἑταίρων λεγομένοις
οὔτε τοῖς ὑπὸ τῶν ῥητόρων τῶν παρ' ἡμῖν, ἀλλ' ὡς οἷόν τε
πλεῖστον ἀφεστῶτα τῆς τούτων διανοίας. 3 Οὗτοι μὲν
γὰρ παρώξυνον ἐπὶ τὸν πόλεμον, συναγορεύοντες ταῖς
ἐπιθυμίαις ὑμῶν· ἐγὼ δὲ περὶ μὲν τῶν ἀμφισβητουμένων
οὐδὲν ἀπεφαινόμην, ὃν δ' ὑπελάμβανον τῶν λόγων εἰρηνικώ-
τατον εἶναι, περὶ τοῦτον διέτριβον, λέγων ὡς ἀμφότεροι
διαμαρτάνετε | τῶν πραγμάτων καὶ σὺ μὲν πολεμεῖς ὑπὲρ
τῶν ἡμῖν συμφερόντων, ἡ δὲ πόλις ὑπὲρ τῆς σῆς δυναστείας·
λυσιτελεῖν γὰρ σοὶ μὲν ἡμᾶς ἔχειν τὴν χώραν ταύτην, τῇ
δὲ πόλει μηδ' ἐξ ἑνός τρόπου λαβεῖν αὐτήν. 4 Καὶ περὶ
τούτων οὕτως ἐδόκουν διεξιέναι τοῖς ἀκούουσιν ὥστε
μηδένα τὸν λόγον αὐτῶν μηδὲ τὴν λέξιν ἐπαινεῖν ὡς
ἀκριβῶς καὶ καθαρῶς ἔχουσαν, ὅπερ εἰώθασί τινες ποιεῖν,
ἀλλὰ τὴν ἀλήθειαν τῶν πραγμάτων θαυμάζειν καὶ νομίζειν
οὐδαμῶς ἂν ἄλλως παύσασθαι τῆς φιλονικίας ὑμᾶς, 5
πλὴς εἰ σὺ μὲν πεισθείης πλείονος ἀξίαν ἔσεσθαί σοι τὴν
τῆς πόλεως φιλίαν ἢ τὰς προσόδους τὰς ἐξ Ἀμφιπόλεως
γιγνομένας, ἡ δὲ πόλις δυνηθείη καταμαθεῖν ὡς χρὴ τὰς
μὲν τοιαύτας φεύγειν ἀποικίας, αἵτινες τετράκις ἢ πεν-
τάκις ἀπολωλέκασιν τοὺς ἐμπολιτευθέντας, ζητεῖν δ'
ἐκείνους τοὺς τόπους τοὺς πόρρω μὲν κειμένους τῶν

---

1 5 ἄγνοιαν ΓΕ: ἄνοιαν ΛΝΠ ‖ 6 ἐπεθέμην Γ: ὑπεθ- Λ προεπεθ-
Θ προυπεθ- Ν ‖ 2 2 πολλῶν om. Γ¹ ‖ 3 8 λυσιτελεῖν codd. : -λεῖ Ε.
‖ 4 6 φιλονικίας Γ¹ : -νεικίας Γ² ‖ ὑμᾶς Γ¹ : ὑμᾶς ταύτης Γ²ΕΘΛΠ.

et proches de ceux qui ont l'habitude de la servitude
(comme est celle où les Lacédémoniens ont établi les
gens de Cyrène [1]). 6 En outre tu devrais reconnaître
qu'en nous remettant en apparence ce pays tu en seras
le maître de fait et qu'en plus tu t'assureras de notre
dévouement (car tu auras autant d'otages garants de notre
amitié que nous enverrons de colons vers ton empire).
Et quelqu'un devrait avertir la majorité de nos concitoyens
qu'en recevant Amphipolis nous serons forcés, à cause
des gens établis là-bas, d'avoir le même dévouement pour
tes intérêts que celui que nous avions pour Amadocos [2]
l'ancien à cause des agriculteurs de Chersonèse. 7 Après
beaucoup d'arguments de ce genre, mes auditeurs espé-
rèrent que, si le discours était répandu dans le public,
vous mettriez fin à la guerre, changeriez d'opinion et
prendriez des résolutions communes pour votre propre
bien. Qu'ils aient conjecturé cela avec ou sans raison,
c'est à eux qu'en doit à juste titre incomber la responsabilité. Mais, tandis que je m'occupais ainsi, vous avez
fait la paix avant que j'eusse terminé mon discours, et
vous avez eu raison; car mieux valait la faire à n'importe
quelles conditions qu'être en proie aux maux de la guerre.
8 J'étais également heureux des dispositions votées
pour la paix et je pensais qu'elles profiteraient, non seulement à nous, mais à toi et à tous les Grecs. Mais je ne
pouvais détacher ma pensée de l'avenir et j'étais disposé
à examiner immédiatement comment ce qui avait été
fait pourrait durer sans que notre cité, après un court

1. Le scholiaste d'Eschine (II, 31) mentionne neuf tentatives
athéniennes; Isocrate songe sans doute aux plus célèbres : en
475 aux *Neuf-chemins* (ancien nom d'Amphipolis), en 465 à
Drabescos, en 424 prise d'Amphipolis par Brasidas, en 360
échec de Timothée. Sur Cyrène, cf. Hérodote, IV, 157-164;
Pindare *Pyth.*, IV).
2. Sur Amadocos l'ancien, réconcilié par Thrasybule avec
son rival Seuthès en 390, voir Xénophon, *Hell.*, IV, 8, 26.
Quant à l'importance de la *Chersonnèse*, cf. *Lysias*, XXXII, 15.

ἄρχειν δυναμένων, ἐγγὺς δὲ τῶν δουλεύειν εἰθισμένων, εἰς
οἷόνπερ Λακεδαιμόνιον Κυρηναίους ἀπῴκισαν· 6 πρὸς
δὲ τούτοις, εἰ σὺ μὲν γνοίης ὅτι λόγῳ παραδοὺς τὴν χώραν
ἡμῖν ταύτην αὐτὸς ἔργῳ κρατήσεις αὐτῆς καὶ προσέτι τὴν
εὔνοιαν τὴν ἡμετέραν κτήσει· τοσούτους γὰρ ὁμήρους
λήψει παρ' ἡμῶν τῆς φιλίας, ὅσους περ ἂν ἐποίκους εἰς
τὴν σὴν δυναστείαν ἀποστείλωμεν, τὸ δὲ πλῆθος ἡμῶν εἴ
τις διδάξειεν ὡς, ἂν λάβωμεν Ἀμφίπολιν, ἀναγκασθη-
σόμεθα τὴν αὐτὴν εὔνοιαν ἔχειν τοῖς σοῖς πράγμασι διὰ
τοὺς ἐνταῦθα κατοικοῦντας οἷαν περ εἴχομεν Ἀμαδόκῳ τῷ
παλαιῷ διὰ τοὺς ἐν Χερρονήσῳ γεωργοῦντας. 7 Τοιούτων
δὲ πολλῶν λεγομένων ἤλπισαν, ὅσοιπερ ἤκουσαν, διαδο-
θέντος τοῦ λόγου διαλύσεσθαι τὸν πόλεμον ὑμᾶς καὶ
γνωσιμαχήσαντας βουλεύσεσθαί τι κοινὸν ἀγαθὸν περὶ
ὑμῶν αὐτῶν. Εἰ μὲν οὖν ἀφρόνως ἢ νοῦν ἐχόντως ταῦτ'
ἐδόξαζον, δικαίως ἂν ἐκεῖνοι τὴν αἰτίαν ἔχοιεν· ὄντος δ'
οὖν ἐμοῦ περὶ τὴν πραγματείαν ταύτην ἔφθητε ποιησάμενοι τὴν εἰρήνην πρὶν ἐξεργασθῆναι τὸν λόγον, σωφρο-
νοῦντες· ὅπως γὰρ οὖν | πεπρᾶχθαι κρεῖττον ἦν αὐτὴν ἢ
συνέχεσθαι τοῖς κακοῖς τοῖς διὰ τὸν πόλεμον γιγνομένοις.
8 Συνησθεὶς δὲ τοῖς περὶ τῆς εἰρήνης ψηφισθεῖσιν καὶ
νομίσας οὐ μόνον ἡμῖν ἀλλὰ καὶ σοὶ καὶ τοῖς ἄλλοις
Ἕλλησιν ἅπασι συνοίσειν, ἀποστῆσαι μὲν τὴν ἐμαυτοῦ διάνοιαν τῶν ἐχομένων οὐχ οἷός τ' ἦν, ἀλλ' οὕτω διεκείμην
ὥστ' εὐθὺς σκοπεῖσθαι πῶς ἂν τὰ πεπραγμένα παραμείνειεν
ἡμῖν καὶ μὴ χρόνον ὀλίγον ἡ πόλις ἡμῶν διαλιποῦσα πάλιν

---

6 2 λόγῳ ΓΕΘ σὺ μὲν λόγῳ Λ ‖ 4 κτήσεις ... λήψει Γ¹Ε: κτήσῃ...
λήψῃ Γ²ΛΠ ‖ 5 ἐποίκους ΓΕ : ἀπ- ΘΛΠ ‖ 7 ὡς ἂν Γ¹ : ὡς εἰ ἂν Γ²Ε
ὡς ἦν ΘΛΠ ‖ 9 Ἀμαδόκῳ Γ¹Ε (cf. Harpocrationem s. v.):
Μηδόκῳ Γ²ΘΛΠ ‖ 10 γεωργοῦντας ΓΕ: κατοικοῦντάς τε καὶ γεωργοῦντας Vict. ‖ 7 2 πολλῶν λεγομένων ΓΕ: ὄντων τῇ πόλει τῶν λεγομένων ἡμῖν ΛΞΠ ‖ 2 ἤλπισαν ΓΘΠ: ἔγνωσαν Λ ‖ 3 ὑμᾶς ... ὑμῶν
ΓΕ: ἡμᾶς ... ἡμῶν ΛΞΠ ‖ 5 ἢ ΓΠ: ἢ καὶ Ε ἡμῖν ἢ Λ ἢ οὐ cett. ‖ 9
αὐτὴν ΓΕ: ὑμῖν vel ἡμῖν vulg., om. Λ ‖ 8 3 ἅπασι om. Π.

espace de temps, projetât de nouvelles guerres. **9** En
méditant à ce sujet, je trouvai qu'Athènes ne pourrait
rester en paix que si les principales puissances se récon-
ciliaient pour porter la guerre en Asie et voulaient obtenir
sur les Barbares les avantages qu'elles réclament maintenant des Grecs. C'est d'ailleurs ce que j'ai conseillé dans
le *Panégyrique* [1].

10 Après ces réflexions, jugeant que jamais je ne
trouverais sujet plus beau, plus intéressant ni plus utile
pour nous tous, je fus entraîné à le traiter à nouveau. Je
n'ignorais pas ma situation; je savais bien que ce discours
demandait non pas un homme de mon âge, mais quelqu'un
qui fût dans toute la fleur de son génie et qui eût des
qualités exceptionnelles. **11** Je voyais aussi qu'il est
difficile de composer de façon acceptable deux discours
sur le même sujet, surtout si le premier publié est écrit
de telle sorte que même les envieux nous imitent et l'admirent plus encore que ceux qui lui donnent des louanges
excessives. **12** Cependant, dédaignant toutes ces difficultés, je suis devenu si ambitieux dans ma vieillesse,
que j'ai voulu, tout en te parlant, démontrer et rendre
évident à mes disciples que venir troubler les réunions
solennelles [2] et parler pour tous ceux qui y accourent,
revient à ne parler pour personne; que de tels discours
sont aussi inefficaces que les lois [3] et les constitutions écrites
par les sophistes; **13** que ceux qui veulent, non pas
bavarder en vain, mais agir utilement, et ceux qui croient
avoir trouvé quelque chose d'intéressant pour tous, doivent

---

1. En fait Isocrate insiste moins qu'en 380 sur l'hégémonie
athénienne, pour ne pas retarder la réconciliation des Grecs.

2. Allusion aux *Discours Olympiques* de Gorgias et de Lysias?

3. D'après les expressions choisies par Isocrate (νόμοι, πολιτεῖαι)
on peut croire à une allusion aux œuvres de Platon, mort l'année
précédente et dont les *Lois* avaient été publiées par Philippe
d'Oponte (cf. Diogène Laërce, III, 37). Avec autant d'apparence
on peut songer aussi à *Antisthène*, auteur d'un περὶ νόμου
ἢ περὶ πολιτείας (cf. Diogène Laërce, VI, 1, 16), ou à d'autres

ἑτέρων πολέμων ἐπιθυμήσειεν· 9 διεξιὼν δὲ περὶ τούτων
πρὸς ἐμαυτὸν εὕρισκον οὐδαμῶς ἂν ἄλλως αὐτὴν ἡσυχίαν
ἄγουσαν, πλὴν εἰ δόξειεν ταῖς πόλεσιν ταῖς μεγίσταις
διαλυσαμέναις τὰ πρὸς σφᾶς αὐτὰς εἰς τὴν Ἀσίαν τὸν
πόλεμον ἐξενεγκεῖν καὶ τὰς πλεονεξίας, ἃς νῦν παρὰ τῶν
Ἑλλήνων ἀξιοῦσιν αὐταῖς γίγνεσθαι, ταύτας εἰ παρὰ τῶν
βαρβάρων ποιήσασθαι βουληθεῖεν· ἅπερ ἐν τῷ πανηγυρικῷ
λόγῳ τυγχάνω συμβεβουλευκώς.

10 Ταῦτα δὲ διανοηθεὶς καὶ νομίσας οὐδέποτ᾽ ἂν
εὑρεθῆναι καλλίω ταύτης ὑπόθεσιν οὐδὲ κοινοτέραν οὐδὲ
μᾶλλον ἅπασιν ἡμῖν συμφέρουσαν, ἐπήρθην πάλιν γράψαι
περὶ αὐτῆς, οὐκ ἀγνοῶν οὐδὲν τῶν περὶ ἐμαυτὸν, ἀλλ᾽
εἰδὼς μὲν τὸν λόγον τοῦτον οὐ τῆς ἡλικίας τῆς ἐμῆς δεόμενον ἀλλ᾽ ἀνδρὸς ἀνθοῦσαν τὴν ἀκμὴν ἔχοντος καὶ τὴν
φύσιν πολὺ τῶν ἄλλων διαφέροντος, 11 ὁρῶν δ᾽ ὅτι
χαλεπόν ἐστιν περὶ τὴν αὐτὴν ὑπόθεσιν δύο λόγους ἀνεκτῶς
εἰπεῖν, ἄλλως τε κἂν ὁ πρότερον ἐκδοθεὶς οὕτως ᾖ γεγραμμένος ὥστε καὶ τοὺς βασκαίνοντας ἡμᾶς μιμεῖσθαι καὶ
θαυμάζειν αὐτὸν μᾶλλον τῶν καθ᾽ ὑπερβολὴν ἐπαινούντων.
12 Ἀλλ᾽ ὅμως ἁπάσας ἐγὼ ταύτας τὰς δυσχερείας ὑπεριδὼν οὕτως ἐπὶ γήρως γέγονα φιλότιμος ὥστ᾽ ἠβουλήθην ἅμα
τοῖς πρὸς σὲ λεγομένοις καὶ τοῖς μετ᾽ ἐμοῦ διατρίψασιν
ὑποδεῖξαι καὶ ποιῆσαι φανερὸν ὅτι τὸ μὲν ταῖς πανηγύρεσιν ἐνοχλεῖν καὶ πρὸς ἅπαντας λέγειν τοὺς συντρέχοντας
ἐν αὐταῖς πρὸς οὐδένα λέγειν ἐστίν, ἀλλ᾽ ὁμοίως οἱ τοιοῦτοι
τῶν λόγων ἄκυροι τυγχάνουσιν ὄντες τοῖς νόμοις καὶ ταῖς
πολιτείαις ταῖς ὑπὸ τῶν σοφιστῶν γεγραμμέναις, 13 δεῖ
δέ τοὺς βουλομένους μὴ | μάτην φλυαρεῖν, ἀλλὰ προὔργου
τι ποιεῖν καὶ τοὺς οἰομένους ἀγαθόν τι κοινὸν εὑρηκέναι

9 1 δὲ περὶ Γ : δ᾽ ἕκαστα ΘΛΠ ‖ 10 3 ἅπασιν om. ΘΛΠ ‖ γράψαι
ΓΕ : συγγράψα ΘΛΠ ‖ 5 μὲν post εἰδὼς om. Γ¹ ‖ 11 3 πρότερον
ΓΕ :-ρος ΛΠ ‖ 12 1 ἁπάσας ἐγὼ ΓΕΘ : ἐγὼ ἁπάσας ΛΠ ‖ 2 ἐπὶ
γήρως Γmg.ΘΛΠ : ἐν δυσχερείᾳ Γ¹Ε ‖ ὥστ᾽ ἠδουλήθην ΓΕ : ὥστε
βουληθῆναι ΛΠ ‖ 6 οὐδένα vulg. : οὐθένα ΓΕ.

laisser les autres s'occuper des réunions solennelles, et
choisir eux-mêmes pour leurs conseils un protecteur parmi
les gens qui possèdent avec une grande gloire le pouvoir
de parler et d'agir, cela du moins si quelqu'un doit faire
attention à eux. 14 Ce sont ces pensées qui m'ont
décidé à te parler, sans que je t'aie choisi pour te faire
plaisir (et cependant j'attacherais un grand prix à ce
que mes paroles t'agréent). Ce n'est pas à cela que je songeais : je voyais les autres gens illustres placés sous la
dépendance des États et des lois[1], sans avoir le droit de
faire autre chose que ce qu'on leur ordonnait, et en outre
très inférieurs à la tâche dont je vais parler. 15 Toi
seul as reçu du sort le pouvoir d'envoyer des ambassadeurs[2] vers qui tu veux, d'en recevoir d'où il te plaît, de
dire ce que tu juges utile; et en outre tu as acquis une
richesse et une force supérieures à celle de n'importe quel
Grec : c'est cela seul qui peut persuader et contraindre,
et ce sont ces moyens que je crois nécessaires aux projets
que je vais exposer. 16 En effet, je vais te conseiller
de prendre l'initiative de la concorde entre les Grecs et
de la lutte contre les Barbares; or la persuasion est avantageuse à l'égard des Grecs, la contrainte est utile à l'égard
des Barbares. Telle est à peu près l'esquisse de tout mon
discours.

17 Je n'hésiterai pas à t'expliquer à quel propos certains de mes disciples m'ont critiqué, car je vois à cela
quelque utilité. Comme je leur avais déclaré que j'allais

---

théoriciens : Phaléas de Chalcédoine, Hippodamos de Milet,
Téléclès de Milet (cf. Aristote, *Polit.*, 1265 b 31; 1267 b 22;
1298 a 13).

1. Pour réaliser son plan, Isocrate n'a pas trouvé dans Timothée ni dans Archidamos les hommes qu'il escomptait.

2. L'efficacité diplomatique de Philippe est opposée aux lenteurs athéniennes, (dont Philippe devait profiter en ce moment
même). Démosthène (*Amb.* 184-185) note le fait aussi en démon-
tant à plaisir les rouages de la démocratie athénienne.

τοὺς μὲν ἄλλους ἐᾶν πανηγυρίζειν, αὐτοὺς δ' ὧν εἰση-
γοῦνται ποιήσασθαί τινα προστάτην τῶν καὶ λέγειν καὶ
πράττειν δυναμένων καὶ δόξαν μεγάλην ἐχόντων, εἴπερ
μέλλουσί τινες προσέξειν αὐτοῖς τὸν νοῦν. 14 Ἅπερ
ἐγὼ γνοὺς διαλεχθῆναι σοι προειλόμην, οὐ πρὸς χάριν
ἐκλεξάμενος, καίτοι πρὸ πολλοῦ ποιησαίμην ἄν σοι κεχαρισμένως εἰπεῖν, ἀλλ' οὐκ ἐπὶ τούτῳ τὴν διάνοιαν ἔσχον.
Ἀλλὰ τοὺς μὲν ἄλλους ἑώρων τοὺς ἐνδόξους τῶν ἀνδρῶν
ὑπὸ πόλεσι καὶ νόμοις οἰκοῦντας, καὶ οὐδὲν ἐξὸν αὐτοῖς
ἄλλο πράττειν πλὴν τὸ προσταττόμενον, ἔτι δὲ πόλυ κατα-
δεεστέρους ὄντας τῶν ῥηθησομένων πραγμάτων, 15 σοὶ
δὲ μόνῳ πολλὴν ἐξουσίαν ὑπὸ τῆς τύχης δεδομένην καὶ
πρέσβεις πέμπειν πρὸς οὕστινας ἂν βουληθῇς καὶ δέχεσθαι
παρ' ὧν ἄν σοι δοκῇ καὶ λέγειν ὅ τι ἂν ἡγῇ συμφέρειν,
πρὸς δὲ τούτοις καὶ πλοῦτον καὶ δύναμιν κεκτημένον ὅσην
οὐδεὶς τῶν Ἑλλήνων, ἃ μόνα τῶν ὄντων καὶ πείθειν καὶ
βιάζεσθαι πέφυκεν· ὧν οἶμαι καὶ τὰ ῥηθησόμενα προσδεήσεσθαι. 16 Μέλλω γάρ σοι συμβουλεύειν προστῆναι τῆς
τε τῶν Ἑλλήνων ὁμονοίας καὶ τῆς ἐπὶ τοὺς βαρβάρους
στρατείας· ἔστι δὲ τὸ μὲν πείθειν πρὸς τοὺς Ἕλληνας
συμφέρον, τὸ δὲ βιάζεσθαι πρὸς τοὺς βαρβάρους χρήσιμον.
Ἡ μὲν οὖν περιβολὴ παντὸς τοῦ λόγου τοιαύτη τίς ἐστιν.

17 Οὐκ ὀκνήσω δὲ πρὸς σὲ κατειπεῖν, ἐφ' οἷς ἐλύπησάν
τινές με τῶν πλησιασάντων· οἶμαι γὰρ ἔσεσθαί τι προὔργου.
Δηλώσαντος γάρ μου πρὸς αὐτοὺς ὅτι μέλλω σοι λόγον

13 7 τινες ΓΕΘΛΠ: om. vulg. ‖ αὐτοῖς ΘΛΠ: αὐτῷ ΓΕ ‖
14 3 ἐκλεξάμενος Ε vulg.: ἐκδεξάμενος Γ ‖4 ἐπὶ τούτῳ ΓΕ: ἐπὶ τοῦτο
ΛΠ ‖ ἔσχον Γ²Ε: ἔχων Γ¹ ‖ 6 ἐξὸν Γ²ΕΛ: ἐξων Γ¹ ‖ 7 πλὴν ΓΕ:
ἢ ΘΛΠ ‖ 8 τῶν ῥηθησομένων πραγμάτων Γ²Ε: τῶν ῥηθησομένων Γ¹
τῶν πραγμάτων τῶν ῥηθησομένων ΘΛΠ ‖ 15 3 οὕστινας ἂν βουληθῇς
ΓΕ: οὓς ἂν βουληθείς ΘΛΠ ‖ 7 ῥηθησόμενα Γ¹: νῦν ῥηθησόμενα
Γ²ΕΘΛΠ ‖ προσδεήσεσθαι Γ²Ε: προσδείσεσθαι Γ¹ ‖ 16 4 πρὸς τοὺς
Ἕλληνας συμφέρον ΓΕ: στρατεύειν ἰδίᾳ (ἰδίαν Π) σοι τιμὴν φέρον
ΘΛΠ ‖ 4 βιάζεσθαι πρὸς τοὺς βαρβάρους ΓΕ: ἐπὶ τοὺς βαρβάρους
ΘΛΠ ‖ 17 2 πλησιασάντων ΓΕ²: -ζόντων Γ mg. Ε¹ΘΛΠ.

t'envoyer un discours, non pas pour faire admirer mon
éloquence, ni pour célébrer les guerres que tu as menées
(il y aura d'autres gens pour le faire), mais pour tenter
de t'inciter à des exploits qui te conviennent mieux et qui
soient plus beaux et plus utiles que ceux que tu es maintenant décidé à accomplir, 18 telle fut leur crainte que
la vieillesse ne m'eût enlevé la raison, qu'ils osèrent me
blâmer, ce qu'ils ne faisaient jamais auparavant. Ils me
disaient que je me livrais à une entreprise étrange et trop
insensée. « Tu vas envoyer à Philippe un discours conte-
nant des conseils, à cet homme qui, même s'il se jugeait
jadis inférieur à quelque autre pour l'intelligence, doit
maintenant, à cause de l'importance de ses succès, croire
qu'il peut prendre des décisions meilleures que les autres.
19 De plus, il a autour de lui les plus zélés des Macédoniens qui vraisemblablement (même s'ils sont sans expérience des autres questions), reconnaissent mieux que toi
ce qui lui est utile. En outre, tu peux voir établis là-bas
beaucoup de Grecs[1] qui ne manquent ni de réputation, ni
de sens; et en conférant avec eux, Philippe, bien loin
d'amoindrir son royaume, est arrivé à des résultats dignes
d'être souhaités. 20 Que lui manque-t-il? N'a-t-il pas
fait que les Thessaliens, qui auparavant commandaient
à la Macédoine, sont si bien disposés pour lui que chaque
État a plus de confiance en Philippe qu'en ses confédérés[2],
et que, des cités de cette région, il a amené les unes par
ses bienfaits à s'allier avec lui, et abattu celles qui le tourmentaient le plus? 21 N'a-t-il pas vaincu et, à lui seul,
fait obéir tous les Magnètes, les Perrhèbes et les Péoniens?
N'est-il pas devenu maître et souverain de la plus grande

---

1. Par exemple Python de Byzance, Eumène de Cardia, plus
tard Aristote; ceux-ci gardent selon Isocrate leur indépendance personnelle, même quand leur pays d'origine a été soumis
à Philippe.
2. Au début du ive siècle, de la mort d'Archélaos (392) à
l'avénement de Philippe (360), les Thessaliens étaient inter-

πέμπειν οὐκ ἐπίδειξιν ποιησόμενον οὐδ᾽ ἐγκωμιασόμενον
τοὺς πολέμους τοὺς διὰ σοῦ γεγενημένους, ἕτεροι γὰρ
τοῦτο ποιήσουσιν, ἀλλὰ πειρασόμενόν σε προτρέπειν ἐπὶ
πράξεις οἰκειοτέρας καὶ καλλίους καὶ μᾶλλον συμφερούσας
ὧν νῦν τυγχάνεις προῃρημένος, 18 οὕτως ἐξεπλάγησαν
μὴ διὰ τὸ γῆρας ἐξεστηκὸς ὦ τοῦ φρονεῖν ὥστ᾽ ἐτόλμησαν
ἐπιπλῆξαί μοι πρότερον οὐκ εἰωθότες τοῦτο ποιεῖν,
λέγοντες ὡς ἀτόποις | καὶ λίαν ἀνοήτοις ἐπιχειρῶ πράγ-
μασιν· «ὅστις Φιλίππῳ συμβουλεύσοντα λόγον μέλλεις
πέμπειν, ὃς εἰ καὶ πρότερον ἐνόμιζεν αὐτὸν εἶναί τινος
πρὸς τὸ φρονεῖν καταδεέστερον, νῦν διὰ τὸ μέγεθος τῶν
συμβεβηκότων οὐκ ἔστιν ὅπως οὐκ οἴεται βέλτιον δύνασθαι
βουλεύεσθαι τῶν ἄλλων. 19 Ἔπειτα καὶ Μακεδόνων
ἔχει περὶ αὐτὸν τοὺς σπουδαιοτάτους, οὓς εἰκός, εἰ καὶ
περὶ τῶν ἄλλων ἀπείρως ἔχουσιν, τό γε συμφέρον ἐκείνῳ
μᾶλλον ἢ σὲ γιγνώσκειν. Ἔτι καὶ τῶν Ἑλλήνων πολλοὺς
ἂν ἴδοις ἐκεῖ κατοικοῦντας, οὐκ ἀδόξους ἄνδρας οὐδ᾽
ἀνοήτους, ἀλλ᾽ οἷς ἐκεῖνος ἀνακοινούμενος οὐκ ἐλάττω τὴν
βασιλείαν πεποίηκεν, ἀλλ᾽ εὐχῆς ἄξια διαπέπρακται. 20
Τί γὰρ ἐλλέλοιπεν; Οὐ Θετταλοὺς μὲν τοὺς πρότερον
ἐπάρχοντας Μακεδονίας οὕτως οἰκείως πρὸς αὐτὸν διακεῖσθαι πεποίηκεν ὥσθ᾽ ἑκάστους αὐτῶν μᾶλλον ἐκείνῳ
πιστεύειν ἢ τοῖς συμπολιτευομένοις; Τῶν δὲ πόλεων τῶν
περὶ τὸν τόπον ἐκεῖνον τὰς μὲν ταῖς εὐεργεσίαις πρὸς τὴν
αὑτοῦ συμμαχίαν προσῆκται, τὰς δὲ σφόδρα λυπούσας
αὐτὸν ἀναστάτους πεποίηκεν; 21 Μάγνητας δὲ καὶ
Περραιβοὺς καὶ Παίονας κατέστραπται καὶ πάντας ὑπηκόους αὐτὸς εἴληφεν; Τοῦ δ᾽ Ἰλλυριῶν πλήθους πλὴν τῶν

17 8 προῃρημένος Γ vulg.: προειρ -Ε ‖ 18 2 ἐξεστηκὼς ὦ ΓΕ:
ἐξέστηκα ΘΛΠ ‖ 5 μέλλες Γ¹: μέλλω Γ²ΕΘΛΠ ‖ 20 3 ἐπάρχοντας
ΓΕ: ἐπάρξαντας ΘΛΠ ‖ 8 αὐτὸν om. ΘΛΠ ‖ 21 2 Περραιδοὺς Ε:
Περραιβαίους Γ Περρεβαίους Ζ vulg. ‖ 3 αὐτός Mazon: αὐτοῖς ΓΕ
αὐτοὺς vulg. ‖ 3 Ἰλλυριῶν vulg.: Ἰλλυριοῦ ΓΕ.

partie des Illyriens à l'exception de ceux qui habitent
près de l'Adriatique? N'a-t-il pas établi dans toute la
Thrace les chefs qu'il a voulu [1]? Ne crois-tu pas que l'auteur
de tels exploits taxera de bien grande folie celui qui
lui aura envoyé son livre, qu'il jugera que cet homme a
bien des illusions sur la puissance des discours et sur ses
propres dispositions? » **22**   Quel fut d'abord mon abat-
tement à ces paroles, puis comment je me repris et répondis
à chacun de leurs arguments, je le tairai de peur de paraître
à certains trop satisfait de la défense habile que je leur
ai opposée. Ayant donc réprimandé avec modération, à
mon avis, ceux qui avaient osé me faire des reproches, je
finis par leur promettre de ne montrer mon discours qu'à
eux parmi mes concitoyens et de n'en faire que ce qu'ils
décideraient. **23** Après cela ils partirent, je ne sais
dans quelles dispositions. Mais peu de jours plus tard,
quand le discours fut terminé et leur eut été montré, ils
changèrent d'opinion au point d'avoir honte de leur hardiesse passée, de se repentir de toutes leurs paroles, d'avouer
qu'ils n'avaient jamais fait erreur aussi grande, d'être
plus pressés que moi de t'envoyer ce discours et de dire
qu'ils espéraient que non seulement toi et Athènes, mais
aussi tous les Grecs me seraient reconnaissants de ce que
je disais.

24 Je t'ai exposé cela afin que, si l'une des actions
dont je te parle au début, te paraît incroyable, impossible
ou indigne de toi, tu ne te fâches pas au point de ne plus
écouter la suite et que tu ne partages pas les sentiments
de mes familiers; afin que tu prennes patience et gardes
ton calme jusqu'à ce que tu aies fini d'entendre ce que je dis.

---

venus à plusieurs reprises en Macédoine En 354, les Aleuades
appelèrent Philippe à leur secours et après deux échecs, il
rendit en 352 la liberté à Phères.

1. Les Magnètes, les Perrhèbes, les Péoniens avaient été
soumis. Quant aux Illyriens, vaincus en 359 et 356, Philippe
dut faire une campagne nouvelle en 344 contre le roi Pleuratos.

παρὰ τὸν Ἀδρίαν οἰκούντων ἐγκρατὴς καὶ κύριος γέγονεν ;
Ἁπάσης δὲ τῆς Θρᾴκης οὓς ἠβουλήθη δεσπότας κατέστησεν ; Τὸν δὴ τοσαῦτα καὶ τηλικαῦτα διαπεπραγμένον
οὐκ οἴει πολλὴν μωρίαν καταγνώσεσθαι τοῦ πέμψαντος τὸ
βιβλίον καὶ πολὺ διεψεῦσθαι νομιεῖν τῆς τε τῶν λόγων
δυνάμεως καὶ τῆς αὐτοῦ διανοίας ;» 22 Ταῦτ' ἀκούσας
ὡς μὲν τὸ πρῶτον ἐξεπλάγην καὶ πάλιν ὡς ἀναλαβὼν
ἐμαυτὸν ἀντεῖπον πρὸς ἕκαστον τῶν ῥηθέντων, παραλείψω,
μὴ καὶ δόξω τισὶν λίαν ἀγαπᾶν εἰ χαριέντως αὐτοὺς
ἠμυνάμην· λυπήσας δ' οὖν μετρίως, ὡς ἐμαυτὸν ἔπειθον,
τοὺς ἐπιπλῆξαί μοι τολμήσαντας, τελευτῶν ὑπεσχόμην
μόνοις αὐτοῖς τὸν λόγον τῶν ἐν τῇ πόλει δείξειν καὶ ποιήσειν
οὐδὲν ἄλλο περὶ αὐτοῦ πλὴν ὅ τι ἂν ἐκείνοις δόξῃ. 23
Τούτων ἀκούσαντες ἀπῆλθον, | οὐκ οἶδ' ὅπως τὴν διάνοιαν
ἔχοντες. Πλὴν οὐ πολλαῖς ἡμέραις ὕστερον ἐπιτελεσθέντος
τοῦ λόγου καὶ δειχθέντος αὐτοῖς τοσοῦτον μετέπεσον ὥστ'
ᾐσχύνοντο μὲν ἐφ' οἷς ἐθρασύναντο, μετέμελεν δ' αὐτοῖς
ἁπάντων τῶν εἰρημένων, ὡμολόγουν δὲ μηδενὸς πώποτε
τοσοῦτον πράγματος διαμαρτεῖν, ἔσπευδον δὲ μᾶλλον ἠγὼ
πεμφθῆναί σοι τὸν λόγον τοῦτον, ἔλεγον δ' ὡς ἐλπίζουσιν
οὐ μόνον σὲ καὶ τὴν πόλιν ἕξειν μοι χάριν ὑπὲρ τῶν εἰρημένων ἀλλὰ καὶ τοὺς Ἕλληνας ἅπαντας.

24 Τούτου δ' ἕνεκά σοι ταῦτα διῆλθον, ἵν' ἄν τί σοι
φανῇ τῶν ἐν ἀρχῇ λεγομένων ἢ μὴ πιστὸν ἢ μὴ δυνατὸν ἢ
μὴ πρέπον σοι πράττειν, μὴ δυσχεράνας ἀποστῇς τῶν
λοιπῶν μηδὲ πάθῃς ταὐτὸν τοῖς ἐπιτηδείοις τοῖς ἐμοῖς,
ἀλλ' ἐπιμείνῃς ἡσυχάζουσαν ἔχων τὴν διάνοιαν, ἕως ἂν
διὰ τέλους ἀκούσῃς ἁπάντων τῶν λεγομένων. Οἶμαι γὰρ

21 4 παρὰ ΓΕ : περὶ ΘΛΠ ‖ 6 τοσαῦτα Jacob (coll. 98, VIII,
140) : τοιαῦτα ΓΕ τοιοῦτον ΘΛΠ ‖ 8 βιβλίον codd. : βυβλίον Γ ‖
22 4 λίαν ΓΕ : om. cett. ‖ 5 οὖν ΓΕ : οὖν οὐ ΘΛΠ. ‖ 23 5 ἐθρασύναντο ΓΕ : -νοντο ΘΛΠ ‖ 7 ἠγὼ Γ : ἢ ἐγὼ Ε ἢ τω Θ ἢ τὸ Π ἢ τοῦ
Λ¹ εἰς τὸ Λ² ‖ 24 2 φανῇ ΓΕ : φαίνεται ΛΠ ‖ 4 ταὐτὸν codd. :
ταὐτὸ Γ ‖ τοῖς (om. ΠΛ¹) ἐμοῖς codd. : ἐμοὶ Λ².

Car je crois que je te dirai ce qu'il faut et ce qui t'est avantageux. **25** Je n'ignore pas cependant la différence qu'il y a pour l'effet persuasif entre les discours prononcés et les discours lus, [1] et tout le monde est d'avis, je le sais, que l'on prononce des discours sur les affaires sérieuses et que l'on écrive ceux qui visent à la déclamation pure et au profit de l'écrivain. **26** Cette opinion n'est pas sans fondement. Quand le discours est démuni de l'autorité de l'orateur, des inflexions de voix dont usent les rhéteurs dans leurs lectures, quand il n'est pas soutenu non plus par l'opportunité et par l'intérêt que l'on porte à l'entreprise, quand il n'a rien pour l'aider à convaincre, qu'il reste privé de tout cela et désarmé pour ainsi dire, quand on le lit [2] sur un ton peu persuasif, sans y mettre aucun sentiment, comme si l'on détaillait un compte, **27** naturellement, à mon avis, le discours paraît de peu de valeur à ceux qui l'entendent. C'est ce qui nuirait extrêmement à celui que l'on va te montrer et le ferait paraître de bien peu de valeur. En effet nous ne l'avons pas même orné de la cadence et de la variété de style que j'employais quand j'étais plus jeune et dont j'ai donné l'exemple aux autres pour qu'ils rendent leurs discours à la fois plus agréables et plus convaincants. **28** Mon âge m'empêche d'employer ces procédés et il me suffit de pouvoir exposer simplement les faits en eux-mêmes. Or je pense qu'il est particulièrement digne de toi de négliger tout le reste pour ne faire attention qu'aux faits. C'est ainsi que tu pourras examiner le plus exactement et le mieux si nous disons quelque chose de sérieux. **29** Laisse donc de côté ce qu'on peut trouver importun chez les sophistes et dans les discours lus; reprends chacune des idées et examines-en le sens, non pas en passant et avec insouciance, mais avec la réflexion et le sens critique que tu possèdes aussi, dit-on. C'est par un examen de cette

---

1. Il y a là comme un écho du *Phèdre* de Platon (275 e).
2. C'est un conseil détourné au lecteur attitré de Philippe.

ἐρεῖν τι τῶν δεόντων καὶ τῶν σοὶ συμφερόντων. 25 Καίτοι μ᾽ οὐ λέληθεν, ὅσον διαφέρουσιν τῶν λόγων εἰς τὸ πείθειν οἱ λεγόμενοι τῶν ἀναγιγνωσκομένων, οὐδ᾽ ὅτι πάντες ὑπειλήφασιν τοὺς μὲν περὶ σπουδαίων πραγμάτων καὶ κατεπειγόντων ῥητορεύεσθαι, τοὺς δὲ πρὸς ἐπίδειξιν καὶ πρὸς ἐργολαβίαν γεγράφθαι. 26 Καὶ ταῦτ᾽ οὐκ ἀλόγως ἐγνώκασιν· ἐπειδὰν γὰρ ὁ λόγος ἀποστερηθῇ τῆς τε δόξης τῆς τοῦ λέγοντος καὶ τῆς φωνῆς καὶ τῶν μεταβολῶν τῶν ἐν ταῖς ῥητορείαις γιγνομένων, ἔτι δὲ τῶν καιρῶν καὶ τῆς σπουδῆς τῆς περὶ τὴν πρᾶξιν, καὶ μηδὲν ᾗ τὸ συναγωνιζόμενον καὶ συμπεῖθον, ἀλλὰ τῶν μὲν προειρημένων ἁπάντων ἔρημος γένηται καὶ γυμνὸς, ἀναγιγνώσκῃ δέ τις αὐτὸν ἀπιθάνως καὶ μηδὲν ἦθος ἐνσημαινόμενος ἀλλ᾽ ὥσπερ ἀπαριθμῶν, 27 εἰκότως, οἶμαι, φαῦλος εἶναι δοκεῖ τοῖς ἀκούουσιν. Ἅπερ καὶ τὸν νῦν ἐπιδεικνύμενον μάλιστ᾽ ἂν βλάψειεν καὶ φαυλότερον φαίνεσθαι ποιήσειεν· οὐδὲ γὰρ ταῖς περὶ τὴν λέξιν εὐρυθμίαις καὶ ποικιλίαις κεκοσμήκαμεν αὐτὸν, αἷς αὐτός τε νεώτερος ὢν ἐχρώμην καὶ τοῖς ἄλλοις ὑπέδειξα, δι᾽ ὧν τοὺς λόγους ἡδίους ἂν ἅμα καὶ πιστοτέρους ποιοῖεν. 28 | ῟Ων οὐδὲν ἔτι δύναμαι διὰ τὴν ἡλικίαν, ἀλλ᾽ ἀπόχρη μοι τοσοῦτον, ἢν αὐτὰς τὰς πράξεις ἁπλῶς δυνηθῶ διελθεῖν. Ἡγοῦμαι δὲ καὶ σοὶ προσήκειν ἁπάντων τῶν ἄλλων ἀμελήσαντι ταύταις μόναις προσέχειν τὸν νοῦν. Οὕτω δ᾽ ἂν ἀκριβέστατα καὶ κάλλιστα θεωρήσειας εἴ τι τυγχάνομεν λέγοντες, 29 ἢν τὰς μὲν δυσχερείας τὰς περὶ τοὺς σοφιστὰς καὶ τοὺς ἀναγιγνωσκομένους τῶν λόγων ἀφέλῃς, ἀναλαμβάνων δ᾽ ἕκαστον αὐτῶν εἰς τὴν διάνοιαν ἐξετάζῃς, μὴ πάρεργον ποιούμενος μηδὲ μετὰ ῥαθυμίας ἀλλὰ μετὰ λογισμοῦ καὶ φιλοσοφίας, ἧς καὶ σὲ μετεσχηκέναι φασίν. Μετὰ γὰρ τούτων σκοπούμενος

26 1 ἀλόγως ΓΕ : κακῶς ΘΛΠ ‖ 4 ἔτι δὲ Γ¹Ε : ἔτι δὲ καὶ Γ²ΘΛΠ ‖ 27 6 ἡδίους ἂν ΓΕ : ἡδίους θ᾽ ἅμα ΘΛΠ ‖ 28 4 ἀμελήσαντι codd. : σαντες Ε ‖ 6 εἴ τι τυγχάνομεν Vict. : εἰ τυγχάνομεν Γ εἴ τι τυγχάνοιμεν ΕΘΛΠ.

sorte, plutôt qu'en suivant l'opinion de la foule, que tu
prendras une meilleure décision sur ces entreprises.

Voilà donc ce que je voulais dire tout d'abord. 30
Je vais maintenant parler du sujet même de ce discours.
J'affirme qu'il te faut, sans négliger en rien tes intérêts
particuliers, tenter de réconcilier Argos, Lacédémone,
Thèbes et Athènes. Si tu peux les associer, tu amèneras
sans difficulté les autres États à s'accorder, 31 car
tous en dépendent et ont recours, quand ils redoutent
un danger, à l'une quelconque de ces villes dont ils reçoivent
du secours. Si donc tu décides seulement quatre cités à
être raisonnables, tu délivreras les autres aussi de bien
des maux.

32 Tu peux juger que tu n'as le droit de négliger aucun
de ces États, si tu remontes à leurs rapports avec tes
ancêtres : tu trouveras qu'à votre égard chacun a fait
preuve d'une grande affection et rendu d'importants
services. Argos [1] est le pays de tes pères et il est juste que
tu aies pour elle les mêmes égards que pour tes parents.
Les Thébains honorent l'ancêtre de votre famille dans
leurs processions et leurs sacrifices plus que les autres
dieux [2]. 33 Les Lacédémoniens ont donné pour toujours
à ses descendants la royauté et le commandement. Enfin
notre cité, à ce que disent ceux à qui nous nous fions pour
les traditions anciennes, a contribué à l'immortalité
d'Héraclès (de quelle façon, tu pourras le savoir facilement une autre fois, mais ce n'est pas pour moi le moment
de le dire) et aussi au salut de ses enfants : 34 seule
elle s'exposa aux plus grands dangers en luttant contre
la puissance d'Eurysthée, l'arrêta dans sa plus grande

---

1. En tant qu'Héraclides, les rois de Macédoine (*Argéades*)
se rattachent à Argos. Cette tradition repose sur une identi-
fication de l'Argos péloponnésienne et de l'Argos d'Orestide.

2. Les fêtes d'Héraclès à Thèbes étaient si célèbres, que le
héros passe souvent pour plus thébain qu'argien. Sur son culte
à Sparte, cf. Hérodote VI, 56.

μᾶλλον ἢ μετὰ τῆς τῶν πολλῶν δόξης ἄμεινον ἂν βουλεύσαιο περὶ αὐτῶν. Ἃ μὲν οὖν ἐβουλόμην μοι προειρῆσθαι,
ταῦτ᾽ ἐστίν. 30 Περὶ δ᾽ αὐτῶν τῶν πραγμάτων ἤδη
ποιήσομαι τοὺς λόγους. Φημὶ γὰρ χρῆναί σε τῶν μὲν ἰδίων
μηδενὸς ἀμελῆσαι, πειραθῆναι δὲ διαλλάξαι τήν τε πόλιν
τὴν Ἀργείων καὶ τὴν Λακεδαιμονίων καὶ τὴν Θηβαίων καὶ
τὴν ἡμετέραν. Ἢν γὰρ ταύτας συστῆσαι δυνηθῇς, οὐ
χαλεπῶς καὶ τὰς ἄλλας ὁμονοεῖν ποιήσεις. 31 Ἅπασαι
γάρ εἰσιν ὑπὸ ταῖς εἰρημέναις καὶ καταφεύγουσιν, ὅταν
φοβηθῶσιν, ἐφ᾽ ἣν ἂν τύχωσιν τούτων, καὶ τὰς βοηθείας
ἐντεῦθεν λαμβάνουσιν. Ὥστ᾽ ἂν τέτταρας μόνον πόλεις εὖ
φρονεῖν πείσῃς, καὶ τὰς ἄλλας πολλῶν κακῶν ἀπαλλάξεις.

32 Γνοίης δ᾽ ἂν ὡς οὐδεμιᾶς σοι προσήκει τούτων
ὀλιγωρεῖν, ἢν ἀνενέγκῃς αὐτῶν τὰς πράξεις ἐπὶ τοὺς
σαυτοῦ προγόνους· εὑρήσεις γὰρ ἑκάστῃ πολλὴν φιλίαν
πρὸς ὑμᾶς καὶ μεγάλας εὐεργεσίας ὑπαρχούσας. Ἄργος
μὲν γάρ ἐστίν σοι πατρίς, ἧς δίκαιον τοσαύτην σε ποιεῖσθαι
πρόνοιαν ὅσην περ τῶν γονέων τῶν σαυτοῦ· Θηβαῖοι δὲ τὸν
ἀρχηγὸν τοῦ γένους ὑμῶν τιμῶσιν καὶ ταῖς προσόδοις καὶ
ταῖς θυσίαις μᾶλλον ἢ τοὺς θεοὺς τοὺς ἄλλους· 33 Λακεδαιμόνιοι δὲ τοῖς ἀπ᾽ ἐκείνου γεγονόσιν καὶ τὴν βασιλείαν
καὶ τὴν ἡγεμονίαν εἰς ἅπαντα τὸν χρόνον δεδώκασιν· | τὴν
δὲ πόλιν τὴν ἡμετέραν φασίν, οἷσπερ περὶ τῶν παλαιῶν
πιστεύομεν, Ἡρακλεῖ μὲν συναιτίαν γενέσθαι τῆς ἀθανασίας
— ὃν δὲ τρόπον, σοὶ μὲν αὖθις πυθέσθαι ῥᾴδιον, ἐμοὶ δὲ
νῦν εἰπεῖν οὐ καιρός — τοῖς δὲ παισὶ τοῖς ἐκείνου τῆς
σωτηρίας. 34 Μόνη γὰρ ὑποστᾶσα τοὺς μεγίστους κινδύνους πρὸς τὴν Εὐρυσθέως δύναμιν ἐκεῖνόν τε τῆς μεγίστης ὕβρεως ἔπαυσεν καὶ τοὺς παῖδας τῶν φόβων τῶν ἀεὶ

---

29 8 μοι ΓΕ²Λ: σοι vulg. ‖ 30 6 χαλεπῶς Γ: χαλεπῶς οἶμαι
Γmg. Ε vulg. ‖ 32 3 σαυτοῦ Γ: σοὺς ΘΛΠ ‖ ἑκάστῃ ΓΕΛ: ἐν
ἑκάστῃ vulg. ‖ 33 4 οἷσπερ περὶ Blass.: οἷσπερ ΓΕ οἷς περὶ ΘΛΠ
‖ 5 συναιτίαν Γ²Ε: οὖν αἰτίαν Γ¹ αἰτίαν ΘΛΠ ‖ 34 2 τῆς μεγίστης
ὕβρεως ΓΕ: τῆς ὕβρεως vulg.

insolence et délivra les enfants d'Héraclès des craintes
qui les assaillaient sans cesse[1]. C'est de quoi nous avons le
droit de recevoir de la reconnaissance, non seulement de
ceux qui ont été sauvés alors, mais aussi de leurs descendants : en effet c'est grâce à nous qu'ils vivent et jouissent
de leurs biens présents : si leurs ancêtres n'avaient pas été
sauvés, il ne leur était même pas possible d'exister.

35 Étant donnés les actes de toutes ces cités, tu n'aurais
pas dû même entrer en conflit avec l'une d'entre elles.
Mais notre nature nous porte plus aux fautes qu'au bien.
Il est donc juste de considérer les événements passés
comme imputables aux deux partis; mais il faut prendre
garde pour l'avenir que rien de pareil ne t'arrive, et il
faut examiner quel bien tu peux leur faire pour montrer
que tu accomplis ce qui est digne de toi et des services
qu'elles t'ont rendus.   **36**   Or les circonstances te sont favorables. Quand tu leur rendras ce que tu leur devais, elles
croiront, par suite du long temps écoulé depuis leurs services, que tu prends l'initiative des bienfaits. Or il est beau
de sembler faire du bien aux grands États, tout en se rendant à soi-même un service non moins grand qu'à eux.   **37**
De plus si tu as quelque difficulté avec l'une de ces villes,
tu mettras fin à tout cela; car les bienfaits présents[2] font
oublier les torts réciproques du passé. Et en outre il est
visible que tous les hommes se souviennent surtout de
ceux qui leur ont rendu service dans le malheur.   **38**
Or tu vois comme les cités grecques souffrent de la guerre
et comme elles ressemblent aux individus qui se battent :
tant que la colère augmente, personne ne pourrait les
réconcilier; lorsqu'ils se sont fait mutuellement du mal,

1. Allusion sans doute à la tradition qui montre en Thésée
un protecteur d'Héraclès. Quant au salut des enfants d'Héraclès,
c'est le thème bien connu des *Héraclides* d'Euripide.
2. Sans doute allusion aux services que les Athéniens atten-
daient de Philippe dans les questions encore en litige (Halonnèse, Eubée, Oropos, Phocide).

παραγιγνομένων αὐτοῖς ἀπήλλαξεν. Ὑπὲρ ὧν οὐ μόνον
τοὺς τότε σωθέντας δίκαιον ἦν ἡμῖν χάριν ἔχειν, ἀλλὰ καὶ
τοὺς νῦν ὄντας· διὰ γὰρ ἡμᾶς καὶ ζῶσι καὶ τῶν ὑπαρχόντων ἀγαθῶν ἀπολαύουσι· μὴ γὰρ σωθέντων ἐκείνων οὐδὲ
γενέσθαι τὸ παράπαν ὑπῆρχεν αὐτοῖς.

35 Τοιούτων οὖν ἁπασῶν τῶν πόλεων γεγενημένων
ἔδει μὲν μηδέποτέ σοι μηδὲ πρὸς μίαν αὐτῶν γενέσθαι
διαφοράν. Ἀλλὰ γὰρ ἅπαντες πλείω πεφύκαμεν ἐξαμαρ-
τάνειν ἢ κατορθοῦν. Ὥστε τὰ μὲν πρότερον γεγενημένα
κοινὰ θεῖναι δίκαιόν ἐστιν, εἰς δὲ τὸν ἐπίλοιπον χρόνον
φυλακτέον ὅπως μηδὲν συμβήσεταί σοι τοιοῦτον, καὶ σκεπτέον τί ἂν ἀγαθὸν αὐτὰς ἐργασάμενος φανείης ἄξια καὶ
σαυτοῦ καὶ τῶν ἐκείναις πεπραγμένων πεποιηκώς. 36
Ἔχεις δὲ καιρόν· ἀποδιδόντα γάρ σε χάριν ὧν ὤφειλες,
ὑπολήψονται διὰ τὸ πλῆθος τοῦ χρόνου τοῦ μεταξὺ προϋ-
πάρχειν τῶν εὐεργεσιῶν. Καλὸν δ᾽ ἐστὶν δοκεῖν μὲν τὰς
μεγίστας τῶν πόλεων εὖ ποιεῖν, μηδὲν δ᾽ ἧττον ἑαυτὸν ἢ
᾽κείνας ὠφελεῖν. 37 Χωρὶς δὲ τούτων εἰ πρός τινας
αὐτῶν ἀηδές τί σοι συμβέβηκεν, ἅπαντα ταῦτα διαλύσεις·
αἱ γὰρ ἐν τοῖς παροῦσι καιροῖς εὐεργεσίαι λήθην ἐμποιοῦσι
τῶν πρότερον [ὑμῖν] εἰς ἀλλήλους πεπλημμελημένων. Ἀλλὰ
μὴν κἀκεῖνο φανερόν, ὅτι πάντες ἄνθρωποι τούτων πλείστην
μνείαν ἔχουσιν ὑφ᾽ ὧν ἂν ἐν ταῖς συμφοραῖς εὖ πάθωσιν.
38 Ὁρᾷς δ᾽ ὡς τεταλαιπώρηνται διὰ τὸν πόλεμον καὶ ὡς
παραπλησίως ἔχουσιν τοῖς ἰδίᾳ μαχομένοις. Καὶ γὰρ
ἐκείνους αὐξανομένης τῆς ὀργῆς οὐδεὶς ἂν διαλλάξειεν·
ἐπὴν δὲ κακῶς ἀλλήλους διαθῶσιν, οὐδενὸς διαλύοντος

---

34 7 οὐδὲ ΓΕ : οὐδὲ ἂν Λ *Vict.* ‖ **35** 2 σοι om. ΘΛΠ ‖ 8 ἐκείναις
Γ : -νης Ε -νοις ΛΠ ‖ **36** 2 ὤφειλες ΓΕ : ὀφείλεις ΘΛΠ ‖ 5 ἑαυτὸν
ΓΕ : σεαυτὸν ΛΠ σαυτὸν Θ ‖ 6 ὠφελεῖν ΓΘΠ : φέρειν Λ¹ συμφέρειν Λ²
‖ **37** 3 ἐμποιοῦσι ΓΕ : ἐμποιήσουσι ΘΛΠ ‖ 4 ὑμῖν (quod Γ exhibet)
delet Dobree : ἡμῖν ΕΘΛΠ ‖ 6 ὑφ᾽ ὧν Γ : ὧν cett. ‖ **38** 3 αὐξανομένης ΘΛΠ : αὐξομένης ΓΕ ‖ 4 ἐπὴν Γ : ἐπὰν Ε.

ils se séparent sans nulle médiation[1]. C'est ce qu'elles feront,
je crois, si tu ne te hâtes pas de t'occuper d'elles.

39 Peut-être quelqu'un oserait-il s'opposer à ce que
je viens de dire, en affirmant que je cherche à te conseiller
une entreprise impossible; car, selon lui, jamais les Argiens
ne deviendraient amis des Lacédémoniens, ni ceux-ci
des Thébains; ni en général ceux qui ont eu sans cesse
l'habitude de dominer, ne pourraient accepter la même
part les uns que les autres. **40** Pour moi, je pense qu'au
moment où notre cité ou encore celle des Lacédémoniens
commandait à la Grèce, rien de tout cela n'aurait pu être
mené à bonne fin, car chacune des deux aurait pu facilement s'opposer à toute tentative. Mais maintenant je
n'ai plus la même opinion à leur sujet : je sais que le malheur
les a toutes mises sur le même plan[2], et ainsi je pense qu'elles
préféreront les avantages de la concorde aux privilèges
dus à leur conduite passée. **41** De plus je reconnais
que nul autre ne pourrait réconcilier ces États, tandis
que rien de cela ne t'est difficile. Je vois que tu as accompli
bien des actions qui paraissaient aux autres inattendues
et extraordinaires; aussi ne serait-il pas étonnant que tu
fusses le seul à pouvoir réaliser cette union. Or il faut
que ceux qui possèdent quelque supériorité et une noble
ambition, au lieu d'entreprendre ce qu'un homme du
commun pourrait accomplir, s'attaquent à ce que personne
ne peut essayer s'il n'a une nature et une puissance semblables à la tienne.

42 Je m'étonne que certains jugent impossible la
réalisation de ces projets, ne sachant pas par eux-mêmes
et n'ayant pas appris que ceux qui ont mis fin par la paix
à bien des guerres terribles se sont rendu souvent de
grands services mutuels. Quelle haine peut dépasser celle
que les Grecs eurent pour Xerxès? Cependant c'est son

---

1. Voir une semblable comparaison dans Dém., VI, 40-41.
2. Cf. *Archidamos*, 65. Isocrate voit enfin ce qui avait empêché
le *Panégyrique* d'avoir aucune action dans la lutte contre la Perse.

αὐτοὶ διέστησαν. Ὅπερ οἶμαι καὶ ταύτας ποιήσειν, | ἢν μὴ σὺ πρότερον αὐτῶν ἐπιμεληθῇς.

39 Τάχ᾽ οὖν ἄν τις ἐνστῆναι τοῖς εἰρημένοις τολμήσειεν, λέγων ὡς ἐπιχειρῶ σε πείθειν ἀδυνάτοις ἐπιτίθεσθαι πράγμασιν· οὔτε γὰρ Ἀργείους φίλους ἄν ποτε γενέσθαι Λακεδαιμονίοις οὔτε Λακδαιμονίους Θηβαίοις οὔθ᾽ ὅλως τοὺς εἰθισμένους ἅπαντα τὸν χρόνον πλεονεκτεῖν οὐδέποτ᾽ ἂν ἰσομοιρῆσαι πρὸς ἀλλήλους. 40 Ἐγὼ δ᾽ ὅτε μὲν ἡ πόλις ἡμῶν ἐν τοῖς Ἕλλησιν ἐδυνάστευεν καὶ πάλιν ἡ Λακεδαιμονίων, οὐδὲν ἂν ἡγοῦμαι περανθῆναι τούτων· ῥᾳδίως γὰρ ἂν ἑκατέραν ἐμποδὼν γενέσθαι τοῖς πραττομένοις· νῦν δ᾽ οὐχ ὁμοίως ἔγνωκα περὶ αὐτῶν. Οἶδα γὰρ ἁπάσας ὡμαλισμένας ὑπὸ τῶν συμφορῶν, ὥσθ᾽ ἡγοῦμαι πολὺ μᾶλλον αὐτὰς αἱρήσεσθαι τὰς ἐκ τῆς ὁμονοίας ὠφελείας ἢ τὰς ἐκ τῶν τότε πραττομένων πλεονεξίας. 41 Ἔπειτα τῶν μὲν ἄλλων ὁμολογῶ μηδέν᾽ ἂν δυνηθῆναι διαλλάξαι τὰς πόλεις ταύτας, σοὶ δ᾽ οὐδὲν τῶν τοιούτων ἐστὶν χαλεπόν. Ὁρῶ γάρ σε τῶν τοῖς ἄλλοις ἀνελπίστων δοκούντων εἶναι καὶ παραδόξων πολλὰ διαπεπραγμένον, ὥστ᾽ οὐδὲν ἄτοπον εἰ καὶ ταῦτα μόνος συστῆσαι δυνηθείης. Χρὴ δὲ τοὺς μέγα φρονοῦντας καὶ τοὺς διαφέροντας μὴ τοῖς τοιούτοις ἐπιχειρεῖν ἃ καὶ τῶν τυχόντων ἄν τις καταπράξειεν, ἀλλ᾽ ἐκείνοις οἷς μηδεὶς ἂν ἄλλος ἐπιχειρήσειε πλὴν τῶν ὁμοίαν σοὶ καὶ τὴν φύσιν καὶ τὴν δύναμιν ἐχόντων.

42 Θαυμάζω δὲ τῶν ἡγουμένων ἀδύνατον εἶναι πραχθῆναί τι τούτων, εἰ μήτ᾽ αὐτοὶ τυγχάνουσιν εἰδότες μήθ᾽ ἑτέρων ἀκηκόασιν ὅτι πολλοὶ δὴ πόλεμοι καὶ δεινοὶ γεγόνασιν, οὓς οἱ διαλυσάμενοι μεγάλων ἀγαθῶν ἀλλήλοις αἴτιοι κατέστησαν. Τίς γὰρ ἂν ὑπερβολὴ γένοιτο τῆς ἔχθρας τῆς

---

39 4 οὔτε Λακεδαιμονίους ΓΕ : οὔτ᾽ ἂν Λακ- ΛΠ ‖ **40** 3 ἡγοῦμαι Γ¹Ε : ἡγούμην Γ²ΘΛΠ ‖ **41** 4 εἶναι Γ¹ΕΛΠ : εἶναι ἂν Γ² ‖ 5 μόνος Γ¹ : μόνος ἂν cett. ‖ 7 τοῖς τοιούτοις ΓΕ : τοιούτοις cett. ‖ 9 ἄλλος codd. : ἄλλως Γ¹Ε ‖ ἐπιχειρήσειε codd. : ἐπεχείρησε Γ¹.

amitié, tous le savent, que les Lacédémoniens et nous,
nous avons préférée à celle des peuples qui nous avaient
aidés à acquérir notre puissance.[1] 43 Et à quoi bon
parler de ce qui est ancien et touche à nos rapports avec
les Barbares? Si quelqu'un regardait et examinait les
malheurs des Grecs, il verrait qu'ils ne sont rien à côté
de ceux que nous ont causés les Thébains et les Lacédémoniens. Néanmoins quand les Lacédémoniens ont marché
contre les Thébains[2] et ont voulu ravager la Béotie et
séparer les cités, nous sommes allés au secours des Thébains
pour mettre obstacle aux désirs des Lacédémoniens. 44
Quand la fortune a changé et que les Thébains et tous les
Péloponnésiens ont tenté de détruire Sparte[3], nous avons
été les seuls Grecs à nous allier aux Lacédémoniens et à
contribuer à leur salut. 45 Donc bien peu raisonnable
serait l'homme qui verrait de tels changements dans le
passé, qui verrait les États ne tenir compte ni de la haine,
ni des serments, ni de rien sauf de ce qu'ils jugent
conforme à leur intérêt, ne s'attacher qu'à cela et mettre
tout leur zèle à s'en occuper, et qui ne penserait pas
que maintenant encore ils auront les mêmes sentiments,
surtout si tu présides à leur réconciliation, si l'intérêt
les conseille et si leurs malheurs présents les y forcent.
Pour ma part je crois que ces raisons t'aideront à obtenir
que tout arrive comme il convient.

46 Je pense que tu reconnaîtrais exactement les rapports pacifiques ou hostiles que ces États ont l'un avec

---

1. Xerxès est ici le nom commun des rois de Perse; ainsi
Isocrate peut parler à la fois de Xerxès vaincu à Salamine,
et d'Artaxerxès Mnémon qui imposa la paix d'Antalcidas. Cf.
un procédé analogue dans Xénophon, *Hell.*, III, 5, 13, et dans
Démosthène, XV, 24 (*Sur la lib. des Rhod.*).

2. Il s'agit des opérations que les Spartiates entreprirent lors
de la délivrance de la Cadmée et dans les mois qui suivirent
(379 et 378), où les stratèges athéniens inquiétèrent leur armée.

3. En fait, les Athéniens inquiétèrent seulement la retraite
d'Épaminondas après sa première tentative, en 370, et

πρὸς Ξέρξην τοῖς Ἕλλησι γενομένης; Οὗ τὴν φιλίαν
ἅπαντες ἴσασιν ἡμᾶς τε καὶ Λακεδαιμονίους μᾶλλον
ἀγαπήσαντας ἢ τῶν συγκατασκευασάντων ἑκατέροις ἡμῶν
τὴν ἀρχήν. 43 Καὶ τί δεῖ λέγειν τὰ παλαιὰ καὶ τὰ πρὸς
τοὺς βαρβάρους; Ἀλλ᾽ εἴ τις ἀθρήσειε καὶ σκέψαιτο τὰς
τῶν Ἑλλήνων συμφοράς, οὐδὲν ἂν μέρος οὖσαι φανεῖεν
τῶν διὰ Θηβαίους καὶ Λακεδαιμονίους | ἡμῖν γεγενημένων.
Ἀλλ᾽ οὐδὲν ἧττον Λακεδαιμονίων τε στρατευσάντων ἐπὶ
Θηβαίους καὶ βουλομένων λυμήνασθαι τὴν Βοιωτίαν καὶ
διοικίσαι τὰς πόλεις βοηθήσαντες ἡμεῖς ἐμποδὼν ἐγενό-
μεθα ταῖς ἐκείνων ἐπιθυμίαις· 44 καὶ πάλιν μεταπε-
σούσης τῆς τύχης καὶ Θηβαίων καὶ Πελοποννησίων
ἁπάντων ἐπιχειρησάντων ἀνάστατον ποιῆσαι τὴν Σπάρτην,
ἡμεῖς καὶ πρὸς ἐκείνους μόνοι τῶν Ἑλλήνων ποιησάμενοι
συμμαχίαν συναίτιοι τῆς σωτηρίας αὐτοῖς κατέστημεν.
45 Πολλῆς οὖν ἀνοίας ἂν εἴη μεστός, εἴ τις ὁρῶν τηλικαύτας μεταβολὰς γιγνομένας καὶ τὰς πόλεις μήτ᾽ ἔχθρας
μήθ᾽ ὅρκων μήτ᾽ ἄλλου μηδενὸς φροντιζούσας πλὴν ὅ τι ἂν
ὑπολάβωσιν ὠφέλιμον αὐταῖς εἶναι, τοῦτο δὲ στεργούσας
μόνον καὶ πᾶσαν τὴν σπουδὴν περὶ τούτου ποιουμένας, μὴ
καὶ νῦν νομίζοι τὴν αὐτὴν γνώμην ἕξειν αὐτάς, ἄλλως τε
καὶ σοῦ μὲν ἐπιστατοῦντος ταῖς διαλλαγαῖς, τοῦ δὲ συμφέροντος πείθοντος, τῶν δὲ παρόντων κακῶν ἀναγκαζόντων.
Ἐγὼ μὲν γὰρ οἶμαι τούτων σοι συναγωνιζομένων ἅπαντα
γενήσεσθαι κατὰ τρόπον.
46 Ἡγοῦμαι δ᾽ οὕτως ἄν σε μάλιστα καταμαθεῖν εἴτ᾽
εἰρηνικῶς εἴτε πολεμικῶς αἱ πόλεις αὗται πρὸς ἀλλήλας

---

43 1 δεῖ ΓΕ : δεῖ με ΛΠ ‖ 3 Ἑλλήνων ΓΕ : ἄλλων ΘΛΠ ‖ 1 τῶν ...
ἐπὶ Θηβαίους ΓΕΘΠ : τοὺς Ἀθηναίους Λ ‖ 7 διοικίσαι Γ² Vict. :
διοικῆσαι Γ¹ΕΘΛΠ. Τ Paris. gr. 2931 ‖ 44 4 μόνοι ... ποιησάμενοι
edd. : μόνους ... ποιησαμένους (-σάμενοι Γ²) codd. ‖ 5 συναίτιοι ΓΕ :
αἴτιοι ΘΛΠ ‖ 45 5 περὶ τούτου ΓΕ : περὶ τοῦτο ΘΛΠ ‖ 10 σοι om.
ΘΛΠ.

l'autre, si j'exposais, d'une manière qui ne soit ni trop
succincte ni trop détaillée, les points les plus importants
de leur situation actuelle, et si tout d'abord nous exami-
nions celle des Lacédémoniens.

47 Ceux-ci qui, il y a peu de temps, commandaient
aux Grecs, ont subi sur terre et sur mer un tel changement
après leur défaite de Leuctres [1] qu'ils ont dû abandonner
leur empire sur la Grèce et ont perdu des hommes assez
braves pour aimer mieux mourir que vivre vaincus par
leurs anciens sujets. **48** En outre, ils ont pu voir tous
les Péloponnésiens, [2] qui autrefois les accompagnaient pour
attaquer les autres, s'allier aux Thébains et se jeter sur
leur pays. Ils ont dû s'exposer contre eux au danger, non
pas dans la campagne pour défendre les récoltes, mais au
milieu de la ville [3] près des palais mêmes des magistrats
pour sauver leurs femmes et leurs enfants. Et en cas
d'échec, ils étaient immédiatement perdus; **49** leur
victoire au contraire ne les a pas délivrés de leurs maux;
leurs voisins [4] leur font la guerre, tous les Péloponnésiens
se défient d'eux, la majorité des Grecs les déteste, leurs
propres serviteurs [5] les pillent jour et nuit, et ils ne passent
aucun jour sans faire une expédition contre quelque peuple,
combattre contre quelque autre ou secourir ceux des leurs
qui risquent de périr. **50** Et voici le plus grand de leurs
maux : ils ne cessent de craindre que les Thébains ne se

entravèrent la seconde tentative en 369. Isocrate s'était déjà
montré favorable à ce « renversement des alliances », dès 373,
dans le *Plataïque*.

1. Malgré les défaites navales de Cnide et surtout de Naxos
Isocrate date de Leuctres l'effondrement de la puissance
spartiate, qu'il considère comme d'abord terrienne.

2. Non pas tous, mais presque tous. Sur leur dénombre-
ment, cf. Xénophon, *Hell.*, VII, 5, 5.

3. Sur cette attaque de Sparte par Epaminondas, cf. Polybe,
IX, 8; Plutarque, *Agés*, 31-32.

4. Sans doute les Argiens et les Mégalopolitains (cf. discours
XVI, de Démosthène en 353). Thèbes les soutint encore en 351.

5. Sans doute les Messéniens, délivrés par Epaminondas.

ἔχουσιν, εἰ διεξέλθοιμεν μήτε παντάπασιν ἁπλῶς μήτε
λίαν ἀκριβῶς τὰ μέγιστα τῶν παρόντων αὐταῖς, καὶ πρῶτον
μὲν σκεψαίμεθα τὰ Λακεδαιμονίων.

47 Οὗτοι γὰρ ἄρχοντες τῶν Ἑλλήνων, οὐ πολὺς χρόνος
ἐξ οὗ, καὶ κατὰ γῆν καὶ κατὰ θάλατταν, εἰς τοσαύτην
μεταβολὴν ἦλθον, ἐπειδὴ τὴν μάχην ἡττήθησαν τὴν ἐν
Λεύκτροις, ὥστ' ἀπεστερήθησαν μὲν τῆς ἐν τοῖς Ἕλλησι
δυναστείας, τοιούτους δ' ἄνδρας ἀπώλεσαν σφῶν αὐτῶν,
οἳ προῃροῦντο τεθνάναι μᾶλλον ἢ ζῆν ἡττηθέντες ὧν
πρότερον ἐδέσποζον. 48 Πρὸς δὲ τούτοις ἐπεῖδον
Πελοποννησίους ἅπαντας τοὺς πρότερον μεθ' αὑτῶν ἐπὶ
τοὺς ἄλλους ἀκολουθοῦντας, τούτους μετὰ Θηβαίων εἰς
τὴν αὑτῶν εἰσβαλόντας, πρὸς οὓς ἠναγκάσθησαν διακινδυνεύειν οὐκ ἐν τῇ χώρᾳ περὶ τῶν καρπῶν, ἀλλ' ἐν μέσῃ τῇ
πόλει πρὸς αὐτοῖς τοῖς ἀρχείοις περὶ παίδων καὶ γυ-
ναικῶν τοιοῦτον κίνδυνον, ὃν μὴ κατορθώσαντες μὲν | εὐθὺς
ἀπώλλυντο, 49 νικήσαντες δ' οὐδὲν μᾶλλον ἀπηλλαγμένοι
τῶν κακῶν εἰσιν, ἀλλὰ πολεμοῦνται μὲν ὑπὸ τῶν τὴν
χώραν αὐτῶν περιοικούντων, ἀπιστοῦνται δ' ὑφ' ἁπάντων
Πελοποννησίων, μισοῦνται δ' ὑπὸ τοῦ πλήθους τῶν Ἑλλήνων, ἄγονται δὲ καὶ φέρονται καὶ τῆς νυκτὸς καὶ τῆς
ἡμέρας ὑπὸ τῶν οἰκετῶν τῶν σφετέρων αὐτῶν, οὐδεμίαν δ'
ἡμέραν διαλείπουσιν ἢ στρατεύοντες ἐπί τινας ἢ μαχό-
μενοι πρός τινας ἢ βοηθοῦντες τοῖς ἀπολλυμένοις αὐτῶν.
50 Τὸ δὲ μέγιστον τῶν κακῶν· δεδιότες γὰρ διατελοῦσιν

46 3 διεξέλθοιμεν vulg.: δέ τι ἐξέλθοιμεν Γ δέ τιδι διεξέλθ- Ε
‖ 4 τὰ μέγιστα ΓΕ: ἀλλὰ τὰ μέγ- ΘΛΠ ‖ 5 σκεψαίμεθα ΓΕΠ:
σκεψώμεθα ΘΛ ‖ 47 1 οὗτοι γὰρ ΓΕ: οὗτοι μὲν γὰρ ΘΛΠ ‖ 2 καὶ
κατὰ γῆν ΘΛΠΤ Vict.: κατὰ γῆν ΓΕ. ‖ 48 2 μεθ' αὑτῶν ΓΕ: μετ'
αὑτῶν ΘΛΠ ‖ 4 εἰσβαλόντας ΓΕ: -βάλλοντας ΘΛΠ ‖ διακινδυνεύειν
ΓΕ: κινδ- ΘΛΠ ‖ 8 ἀπώλλυντο ΓΕ: ἀπόλοιντο Λ ἀπώλοντο Π ‖
49 5 καὶ τῆς νυκτὸς καὶ τῆς ἡμέρας Γ²Ε: τῆς νυκτὸς τῆς ἡμ- Γ¹ τῆς
νυκτὸς καὶ τῆς ἡμ- ΘΛΠ ‖ 6 οὐδεμίαν δ' ἡμέραν ΓΕ: οὐδένα δὲ
χρόνον ΘΛΠ.

réconcilient avec les Phocidiens[1] et ne reviennent leur
causer des malheurs encore plus grands que les précédents.
Certes comment ne pas croire que des gens dans une telle
situation accueilleraient avec joie une paix proposée par
un homme influent et capable de mettre fin aux guerres
qu'ils subissent?

51   Pour les Argiens, tu peux les voir dans une situation
tantôt semblable à celle dont je viens de parler, tantôt
pire. Depuis qu'ils habitent leur ville, ils sont en guerre
contre leurs voisins, comme font les Lacédémoniens, mais
avec cette différence que ceux-ci luttent contre des gens
moins forts qu'eux et les Argiens contre des gens plus
forts[2], ce qui, tout le monde l'admettra, est le plus grand
des maux. Et la guerre leur est si funeste que presque
chaque année ils doivent laisser piller et ravager leur
territoire sous leurs yeux.   **52**   Et voici le plus terrible
de tout : quand les ennemis cessent de les maltraiter,
eux-mêmes font périr les plus illustres et les plus riches
de leurs concitoyens[3] et prennent à cela plus de plaisir
que n'importe qui n'en a à tuer des ennemis. Or cet état
de trouble n'a pas d'autre cause que la guerre : si tu y
mets fin, non seulement tu les délivreras de ces maux,
mais tu leur inspireras de meilleures résolutions à l'égard
d'autrui.

53   Maintenant les Thébains — tu n'ignores pas non
plus leur situation — après avoir remporté une très belle
victoire et avoir acquis ainsi une gloire immense, pour
ne pas avoir su user de leur bonne fortune, ne sont pas en
meilleur état que ceux qui ont eu le malheur d'être vaincus.
A peine étaient-ils vainqueurs de leurs ennemis qu'ils ne

1. Cf. *Introduction*, p. 8.
2. Les Lacédémoniens (cf. Diodore, XVI, 34, 3 et 39, 4).
3. En 370, douze cents riches furent massacrés (cf. Diodore,
XV, 58) puis les démocrates furent tués à leur tour. Isocrate
attribue uniquement à la guerre ces troubles qui s'étaient
déjà produits en 418-417 (cf. Thucydide V, 82; Aristote, *Polit.*,
1304, a 25).

μὴ Θηβαῖοι διαλυσάμενοι τὰ πρὸς Φωκέας πάλιν ἐπα-
νελθόντες μείζοσιν αὐτοὺς συμφοραῖς περιβάλωσιν τῶν
πρότερον γεγενημένων. Καίτοι πῶς οὐ χρὴ νομίζειν τοὺς
οὕτω διακειμένους ἀσμένους ἂν ἰδεῖν ἐπιστατοῦντα τῆς
εἰρήνης ἀξιόχρεων ἄνδρα καὶ δυνάμενον διαλῦσαι τοὺς
ἐνεστῶτας πολέμους αὐτοῖς;

51 Ἀργείους τοίνυν ἴδοις ἂν τὰ μὲν παραπλησίως τοῖς
εἰρημένοις πράττοντας, τὰ δὲ χεῖρον τούτων ἔχοντας·
πολεμοῦσιν μὲν γὰρ, ἐξ οὗπερ τὴν πόλιν οἰκοῦσιν, πρὸς
τοὺς ὁμόρους, ὥσπερ Λακεδαιμόνιοι, τοσοῦτον δὲ διαφέρουσιν ὅσον ἐκεῖνοι μὲν πρὸς ἥττους αὐτῶν, οὗτοι δὲ πρὸς
κρείττους· ὃ πάντες ἂν ὁμολογήσειαν μέγιστον εἶναι τῶν
κακῶν. Οὕτω δὲ τὰ περὶ τὸν πόλεμον ἀτυχοῦσιν, ὥστ᾽
ὀλίγου δεῖν καθ᾽ ἕκαστον τὸν ἐνιαυτὸν τεμνομένην καὶ
πορθουμένην τὴν αὐτῶν χώραν περιορῶσιν. 52 Ὁ δὲ
πάντων δεινότατον· ὅταν γὰρ οἱ πολέμιοι διαλίπωσιν
κακῶς αὐτοὺς ποιοῦντες, αὐτοὶ τοὺς ἐνδοξοτάτους καὶ
πλουσιωτάτους τῶν πολιτῶν ἀπολλύουσιν, καὶ ταῦτα
δρῶντες οὕτω χαίρουσιν ὡς οὐδένες ἄλλοι τοὺς πολεμίους
ἀποκτείνοντες. Αἴτιον δ᾽ ἐστὶ τοῦ ταραχωδῶς αὐτοὺς ζῆν
οὕτως οὐδὲν ἄλλο πλὴν ὁ πόλεμος· ὃν ἢν διαλύσῃς, οὐ
μόνον αὐτοὺς τούτων ἀπαλλάξεις, ἀλλὰ καὶ περὶ τῶν
ἄλλων ἄμεινον βουλεύεσθαι ποιήσεις.

53 Ἀλλὰ μὴν τὰ περὶ Θηβαίους οὐδὲ σὲ λέληθεν. Καλλίστην γὰρ μάχην νικήσαντες καὶ δόξαν ἐξ αὐτῆς μεγίστην
λαβόντες, διὰ τὸ μὴ καλῶς χρῆσθαι ταῖς εὐτυχίαις οὐδὲν
βέλτιον πράττουσιν τῶν ἡττηθέντων καὶ δυστυχησάντων.
Οὐ γὰρ ἔφθασαν τῶν ἐχθρῶν κρατήσαντες, καὶ πάντων

---

50 4 πρότερον Γ¹: πρότερον αὐτοῖς Γ²ΕΘΛΠ ‖ 5 ἀσμένους ΓΕ: -μένως
ΛΠ. ‖ 51 3 οὗπερ ΓΕ: ὅσουπερ ΘΛΠ ‖ 4 ὥσπερ ΓΕ : ὥσπερ καὶ ΛΠ ‖
8 δεῖν codd. : δεῖ Γ¹ ‖ 9 τὴν αὐτῶν χώραν ΓΕ : τὴν χώραν ΘΛΠ ‖
52 5 δρῶντες οὕτω χαίρουσιν codd. : δρῶσιν οὕτω χαίροντες Θ ‖
6 ἀποκτείνοντες ΓΕ : -ναντες ΘΛΠ ‖ 53 3 χρῆσθαι Γ¹ : χρήσασθαι
cett.

se souciaient plus de personne, tourmentaient les États
du Péloponnèse [1], osaient asservir la Thessalie [2], menaçaient
les Mégariens leurs voisins, enlevaient à notre pays une
partie de son territoire [3], ravageaient l'Eubée [4], envoyaient
des vaisseaux de guerre à Byzance [5] dans le dessein de
régner sur terre et sur mer.   54   Enfin ils ont entrepris
une guerre contre les Phocidiens [6], en espérant conquérir
leurs villes en peu de temps, occuper toutes les régions
environnantes et, avec les ressources de leur propre pays,
l'emporter sur les trésors de Delphes. Rien de tout cela
ne leur est arrivé : au lieu de prendre les villes des Phocidiens, ils ont perdu les leurs [7] ; quand ils entrent sur le
territoire ennemi, ils lui font moins de mal qu'ils n'en
souffrent quand ils retournent chez eux.   55   En effet,
en Phocide, ils tuent quelques mercenaires pour qui la
mort vaut mieux que la vie ; dans leurs retraites, ils perdent
les plus illustres d'entre eux, les plus résolus à mourir
pour leur patrie. Enfin leur situation a subi un tel revirement qu'après avoir espéré se soumettre tous les Grecs, ils
mettent en toi tous leurs espoirs de salut. C'est pourquoi
je pense qu'eux aussi feront bien vite ce que tu leur diras
et leur conseilleras.

56   Nous aurions eu encore à parler de notre ville, si
elle n'avait pas fait preuve de raison avant les autres et
n'avait pas déjà fait la paix. Maintenant je pense qu'elle
ira jusqu'à collaborer avec toi, surtout si elle peut com-

1. Le fait le plus grave fut la tentative d'arrestation des
députés arcadiens à Tégée en 363 (cf. Xén., *Hell.*, VII,
4, 36-40).

2. De 369 à 367 Pélopidas intervint à plusieurs reprises
en Thessalie et en Macédoine.

3. Oropos, prise par les Thébains en 366. Athènes l'obtint
après Chéronée.

4. Soit en 364, soit en 357.

5. En 364 sous les ordres d'Epaminondas.

6. Philippe n'avait pas encore pris parti ouvertement contre
eux au moment où écrivait Isocrate.

7. Orchomène, Coronée et Corsies.

ἀμελήσαντες ἠνώχλουν | μὲν ταῖς πόλεσι ταῖς ἐν Πελο-
ποννήσῳ, Θετταλίαν δ᾽ ἐτόλμων καταδουλοῦσθαι, Μεγα-
ρεῦσι δ᾽ ὁμόροις οὖσιν ἠπείλουν, τὴν δ᾽ ἡμετέραν πόλιν
μέρος τι τῆς χώρας ἀπεστέρουν, Εὔβοιαν δ᾽ ἐπόρθουν, εἰς
Βυζάντιον δὲ τριήρεις ἐξέπεμπον, ὡς καὶ γῆς καὶ θαλάττης
ἄρξοντες. 54 Τελευτῶντες δὲ πρὸς Φωκέας πόλεμον
ἐξήνεγκαν ὡς τῶν τε πόλεων ἐν ὀλίγῳ χρόνῳ κρατήσοντες,
τόν τε τόπον ἅπαντα τὸν περιέχοντα κατασχήσοντες, τῶν
τε χρημάτων τῶν ἐν Δελφοῖς περιγενησόμενοι ταῖς ἐκ
τῶν ἰδίων δαπάναις. Ὧν οὐδὲν αὐτοῖς ἀποβέβηκεν, ἀλλ᾽
ἀντὶ μὲν τοῦ λαβεῖν τὰς Φωκέων πόλεις τὰς αὑτῶν ἀπολωλέκασιν, εἰσβάλλοντες δ᾽ εἰς τὴν τῶν πολεμίων ἐλάττω
κακὰ ποιοῦσιν ἐκείνους ἢ πάσχουσιν ἀπιόντες εἰς τὴν
αὑτῶν· 55 ἐν μὲν γὰρ τῇ Φωκίδι τῶν μισθοφόρων τινὰς
ἀποκτείνουσιν οἷς λυσιτελεῖ τεθνάναι μᾶλλον ἢ ζῆν,
ἀναχωροῦντες δὲ τοὺς ἐνδοξοτάτους αὑτῶν καὶ μάλιστα
τολμῶντας ὑπὲρ τῆς πατρίδος ἀποθνήσκειν ἀπολλύουσιν.
Εἰς τοῦτο δ᾽ αὐτῶν τὰ πράγματα περιέστηκεν, ὥστ᾽
ἐλπίσαντες ἅπαντας τοὺς Ἕλληνας ὑφ᾽ αὑτοῖς ἔσεσθαι
νῦν ἐν σοὶ τὰς ἐλπίδας ἔχουσι τῆς αὑτῶν σωτηρίας.
Ὥστ᾽ οἶμαι καὶ τούτους ταχέως ποιήσειν ὅ τι ἂν σὺ
κελεύῃς καὶ συμβουλεύῃς.

56 Λοιπὸν δ᾽ ἂν ἦν ἡμῖν ἔτι περὶ τῆς πόλεως διαλεχθῆναι τῆς ἡμετέρας, εἰ μὴ προτέρα τῶν ἄλλων εὖ
φρονήσασα τὴν εἰρήνην ἐπεποίητο. Νῦν δ᾽ αὐτὴν οἶμαι
καὶ συναγωνιεῖσθαι τοῖς ὑπὸ σοῦ πραττομένοις, ἄλλως τε

---

53 6 ταῖς πόλεσι ταῖς ΓΕ : τὰς πόλεις τὰς ΘΛΠ ‖ 8 ὁμόροις
codd. : ὁμογόροις Γ¹ ‖ 10 καὶ ante θαλάττης om. Γ¹ ‖ 54 2 κρατήσοντες ΘΛ : -σαντες ΓΕΠ ‖ 5 αὑτοῖς om. ΘΛΠ ‖ 7 εἰσβάλλοντες codd. : εἰσβαλόντες Θ ‖ 8 ἐκείνους codd. : -νοις Ε *Vict.*
‖ ἀπιόντες ΓΕ : πρὶν ἀπιέναι ΛΠ. ‖ 55 5 αὑτῶν om. ΘΛΠ ‖
6 ὑφ᾽ αὑτοῖς codd. : ὑπ᾽ αὐτοῖς ΓΕ ‖ 9 καὶ συμβουλεύῃς om. ΘΛΠ
‖ 56 3 ἐπεποίητο ΓΕ : ἐποιήσατο ΘΛΠ ‖ 3 οἶμαι om. Γ.

prendre que tu te livres[1] à cette organisation comme
prélude à l'expédition contre les Barbares.

57 Ainsi, il ne t'est pas impossible de réunir ces
États, je crois te l'avoir démontré par ce que j'ai dit;
tu pourras même le faire facilement, je pense que je te le
ferai reconnaître avec quelques exemples. Si en effet
on voit que certains de nos prédécesseurs, qui ne s'occupaient pas d'entreprises plus glorieuses et plus saintes
que celle que nous avons conseillée, ont mené à bien des
tâches plus grandes et plus difficiles, quelle objection
restera-t-il à ceux qui prétendent que tu mettras plus
de temps à faire ce qui est facile que les autres à faire
ce qui est difficile?

58 Examine d'abord les actes d'Alcibiade[2]. Il était
exilé de notre pays et voyait que ceux qui avant lui avaient
éprouvé ce malheur, restaient abattus à cause de la puissance de notre cité. Loin de penser de même, il jugea
qu'il devait tenter de revenir de force[3], et il décida de
faire la guerre à Athènes. **59** Celui qui tenterait d'exposer
chacun des événements qui sont alors arrivés ne pourrait
les raconter exactement et peut-être serait-ce en ce moment
hors de propos. En tout cas Alcibiade a mis un tel trouble,
non seulement dans notre pays, mais aussi chez les Lacédémoniens et les autres Grecs, que nous avons souffert
ce que chacun sait[4], **60** que les autres sont tombés
dans de tels maux que maintenant encore on n'a pu effacer
les malheurs que cette guerre a causés aux États, que les
Lacédémoniens dont on vantait alors le bonheur, sont

1. Isocrate emploie le présent parce qu'il veut persuader son
public et Philippe que l'intervention madéconienne est déjà
destinée à servir l'intérêt général.
2. Isocrate avait vu dans Alcibiade une des figures les plus
frappantes de la fin du ve siècle; il avait déjà consacré au père
toute une partie du plaidoyer *Sur l'Attelage*.
3. Cf. Thucydide, VI, 92, 4.
4. Allusion à la ruine de la campagne athénienne par suite
de l'occupation de Décélie (cf. Thucydide, VII, 27).

κἂν δυνηθῇ συνιδεῖν ὅτι ταῦτα διοικεῖς πρὸ τῆς ἐπὶ τὸν
βάρβαρον στρατείας.

57 Ὡς μὲν οὖν οὐκ ἀδύνατόν ἐστί σοι συστῆσαι τὰς
πόλεις ταύτας, ἐκ τῶν εἰρημένων ἡγοῦμαί σοι γεγενῆσθαι
φανερόν· ἔτι τοίνυν ὡς καὶ ῥαδίως ταῦτα πράξεις, ἐκ
πολλῶν παραδειγμάτων οἶμαί σε γνῶναι ποιήσειν. Ἢν
γὰρ φανῶσιν ἕτεροί τινες τῶν προγεγενημένων μὴ καλλίοσι
μὲν μηδ᾽ ὁσιωτέροις ὧν ἡμεῖς συμβεβουλεύκαμεν ἐπιχειρήσαντες, μείζω δὲ καὶ δυσκολώτερα τούτων ἐπιτελέ-
σαντες, τί λοιπὸν ἔσται τοῖς ἀντιλέγουσιν ὡς οὐ θᾶττον σὺ
τὰ ῥᾴω πράξεις ἢ ᾽κεῖνοι τὰ χαλεπώτερα;

58 |Σκέψαι δὲ πρῶτον τὰ περὶ Ἀλκιβιάδην. Ἐκεῖνος
γὰρ φυγὼν παρ᾽ ἡμῶν καὶ τοὺς ἄλλους ὁρῶν τοὺς πρὸ
αὐτοῦ ταύτῃ τῇ συμφορᾷ κεχρημένους ἐπτηχότας διὰ
τὸ μέγεθος τὸ τῆς πόλεως, οὐ τὴν αὐτὴν γνώμην ἔσχεν
ἐκείνοις, ἀλλ᾽ οἰηθεὶς πειρατέον εἶναι βίᾳ κατελθεῖν
προείλετο πολεμεῖν πρὸς αὐτήν. 59 Καθ᾽ ἕκαστον μὲν
οὖν τῶν τότε γενομένων εἴ τις λέγειν ἐπιχειρήσειεν,
οὔτ᾽ ἂν διελθεῖν ἀκριβῶς δύναιτο, πρός τε τὸ παρὸν
ἴσως ἂν ἐνοχλήσειεν· εἰς τοσαύτην δὲ ταραχὴν κατέστησεν οὐ μόνον τὴν πόλιν, ἀλλὰ καὶ Λακεδαιμονίους
καὶ τοὺς ἄλλους Ἕλληνας, ὥσθ᾽ ἡμᾶς μὲν παθεῖν ἃ
πάντες ἴσασιν, τοὺς δ᾽ ἄλλους τηλικούτοις κακοῖς περιπεσεῖν 60 ὥστε μηδέπω νῦν ἐξιτήλους εἶναι τὰς συμφορὰς τὰς δι᾽ ἐκεῖνον τὸν πόλεμον ἐν ταῖς πόλεσιν ἐγγεγενημένας, Λακεδαιμονίους δὲ τοὺς τότε δόξαντας εὐτυχεῖν

56 5 διοικεῖς ΓΕ : διοικήσεις ΘΛΠ ‖ 57 1 σοι συστῆσαι codd.: ἐπισυσ-
τῆσαι Ioannis Sardiani 243,7 cod. V ἐπιστῆσας Sardiani cod. W ‖
2 γεγενῆσθαι ΓΕ : γενήσεσθαι ΛΠ ‖ 4 γνῶναι codd. : γνώριμον Sar-
dianus ‖ 7 δυσκολώτερα ΓΕ : σκολιώτερα ΛΠ ‖ 9 τὰ ῥᾴω Γ : ταῦτα
ΘΛΠ ‖ 58 1 Ἀλκιβιάδην ΓΕΠ: τὸν Ἀλκ- Λ ‖ 2 φυγὼν Γ: ἐκπεσὼν
Γ mg. ΘΛΠ ἐκπεσὼν γρ. φυγὼν Ε. ‖ 59 2 εἴ τις λέγειν ΓΕ: οὔτε
λέγειν ἄν τις ΛΠ ‖ 60 2 ἐγγεγενημένας ΓΕ : γεγεν- ΘΛΠ.

arrivés à leur infortune présente par le fait d'Alcibiade ;
en effet c'est en se laissant persuader par lui de viser à
dominer sur mer [1] qu'ils ont perdu même leur hégémonie
continentale; **61** aussi celui qui dirait que leur situation commençait à empirer au moment où ils prenaient
l'empire de la mer, ne pourrait pas être convaincu de
mensonge. Alcibiade donc, après avoir causé de si grands
maux, revint dans sa patrie, avec beaucoup de gloire,
mais non pas avec des éloges unanimes.

Peu d'années après, Conon eut une conduite toute
contraire. **62** Après son échec [2] dans la bataille navale
de l'Hellespont [3], échec dû non à sa faute, mais à celle
de ses collègues, il eut honte de revenir dans sa patrie :
il partit donc pour Chypre et s'y occupa quelque temps
de ses affaires; puis, quand il vit qu'Agésilas était passé
en Asie avec de grandes forces et ravageait ce pays, il
eut l'audace, **63** sans autre ressource que sa personne
et son intelligence, d'espérer vaincre les Lacédémoniens
qui alors commandaient aux Grecs sur terre et sur mer;
et il envoya aux généraux du Grand Roi la promesse
d'exécuter ce projet. Et à quoi bon en dire plus? Une
flotte fut réunie pour lui près de Rhodes [4], il remporta une
victoire sur mer, enleva leur pouvoir aux Lacédémoniens,
délivra les Grecs, **64** et, non content de relever les
murailles de sa patrie, il la ramena au degré de gloire d'où
elle était tombée. Pourtant qui eût pu s'attendre qu'un
homme descendu si bas, renversât la situation de la Grèce,

1. Cette réflexion est amenée par le spectacle des guerres
soutenues entre 377 et 362 par Sparte (cf. *Sur la Paix*, 101).

2. Conon et son fils, Timothée, ont contribué au relèvement
de la puissance d'Athènes et à la seconde confédération athénienne.

3. Bataille d'Aigos Potamoi (Sept. 405).

4. En août 394. Isocrate, qui veut rehausser la gloire de
Conon, dissimule les lenteurs de ses alliés perses, alors qu'il
y insiste dans le *Panégyrique* 142. (Cf. Foucart, *Étude sur Didymos*, p. 139-142).

εἰς τὰς νῦν ἀτυχίας δι' Ἀλκιβιάδην καθεστάναι· πεισθέντες
γὰρ ὑπ' αὐτοῦ τῆς κατὰ θάλατταν δυνάμεως ἐπιθυμῆσαι,
καὶ τὴν κατὰ γῆν ἡγεμονίαν ἀπώλεσαν,   61   ὥστ' εἴ τις
φαίη τότε τὴν ἀρχὴν αὐτοῖς γίγνεσθαι τῶν παρόντων
κακῶν ὅτε τὴν ἀρχὴν τῆς θαλάττης ἐλάμβανον, οὐκ ἂν
ἐξελεγχθείη ψευδόμενος. Ἐκεῖνος μὲν οὖν τηλικούτων
κακῶν αἴτιος γενόμενος κατῆλθεν εἰς τὴν πόλιν, μεγάλης
μὲν δόξης τυχών, οὐ μὴν ἐπαινούμενος ὑφ' ἁπάντων.
Κόνων δ' οὐ πολλοῖς ἔτεσιν ὕστερον ἀντίστροφα τούτων
ἔπραξεν.   62   Ἀτυχήσας γὰρ ἐν τῇ ναυμαχίᾳ τῇ περὶ
Ἑλλήσποντον οὐ δι' αὐτὸν ἀλλὰ διὰ τοὺς συνάρχοντας
οἴκαδε μὲν ἀφικέσθαι κατῃσχύνθη, πλεύσας δ' εἰς Κύπρον
χρόνον μέν τινα περὶ τὴν τῶν ἰδίων ἐπιμέλειαν διέτριβεν,
αἰσθόμενος δ' Ἀγησίλαον μετὰ πολλῆς δυνάμεως εἰς τὴν
Ἀσίαν διαβεβηκότα καὶ πορθοῦντα τὴν χώραν οὕτω μέγ'
ἐφρόνησεν,   63   ὥστ' ἀφορμὴν οὐδεμίαν ἄλλην ἔχων πλὴν
τὸ σῶμα καὶ τὴν διάνοιαν ἤλπισεν Λακεδαιμονίους κατα-
πολεμήσειν ἄρχοντας τῶν Ἑλλήνων καὶ κατὰ γῆν καὶ κατὰ
θάλατταν, καὶ ταῦτα πέμπων ὡς τοὺς βασιλέως στρατηγοὺς ὑπισχνεῖτο ποιήσειν. Καὶ τί δεῖ τὰ πλείω λέγειν;
Συστάντος γὰρ αὐτῷ ναυτικοῦ περὶ Ῥόδον καὶ νικήσας
τῇ ναυμαχίᾳ Λακεδαιμονίους μὲν | ἐξέβαλεν ἐκ τῆς ἀρχῆς,
64   τοὺς δ' Ἕλληνας ἠλευθέρωσεν, οὐ μόνον δὲ τὰ τείχη
τῆς πατρίδος ἀνώρθωσεν, ἀλλὰ καὶ τὴν πόλιν εἰς τὴν
αὐτὴν δόξαν προήγαγεν ἐξ ἧσπερ ἐξέπεσεν. Καίτοι τίς ἂν
προσεδόκησεν ὑπ' ἀνδρὸς οὕτω ταπεινῶς πράξαντος
ἀναστραφήσεσθαι τὰ τῆς Ἑλλάδος πράγματα καὶ τὰς μὲν

60 4 νῦν om. E ‖ 5 ὑπ' αὐτοῦ codd. : ὑφ' αὐτοῦ Γ ‖ 61 2 γίγνεσθαι
Γ¹ : γενέσθα Γ²ΕΘΛΠ. ‖ 6 ἐπαινούμενος Γ¹Ε : -μένης Γ²ΘΛΠ ‖
62 3 οἴκαδε μὲν codd. : ὕστερον Γ¹. ‖ 63 3 τῶν Ἑλλήνων ΓΕΛ
Vict. : τῶν ἄλλων Π ‖ 4 βασιλέως codd. : -λεὶς Ε ‖ 5 ὑπισχνεῖτο
ΓΕΘΛ Vict. : -νεῖται Π ‖ τὰ ante πλείω om. Π vulg. ‖ 6 Ῥόδον
Γ¹Ε² : Κνίδον Γ mg. Ε¹ΘΛΠ ‖   1 Ἕλληνας Γ : ἄλλους Ἕλλη-
νας ΘΛΠ.

enlevât leur honneur[1] à certaines des villes grecques et fît
dominer les autres.

65   Denys[2] (je veux te prouver par beaucoup d'exemples
la facilité de l'entreprise à laquelle je te convie), Denys
à qui sa naissance[3], sa réputation et ses autres qualités
donnaient un rang infime à Syracuse, eut un désir dérai-
sonnable et fou du pouvoir absolu et eut l'audace de faire
tout ce qui pouvait l'amener à ce degré de puissance; il
s'empara de Syracuse, soumit toutes les villes grecques
de Sicile et s'entoura de plus de forces de terre et de mer[4]
qu'aucun homme dans le passé.   **66**   Cyrus[5] aussi (pour
parler également des Barbares), qui avait été exposé
sur une route par sa mère et recueilli par une femme
perse, changea tellement de condition qu'il devint le
maître de toute l'Asie.

67   Et quand Alcibiade, qui était exilé, Conon, qui
avait été vaincu, Denys, qui n'avait aucune réputation,
Cyrus, dont le début de la vie avait été si pitoyable, se
sont tellement relevés et ont accompli de si grandes actions,
comment ne dois-tu pas t'attendre à réaliser facilement
ce que je viens de dire, toi qui as une si noble origine, qui
règnes sur la Macédoine et qui possèdes tant de sujets?

68   Examine comme il vaut la peine d'entreprendre
de tels travaux : si tu y réussis, tu rivaliseras de gloire
avec les plus grands; si tu n'atteins pas ce que tu espères,
tout au moins acquerras-tu la sympathie des Grecs; et
il est bien plus beau de l'obtenir que de prendre de force
beaucoup de villes grecques. De telles actions provoquent

1. Détruits en 404, les Longs Murs furent relevés de 394 à
391. En fait la paix d'Antalcidas laissait à Sparte la domination sur la Grèce continentale. Mais Isocrate songe, outre
Conon, à son fils Timothée et aux résultats qu'il obtint plus tard.

2. Tyran de Syracuse de 405 à 367. Voir la *Lettre I*.

3. Il passait pour le fils d'un ânier.

4. Plus de 400 vaisseaux; de 20 000 à 80 000 hommes.

5. Cf. § 132. Hérodote (I, 108, 113) apporte une variante,
et prétend que la femme exposa son propre enfant à la place
de Cyrus.

ἀτιμωθήσεσθαι, τὰς δ᾽ ἐπιπολάσειν τῶν Ἑλληνίδων πόλεων;

65 Διονύσιος τοίνυν — βούλομαι γὰρ ἐκ πολλῶν σε
πεισθῆναι ῥαδίαν εἶναι τὴν πρᾶξιν ἐφ᾽ ἥν σε τυγχάνω
παρακαλῶν — πολλοστὸς ὢν Συρακοσίων καὶ τῷ γένει καὶ
τῇ δόξῃ καὶ τοῖς ἄλλοις ἅπασιν, ἐπιθυμήσας μοναρχίας
ἀλόγως καὶ μανικῶς καὶ τολμήσας ἅπαντα πράττειν τὰ
φέροντα πρὸς τὴν δύναμιν ταύτην, κατέσχε μὲν Συρα-
κούσας, ἁπάσας δὲ τὰς ἐν Σικελίᾳ πόλεις, ὅσαι περ
ἦσαν Ἑλληνίδες, κατεστρέψατο, τηλικαύτην δὲ δύναμιν
περιεβάλετο καὶ πεζὴν καὶ ναυτικὴν ὅσην οὐδεὶς ἀνὴρ
τῶν πρὸ ἐκείνου γενομένων. 66 Ἔτι τοίνυν Κῦρος,
ἵνα μνησθῶμεν καὶ περὶ τῶν βαρβάρων, ἐκτεθεὶς μὲν
ὑπὸ τῆς μητρός εἰς τὴν ὁδόν, ἀναιρεθεὶς δ᾽ ὑπὸ Περσίδος
γυναικός, εἰς τοσαύτην ἦλθεν μεταβολὴν ὥσθ᾽ ἁπάσης
τῆς Ἀσίας γενέσθαι δεσπότης.

67 Ὅπου δ᾽ Ἀλκιβιάδης μὲν φυγὰς ὢν, Κόνων δὲ
δεδυστυχηκὼς, Διονύσιος δ᾽ οὐκ ἔνδοξος ὢν, Κῦρος δ᾽
οὕτως οἰκτρᾶς αὐτῷ τῆς ἐξ ἀρχῆς γενέσεως ὑπαρξάσης,
εἰς τοσοῦτον προῆλθον καὶ τηλικαῦτα διεπράξαντο, πῶς
οὐ σέ γε χρὴ προσδοκᾶν, τὸν ἐκ τοιούτων μὲν γεγονότα,
Μακεδονίας δὲ βασιλεύοντα, τοσούτων δὲ κύριον ὄντα,
ῥᾳδίως τὰ προειρημένα συστήσειν ;

68 Σκέψαι δ᾽ ὡς ἄξιόν ἐστιν τοῖς τοιούτοις τῶν ἔργων
μάλιστ᾽ ἐπιχειρεῖν, ἐν οἷς κατορθώσας μὲν ἐνάμιλλον τὴν
σαυτοῦ δόξαν καταστήσεις τοῖς πρωτεύσασιν, διαμαρτὼν
δὲ τῆς προσδοκίας ἀλλ᾽ οὖν τήν γ᾽ εὔνοιαν κτήσει τὴν
παρὰ τῶν Ἑλλήνων, ἣν πολὺ κάλλιόν ἐστιν λαβεῖν ἢ πολλὰς πόλεις τῶν Ἑλληνίδων κατὰ κράτος ἑλεῖν· τὰ μὲν γὰρ

65 3 Συρακοσίων Γ¹ : Συρακουσίων ΖΘΛΠ Συρρακουσίων Γ²Ε ‖
9 πεζὴν ΓΕ : πεζιχὴν ΛΠ ‖ 10 γενομένων ΓΕ : γεγενημένων ΘΛΠ ‖
66 2 καὶ περὶ τῶν ΓΕ : καὶ τῶν ΛΠ ‖ 67 3 ὑπαρξάσης ΓΕ : ὑπαρχούσης ΘΛΠ ‖ 4 τηλικαῦτα ΓΕ : τοσαῦτα ΛΠ ‖ 68 2 ἐνάμιλλον
ΓΕ : ἐφάμ- ΘΛΠ ‖ 4 κτήσει Γ¹: -ση cett. ‖ 6 ἑλεῖν ΓΕ : ἔχειν ΘΛΠ.

la malveillance, l'hostilité et bien des accusations; à ce
que je t'ai conseillé, rien de tel ne s'attache[1]. Si quelque
dieu te donnait de choisir à quoi tu souhaiterais travailler
et consacrer toute ta vie, tu ne choisirais pas d'autre
occupation que celle-ci, si du moins tu me consultais. **69**
Non seulement en effet les autres devront t'envier, mais
tu te féliciteras toi-même de ton bonheur. Qu'est-ce en
effet qui pourrait le surpasser, quand tu verras venir en
ambassade dans ton royaume les plus illustres citoyens
des plus grands États; quand tu discuteras avec eux sur
le salut général (dont on ne connaîtra personne qui se
soit plus occupé que toi); **70**   quand tu sauras que toute
la Grèce est anxieuse de ce que tu proposes et que nul
n'est indifférent à ce qui se décide près de toi, les uns
demandant où en sont les affaires, les autres souhaitant
que tu atteignes tout ce que tu désires, les autres craignant
qu'il ne t'arrive quelque accident avant que tu aies couronné
ton entreprise? **71** Cela étant, comment n'aurais-tu
pas raison d'être fier? Comment ne passerais-tu pas ta
vie dans la joie, avec la certitude que tu présides à de
si grandes choses? Qui, même parmi ceux qui n'ont
qu'une intelligence moyenne, ne te conseillerait pas de
choisir de préférence les actions qui peuvent produire
pour ainsi dire deux sortes de fruits à la fois, des
plaisirs dépassant tous les autres et des honneurs
ineffaçables?

72 Ce que je viens de dire sur ce sujet[2], me suffirait,
si je n'avais laissé de côté un point, non par inadvertance,

---

1. L'idée, déjà exprimée *Lettre IX*, est reprise au par. 140
et (presque avec les mêmes expressions) dans la *Lettre II*, 21.
Elle se trouvait déjà dans le discours *Sur l'Echange* 122 (à
propos de Timothée).
2. Isocrate, après le tableau très vif qu'il a fait dans les
phrases qui précèdent, semble annoncer un second discours où
il va parler à Philippe de ses devoirs envers la Grèce (et non
plus de l'intérêt qu'il a à y intervenir).

τοιαῦτα τῶν ἔργων φθόνον ἔχει καὶ δυσμένειαν καὶ πολλὰς
βλασφημίας, οἷς δ᾽ ἡμεῖς συμβεβουλεύκαμεν οὐδὲν πρό-
σεστι τούτων. Ἀλλ᾽ εἴ τις θεῶν αἵρεσίν σοι δοίη, μετὰ
ποίας| ἂν ἐπιμελείας καὶ διατριβῆς εὔξαιο τὸν βίον διαγα-
γεῖν, οὐδεμίαν ἕλοι᾽ ἂν, εἴπερ ἐμοὶ συμβούλῳ χρῷο, μᾶλλον
ἢ ταύτην. 69 Οὐ γὰρ μόνον ὑπὸ τῶν ἄλλων ἔσει ζηλω-
τός, ἀλλὰ καὶ σαυτὸν μακαριεῖς. Τίς γὰρ ἂν ὑπερβολὴ
γένοιτο τῆς τοιαύτης εὐδαιμονίας, ὅταν πρέσβεις μὲν
ἥκωσιν ἐκ τῶν μεγίστων πόλεων οἱ μάλιστ᾽ εὐδοκιμοῦντες
εἰς τὴν σὴν δυναστείαν, μετὰ δὲ τούτων βουλεύῃ περὶ τῆς
κοινῆς σωτηρίας, περὶ ἧς οὐδεὶς ἄλλος φανήσεται τοιαύτην πρόνοιαν πεποιημένος, 70 αἰσθάνῃ δὲ τὴν Ἑλλάδα
πᾶσαν ὀρθὴν οὖσαν ἐφ᾽ οἷς σὺ τυγχάνεις εἰσηγούμενος,
μηδεὶς δ᾽ ὀλιγώρως ἔχῃ τῶν παρὰ σοὶ βραβευομένων, ἀλλ᾽
οἱ μὲν πυνθάνωνται περὶ αὐτῶν ἐν οἷς ἐστίν, οἱ δ᾽ εὔχωνταί
σε μὴ διαμαρτεῖν ὧν ἐπεθύμησας, οἱ δὲ δεδίωσιν μὴ πρό-
τερόν τι πάθῃς πρὶν τέλος ἐπιθεῖναι τοῖς πραττομένοις;
71 Ὧν γιγνομένων πῶς οὐκ ἂν εἰκότως μέγα φρονοίης;
πῶς δ᾽ οὐκ ἂν περιχαρὴς ὢν τὸν βίον διατελοίης, τηλικούτων εἰδὼς σαυτὸν πραγμάτων ἐπιστάτην γεγενημένον;
Τίς δ᾽ οὐκ ἂν τῶν καὶ μετρίως λογιζομένων ταύτας ἄν σοι
παραινέσειεν μάλιστα προαιρεῖσθαι τῶν πράξεων τὰς ἀμφότερα φέρειν ἅμα δυναμένας ὥσπερ καρπούς, ἡδονάς θ᾽
ὑπερβαλλούσας καὶ τιμὰς ἀνεξαλείπτους.

72 Ἀπέχρη δ᾽ ἄν μοι τὰ προειρημένα περὶ τούτων, εἰ
μὴ παραλελοιπὼς ἦν τινα λόγον οὐκ ἀμνημονήσας ἀλλ᾽

---

69 1 ἔσει Γ¹: ἔσῃ Γ²ΘΛ ἔστι Π ‖ 2 σαυτὸν Γ¹: σὺ σαυτὸν
Γ²ΘΛΠ ‖ 5 βουλευῇ Γ¹ : -λεύσῃ Γ²Ε -λεύσησθε Λ Vict. ‖
70 2 εἰσηγούμενος Λ Vict.: ἡγούμενος ΓΕ vulg. ‖ 3 τῶν codd.:
τὴν Γ¹ ‖ **71** 1 ὧν γιγνομένων ΓΕ : ἐφ᾽ (om. ΛΠ) οἷς γιγνομένοις ΛΠ
vulg. ‖ 4 λογιζομένων ΓΕ : λογίζεσθαι δυναμένων ΘΛΠ ‖ 7 ἀνεξαλείπτους Λ² : μεγίστας ΓΕΘΠ ‖ **72** 1 ἀπέχρη ΓΕΠ : ἀπέχρην Θ
ἀπόχρη Λ ‖ ἄν μοι codd.: ἂν ἤδη μοι ΓΕ ‖ περὶ τούτων ΓΘΠ:
πάντως Λ.

mais parce que j'hésitais à en parler. Je crois bon de l'exposer maintenant, car à mon avis, tu as avantage à le connaître et il convient que je compose mon discours avec la franchise qui m'est coutumière.

73 Je m'aperçois que tu es calomnié par des gens qui te jalousent, mais qui ont aussi l'habitude de porter le trouble dans leurs patries, et qui pensent que la paix, qui sert à tous les autres également, est une guerre dirigée contre leurs intérêts particuliers [1]. Négligeant tout le reste, ils disent de ta puissance qu'elle grandit, non pour la Grèce, mais contre elle; que depuis longtemps tu prépares des plans contre nous tous; **74** que, si tu te dis prêt à secourir les Messéniens [2] quand tu auras réglé les affaires des Phocidiens, en fait tu vas te soumettre le Péloponnèse; que tu disposes des Thessaliens, des Thébains et de tous les membres de l'Amphictyonie qui sont prêts à te suivre, des Argiens, des Messéniens, des Mégalopolitains [3] et de beaucoup d'autres qui sont prêts à combattre à tes côtés et à abattre les Lacédémoniens; que, lorsque tu auras fait cela, tu commanderas facilement aux autres Grecs. **75** En disant ces niaiseries, en prétendant tout savoir et en soumettant rapidement tout en paroles, ils persuadent bien des gens, d'abord et surtout ceux qui souhaitent les mêmes malheurs que ceux qui répandent ces bruits, ensuite ceux qui, au lieu de raisonner sur la politique générale, restent dans une complète stupidité et sont bien reconnaissants à qui affecte de craindre et de trembler pour eux, enfin ceux qui ne jugent pas indigne de croire que tu prépares des plans contre les Grecs et qui croient que l'on doit tenir cette imputation pour enviable. **76** Ces derniers ont si peu de jugement qu'ils ne savent pas

1. L'idée est reprise dans la *Lettre à Philippe*, insérée dans le recueil démosthénien (XII, 19).

2. Philippe intervint réellement entre 364 et 344. (cf. Dém. VI, 13).

3. Sur les Thessaliens, cf. par. 20. Les Béotiens et les autres membres de l'Amphictyonie de Delphes étaient favorables à

ὀκνήσας εἰπεῖν, ὃν ἤδη μοι δοκῶ δηλώσειν· οἶμαι γάρ σοί
τε συμφέρειν ἀκοῦσαι περὶ αὐτῶν ἐμοί τε προσήκειν μετὰ
παρρησίας, ὥσπερ εἴθισμαι, ποιεῖσθαι τοὺς λόγους.

73 Αἰσθάνομαι γάρ σε διαβαλλόμενον ὑπὸ τῶν σοὶ μὲν
φθονούντων, τὰς δὲ πόλεις τὰς αὐτῶν εἰθισμένων εἰς
ταραχὰς καθιστάναι, καὶ τὴν εἰρήνην τὴν τοῖς ἄλλοις
κοινὴν πόλεμον τοῖς αὐτῶν ἰδίοις εἶναι νομιζόντων, οἳ
πάντων τῶν ἄλλων ἀμελήσαντες περὶ τῆς σῆς δυνάμεως
λέγουσιν ὡς οὐχ ὑπὲρ τῆς Ἑλλάδος ἀλλ᾽ ἐπὶ ταύτην αὐξά-
νεται, καὶ σὺ πολὺν χρόνον ἤδη πᾶσιν ἡμῖν ἐπιβουλεύεις,
74 καὶ λόγῳ μὲν μέλλεις Μεσσηνίοις βοηθεῖν ἐὰν τὰ περὶ
Φωκέας διοικήσῃς, ἔργῳ δ᾽ | ὑπὸ σαυτῷ ποιεῖσθαι Πελο-
πόννησον· ὑπάρχουσι δέ σοι Θετταλοὶ μὲν καὶ Θηβαῖοι καὶ
πάντες οἱ τῆς Ἀμφικτυονίας μετέχοντες ἕτοιμοι συνακο-
λουθεῖν, Ἀργεῖοι δὲ καὶ Μεσσήνιοι καὶ Μεγαλοπολῖται καὶ
τῶν ἄλλων πολλοὶ συμπολεμεῖν καὶ ποιεῖν ἀναστάτους
Λακεδαιμονίους· ἢν δὲ ταῦτα πράξῃς, ὡς καὶ τῶν ἄλλων
Ἑλλήνων ῥᾳδίως κρατήσεις. 75 Ταῦτα φλυαροῦντες καὶ
φάσκοντες ἀκριβῶς εἰδέναι καὶ ταχέως ἅπαντα τῷ λόγῳ
καταστρεφόμενοι, πολλοὺς πείθουσιν καὶ μάλιστα μὲν τοὺς
τῶν αὐτῶν κακῶν ἐπιθυμοῦντας ὧνπερ οἱ λογοποιοῦντες,
ἔπειτα καὶ τοὺς οὐδενὶ λογισμῷ χρωμένους ὑπὲρ τῶν
κοινῶν ἀλλὰ παντάπασιν ἀναισθήτως διακειμένους καὶ
πολλὴν χάριν ἔχοντας τοῖς ὑπὲρ αὐτῶν φοβεῖσθαι καὶ
δεδιέναι προσποιουμένοις, ἔτι δὲ τοὺς οὐκ ἀποδοκιμάζοντας
τὸ δοκεῖν ἐπιβουλεύειν σε τοῖς Ἕλλησιν ἀλλὰ τὴν αἰτίαν
ταύτην ἀξίαν ἐπιθυμίας εἶναι νομίζοντας· 76 οἳ τοσοῦ-

---

73 3 τὴν .... ἰδίοις ΓΕ (cf. Ar. *Rhét.* III, 10, 30; Dém.
XII, 19) : τῆς εἰρήνης τῆς (τ. om. cett.) τοῖς ἄλλοις (τ. α. om. Τ.)
κοινῆς τὸν πόλεμον τῶν (τ. om. cett.) αὐτῶν (αὐτοῖς *Par. gr.* 2991)
ἡδίω Π cett. (οὔσης post εἰρήνης hab. *Paris.* 2931 2991 Τ, post
κοινῆς Λ) ‖ 7 σὺ πολὺν ΓΕΘ : συγνὸν ΛΠ ‖ **74** 2 Φωκεῖς ΓΕ ‖ Π.διανοῇ
ΛΠ ‖ 7 ὡς om. ΘΛΠ ‖ **75** 5 ἔ.καί Γ¹ : ἔ.δὲ καὶ cett. ‖ λογισμῷ
ΓΕ : λόγῳ ΛΠ ‖ 6 ἀναισθήτως Γ³ : -τους Γ¹Ε ἀνοήτως ΘΛΠ ‖ 9
αἰτίαν ΓΕ : ἀρχὴν ΘΛΠ.

qu'avec le même discours on pourrait nuire aux uns et servir les autres. Par exemple maintenant celui qui dirait que le souverain de l'Asie[1] prépare des plans contre les Grecs et qu'il est tout prêt à marcher contre nous[2], celui-là ne le calomnierait pas, mais il le ferait paraître trop énergique et trop important. Mais en lançant cette accusation contre un descendant d'Héraclès qui a été le bienfaiteur de toute la Grèce, il lui infligerait la plus grande des hontes.

77 Qui en effet ne s'irriterait pas et ne serait pas plein de haine si le descendant d'Héraclès se montrait l'ennemi de ceux pour qui son ancêtre a voulu s'exposer, s'il ne s'efforçait pas de conserver la sympathie qu'Héraclès a léguée à ses descendants et si, négligeant cela, il aspirait à des actions blâmables et criminelles?

78 Il te faut réfléchir à cela et ne pas dédaigner ce bruit qui grandit autour de toi : tes ennemis cherchent à t'en accabler et chacun de tes amis voudrait y répondre pour te défendre. Or, en ce qui concerne tes intérêts, c'est d'après les pensées de tes amis et de tes ennemis que tu pourras le mieux voir la vérité.

79 Peut-être crois-tu qu'il est d'une âme faible de se soucier de ceux qui te dénigrent sottement et de ceux qui les écoutent, et cela surtout quand tu as conscience de ne commettre aucune faute. Mais il ne faut pas mépriser la foule ni dédaigner l'estime générale[3] ; il faut juger que ta gloire sera belle et grande et digne de toi, de tes ancêtres

Philippe en raison de son hostilité contre les Phocidiens (niée par les partisans de la Macédoine à Athènes mais déjà manifestée en 353 quand Philippe avait battu Onomarkhos près d'Halos). Quant aux trois derniers peuples, cf. Démosthène, V, *Sur la Paix*, 18 (en 346) où ils sont cités comme hostiles à Sparte et à Athènes.

1. Expression emphatique et ironique. Cf. [Lysias] *Or. fun.*, 27.

2. Allusion à l'émotion qui s'empara de la Grèce en 354 à la nouvelle des armements d'Artaxerxès III Okhos (cf. Démosthène, XIV, *Sur les Sym.*, notamment 12 et 14).

3. Cette prétendue défense de Philippe contre des accusations calomnieuses est un conseil détourné adressé au roi dont les

τον ἀφεστᾶσι τοῦ νοῦν ἔχειν, ὥστ᾽ οὐκ ἴσασιν ὅτι τοῖς αὐτοῖς ἄν τις λόγοις χρώμενος τοὺς μὲν βλάψειεν, τοὺς δ᾽
ὠφελήσειεν. Οἷον καὶ νῦν, εἰ μέν τις φαίη τὸν τῆς Ἀσίας
βασιλέα τοῖς Ἕλλησιν ἐπιβουλεύειν καὶ παρεσκευάσθαι
στρατεύειν ἐφ᾽ ἡμᾶς, οὐδὲν ἂν λέγοι περὶ αὐτοῦ φλαῦρον,
ἀλλ᾽ ἀνδρωδέστερον αὐτὸν καὶ πλείονος ἄξιον δοκεῖν εἶναι
ποιήσειεν· εἰ δὲ τῶν ἀφ᾽ Ἡρακλέους τινὶ πεφυκότων, ὃς
ἁπάσης κατέστη τῆς Ἑλλάδος εὐεργέτης, ἐπιφέροι τὴν
αἰτίαν ταύτην, εἰς τὴν μεγίστην αἰσχύνην ἂν αὐτὸν καταс-
τήσειεν. 77 Τίς γὰρ οὐκ ἂν ἀγανακτήσειε καὶ μισήσειεν,
εἰ φαίνοιτο τούτοις ἐπιβουλεύων ὑπὲρ ὧν ὁ πρόγονος αὐτοῦ
προείλετο κινδυνεύειν, καὶ τὴν μὲν εὔνοιαν, ἣν ἐκεῖνος
κατέλιπεν τοῖς ἐξ αὐτοῦ γεγενημένοις, μὴ πειρῷτο διαφυλάττειν, ἀμελήσας δὲ τούτων ἐπονειδίστων ἐπιθυμοίη καὶ
πονηρῶν πραγμάτων ;

78 Ὧν ἐνθυμούμενον χρὴ μὴ περιορᾶν τοιαύτην φήμην
σαυτῷ περιφυομένην, ἣν οἱ μὲν ἐχθροὶ περιθεῖναί σοι
ζητοῦσι, τῶν δὲ φίλων οὐδεὶς ὅστις οὐκ ἂν ἀντειπεῖν ὑπὲρ
σοῦ τολμήσειεν. Καίτοι περὶ τῶν σοὶ συμφερόντων ἐν ταῖς
τούτων ἀμφοτέρων γνώμαις μάλιστ᾽ ἂν κατίδοις τὴν
ἀλήθειαν.

79 Ἴσως οὖν ὑπολαμβάνεις μικροψυχίαν εἶναι τὸ τῶν
βλασφημούντων καὶ φλυαρούντων καὶ τῶν πειθομένων
τούτοις φροντίζειν, ἄλλως θ᾽ ὅταν καὶ μηδὲν σαυτῷ συνειδῇς
ἐξαμαρτάνων. Χρὴ δὲ μὴ καταφρονεῖν τοῦ πλήθους, μηδὲ
παρὰ μικρὸν ἡγεῖσθαι τὸ παρὰ πᾶσιν εὐδοκιμεῖν, ἀλλὰ
τότε νομίζειν καλὴν ἔχειν καὶ μεγάλην τὴν δόξαν καὶ πρέπουσαν σοὶ καὶ τοῖς σοῖς προγόνοις καὶ τοῖς ὑφ᾽ ὑμῶν

76 3 λόγοις ΓΕ: λογισμοῖς ΘΛΠ || 5 παρεσκευάσθαι ΓΕ: παρασκευά-
ζεσθαι: ΘΛΠ || 6 φλαῦρον codd.: φαῦλον Γ¹Π || 7 δοκεῖν Γ: δοκεῖν
ἂν ΘΛΠ || 77 1 οὐκ om. Γ¹ || 78 2 σαυτῷ ΓΘΛ¹: σαυτὸ Π σοι
Λ². || 79 1 οὖν ΓΕ: δ᾽ ΘΛΠ || 2 τῶν ante πειθομένων om. Γ || 3 συ-
νειδῇς ΓΕ: συνιδῇς ΛΠ || 7 σοι: Γ: καί σοι ΕΖ || σοῖς Γ: om.
ΘΛΠ.

et de vos exploits, **80** lorsque tu auras inspiré aux
Grecs les sentiments que tu vois chez les Lacédémoniens
pour leurs rois[1] et chez tes compagnons pour toi-même.
Il ne t'est pas difficile d'y arriver, si tu veux bien être
impartial pour tous, si tu cesses d'être favorable à certains
États et hostile à d'autres, si en outre tu te décides aux
actes qui inspireront de la confiance aux Grecs et de la
crainte aux Barbares.

81 Ne t'étonne pas (comme je l'ai écrit à Denys[2]
quand il occupait la tyrannie) si, n'étant ni stratège ni
orateur ni en rien homme de gouvernement, je te parle
avec plus de courage que les autres. Je suis de tous les
citoyens le moins doué pour la politique; car je n'ai eu
ni la voix suffisante ni l'audace requise pour me mêler à
la foule, me salir, injurier ceux qui se bousculent à la tribune.
82 Mais je revendique mes qualités d'intelligence et de
bonne éducation, dût-on trouver cette expression déplacée;
et je me rangerais non parmi ceux qui en cela sont inférieurs
aux autres, mais parmi ceux qui les dépassent. C'est
pourquoi j'entreprends de conseiller, de la façon que la
nature m'a permise, ma patrie, les Grecs et les hommes
les plus illustres.

83 Sur ce qui me concerne et sur ce que tu dois faire
à l'égard des Grecs, tu as à peu près tout appris. Sur ce
qui touche l'expédition d'Asie, nous donnerons aux États[3]
que je te disais de réconcilier des conseils sur la façon de
faire la guerre aux Barbares, quand nous les verrons

---

projets ne le rassurent qu'à demi. L'orateur se rend compte
que Philippe doit ménager l'opinion athénienne : quelques
semaines plus tard la paix sera sur le point d'être rompue
quand Philippe demandera aux Athéniens de reconnaître sa
qualité d'amphictyon.

1. Cf. VIII, *Sur la Paix*, 143 et *Lettre II*, 6.
2. Cf. *Lettre I*, 9.
3. Isocrate projette peut-être déjà de composer un discours
destiné aux grands États grecs; de 342 à 339, il s'occupera de
réaliser ce plan pour Athènes et Sparte (voir le *Panathénaïque*).

πεπραγμένοις, 80 ὅταν οὕτω διαθῇς τοὺς Ἕλληνας ὥσπερ ὁρᾷς Λακεδαιμονίους τε πρὸς τοὺς αὑτῶν βασιλέας ἔχοντας τούς θ᾽ ἑταίρους τοὺς σοὺς πρὸς σὲ διακειμένους. Ἔστιν δ᾽ οὐ χαλεπὸν τυχεῖν τούτων, ἢν ἐθελήσῃς κοινὸς ἅπασιν γενέσθαι καὶ παύσῃ ταῖς μὲν τῶν πόλεων οἰκείως ἔχων, πρὸς δὲ τὰς ἀλλοτρίως διακείμενος, ἔτι δ᾽ ἢν τὰ τοιαῦτα προαιρῇ πράττειν ἐξ ὧν τοῖς μὲν Ἕλλησιν ἔσει πιστός, τοῖς δὲ βαρβάροις φοβερός.

81 Καὶ μὴ θαυμάσῃς, ἅπερ ἐπέστειλα καὶ πρὸς Διονύσιον τὴν τυραννίδα κτησάμενον, εἰ μήτε στρατηγός ὢν μήτε ῥήτωρ μήτ᾽ ἄλλως δυνάστης θρασύτερόν σοι διείλεγμαι τῶν ἄλλων. Ἐγὼ γὰρ πρὸς μὲν τὸ πολιτεύεσθαι πάντων ἀφυέστατος ἐγενόμην τῶν πολιτῶν· οὔτε γὰρ φωνὴν ἔσχον ἱκανὴν οὔτε τόλμαν δυναμένην ὄχλῳ χρῆσθαι καὶ μολύνεσθαι καὶ λοιδορεῖσθαι τοῖς ἐπὶ τοῦ βήματος καλινδουμένοις· 82 τοῦ δὲ φρονεῖν εὖ καὶ πεπαιδεῦσθαι καλῶς, εἰ καί τις ἀγροικότερον εἶναι φήσει τὸ ῥηθὲν, ἀμφισβητῶ καὶ θείην ἂν ἐμαυτὸν οὐκ ἐν τοῖς ἀπολελειμμένοις ἀλλ᾽ ἐν τοῖς προέχουσι τῶν ἄλλων. Διόπερ ἐπιχειρῶ συμβουλεύειν τὸν τρόπον τοῦτον, ὃν ἐγὼ πέφυκα καὶ δύναμαι, καὶ τῇ πόλει καὶ τοῖς Ἕλλησιν καὶ τῶν ἀνδρῶν τοῖς ἐνδοξοτάτοις.

83 Περὶ μὲν οὖν τῶν ἐμῶν καὶ περὶ ὧν σοὶ πρακτέον ἐστὶν πρὸς τοὺς Ἕλληνας σχεδὸν ἀκήκοας, περὶ δὲ τῆς στρατείας τῆς εἰς τὴν Ἀσίαν ταῖς μὲν πόλεσιν, ἃς ἔφην χρῆναί σε διαλλάττειν, τότε συμβουλεύσομεν ὡς χρὴ πολεμεῖν πρὸς τοὺς βαρβάρους, ὅταν ἴδωμεν αὐτὰς ὁμονοούσας,

80 4 τυχεῖν ΓΕ : εἰπεῖν τυχεῖν ΘΛ²ΠΤ Paris. gr. 2931 εἰπεῖν Λ¹· ‖ 81 1 ἐπέστειλα codd. : ἀπεστ- Π ‖ 2 τὴν τυραννίδα Γ¹ : τὸν τυραννίδα ΘΛΠ τὸν τὴν τυραννίδα Γ²Ε ‖ 6 χρῆσθαι καὶ μολύνεσθαι ΓΕ : χρήσασθαι καὶ μολύνασθαι ΛΠ χρήσασθαι Θ ‖ 7 καλινδουμένοις codd. : κυλινδ- Γ¹ ‖ 82 7 τοῖς Ἕλλησιν Γ¹ : τοῖς ἄλλοις Ἕλλησιν Γ²ΕΘΛΠ ‖ 83 1 περὶ ὧν vulg. : ὧν ΓΕ ‖ σοὶ πρακτέον ἐστὶ ΓΕ : ἡγοῦμαί σοι πρακτέον εἶναι ΘΛΠ ‖ 4 τότε συμβουλεύσομεν ΓΕ : τότε μοι δοκῶ συμβουλεύειν (-σειν Coraïs) ΛΠ τότε συμβουλεύσομαι Θ.

d'accord; c'est à toi seul que je m'adresserai maintenant. Mais je ne suis pas dans le même état d'esprit qu'à
l'âge où j'écrivais sur le même sujet.   84   Alors j'engageais ceux qui allaient m'entendre à rire de moi [1] et à me
mépriser si je ne leur montrais pas un discours qui fût
digne du sujet, de ma réputation et du temps passé à
sa rédaction; maintenant je crains que mes paroles ne
soient bien indignes de tout cela. En effet, entre autres
choses, le *Discours Panégyrique*, qui a donné plus de
ressources [2] à tous ceux qui s'occupent de culture littéraire,
m'a mis dans un grand embarras; car je ne veux pas
répéter ce que j'y ai dit et je ne puis chercher encore des
idées nouvelles.   85   Cependant il ne faut pas renoncer;
il faut dire, sur le sujet que j'ai choisi, ce qui se
présentera et pourra te persuader d'agir dans ce sens.
S'il me manque quelque chose et que je ne puisse écrire
aussi bien que dans mes ouvrages précédemment publiés,
je crois du moins que j'esquisserai assez bien ce que d'autres [3]
pourront se donner la peine de terminer.

   86   Je crois avoir commencé l'ensemble de mon discours
comme il convient à qui conseille une expédition en Asie.
En effet nul ne doit agir avant de posséder soit le concours
des Grecs, soit leur sympathie pour ses projets. C'est à
quoi Agésilas, qui passait pour le plus sage des Lacédémoniens, a prêté trop peu d'attention, non par défaut
d'habileté, mais par ambition.   87   Il eut en effet deux
projets, beaux tous deux, mais contradictoires et impossibles à réaliser en même temps : il avait décidé de faire
la guerre au Grand Roi et de ramener ses amis dans leurs

---

1. Cf. *Panég.*, 14, dont Isocrate reprend ici les termes.
2. Affirmation répétée, cf. 11, 94; *Sur l'Echange* 74; *Lettre*,
VI, 7.
3. Nous connaissons une *Lettre à Philippe*, celle de Théopompe, écrite entre 346 et 341 et dont Didyme nous a
conservé un fragment (Cf. Foucart, *Étude sur Diodymos*, p. 104);
un autre fragment se trouve sans doute dans Théon d'Alexan-
drie, *Progymnasmata*, 8 (Théopompe, frag. 285).

πρὸς σὲ δὲ νῦν ποιήσομαι τοὺς λόγους, οὐ τὴν αὐτὴν ἔχων
διάνοιαν καὶ κατ᾽ ἐκείνην τὴν ἡλικίαν|ὅτ᾽ ἔγραφον περὶ τὴν
αὐτὴν ὑπόθεσιν ταύτην.   84   Τότε μὲν γὰρ παρεκελευόμην
τοῖς ἀκουσόμενοις καταγελᾶν μου καὶ καταφρονεῖν, ἢν μὴ
καὶ τῶν πραγμάτων καὶ τῆς δόξης τῆς ἐμαυτοῦ καὶ τοῦ
χρόνου τοῦ περὶ τὸν λόγον διατριφθέντος ἀξίως φαίνωμαι
διεξιών· νῦν δὲ φοβοῦμαι μὴ πάντων τῶν προειρημένων
πολὺ καταδεέστερον τύχω διαλεχθείς. Καὶ γὰρ πρὸς τοῖς
ἄλλοις ὁ λόγος ὁ πανηγυρικός, ὁ τοὺς ἄλλους τοὺς περὶ τὴν
φιλοσοφίαν διατρίβοντας εὐπορωτέρους ποιήσας, ἐμοὶ
πολλὴν ἀπορίαν παρέσχηκεν· οὔτε γὰρ ταὐτὰ βούλομαι
λέγειν τοῖς ἐν ἐκείνῳ γεγραμμένοις οὔτ᾽ ἔτι καινὰ δύναμαι
ζητεῖν.   85   Οὐ μὴν ἀποστατέον ἐστίν, ἀλλὰ λεκτέον,
περὶ ὧν ὑπεθέμην, ὅ τι ἂν ὑποπέσῃ καὶ συμφέρῃ πρὸς
τὸ πεῖσαί σε ταῦτα πράττειν. Καὶ γὰρ ἢν ἐλλίπω τι καὶ μὴ
δυνηθῶ τὸν αὐτὸν τρόπον γράψαι τοῖς πρότερον ἐκδεδο-
μένοις, ἀλλ᾽ οὖν ὑπογράψειν γ᾽ οἶμαι χαριέντως τοῖς ἐξερ-
γάζεσθαι καὶ διαπονεῖν δυναμένοις.

   86   Τὴν μὲν οὖν ἀρχὴν τοῦ λόγου τοῦ σύμπαντος οἶμαι
πεποιῆσθαι ταύτην, ἥνπερ προσήκει τοὺς ἐπὶ τὴν Ἀσίαν
πείθοντας στρατεύειν. Δεῖ γὰρ μηδὲν πρότερον πράττειν
πρὶν ἂν λάβῃ τις τοὺς Ἕλληνας δυοῖν θάτερον ἢ συναγω-
νιζομένους ἢ πολλὴν εὔνοιαν ἔχοντας τοῖς πραττομένοις.
Ὧν Ἀγησίλαος ὁ δόξας εἶναι Λακεδαιμονίων φρονιμώ-
τατος ὠλιγώρησεν, οὐ διὰ κακίαν, ἀλλὰ διὰ φιλοτιμίαν.   87
Ἔσχεν γὰρ διττὰς ἐπιθυμίας, καλὰς μὲν ἀμφοτέρας, οὐ
συμφωνούσας δ᾽ ἀλλήλαις οὐδ᾽ ἅμα πράττεσθαι δυναμένας.
Προῃρεῖτο γὰρ βασιλεῖ τε πολεμεῖν καὶ τοὺς ἑταίρους εἰς
τὰς πόλεις τὰς αὐτῶν καταγαγεῖν καὶ κυρίους ποιῆσαι τῶν

   84 4 τὸν λόγον ΓΕ: τοὺς λόγους ΛΠ ‖ 10 ἔτι om. ΘΛΠ ‖
85 1 ἀποστατέον ΓΕ: ἀποστατέον γ᾽ ΘΠ ‖ 2 ἂν ὑποπέσῃ ΓΕ:
ἂν ὑποπέσοι Π ἀνθ᾽ ὕπεστί μοι Λ ‖ συμφέρῃ ΓΕΠ: -ρει Λ -ροι
vulg. ‖ 86 1 τοῦ σύμπαντος codd.: τούτου σύμπαντος ΕΘ.

villes en leur donnant le pouvoir [1]. Il arrivait donc que son activité en faveur de ses amis mettait les Grecs dans le malheur et le danger, et que le trouble provoqué chez nous lui enlevait le loisir et le pouvoir de faire la guerre aux Barbares. **88** Aussi, d'après les erreurs commises à ce moment là, est-il facile de reconnaître que ceux qui ont un plan raisonné, ne doivent pas porter la guerre contre le Grand Roi avant que l'on n'ait réconcilié les Grecs et fait cesser la folie qui les possède maintenant. Et c'est ce que nous t'avons conseillé.

89 Sur ce point personne de sensé n'oserait me contredire, mais je crois que, si d'autres voulaient donner des conseils touchant l'expédition d'Asie, voici comment ils t'encourageraient : ils diraient que tous ceux qui ont entrepris de faire la guerre au Grand Roi, sont devenus d'inconnus qu'ils étaient, illustres [2], de pauvres, riches, de faibles, maîtres de beaucoup de pays et de villes. **90** Je ne vais pas t'encourager ainsi, mais en parlant de ceux qui passent pour avoir échoué, je veux dire de ceux qui sont partis en expédition avec Cyrus et Cléarchos. Tout le monde reconnaît qu'ils ont remporté sur les troupes du Grand Roi une aussi grande victoire que s'ils avaient combattu contre leurs femmes, et qu'au moment où ils semblaient déjà maîtres de la situation, ils ont échoué à cause de la témérité de Cyrus. Celui-ci en effet, transporté de joie et se lançant à la poursuite bien en avant des autres, fut entouré par les ennemis et succomba. **91** Cependant, après un tel malheur survenu aux Grecs, le Grand Roi méprisa tant les troupes qui l'entouraient, qu'il invita Cléarchos et les autres chefs à une conférence ;

1. C'est la campagne de 396. Ses amis sont en fait des aristocrates des villes grecques d'Asie ; mais Isocrate, qui veut conseiller la prudence à Philippe, emploie une expression qui peut s'entendre de la Grèce propre (où Lysandre avait tenté entre 404 et 400 d'établir des décarchies ; cf. 95).

2. Peut-être était-ce l'argument de Théopompe à propos d'Hermios d'Atarnes dans sa *Lettre à Philippe*.

πραγμάτων. Συνέβαινεν οὖν ἐκ μὲν τῆς πραγματείας τῆς
ὑπὲρ τῶν ἑταίρων ἐν κακοῖς καὶ κινδύνοις εἶναι τοὺς
Ἕλληνας, διὰ δὲ τὴν ταραχὴν τὴν ἐνθάδε γιγνομένην μὴ
σχολὴν ἄγειν μηδὲ δύνασθαι πολεμεῖν τοῖς βαρβάροις. 88
Ὥστ᾽ ἐκ τῶν ἀγνοηθέντων κατ᾽ ἐκεῖνον τὸν χρόνον ῥᾴδιον
καταμαθεῖν ὅτι δεῖ τοὺς ὀρθῶς βουλευομένους μὴ πρότερον
ἐκφέρειν πρὸς τὸν βασιλέα πόλεμον|πρὶν ἂν διαλλάξῃ ⟨τις⟩
τοὺς Ἕλληνας καὶ παύσῃ τῆς μανίας τῆς νῦν αὐτοῖς
ἐνεστώσης· ἅπερ καὶ σοὶ συμβεβουλευκότες τυγχάνομεν.

89 Περὶ μὲν οὖν τούτων οὐδεὶς ἂν ἀντειπεῖν τῶν εὖ
φρονούντων τολμήσειεν, οἶμαι δὲ τῶν μὲν ἄλλων εἴ τισιν
δόξειε περὶ τῆς στρατείας τῆς εἰς τὴν Ἀσίαν συμβουλεύειν,
ἐπὶ ταύτην ἂν ἐπιπεσεῖν τὴν παράκλησιν, λέγοντας ὡς
ὅσοι περ ἐπεχείρησαν πρὸς τὸν βασιλέα πολεμεῖν, ἅπασιν
συνέπεσεν ἐξ ἀδόξων μὲν γενέσθαι λαμπροῖς, ἐκ πενήτων
δὲ πλουσίοις, ἐκ ταπεινῶν δὲ πολλῆς χώρας καὶ πόλεων
δεσπόταις. 90 Ἐγὼ δ᾽ οὐκ ἐκ τῶν τοιούτων μέλλω σε
παρακαλεῖν, ἀλλ᾽ ἐκ τῶν ἠτυχηκέναι δοξάντων, λέγω δ᾽ ἐκ
τῶν μετὰ Κύρου καὶ Κλεάρχου συστρατευσαμένων. Ἐκείνους
γὰρ ὁμολογεῖται νικῆσαι μὲν μαχομένους ἅπασαν τὴν
βασιλέως δύναμιν τοσοῦτον, ὅσονπερ ἂν εἰ ταῖς γυναιξὶν
αὐτῶν συνέβαλον, ἤδη δ᾽ ἐγκρατεῖς δοκοῦντας εἶναι τῶν
πραγμάτων διὰ τὴν Κύρου προπέτειαν ἀτυχῆσαι· περιχαρῆ
γὰρ αὐτὸν ὄντα καὶ διώκοντα πολὺ πρὸ τῶν ἄλλων, ἐν
μέσοις γενόμενον τοῖς πολεμίοις ἀποθανεῖν. 91 Ἀλλ᾽
ὅμως τηλικαύτης συμφορᾶς συμπεσούσης οὕτω σφόδρα
κατεφρόνησεν ὁ βασιλεὺς τῆς περὶ αὐτὸν δυνάμεως, ὥστε

---

88 3 τοὺς ὀρθῶς βουλευομένους ΓΕ : τὸν (τῶν Π) ὀρθῶς βουλευ-
όμενον ΘΛΠ ‖ πρὸς τὸν βασιλέα Γ : τὸν πρὸς τὸν β- ΕΠ τὸν πρὸς
β- ΖΛ πρὸς τὸν βασιλέα τὸν Θ (cf. Ep. IX, 14) ‖ τις add. Turicenses. ‖ 89 2 τισιν Γ : τισι ΤΛ² τι Λ¹ τις Π ‖ 90 4 συστρατευσαμένων edd. : συνστρατ- ΓΕ στρατ- ΘΛΠ ‖ 3 ὁμολογεῖται ΓΕ :
-γοῦσι ΘΛΠ ‖ 91 2 συμπεσούσης Γ¹ : συμπ- αὐτῷ Γ²ΕΛΠ περιπ-
αὐτῷ Θ.

il leur promit pour eux de grands présents, pour les autres soldats le renvoi après paiement de la solde entière, il les attira par de tels espoirs, leur donna les garanties les plus grandes de celles qui sont en usage là-bas, et il les fit ensuite arrêter et mettre à mort : ainsi il aima mieux commettre une faute à l'égard des dieux que combattre des soldats si isolés [1]. **92** Aussi peut-il y avoir un encouragement plus beau et plus sûr? On voit que ces Grecs auraient conquis l'empire du Roi sans la faute de Cyrus. Or il ne t'est pas difficile de te garder du malheur [2] que l'on subit alors, et tu peux facilement préparer une armée bien plus forte que celle qui vainquit les troupes du Roi. Avec ces deux avantages, comment ne pas avoir confiance pendant le cours de cette expédition?

93 Que personne n'aille croire que je cherche à cacher que j'expose certaines de ces idées de la même façon qu'autrefois [3]. Car, m'occupant du même sujet, j'ai résolu de ne pas me donner la peine de chercher à dire autrement ce que j'ai déjà bien démontré. Si en effet je faisais un discours d'apparat, je chercherais à éviter toutes ces répétitions; **94** mais, te conseillant, je serais fou si je consacrais plus de temps à l'expression qu'aux faits, et également si, voyant les autres se servir de mes idées, j'étais le seul à ne pas employer ce que j'ai déjà dit. Donc, le cas échéant, je pourrai me servir de ce qui m'appartient, si c'est tout à fait nécessaire et convenable; mais je n'em-

---

1. Isocrate a déjà parlé des Dix-Mille dans le *Panégyrique* 145-146 (voir aussi *Panath.*, 104). Pour la bataille, comparer avec Xénophon, *Anabase*, I, 8, 21-29. Sur la mort des généraux grecs, Isocrate donne plus de détails que dans le *Panégyrique*; il ne distingue d'ailleurs pas les négociations avec le roi (Xénophon, *Anab.*, II, 5, 1-30; Diodore, XIV, 26), de celles qui furent menées avec Tissapherne et interrompues par l'assassinat des généraux (Xénophon, *Anab.*, II, 5, 1-30). Les différences interdisent de supposer une influence directe de Xénophon.

2. Voir un pareil conseil, *Lettre II*, 1-12.

3. Dans le *Panégyrique* 145-147 et dans *Lettre IX*, 11-14.

προκαλεσάμενος Κλέαρχον καὶ τοὺς ἄλλους ἡγεμόνας εἰς
λόγον ἐλθεῖν, καὶ τούτοις μὲν ὑπισχνούμενος μεγάλας
δωρεὰς δώσειν, τοῖς δ᾽ ἄλλοις στρατιώταις ἐντελῆ τὸν
μισθὸν ἀποδοὺς ἀποπέμψειν, τοιαύταις ἐλπίσιν ὑπαγα-
γόμενος καὶ πίστεις δοὺς τῶν ἐκεῖ νομιζομένων τὰς
μεγίστας, συλλαβὼν αὐτοὺς ἀπέκτεινεν, καὶ μᾶλλον εἵλετο
περὶ τοὺς θεοὺς ἐξαμαρτεῖν ἢ τοῖς στρατιώταις οὕτως
ἐρήμοις οὖσι συμβαλεῖν.   92   Ὥστε τίς ἂν γένοιτο παρά-
κλησις ταύτης καλλίων καὶ πιστοτέρα; Φαίνονται γὰρ
κἀκεῖνοι κρατήσαντες ἂν τῶν βασιλέως πραγμάτων εἰ μὴ
διὰ Κῦρον. Σοὶ δὲ τὴν τ᾽ ἀτυχίαν τὴν τότε γεγενημένην οὐ
χαλεπὸν φυλάξασθαι, τοῦ τε στρατοπέδου τοῦ κρατήσαντος
τὴν ἐκείνου δύναμιν ῥᾴδιον πολὺ κρεῖττον παρασκευάσασθαι.
Καίτοι τούτων ἀμφοτέρων ὑπαρξάντων πῶς οὐ χρὴ θαρρεῖν
ποιούμενον τὴν στρατείαν ταύτην;

93 | Καὶ μηδεὶς ὑπολάβῃ με βούλεσθαι λαθεῖν, ὅτι
τούτων ἔνια πέφρακα τὸν αὐτὸν τρόπον ὅνπερ πρότερον.
Ἐπιστὰς γὰρ ἐπὶ τὰς αὐτὰς διανοίας εἱλόμην μὴ πονεῖν
γλιχόμενος τὰ δεδηλωμένα καλῶς ἑτέρως εἰπεῖν· καὶ γὰρ εἰ
μὲν ἐπίδειξιν ἐποιούμην, ἐπειρώμην ἂν ἅπαντα τὰ τοιαῦτα
διαφεύγειν,   94   σοὶ δὲ συμβουλεύων μωρὸς ἂν ἦν εἰ περὶ
τὴν λέξιν πλείω χρόνον διέτριβον ἢ περὶ τὰς πράξεις, ἔτι
δ᾽ εἰ τοὺς ἄλλους ὁρῶν τοῖς ἐμοῖς χρωμένους αὐτὸς μόνος
ἀπειχόμην τῶν ὑπ᾽ ἐμοῦ πρότερον εἰρημένων. Τοῖς μὲν οὖν
οἰκείοις τυχὸν ἂν χρησαίμην, ἢν σφόδρα κατεπείγῃ καὶ

91 4 προχαλεσάμενος ΓΕ: προσκαλ- ΘΛΠ ‖ 5 λόγον Γ¹ΛΠ: λόγους
Γ²Θ ‖ ὑπισχνούμενος ΓΕ: ὑποσχόμενος ΘΛΠ ‖ 6 τὸν om. ΓΕ ‖ 7 ὑπα-
γαγόμενος Γ: ὑπαγόμενος ΕΛΠ ‖ 92 1 ὥστε ΓΕ: καίτοι ΘΛΠ ‖
2 παρασκευάσασθαι Ε¹ΘΛΠ: κατασχ- ΓΕ². ‖ 93 2 πέφρακα Γ¹Λ:
γέγραφα Γ⁴ΕΘ πέφριχα Π ‖ 3 ἐπιστὰς .. μὴ πονεῖν ΓΕΘ: εἰ γὰρ
ἐπιστὰς (om. Π) ... ἐλθεῖν ποιεῖν ΛΠ vulg. ‖ 4 ἑτέρως ΓΕΘ: εἶχεν
ΛΠ ‖ 6 διαφεύγειν Γ: διαφυλάττειν Γmg. ΕΘΛΠ ‖ 94 1 ἦν Γ¹:
εἴην cett. ‖ 4 ἀπειχόμην ΓΕ: ἀπεχοίμην ΘΛΠ ‖ 5 ἦν Γ¹: ἤν που
cett.

prunterai rien aux autres, pas plus que je ne l'ai fait
dans le passé[1].

95 Cela étant dit, je pense qu'il me faut maintenant
parler des moyens d'action que tu posséderas et de ceux
qu'avaient les compagnons de Cléarchos. Ce qui est le
plus important, tu auras la sympathie des Grecs, si du
moins tu veux bien tenir compte de ce que j'ai dit à leur
sujet; eux, à cause des décarchies[2] établies par les Lacédémoniens, leur inspiraient la plus grande haine. Les Grecs
pensaient en effet que, si Cyrus et Cléarchos réussissaient,
leur esclavage serait encore plus dur et qu'en cas de
victoire du Roi ils seraient délivrés de leurs maux; ce qui
précisément arriva. 96 En outre tu trouveras tout prêts
autant de soldats que tu voudras, car telle est la situation
de la Grèce qu'il est plus facile de constituer une armée
plus grande et plus forte avec les gens sans domicile qu'avec
les habitants des villes. Dans ce temps-là, il n'y avait pas
de troupes de mercenaires; aussi comme ils étaient forcés
d'en aller chercher dans les villes, ils dépensaient plus pour
les présents donnés aux recruteurs que pour la solde des
troupes. 97 De plus si nous voulons examiner et comparer avec toi qui vas conduire l'expédition et décider
de tout, Cléarchos qui alors dirigeait cette entreprise,
nous verrons qu'il n'avait jamais commandé auparavant
aucune force navale ou terrestre et que c'est son malheur
sur le continent qui a fait connaître son nom, 98 tandis
que tu as accompli une foule de grands exploits qu'il

1. Isocrate veut sans doute répondre à ceux qui déjà voulaient trouver l'origine de ses idées politiques dans les *Discours
Olympiques* de Gorgias et de Lysias.
2. Cyrus le jeune avait bien soutenu Lysandre dans son
institution des *décarchies*; mais en 401, l'influence de Lysandre
diminuait à Sparte; d'autre part, les Grecs ne se prenon-
cèrent sérieusement contre Sparte qu'en 395. Isocrate présente
comme une conséquence de la bataille de Cunaxa (Sept. 401)
la libération d'une partie de la Grèce qui résulta de la bataille
de Cnide (août 394).

πρέπῃ, τῶν δ' ἀλλοτρίων οὐδὲν ἂν προσδεξαίμην, ὥσπερ
οὐδ' ἐν τῷ παρελθόντι χρόνῳ.

95 Ταῦτα μὲν οὖν οὕτως· δοκεῖ δέ μοι μετὰ ταῦτα
περὶ τῆς παρασκευῆς διαλεκτέον εἶναι τῆς τε σοὶ
γενησομένης καὶ τῆς ἐκείνοις ὑπαρξάσης. Τὸ μὲν τοίνυν
μέγιστον, σὺ μὲν τοὺς Ἕλληνας εὔνους ἕξεις, ἤνπερ
ἐθελήσῃς ἐμμεῖναι τοῖς περὶ τούτων εἰρημένοις, ἐκεῖνοι
δὲ διὰ τὰς δεκαρχίας τὰς ἐπὶ Λακεδαιμονίων ὡς οἷόν
τε δυσμενεστάτους. Ἡγοῦντο γὰρ Κύρου μὲν καὶ Κλεάρχου
κατορθωσάντων μᾶλλον ἔτι δουλεύσειν, βασιλέως δὲ
κρατήσαντος ἀπαλλαγήσεσθαι τῶν κακῶν τῶν παρόντων·
ὅπερ καὶ συνέπεσεν αὐτοῖς. 96 Καὶ μὴν καὶ στρα-
τιώτας σὺ μὲν ἐξ ἑτοίμου λήψει τοσούτους ὅσους ἂν
βουληθῇς· οὕτω γὰρ ἔχει τὰ τῆς Ἑλλάδος ὥστε ῥᾷον
εἶναι συστῆσαι στρατόπεδον μεῖζον καὶ κρεῖττον ἐκ
τῶν πλανωμένων ἢ τῶν πολιτευομένων· ἐν ἐκείνοις δὲ
τοῖς χρόνοις οὐκ ἦν ξενικὸν οὐδέν, ὥστ' ἀναγκαζόμενοι
ξενολογεῖν ἐκ τῶν πόλεων πλέον ἀνήλισκον εἰς τὰς διδο-
μένας τοῖς συλλέγουσιν δωρεὰς ἢ τὴν εἰς τοὺς στρα-
τιώτας μισθοφοράν. 97 Καὶ μὴν εἰ βουληθεῖμεν ἐξε-
τάσαι καὶ παραβαλεῖν σέ τε τὸν νῦν ἡγησόμενον τῆς
στρατείας καὶ βουλευσόμενον περὶ ἁπάντων καὶ Κλέαρχον
τὸν ἐπιστατήσαντα τῶν τότε πραγμάτων, εὑρήσομεν
ἐκεῖνον μὲν οὐδεμιᾶς πώποτε δυνάμεως πρότερον οὔτε
ναυτικῆς οὔτε πεζῆς καταστάντα κύριον, ἀλλ' ἐκ τῆς
ἀτυχίας τῆς συμβάσης αὐτῷ περὶ τὴν ἤπειρον ὀνομαστὸν
γενόμενον, 98 |σὲ δὲ τοσαῦτα καὶ τηλικαῦτα τὸ μέγεθος

95 1 οὖν οὕτως Γ: οὕτως Ε οὕτως ἕξει (ἔχει Θ) ΘΛΠ ‖
3 γενησομένης ΓΕ: γενομένης Λ γενομένοις Π ‖ 6 δεκαρχίας
ΕΘΛ Vict.: δεκαδαρχίας ΓΠ Harp. s. v. ‖ 96 8 συλλέγουσιν ΓΕ:
Ἕλλησι ΘΛΠ ‖ 9 τὴν ... μισθοφορὰν ΓΕ: τὸν ... μισθὸν ΘΛΠ ‖
97 3 στρατείας Γ: στρατίας Ε στρατιᾶς ΘΛ Vict. στρατείας Π.

serait beau d'exposer si j'adressais mon discours à d'autres[1];
mais parlant à toi-même, si j'énumérais tes actions, je
paraîtrais à juste titre à la fois insensé et indiscret.

99 Il importe aussi de rappeler les deux Rois, celui
contre qui je te conseille de marcher et celui contre
qui Cléarchos a combattu, afin que tu connaisses le caractère et la puissance de chacun d'eux. Le père du Roi actuel
a vaincu notre cité[2] et ensuite celle des Lacédémoniens[3] :
celui-ci ne l'a jamais emporté sur aucune des armées qui
dévastaient son pays. **100** Ensuite le premier reçut
des Grecs par un traité toute l'Asie; celui-ci est si loin de
commander aux autres qu'il n'exerce même pas son pouvoir sur les villes qui lui ont été livrées. Aussi chacun se
demande-t-il s'il faut croire que le Roi a renoncé à ces
villes par lâcheté ou si elles ont dédaigné et méprisé la
domination des Barbares.

101 De plus, en apprenant quelle est la situation du
pays, qui ne serait encouragé à combattre contre le Grand
Roi? Au temps de Cléarchos, l'Égypte était bien révoltée
contre lui; mais les habitants craignaient que le Roi en
personne ne fît une expédition contre eux et ne triomphât
des difficultés causées par le fleuve et de tous leurs préparatifs. Mais maintenant il leur a enlevé cette crainte, car
après avoir préparé une armée aussi nombreuse qu'il
le pouvait et être parti en expédition contre eux, il est

1. En fait Cléarkhos avait été deux fois harmoste à Byzance;
mais dans l'Anabase Xénophon n'insiste pas non plus sur ce
point, les deux auteurs voulant sans doute éviter de signaler
la révolte de Cléarkhos contre Sparte.

2. Réellement, c'est sous le règne de Darios II Nothos et
sous l'influence de Cyrus le jeune que la Perse avait pris parti
nettement contre Athènes; et lors de l'avènement d'Artaxerxès II Mnémon (404) la guerre venait de finir. La puissance
d'Artaxerxès Mnémon était au contraire diminuée dans le
Panégyrique (138-143).

3. A Cnide (394). Plus bas, allusion au traité d'Antalcidas.

διαπεπραγμένον, περὶ ὧν εἰ μὲν πρὸς ἑτέρους τοὺς λόγους
ἐποιούμην, καλῶς ἂν εἶχε διελθεῖν, πρὸς σὲ δὲ διαλεγόμενος, εἰ τὰς σὰς πράξεις σοι διεξιοίην, δικαίως ἂν ἀνόη-
τος ἅμα καὶ περίεργος εἶναι δοκοίην.

99 Ἄξιον δὲ μνησθῆναι καὶ τῶν βασιλέων ἀμφοτέρων,
ἐφ᾽ ὃν σοί τε συμβουλεύω στρατεύειν καὶ πρὸς ὃν Κλέαρχος
ἐπολέμησεν, ἵν᾽ ἑκατέρου τὴν γνώμην καὶ τὴν δύναμιν
εἰδῇς. Ὁ μὲν τοίνυν τούτου πατὴρ τὴν πόλιν τὴν ἡμετέραν
καὶ πάλιν τὴν Λακεδαιμονίων κατεπολέμησεν, οὗτος δ᾽
οὐδενὸς πώποτε τῶν στρατευμάτων τῶν τὴν χώραν αὐτοῦ
λυμαινομένων ἐπεκράτησεν. 100 Ἔπειθ᾽ ὁ μὲν τὴν
Ἀσίαν ἅπασαν παρὰ τῶν Ἑλλήνων ἐν ταῖς συνθήκαις
ἐξέλαβεν, οὗτος δὲ τοσούτου δεῖ τῶν ἄλλων ἄρχειν ὥστ᾽
οὐδὲ τῶν ἐκδοθεισῶν αὐτῷ πόλεων ἐγκρατής ἐστιν. Ὥστ᾽
οὐδείς ὅστις οὐκ ἂν ἀπορήσειεν πότερα χρὴ νομίζειν τοῦτον αὐτῶν ἀφεστάναι δι᾽ ἀνανδρίαν ἢ ᾽κείνας ὑπερεωρακέναι
καὶ καταπεφρονηκέναι τῆς βαρβαρικῆς δυναστείας.

101 Τὰ τοίνυν περὶ τὴν χώραν ὡς διάκειται τίς οὐκ
ἂν ἀκούσας παροξυνθείη πολεμεῖν πρὸς αὐτὸν; Αἴγυπτος
γὰρ ἀφειστήκει μὲν καὶ κατ᾽ ἐκεῖνον τὸν χρόνον, οὐ μὴν
ἀλλ᾽ ἐφοβοῦντο μή ποτε βασιλεὺς αὐτὸς ποιησάμενος
στρατείαν κρατήσειεν καὶ τῆς διὰ τὸν ποταμὸν δυσχωρίας
καὶ τῆς ἄλλης παρασκευῆς ἁπάσης· νῦν δ᾽ οὗτος ἀπήλλαξεν
αὐτοὺς τοῦ δέους τούτου. Συμπαρασκευασάμενος γὰρ
δύναμιν ὅσην οἷός τ᾽ ἦν πλείστην, καὶ στρατεύσας ἐπ᾽

98 2 ἑτέρους ΓΘΠ : ἕτερον Λ Vict. ‖ τοὺς λόγους Ε : τὸν λόγον
ΓΘΛΠ ‖ 4 τὰς σὰς Γ¹ : πάσας τὰς cett. ‖ δικαίως ἂν codd. :
δικαίως δ᾽ ἂν Γ¹Θ¹ ‖ 5 ἅμα ΓΕ : om. cett. ‖ 99 1 ἀμφοτέρων
ΓΕ : om. cett. ‖ 2 συμβουλεύω ΓΕ : -λεύομεν ΘΛΠ ‖ 4 εἰδῇς
codd. : ἰδῇς Ε²Θ ‖ τὴν πόλιν Γ¹ : τὴν τε πόλιν cett. ‖ 100 3 ἐξέ-
λαβεν ΓΕ : ἔλαβεν ΘΛΠ ‖ ἄλλων ΓΕ : Ἑλλήνων ΘΛΠ ‖ 4 πόλεων
ΓΕ : om. cett. ‖ ἐγκρατὴς ΓΕ : κύριος ΘΛΠ ‖ 5 οὐδεὶς ὅστις
ΓΕ : οὐκ ἔστιν ὅστις ΘΛΠ ‖ 6 ᾽κείνας edd., κείνας ΘΛ¹Π ἐκείνας
ΓΛ² ‖ 101 7 συμπασκευασάμενος Γ : συναγαγών ΓmgΕ vulg. ὥστε
συναγ- Τ. Paris. gr. 2931.

revenu de là-bas[1], non seulement vaincu, mais couvert de ridicule et ne semblant digne ni de régner ni de commander une armée. 102 En outre les régions de Chypre, de Phénicie, de Cilicie[2] et de tout ce pays d'où les Perses tiraient leur flotte, appartenaient alors au grand Roi; maintenant ou bien elles l'ont abandonné ou bien elles sont en proie à la guerre et à de tels malheurs qu'il ne peut rien tirer d'utile de ces peuples et que cela te sera profitable si tu veux le combattre. 103 Enfin Idrieus[3], le mieux pourvu de tous les princes du continent, doit sans doute être plus hostile à la puissance royale que ceux mêmes qui lui font la guerre. Ou bien il serait le dernier des misérables s'il ne voulait pas voir détruite cette puissance qui a supplicié son frère et l'a attaqué lui-même, qui ne cesse de lui tendre des pièges, et de vouloir se rendre maîtresse de sa personne et de tous ses biens. 104 C'est par crainte qu'il est maintenant forcé de servir le Roi et de lui envoyer chaque année beaucoup d'argent. Mais si tu passais sur le continent, Idrieus le verrait avec plaisir en pensant que tu viens à son secours; et tu détacheras du Roi beaucoup d'autres satrapes, si tu leur promets la liberté et si tu répands en Asie ce mot qui, jeté parmi les Grecs, a abattu notre empire et celui des Lacédémoniens. 105 J'entreprendrais de te dire encore plus longuement par quelle tactique tu pourrais l'emporter rapidement sur les forces du Roi; mais je crains que l'on ne me fasse des reproches si, moi qui ne me suis jamais occupé d'affaires

1. La flotte de Cyrus s'était réfugiée en Égypte; vers 390 Artaxerxès tenta vainement de soumettre Hakoris (cf. *Pan.*, 140). Une nouvelle expédition fut préparée vers 354 (cf. Démosthène, IX, *Sur les Sym.*, 12 et 14). Elle eut lieu en 351 et échoua.

2. Okhos venait de soumettre à nouveau ces provinces; mais la lutte avait été dure et Sidon complètement détruite.

3. Idrieus succède à son frère Mausole en 353 en partageant peut-être un moment le pouvoir avec Artémise puis avec sa sœur et femme Ada. Nous ne connaissons pas de fait qui prouve son hostilité envers la Perse. En 350 il avait aidé à la reprise

αὐτούς, ἀπῆλθεν ἐκεῖθεν οὐ μόνον ἡττηθείς, ἀλλὰ καὶ
καταγελασθεὶς καὶ δόξας οὔτε βασιλεύειν οὔτε στρατηγεῖν
ἄξιος εἶναι.   102   Τὰ τοίνυν περὶ Κύπρον καὶ Φοινίκην
καὶ Κιλικίαν καὶ τὸν τόπον ἐκεῖνον ὅθεν ἐχρῶντο ναυτικῷ,
τότε μὲν ἦν βασιλέως, νῦν δὲ τὰ μὲν ἀφέστηκεν, τὰ δ᾽ ἐν
πολέμῳ καὶ κακοῖς τοσούτοις ἐστὶν ὥστ᾽ ἐκείνῳ μὲν μηδὲν
εἶναι τούτων τῶν ἐθνῶν χρήσιμον, σοὶ δ᾽ ἦν πολεμεῖν πρὸς
αὐτὸν βουληθῇς συμφόρως ἕξειν.   103   Καὶ μὴν Ἰδριέα
γε τὸν εὐπορώτατον τῶν νῦν περὶ τὴν ἤπειρον προσήκει
δυσμενέστερον εἶναι τοῖς βασιλέως πράγμασι τῶν πολε-
μούντων· ἢ πάντων γ᾽ | ἂν εἴη σχετλιώτατος, εἰ μὴ βού-
λοιτο καταλελύσθαι ταύτην τὴν ἀρχήν, τὴν αἰκισαμένην
μὲν τὸν ἀδελφόν, πολεμήσασαν δὲ πρὸς αὐτόν, ἅπαντα δὲ
τὸν χρόνον ἐπιβουλεύουσαν καὶ βουλομένην τοῦ τε σώματος
αὐτοῦ καὶ τῶν χρημάτων ἁπάντων γενέσθαι κυρίαν.
104   Ὑπὲρ ὧν δεδιὼς νῦν μὲν ἀναγκάζεται θεραπεύειν
αὐτὸν καὶ χρήματα πολλὰ καθ᾽ ἕκαστον τὸν ἐνιαυτὸν
ἀναπέμπειν· εἰ δὲ σὺ διαβαίης εἰς τὴν ἤπειρον, ἐκεῖνός τ᾽
ἂν ἄσμενος ἴδοι βοηθὸν ἥκειν αὐτῷ σε νομίζων, τῶν τ᾽
ἄλλων σατραπῶν πολλοὺς ἀποστήσεις, ἢν ὑπόσχῃ τὴν
ἐλευθερίαν αὐτοῖς καὶ τοὔνομα τοῦτο διασπείρῃς εἰς τὴν
Ἀσίαν, ὅπερ εἰς τοὺς Ἕλληνας εἰσπεσὸν καὶ τὴν ἡμετέραν καὶ Λακεδαιμονίων ἀρχὴν κατέλυσεν.

105   Ἔτι δ᾽ ἂν πλείω λέγειν ἐπεχείρουν, ὃν τρόπον
πολεμῶν τάχιστ᾽ ἂν περιγένοιο τῆς τοῦ βασιλέως δυνά-
μεως· νῦν δὲ φοβοῦμαι μή τινες ἐπιτιμήσωσιν ἡμῖν, εἰ
μηδὲν πώποτε μεταχειρισάμενος τῶν στρατιωτικῶν νῦν

102 2 ναυτικῷ codd.: τῷ ναυτικῷ Λ² ‖ 3 βασιλέως ΓΕΘ: μετὰ
βασιλέως ΛΠ ‖ 103 5 ταύτην τὴν ἀρχὴν codd.: ταύτην Γ¹ ‖ 6 πρὸς
αὐτὸν Turicenses: πρὸς αὐτὸν codd. ‖6 βουλομένην ΓΕ: βουλευομένην
ΘΛΠ ‖ 104 8 τὴν ἡμετέραν καὶ τὴν Λακεδαιμονίων ἀρχὴν ΓΕ: τὴν ἡμετέραν ἀρχὴν καὶ τὴν Λακεδαιμονίων ΘΛΠ ‖ 105 4 μεταχειρισάμενος ...
τολμῴην σοι ΓΕ: μεταχειρισάμενοι ... σοι τολμῷμεν ΘΛΠ ‖ στρατιωτικῶν ΓΕΘΠ: στρατηγικὸν Λ.

militaires, j'osais te donner des conseils, à toi qui
as accompli à la guerre tant de grandes actions. Aussi
crois-je ne rien devoir dire de plus sur cette question.

Sur les autres points, je pense que ton père, que celui
qui a fondé votre dynastie, que l'auteur de votre race
(si les lois divines le permettaient à ce dernier et si les
autres en avaient la faculté) te donneraient les mêmes
conseils que moi. 106 Je le conjecture d'après ce qu'ils
ont fait. Car ton père [1] a été en bons rapports avec les cités,
avec toutes les cités auxquelles je te recommande de
faire attention. Celui qui a fondé votre empire [2] eut une
ambition plus haute que ses concitoyens et aspira à la
monarchie; mais il n'a pas formé les mêmes projets que
ceux qui étaient portés à de tels désirs. 107 Ceux-ci en
effet acquéraient cette dignité en suscitant dans leurs
villes des partis, des troubles et des massacres. Pour
lui, il laissa entièrement de côté les régions grecques et
désira établir la royauté en Macédoine. C'est qu'il savait
que les Grecs n'ont pas l'habitude de supporter la monarchie, tandis que les autres peuples ne peuvent pas régler
leur vie sans ce genre de domination. 108 Or il en
résulta que, parce qu'il avait sur ce point des idées personnelles, sa royauté aussi différa beaucoup de celle des
autres; ayant été le seul Grec à vouloir régner sur une
race étrangère, il fut aussi le seul à échapper aux périls
de la monarchie. Car nous pouvons voir que ceux qui ont
agi ainsi en Grèce, ont péri et que même leur famille a
disparu du monde, tandis que ton ancêtre a passé sa vie
dans le bonheur et a transmis à sa famille les mêmes
honneurs qu'il possédait.

---

de Chypre. Idrieus put avoir peu après des rapports avec
Philippe par l'intermédiaire de Delphes où entre 346 et 344
les Milésiens lui élevèrent une statue (cf. *B. C. H.*, 1899, p. 383).
1. Amyntas. Cf. [Dém.], VII, *Sur l'Halon.*; Eschine II, 26.
2. Caranos, qui passait pour l'ancêtre véritablement macédonien avait été rattaché à Argos par des généalogistes.
La famille royale de Macédoine est considérée comme

τολμφην σοὶ παραινεῖν τῷ πλεῖστα καὶ μέγιστα διαπεπ-
ραγμένῳ κατὰ πόλεμον. Ὥστε περὶ μὲν τούτων οὐδὲν οἶμαι
δεῖν πλείω λέγειν. Περὶ δὲ τῶν ἄλλων ἡγοῦμαι τόν τε
πατέρα σου καὶ τὸν κτησάμενον τὴν βασιλείαν καὶ τὸν τοῦ
γένους ἀρχηγόν, εἰ τῷ μὲν εἴη θέμις, οἱ δὲ δύναμιν λά-
βοιεν, τῶν αὐτῶν ἂν τούτων γενέσθαι συμβούλους ὧνπερ
ἐγώ. 106 Χρῶμαι δὲ τεκμηρίοις ἐξ ὧν διαπεπραγμένοι
τυγχάνουσιν. Ὅ τε γὰρ πατήρ σου πρὸς τὰς πόλεις ταύτας αἷς σοι παραινῶ προσέχειν τὸν τοῦν, πρὸς ἁπάσας
οἰκείως εἶχεν· ὅ τε κτησάμενος τὴν ἀρχήν, μεῖζον φρονή-
σας τῶν αὐτοῦ πολιτῶν καὶ μοναρχίας ἐπιθυμήσας, οὐχ
ὁμοίως ἐβουλεύσατο τοῖς πρὸς τὰς τοιαύτας φιλοτιμίας
ὁρμωμένοις. 107 Οἱ μὲν γὰρ ἐν ταῖς αὐτῶν πόλεσιν
στάσεις καὶ ταραχὰς καὶ σφαγὰς ἐμποιοῦντες ἐκτῶντο
τὴν τιμὴν ταύτην, ὁ δὲ τὸν μὲν τόπον τὸν Ἑλληνικὸν
ὅλως εἴασεν, τὴν δ᾽ ἐν Μακεδονίᾳ βασιλείαν κατασχεῖν
ἐπεθύμησεν· ἠπίστατο γὰρ τοὺς μὲν Ἕλληνας οὐκ εἰθισμένους ὑπομένειν τὰς μοναρχίας, τοὺς δ᾽ ἄλλους οὐ δυνα-
μένους ἄνευ τῆς τοιαύτης | δυναστείας διοικεῖν τὸν βίον
τὸν σφέτερον αὐτῶν. 108 Καὶ γάρ τοι συνέβη διὰ τὸ
γνῶναι περὶ τούτων αὐτὸν ἰδίως καὶ τὴν βασιλείαν
γεγενῆσθαι πολὺ τῶν ἄλλων ἐξηλλαγμένην· μόνος γὰρ τῶν
Ἑλλήνων οὐχ ὁμοφύλου γένους ἄρχειν ἀξιώσας, μόνος
καὶ διαφυγεῖν ἠδυνήθη τοὺς κινδύνους τοὺς περὶ τὰς
μοναρχίας γιγνομένους. Τοὺς μὲν γὰρ ἐν τοῖς Ἕλλησι
τοιοῦτόν τι διαπεπραγμένους εὕροιμεν ἂν οὐ μόνον αὐτοὺς
διεφθαρμένους, ἀλλὰ καὶ τὸ γένος αὐτῶν ἐξ ἀνθρώπων
ἠφανισμένον, ἐκεῖνον δ᾽ αὐτόν τ᾽ ἐν εὐδαιμονίᾳ τὸν βίον
διαγαγόντα τῷ τε γένει καταλιπόντα τὰς αὐτὰς τιμὰς
ἄσπερ αὐτὸς εἶχεν.

105 7 ἡγοῦμαι τόν ΓΕ : ἡγοῦμαι ἀρχεῖν πρὸς παράδειγμα τόν Λ²
vulg. ‖ 9 θέμις codd. : λέγειν Λ² ‖ 106 7 ὁρμωμένοις ΓΕ : ὡρμημ-
ΘΛΠ ‖ 108 3 τῶν om. ΓΕ ‖ 10 διαγαγόντα ΛΘ Vict. : διάγοντα
ΓΕΠ ‖ τῷ τε γένει codd. : τόν τε γένει ΓΕ.

109 Pour ce qui est d'Héraclès, les autres ne cessent
de célébrer son courage et de dénombrer ses travaux,
mais on ne voit aucun poète ni aucun prosateur qui ait
jamais fait mention des qualités de son âme. Pour moi,
je vois là un champ qui m'appartient en propre et où nul
n'a travaillé; qui, loin d'être petit ou stérile, abonde en
sujets d'éloges et en belles actions et qui réclame un
homme capable de les traiter dignement. **110** Si j'avais
été plus jeune quand je l'ai rencontré, j'aurais facilement
montré que votre ancêtre l'a emporté sur tous ses prédécesseurs par son intelligence, sa noble ambition et sa justice, plus encore que par la force corporelle. Mais en
fait quand ce sujet s'est trouvé devant moi et que j'ai
vu tout ce que l'on en peut dire, je me suis plaint du
peu de forces qui me restait et j'ai compris que mon discours deviendrait double de celui qu'on te lit maintenant.
C'est pourquoi j'ai laissé de côté les autres points, et je
n'ai choisi qu'une action qui se rattachait et se rapportait
à ce que j'ai déjà dit, et qui rentrait fort à propos dans
mon sujet.

111 Héraclès, voyant la Grèce remplie de guerres, de
dissensions et de bien d'autres maux, les fit cesser, récon-
cilia les États et indiqua aux générations suivantes avec
quels alliés il convient et contre quels ennemis on doit
entreprendre la guerre [1]. Il conduisit une expédition contre
Troie, qui était alors la plus grande puissance d'Asie; et ses
qualités de chef furent d'autant supérieures à celles des

d'origine hellénique; mais Isocrate (sans le dire nettement)
juge que les Macédoniens sont des Barbares ce qui lui permet
de concilier sa sympathie pour Philippe avec ses déclarations
démocratiques (Au contraire, Démosthène II, 16; IX, 31).

Plus bas (par. 108), l'exemple le plus récent de ceux qui ont
péri est celui d'Alexandre de Phères, assassiné en 358 (cf. Xénophon, *Hell.* VI, 4, 35-37).

1. La guerre faite par Héraclès contre Laomédon devint le
modèle de toute lutte des Grecs contre les Barbares d'Asie.
Hérodote donne la même valeur à la seconde guerre de Troie (I,5).

109 Περὶ τοίνυν Ἡρακλέους οἱ μὲν ἄλλοι τὴν ἀνδρείαν ὑμνοῦντες αὐτοῦ καὶ τοὺς ἄθλους ἀπαριθμοῦντες διατελοῦσιν, περὶ δὲ τῶν ἄλλων τῶν τῇ ψυχῇ προσόντων ἀγαθῶν οὐδεὶς οὔτε τῶν ποιητῶν οὔτε τῶν λογοποιῶν οὐδεμίαν φανήσεται μνείαν πεποιημένος. Ἐγὼ δ' ὁρῶ μὲν τόπον ἴδιον καὶ παντάπασιν ἀδιεξέργαστον, οὐ μικρὸν οὐδὲ κενὸν, ἀλλὰ πολλῶν μὲν ἐπαίνων καὶ καλῶν πράξεων γέμοντα, ποθοῦντα δὲ τὸν ἀξίως ἂν δυνηθέντα διαλεχθῆναι περὶ αὐτῶν· 110 ἐφ' ὃν εἰ μὲν νεώτερος ὢν ἐπέστην, ῥᾳδίως ἂν ἐπέδειξα τὸν πρόγονον ὑμῶν καὶ τῇ φρονήσει καὶ τῇ φιλοτιμίᾳ καὶ τῇ δικαιοσύνῃ πλέον διενεγκόντα πάντων τῶν προγεγενημένων ἢ τῇ ῥώμῃ τῇ τοῦ σώματος· νῦν δ' ἐπελθὼν ἐπ' αὐτὸν καὶ κατιδὼν τὸ πλῆθος τῶν ἐνόντων εἰπεῖν, τήν τε δύναμιν τὴν παροῦσάν μοι κατεμεμψάμην καὶ τὸν λόγον ᾐσθόμην διπλάσιον ἂν γενόμενον τοῦ νῦν ἀναγιγνωσκομένου. Τῶν μὲν οὖν ἄλλων ἀπέστην διὰ τὰς αἰτίας ταύτας, μίαν δὲ πρᾶξιν ἐξ αὐτῶν ἔλαβον, ἥπερ ἦν προσήκουσα μὲν καὶ πρέπουσα τοῖς προειρημένοις, τὸν δὲ καιρὸν ἔχουσα μάλιστα σύμμετρον τοῖς νῦν λεγομένοις.

111 Ἐκεῖνος γὰρ ὁρῶν τὴν Ἑλλάδα πολέμων καὶ στάσεων καὶ πολλῶν ἄλλων κακῶν μεστὴν οὖσαν, παύσας ταῦτα καὶ διαλλάξας τὰς πόλεις πρὸς ἀλλήλας, ὑπέδειξε τοῖς ἐπιγιγνομένοις μεθ' ὧν χρὴ καὶ πρὸς οὓς δεῖ τοὺς πολέμους ἐκφέρειν. Ποιησάμενος γὰρ στρατείαν ἐπὶ Τροίαν, ἥπερ εἶχεν τότε μεγίστην δύναμιν τῶν περὶ τὴν Ἀσίαν, | τοσοῦτον διήνεγκε τῇ στρατηγίᾳ τῶν πρὸς τὴν αὐτὴν

---

109 4 οὔτε τῶν λογοποιῶν codd. : οὐ τῶν λογοποιῶν ΓΕ ‖ 6 ἀδιεξέργαστον Γ²Ε : διεξέργαστον Γ¹ ἀδιέργαστον ΘΛΠ ‖ 8 ἀξίως codd. : ἀρτίως Γ¹ ‖ 110 3 φιλοτιμίᾳ ΓΕ : φιλοσοφίᾳ ΘΛΠ ‖ 6 κατεμεμψάμην codd. : κατεστησάμην Λ ‖ 8 ἀπέστην ΓΕ : ἀφέξομαι πάντων Λ vulg. ‖ 9 ἐξ αὐτῶν codd. : ἐκλεξάμενος Λ Vict. ‖ 10 προειρημένοις ΓΕ : εἰρ-ΛΠ ‖ 111 4 δεῖ codd. : δὴ Γ¹ ‖ 5 ποιησάμενος γὰρ ΓΕ : μὴ γὰρ ῥαθυμήσας ποιησάμενος δὲ Λ vulg.

chefs qui firent plus tard la même guerre, **112** que
ceux-ci, avec l'aide des Grecs et après dix ans, prirent Troie
à grand peine [1] et qu'Héraclès, en moins de dix jours
et avec quelques compagnons seulement, l'enleva facilement de vive force. Ensuite il mit à mort tous les rois [2]
des peuplades qui habitaient au bord de la mer sur les
deux continents et il n'eût pu les tuer s'il n'eût pas
abattu aussi leur puissance. Après ces exploits, il établit
les colonnes d'Héraclès, trophée élevé sur les Barbares,
souvenir de ses vertus et des dangers qu'il avait courus,
limites fixées au territoire grec.

113 Si je t'ai exposé tout cela, c'est pour te faire reconnaître que mon discours t'appelle à des exploits que dans
leurs actes tes ancêtres ont choisis ouvertement comme
les plus beaux. Il faut que tous les gens intelligents prennent
comme guide le héros le plus grand et cherchent à
lui ressembler; et cela te convient particulièrement. En
effet, puisque tu n'as pas à te servir d'exemples étrangers
et puisque tu en possèdes un dans ta maison, n'est-il
pas raisonnable que cet exemple t'emplisse de l'ardeur
et de l'ambition de te rendre semblable à ton ancêtre [3]?
114 Je ne dis pas que tu pourras imiter tous les exploits
d'Héraclès (certains même des Dieux ne le pourraient
pas); mais du moins, pour ce qui touche à son caractère,
à son amour des hommes, au dévouement qu'il avait pour
les Grecs, tu pourrais prendre des résolutions semblables
aux siennes. Et en écoutant ce que je te dis, tu peux obtenir la gloire que tu voudras : **115** car il est plus facile,

1. La guerre de Trois sert aussi de terme de comparaison
dans le *Panégyrique* (83 et 86) et dans l'*Evagoras* (65).
2. Puisque Héraclès est donné comme modèle à Philippe,
il ne s'agit que de rois barbares : en Thrace, Diomède, en Asie,
Mygdon, l'Amazone Hippolyté, Sarpédon; en Occident Géryon,
Eryx; en Égypte, Busiris.
3. Isocrate ne songe pas vraiment à une apothéose de Philippe; mais c'est déjà l'état d'esprit qui aboutira à diviniser
Alexandre.

ταύτην ὕστερον πολεμησάντων, 112 ὅσον οἱ μὲν μετὰ
τῆς τῶν Ἑλλήνων δυνάμεως ἐν ἔτεσι δέκα μόλις αὐτὴν
ἐξεπολιόρκησαν, ὁ δ᾽ ἐν ἡμέραις ἐλάττοσιν ἢ τοσαύταις
καὶ μετ᾽ ὀλίγων στρατεύσας ῥᾳδίως αὐτὴν κατὰ κράτος
εἷλεν. Καὶ μετὰ ταῦτα τοὺς βασιλέας τῶν ἐθνῶν τῶν
ἐφ᾽ ἑκατέρας τῆς ἠπείρου τὴν παραλίαν κατοικούντων
ἅπαντας ἀπέκτεινεν· οὓς οὐδέποτ᾽ ἂν διέφθειρεν, εἰ μὴ καὶ
τῆς δυνάμεως αὐτῶν ἐκράτησεν. Ταῦτα δὲ πράξας τὰς
στήλας τὰς Ἡρακλέους καλουμένας ἐποιήσατο, τρόπαιον
μὲν τῶν βαρβάρων, μνημεῖον δὲ τῆς ἀρετῆς τῆς αὐτοῦ
καὶ τῶν κινδύνων, ὅρους δὲ τῆς τῶν Ἑλλήνων χώρας.

113 Τούτου δ᾽ ἕνεκά σοι περὶ τούτων διῆλθον, ἵνα γνῷς
ὅτι σε τυγχάνω τῷ λόγῳ παρακαλῶν ἐπὶ τοιαύτας πράξεις,
ἃς ἐπὶ τῶν ἔργων οἱ πρόγονοί σου φαίνονται καλλίστας
προκρίναντες. Ἅπαντας μὲν οὖν χρὴ τοὺς νοῦν ἔχοντας
τὸν κράτιστον ὑποστησαμένους πειρᾶσθαι γίγνεσθαι τοιούτους, μάλιστα δὲ σοὶ προσήκει. Τὸ γὰρ μὴ δεῖν ἀλλοτρίοις
χρῆσθαι παραδείγμασιν ἀλλ᾽ οἰκεῖον ὑπάρχειν, πῶς οὐκ
εἰκὸς ὑπ᾽ αὐτοῦ σε παροξύνεσθαι καὶ φιλονικεῖν, ὅπως τῷ
προγόνῳ σαυτὸν ὅμοιον παρασκευάσεις ; 114 Λέγω δ᾽
οὐχ ὡς δυνησόμενον ἁπάσας σε μιμήσασθαι τὰς Ἡρακλέους
πράξεις, — οὐδὲ γὰρ ἂν τῶν θεῶν ἔνιοι δυνηθεῖεν — ἀλλὰ
κατά γε τὸ τῆς ψυχῆς ἦθος καὶ τὴν φιλανθρωπίαν καὶ τὴν
εὔνοιαν ἣν εἶχεν εἰς τοὺς Ἕλληνας, δύναι᾽ ἂν ὁμοιωθῆναι
τοῖς ἐκείνου βουλήμασιν. Ἔστι δέ σοι πεισθέντι τοῖς ὑπ᾽
ἐμοῦ λεγομένοις τυχεῖν δόξης οἵας ἂν αὐτὸς βουληθῇς·

---

112 8 ἐκράτησεν codd.: ἐπεκράτησεν Γ ‖ 10 τῆς ante αὐτοῦ om.
ΓΕ ‖ 113 3 καλλίστας Turicenses: κάλλιστα codd. ‖ 5 τὸν κράτιστον ΓΕ: τὸ κρά:ιστον ΘΛΠ ‖ 6 μὴ δεῖν ΓΕ: μηδὲ ΛΤ μηδὲν
ΘΠ ‖ 8 φιλονικεῖν Γ¹: -νεικεῖν cett. ‖ 9 παρασκευάσεις Λ: -σῃς ΓΕ
σης ΘΠ ‖ 114 4 ἦθος codd.: πάθος ΘΠ ‖ 5 εἰς codd.: ες Pap.
πρός Θ ‖ 6 βουλήμασιν ΓΕ: βουλεύμασιν Pap. ΘΛΠ ‖ 7 βουληθῇς
ΓΕ: -θείης ΘΛΠ.

en partant de ta situation présente, d'obtenir la plus belle renommée que de monter, de l'état dont tu avais hérité, à ton point actuel de gloire[1]. Remarque en outre que je t'invite à des actions, grâce auxquelles tu feras tes expéditions, non pas allié aux Barbares contre ceux que la justice te défend d'attaquer, mais allié aux Grecs contre ceux qu'il convient aux descendants d'Héraclès de combattre.

116 Ne va pas t'étonner que dans tout mon discours je cherche à te pousser à rendre service aux Grecs et à faire preuve de douceur et d'humanité. Je vois en effet que la dureté est pénible pour ceux qui l'emploient et pour ceux qui la subissent, que non seulement la douceur est bien jugée chez les hommes et tous les autres êtres vivants, **117** mais que ceux des dieux qui nous accordent des biens, sont invoqués sous le nom d'Olympiens, que ceux qui sont préposés aux malheurs et aux châtiments, reçoivent des appellations plus désagréables, que les particuliers et les États élèvent des temples et des autels aux premiers tandis que les seconds ne sont honorés ni dans les prières, ni dans les sacrifices et que l'on cherche à conjurer leur action[2]. **118** En reconnaissant cela, il faut que par tes actes habituels et par tes efforts tu donnes à tous, encore plus que maintenant, une telle opinion de toi. Il faut que ceux qui désirent une gloire plus grande que celle des autres, embrassent par la pensée des actions possibles, certes, mais égales à ce qu'on rêve d'accomplir[3] et qu'ils tentent de les exécuter selon que l'occasion favorable leur permet d'y arriver.

119 Bien des faits et surtout l'aventure de Jason, te permettront de comprendre qu'il te faut agir

1. Cf. *Lettre III*, 5.
2. Le terme qu'emploie Isocrate ne se trouve qu'ici et chez Harpocration qui renvoie à ce passage même.
3. Par ces mots, Isocrate (comme Platon, *République*, 499 c) veut désigner les projets qui atteignent la limite du possible.

115 ῥᾴδιον γάρ ἐστιν ἐκ τῶν παρόντων κτήσασθαι τὴν καλλίστην ἤπερ ἐξ ὧν παρέλαβες ἐπὶ τὴν νῦν ὑπάρχουσαν προελθεῖν. Σκέψαι δ᾽ ὅτι σε τυγχάνω παρακαλῶν ἐξ ὧν ποιήσει τὰς στρατείας οὐ μετὰ τῶν βαρβάρων ἐφ᾽ οὓς οὐ δίκαιόν ἐστιν, ἀλλὰ μετὰ τῶν Ἑλλήνων ἐπὶ τούτους πρὸς οὓς προσήκει τοὺς ἀφ᾽ Ἡρακλέους γεγονότας πολεμεῖν.

116 Καὶ μὴ θαυμάσῃς εἰ διὰ παντός σε | τοῦ λόγου πειρῶμαι προτρέπειν ἐπί τε τὰς εὐεργεσίας τὰς τῶν Ἑλλήνων καὶ πραότητα καὶ φιλανθρωπίαν· ὁρῶ γὰρ τὰς μὲν χαλεπότητας λυπηρὰς οὔσας καὶ τοῖς ἔχουσι καὶ τοῖς ἐντυγχάνουσιν, τὰς δὲ πραότητας οὐ μόνον ἐπὶ τῶν ἀνθρώπων καὶ τῶν ἄλλων ζῴων ἁπάντων εὐδοκιμούσας, 117 ἀλλὰ καὶ τῶν θεῶν τοὺς μὲν τῶν ἀγαθῶν αἰτίους ἡμῖν ὄντας Ὀλυμπίους προσαγορευομένους, τοὺς δ᾽ ἐπὶ ταῖς συμφοραῖς καὶ ταῖς τιμωρίαις τεταγμένους δυσχερεστέρας τὰς ἐπωνυμίας ἔχοντας, καὶ τῶν μὲν καὶ τοὺς ἰδιώτας καὶ τὰς πόλεις καὶ νεὼς καὶ βωμοὺς ἱδρυμένους, τοὺς δ᾽ οὔτ᾽ ἐν ταῖς εὐχαῖς οὔτ᾽ ἐν ταῖς θυσίαις τιμωμένους, ἀλλ᾽ ἀποπομπὰς αὐτῶν ἡμᾶς ποιουμένους. 118 Ὧν ἐνθυμούμενον ἐθίζειν σαυτὸν χρὴ καὶ μελετᾶν ὅπως ἔτι μᾶλλον ἢ νῦν τοιαύτην ἅπαντες περὶ σοῦ τὴν γνώμην ἕξουσιν. Χρὴ δὲ τοὺς μείζονος δόξης τῶν ἄλλων ἐπιθυμοῦντας περιβάλλεσθαι μὲν τῇ διανοίᾳ τὰς πράξεις, δυνατὰς μὲν, εὐχῇ δ᾽ ὁμοίας, ἐξεργάζεσθαι δὲ ζητεῖν αὐτάς, ὅπως ἂν οἱ καιροὶ παραδιδῶσιν.

119 Ἐκ πολλῶν δ᾽ ἂν κατανοήσειας ὅτι δεῖ τοῦτον τὸν τρόπον πράττειν, μάλιστα δ᾽ ἐκ τῶν Ἰάσονι συμβάντων.

---

115 1 ῥᾴδιον ΓΕΛ Vict.: ῥᾷον Π Pap. ‖ κτήσασθαι Γ¹ Pap.: κτήσασθαι σε Γ²ΕΘΛΠ ‖ 2 καλλίστην ΘΛΠ: καλλίστην δόξαν ΓΕ ‖ ἤπερ ἐξ ΘΛΠ: ἢ ἐξ ΓΕ ‖ νῦν om. ΛΠ ‖ 116 3 πραότητα καὶ φιλανθρωπίαν Γ¹ Pap.: πραότητας καὶ φιλανθρωπίας Γ⁴ΕΘΛΠ ‖ 5 μόνον codd.: μόνων Ε ‖ 117 1 αἰτίους ἡμῖν ΓΕΛ: ἡμῖν αἰτίους Θ Pap. αἰτίους Π ‖ 6 ἐν ταῖς om. Γ¹ ‖ 7 ἡμᾶς om. Γ¹ ‖ 118 5 περιβάλλεσθαι ΓΕ: βαλέσθαι ΘΛΠ.

ainsi. Jason[1] qui n'avait rien accompli de tel que toi, a
obtenu une très grande gloire non par ses actes, mais
par ses paroles; car il prétendait qu'il passerait sur le
continent et ferait la guerre au Grand Roi. **120** Quand
Jason, du seul fait qu'il parlait ainsi, a tellement grandi
sa réputation, quelle opinion ne doit-on pas attendre que
les Grecs aient de toi, si tu réalises ce plan, si tu t'efforces
avant tout d'anéantir entièrement la royauté perse ou du
moins de délimiter un territoire aussi grand que possible
et de couper l'Asie, comme on dit[2], de la Cilicie à Sinope;
et en outre de fonder des villes dans ce pays et d'y établir
ceux qui errent maintenant faute de moyens de vivre et
qui font du mal à tous ceux qu'ils rencontrent. **121**
Si nous ne leur fournissons pas des ressources suffisantes
pour les empêcher de se rassembler, à notre insu ils devien-
dront si nombreux qu'ils ne seront pas moins redoutables
pour les Grecs que pour les Barbares. C'est à quoi nous ne
faisons pas attention et nous ne voyons pas grandir un
fléau commun et un danger qui nous menace tous. **122**
C'est donc le rôle d'un homme plein de grandes pensées,
dévoué aux Grecs et dont l'esprit est plus pénétrant que
celui des autres, d'employer ces gens contre les Barbares,
de découper un territoire aussi grand que nous venons
de le dire, et ainsi de délivrer ceux qui vivent en mercenaires des maux dont ils souffrent eux-mêmes et font
souffrir les autres, de fonder avec eux des villes qui ser-
viront de limites à la Grèce et seront devant nous tous
comme un glacis. **123** En agissant ainsi, non seulement
tu les rendras heureux, mais tu nous donneras à tous la

1. Jason de Phères passait pour préparer une expédition
« panhellénique » contre la Perse quand il fut assassiné en 370.
2. Isocrate reprend pour son compte une formule qui était
sans doute le mot d'ordre d'un groupe de théoriciens politiques. Elle est plus ambitieuse que celle du *Panégyrique* (164)
et que celle du « traité de Callias » en 449 (où les limites sont
fixées aux Iles chélidonniennes, un peu à l'ouest de Phasélis,
et aux Cyanées, à l'entrée du Pont-Euxin).

Ἐκεῖνος γὰρ οὐδὲν τοιοῦτον οἷον σὺ κατεργασάμενος
μεγίστης δόξης ἔτυχεν, οὐκ ἐξ ὧν ἔπραξεν ἀλλ' ἐξ ὧν
ἔφησεν· ἐποιεῖτο γὰρ τοὺς λόγους ὡς εἰς τὴν ἤπειρον
διαβησόμενος καὶ βασιλεῖ πολεμήσων. 120 Ὅπου δ'
Ἰάσων λόγῳ μόνον χρησάμενος οὕτως αὑτὸν ηὔξησεν,
ποίαν τινὰ χρὴ προσδοκᾶν περὶ σοῦ γνώμην ἅπαντας
ἕξειν, ἢν ἔργῳ ταῦτα πράξῃς καὶ μάλιστα μὲν πειραθῇς
ὅλην τὴν βασιλείαν ἀνελεῖν, εἰ δὲ μή, χώραν ὅτι πλείστην
ἀφορίσασθαι καὶ διαλαβεῖν τὴν Ἀσίαν, ὡς λέγουσίν τινες,
ἀπὸ Κιλικίας μέχρι Σινώπης, πρὸς δὲ τούτοις κτίσαι
πόλεις ἐπὶ τούτῳ τῷ τόπῳ καὶ κατοικίσαι τοὺς νῦν
πλανωμένους δι' ἔνδειαν τῶν καθ' ἡμέραν καὶ λυμαινομένους οἷς ἂν ἐντύχωσιν. 121 Οὓς εἰ μὴ παύσομεν
ἀθροιζομένους βίον αὐτοῖς ἱκανὸν πορίσαντες, λήσουσιν
ἡμᾶς τοσοῦτοι γενόμενοι τὸ πλῆθος ὥστε μηδὲν ἧττον
αὐτοὺς εἶναι φοβεροὺς τοῖς Ἕλλησιν ἢ τοῖς | βαρβάροις·
ὧν οὐδεμίαν ποιούμεθα πρόνοιαν, ἀλλ' ἀγνοοῦμεν κοινὸν
φόβον καὶ κίνδυνον ἅπασιν ἡμῖν αὐξανόμενον. 122 Ἔστιν οὖν ἀνδρὸς μέγα φρονοῦντος καὶ φιλέλληνος καὶ
πορρωτέρω τῶν ἄλλων τῇ διανοίᾳ καθορῶντος, ἀποχρησά-
μενον τοῖς τοιούτοις πρὸς τοὺς βαρβάρους καὶ χώραν
ἀποτεμόμενον τοσαύτην ὅσην ὀλίγῳ πρότερον εἰρήκαμεν,
ἀπαλλάξαι τε τοὺς ξενιτευομένους τῶν κακῶν ὧν αὐτοί τ'
ἔχουσιν καὶ τοῖς ἄλλοις παρέχουσιν, καὶ πόλεις ἐξ αὐτῶν
συστῆσαι καὶ ταύταις ὁρίσαι τὴν Ἑλλάδα καὶ προβαλέσθαι
πρὸ ἁπάντων ἡμῶν. 123 Ταῦτα γὰρ πράξας οὐ μόνον
ἐκείνους εὐδαίμονας ποιήσεις, ἀλλὰ καὶ πάντας ἡμᾶς εἰς

---

120 3 ἅπαντας Hertlein : αὑτοὺς codd. ‖ 5 ἀνελεῖν Γ: ἐλεῖν cett. ‖
6 διαλαβεῖν τὴν Ἀσίαν codd.: διαβαλεῖν τὴν οὐσίαν Π ‖ 8 ἐπὶ ΓΕ:
ἐν ΘΛΠ ‖ 121 2 πορίσαντες ΓΕ: εἰσπορ- ΘΛΠ ‖ 122 5 ἀποτε[μ]ό-
μενον codd.: ἀπονεμου- Λ ‖ 6 ξενιτευομένους ΘΛΠ Harpocr.:
πολιτευομένους ΓΕ ‖ 8 ὁρίσαι ΓΕ: ἐχυρῶσαι ΛΠ ὀχυρῶσαι Vict.
‖ 9 πρὸ ΘΛΠ : πρὸς ΓΕ.

sécurité [1]. Si tu n'obtiens pas ce résultat, du moins arrive-
ras-tu facilement à rendre libres les villes établies en Asie [2].
Quelle que soit la partie de ces projets que tu puisses
réaliser ou que tu entreprennes seulement, il est impossible que tu n'acquières pas une plus grande gloire que
les autres, à juste titre, si tu te lances toi-même dans
cette voie et si tu y entraînes les Grecs. 124 Car maintenant même n'aurait-on pas raison de s'étonner de ce
qui s'est produit, et de nous mépriser, puisque chez les
Barbares que nous jugeons amollis, sans expérience de
la guerre et corrompus par le luxe, il y a eu des hommes
qui ont ambitionné de commander aux Grecs, et qu'aucun
Grec n'a eu la fierté 125 de chercher à nous rendre
maîtres de l'Asie? Nous leur sommes si inférieurs que,
tandis qu'ils n'ont pas même hésité à donner l'exemple de
la haine contre les Grecs, nous n'osons pas même les combattre en représailles de ce qu'ils nous ont fait souffrir; alors
qu'ils reconnaissent n'avoir dans toutes leurs guerres ni
soldats ni généraux ni rien de ce qui est utile dans les
dangers, 126 et qu'ils font venir tout cela de chez nous,
nous désirons tant nous nuire à nous-mêmes que, lorsqu'il nous serait permis de posséder sans risques leurs
biens, nous luttons contre nous-mêmes pour peu de
choses, nous les aidons [3] à abattre ceux qui se révoltent
contre la domination du Grand Roi et nous ne voyons
pas que parfois nous cherchons, en nous alliant avec
nos ennemis héréditaires, à faire périr nos frères de race.

127 Aussi crois-je qu'il t'est utile, les autres étant si
lâches, de prendre l'initiative de la guerre contre le roi

1. Isocrate applique à l'Asie Mineure un plan de colonisation
conçu antérieurement pour la Thrace (*Sur la Paix*, 24). Alexandre
reprendra l'idée en fondant des colonies à la limite de son empire.
2. Il s'agit, dans l'hypothèse la plus défavorable, d'accepter
les limites extrêmes atteintes par la ligue attico-délienne.
3. En 350, Phocion avait rétabli la domination perse en
Chypre. En 344, les Thébains et les Argiens fournissaient encore
sept mille hommes pour l'expédition d'Égypte.

ἀσφάλειαν καταστήσεις. Ἦν δ᾽ οὖν τούτων διαμάρτῃς,
ἀλλ᾽ ἐκεῖνό γε ῥᾳδίως ποιήσεις, τὰς πόλεις τὰς τὴν Ἀσίαν
κατοικούσας ἐλευθερώσεις. Ὅτι δ᾽ ἂν τούτων πρᾶξαι δυνηθῇς ἢ καὶ μόνον ἐπιχειρήσῃς, οὐκ ἔσθ᾽ ὅπως οὐ μᾶλλον τῶν
ἄλλων εὐδοκιμήσεις, καὶ δικαίως ἤνπερ αὐτός τ᾽ ἐπὶ ταῦθ᾽
ὁρμήσῃς καὶ τοὺς Ἕλληνας προτρέψῃς. 124 Ἐπεὶ νῦν
γε τίς οὐκ ἂν εἰκότως τὰ συμβεβηκότα θαυμάσειεν καὶ
καταφρονήσειεν ἡμῶν, ὅπου παρὰ μὲν τοῖς βαρβάροις,
οὓς ὑπειλήφαμεν μαλακοὺς εἶναι καὶ πολέμων ἀπείρους
καὶ διεφθαρμένους ὑπὸ τῆς τρυφῆς, ἄνδρες ἐγγεγόνασιν
οἳ τῆς Ἑλλάδος ἄρχειν ἠξίωσαν, τῶν δ᾽ Ἑλλήνων οὐδεὶς
τοσοῦτον πεφρόνηκεν 125 ὥστ᾽ ἐπιχειρῆσαι τῆς Ἀσίας
ἡμᾶς ποιῆσαι κυρίους, ἀλλὰ τοσοῦτον αὐτῶν ἀπολελειμμένοι
τυγχάνομεν ὥστ᾽ ἐκεῖνοι μὲν οὐκ ὤκνησαν οὐδὲ προϋπάρξαι
τῆς ἔχθρας τῆς πρὸς τοὺς Ἕλληνας, ἡμεῖς δ᾽ οὐδ᾽ ὑπὲρ
ὧν κακῶς ἐπάθομεν ἀμύνεσθαι τολμῶμεν αὐτούς, ἀλλ᾽
ὁμολογούντων ἐκείνων ἐν ἅπασι τοῖς πολέμοις μήτε στρα-
τιώτας ἔχειν μήτε στρατηγοὺς μήτ᾽ ἄλλο μηδὲν τῶν εἰς
τοὺς κινδύνους χρησίμων, 126 ἀλλὰ ταῦτα πάντα παρ᾽
ἡμῶν μεταπεμπομένων, εἰς τοῦθ᾽ ἥκομεν ἐπιθυμίας τοῦ
κακῶς ἡμᾶς αὐτοὺς ποιεῖν ὥστ᾽ ἐξὸν ἡμῖν τἀκείνων ἀδεῶς
ἔχειν, πρὸς ἡμᾶς τ᾽ αὐτοὺς περὶ μικρῶν πολεμοῦμεν καὶ
τοὺς ἀφισταμένους τῆς ἀρχῆς τῆς βασιλέως συγκατασ-
τρεφόμεθα καὶ λελήθαμεν ἡμᾶς αὐτοὺς ἐνίοτε μετὰ τῶν |
πατρικῶν ἐχθρῶν τοὺς τῆς αὐτῆς συγγενείας μετέχοντας
ἀπολλύναι ζητοῦντες.

127 Διὸ καὶ σοὶ νομίζω συμφέρειν οὕτως ἀνάνδρως
διακειμένων τῶν ἄλλων προστῆναι τοῦ πολέμου τοῦ πρὸς

123 6 ἐπιχειρήσῃς codd. : -ρίσῃς Ε ‖ μᾶλλον ΘΛΠ : μόνον ΓΕ. ‖
124 5 ἐγγεγόνασιν ΓΕ : γεγόνασιν ΘΛΠ ‖ 6 Ἑλλήνων ΘΛΠ : ἄλλων
Ἑλλήνων Ε ἄλλων Γ ‖ 126 3 αὐτοὺς ante ποιεῖν om. Θ ‖ 4 τ᾽ om.
Γ¹.

de Perse. Il convient aux autres descendants d'Héraclès [1] et
à ceux qui sont tenus attachés par une constitution et des
lois, de se contenter de la cité où ils habitent; mais il
convient que toi, qui es, pour ainsi dire, laissé complètement libre [2], tu considères toute la Grèce comme ta patrie
ainsi que l'a fait votre ancêtre et que comme lui tu t'exposes
pour elle à autant de dangers que pour ce qui t'intéresse
le plus.

128 Peut-être certains de ceux qui ne savent que critiquer, diront-ils qu'en me décidant à t'inciter à l'expédition contre les Barbares et à la direction des Grecs, j'ai
négligé mon pays. **129** Pour moi, si j'entreprenais
d'en entretenir d'autres avant ma patrie qui par trois
fois [3] a délivré les Grecs, deux fois des Barbares, une fois
de la domination des Lacédémoniens, j'avouerais que je
commets une faute; mais on verra bien que c'est elle la
première que j'ai poussée à cela avec le zèle le plus grand
possible, et que, la voyant moins s'intéresser à ce que je
disais qu'aux folies débitées à la tribune, je l'ai laissée
de côté, mais sans abandonner ma tâche. **130** Aussi
mériterais-je des éloges unanimes pour avoir consacré
tout mon temps et le pouvoir que je possède, à faire la
guerre aux Barbares, à accuser ceux qui ne pensaient
pas comme moi, à tenter d'exciter ceux que j'espérais
être les plus capables [4] de faire quelque bien aux Grecs
et d'arracher aux Barbares la prospérité dont ils jouissent.
131 Voilà pourquoi, maintenant encore, c'est à toi que
j'adresse mon discours, sans me dissimuler que beaucoup

---

1. Il s'agit des rois de Sparte : Isocrate a complètement
abandonné le plan que *l'Archidamos* et la *Lettre IX* semblaient
annoncer.

2. Proprement *consacré à un dieu*; la comparaison est déjà
dans Platon (*Protagoras* 320 A), mais ici elle insiste sur la mission divine de Philippe.

3. A Marathon, à Salamine, à Cnide; cf. *Lettre II*, 19.

4. Denys l'Ancien, peut-être Jason de Phères et son successeur Alexandre, Archidamos.

ἐκεῖνον. Προσήκει δὲ τοῖς μὲν ἄλλοις τοῖς ἀφ᾽ Ἡρακλέους
πεφυκόσι καὶ τοῖς ἐν πολιτείᾳ καὶ νόμοις ἐνδεδεμένοις
ἐκείνην τὴν πόλιν στέργειν ἐν ᾗ τυγχάνουσι κατοικοῦντες,
σὲ δ᾽ ὥσπερ ἄφετον γεγενημένον ἅπασαν τὴν Ἑλλάδα
πατρίδα νομίζειν, ὥσπερ ὁ γεννήσας ὑμᾶς, καὶ κινδυνεύειν ὑπὲρ αὐτῆς ὁμοίως, ὥσπερ ὑπὲρ ὧν μάλιστα
σπουδάζεις.

128 Ἴσως δ᾽ ἄν τινες ἐπιτιμήσαί μοι τολμήσειαν τῶν
οὐδὲν ἄλλο δυναμένων ἢ τοῦτο ποιεῖν, ὅτι σὲ προειλόμην
παρακαλεῖν ἐπὶ τὴν στρατείαν τὴν ἐπὶ τοὺς βαρβάρους
καὶ τὴν ἐπιμέλειαν τὴν τῶν Ἑλλήνων, παραλιπὼν τὴν
ἐμαυτοῦ πόλιν. 129 Ἐγὼ δ᾽ εἰ μὲν πρὸς ἄλλους τινὰς
πρότερον ἐπεχείρουν διαλέγεσθαι περὶ τούτων ἢ πρὸς τὴν
πατρίδα τὴν αὑτοῦ τὴν τρὶς τοὺς Ἕλληνας ἐλευθερώσασαν,
δὶς μὲν ἀπὸ τῶν βαρβάρων, ἅπαξ δ᾽ ἀπὸ τῆς Λακεδαιμονίων ἀρχῆς, ὡμολόγουν ἂν πλημμελεῖν· νῦν δ᾽ ἐκείνην μὲν
φανήσομαι πρώτην ἐπὶ ταῦτα προτρέπων ὡς ἠδυνάμην
μετὰ πλείστης σπουδῆς, αἰσθανόμενος δ᾽ ἔλαττον αὐτὴν
φροντίζουσαν τῶν ὑπ᾽ ἐμοῦ λεγομένων ἢ τῶν ἐπὶ τοῦ
βήματος μαινομένων ἐκείνην μὲν εἴασα, τῆς δὲ πραγματείας οὐκ ἀπέστην. 130 Διὸ δικαίως ἄν με πάντες
ἐπαινοῖεν, ὅτι τῇ δυνάμει ταύτῃ χρώμενος, ἣν ἔχων
τυγχάνω, διατετέλεκα πάντα τὸν χρόνον πολεμῶν μὲν τοῖς
βαρβάροις, κατηγορῶν δὲ τῶν μὴ τὴν αὐτὴν ἐμοὶ γνώμην
ἐχόντων, προτρέπειν δ᾽ ἐπιχειρῶν οὓς ἂν ἐλπίσω μάλιστα
δυνήσεσθαι τοὺς μὲν Ἕλληνας ἀγαθόν τι ποιῆσαι, τοὺς
δὲ βαρβάρους ἀφελέσθαι τὴν ὑπάρχουσαν εὐδαιμονίαν.
131 Διόπερ καὶ νῦν πρὸς σὲ ποιοῦμαι τοὺς λόγους, οὐκ

127 3 προσήκει ΓΕ : -κειν ΘΛΠΤ ‖ 8 ὥσπερ ὑπὲρ ΓΕ: ὡς περὶ ΛΠ
ὥσπερ Θ‖128 3 ἐπὶ τὴν Γ¹ : ἐπί τε τὴν cett. ‖ 129 3 αὑτοῦ edd. : αὐτοῦ
ΓΕ om. ΘΛΠ ‖ 6 μὲν φανήσομαι πρώτην ΓΕ: φανήσομαι πρῶτον
ΘΛΠ ‖ 7 αἰσθανόμενος codd. : αἰσθόμενος Θ ‖ 130 3 τυγχάνω om. Ε
‖ 5 ἐλπίσω ΓΕΛ : ἐλπίζω vulg. ‖ 131 1 ποιοῦμαι codd. : ποιήσομαι Γ¹.

critiqueront par jalousie les projets que j'expose et que
tous se réjouiront quand ces mêmes projets seront exé-
cutés par toi. En effet personne ne s'est associé à moi
pour ce que j'ai dit, mais il n'est personne qui ne s'attendra
à participer aux avantages qui résulteront de la réalisation.

132 Vois aussi combien il est honteux de laisser l'Asie
plus heureuse que l'Europe et les Barbares plus riches
que les Grecs, de laisser appeler Grands Rois [1] ceux qui
ont hérité leur pouvoir de Cyrus que la mère abandonna
sur la route [2] et appeler de termes plus modestes [3] ceux qui
descendent d'Héraclès que son père mit au rang des dieux
pour ses vertus [4]. Voilà ce dont il ne faut rien laisser subsister, ce qu'il faut renverser et changer complètement.

133 Sache-le bien, je n'aurais tenté de te donner aucun
de ces conseils, si j'avais vu que le fruit en serait seulement
de la puissance et de la richesse. Je crois que dès maintenant tu as ces biens plus qu'en suffisance et qu'il a des
désirs insatiables, celui qui décide de s'exposer au danger
pour les conquérir ou de perdre la vie. **134** Ce n'est
pas pour avoir regardé vers de telles conquêtes que je
fais mon discours, mais parce que je crois que ces projets
te donneront la plus grande et la plus belle gloire. Songe
que tous nous possédons un corps sujet à la mort, mais
que par la louange, les éloges, la renommée et le souvenir
qui nous suit à travers les siècles, nous participons à une
immortalité [5] qui mérite d'être recherchée par nous autant
que nous le pouvons et au prix de n'importe quelle souf-
france. **135** Tu pourrais voir aussi que les plus estimables des simples particuliers ne vendraient leur vie
pour rien au monde, mais s'offrent pour mourir à la guerre

1. Cf. *Panégyrique*, 121.
2. Cf. § 66.
3. C'est-à-dire du simple titre de *rois*.
4. Cf. *A Démonicos* 50.
5. La même opposition du corps mortel et de l'âme immor-
telle se retrouve dans *A Nicoclès* 37 et l'*Archidamos* 109.

ἀγνοῶν ὅτι τούτοις ὑπ' ἐμοῦ μὲν λεγομένοις πολλοὶ φθονήσουσι, τοῖς δ' αὐτοῖς τούτοις ὑπὸ σοῦ πραττομένοις ἅπαντες συνησθήσονται. Τῶν μὲν γὰρ εἰρημένων οὐδεὶς κεκοινώνηκεν, τῶν δ' ὠφελειῶν τῶν κατεργασθησομένων οὐκ ἔστιν ὅστις οὐκ οἰήσεται μεθέξειν.

132 |Σκέψαι δ' ὡς αἰσχρὸν περιορᾶν τὴν Ἀσίαν ἄμεινον πράττουσαν τῆς Εὐρώπης καὶ τοὺς βαρβάρους εὐπορωτέρους τῶν Ἑλλήνων ὄντας, ἔτι δὲ τοὺς μὲν ἀπὸ Κύρου τὴν ἀρχὴν ἔχοντας, ὃν ἡ μήτηρ εἰς τὴν ὁδὸν ἐξέβαλεν, βασιλέας μεγάλους προσαγορευομένους, τοὺς δ' ἀφ' Ἡρακλέους πεφυκότας, ὃν ὁ γεννήσας διὰ τὴν ἀρετὴν εἰς θεοὺς ἀνήγαγε, ταπεινοτέροις ὀνόμασιν ἢ 'κείνους προσαγορευομένους. Ὧν οὐδὲν ἐατέον οὕτως ἔχειν, ἀλλ' ἀναστρεπτέον καὶ μεταστατέον ἅπαντα ταῦτ' ἐστίν.

133 Εὖ δ' ἴσθι μηδὲν ἄν με τούτων ἐπιχειρήσαντά σε πείθειν, εἰ δυναστείαν μόνον καὶ πλοῦτον ἑώρων ἐξ αὐτῶν γενησόμενον· ἡγοῦμαι γὰρ τά γε τοιαῦτα καὶ νῦν σοι πλείω τῶν ἱκανῶν ὑπάρχειν, καὶ πολλὴν ἀπληστίαν ἔχειν ὅστις προαιρεῖται κινδυνεύειν ὥστ' ἢ ταῦτα λαβεῖν ἢ στερηθῆναι τῆς ψυχῆς. 134 Ἀλλὰ γὰρ οὐ πρὸς τὰς τούτων κτήσεις ἀποβλέψας ποιοῦμαι τοὺς λόγους, ἀλλ' οἰόμενος ἐκ τούτων μεγίστην σοι καὶ καλλίστην γενήσεσθαι δόξαν. Ἐνθυμοῦ δ' ὅτι τὸ μὲν σῶμα θνητὸν ἅπαντες ἔχομεν κατὰ δὲ τὴν εὐλογίαν καὶ τοὺς ἐπαίνους καὶ τὴν φήμην καὶ τὴν μνήμην τὴν τῷ χρόνῳ συμπαρακολουθοῦσαν ἀθανασίας μεταλαμβάνομεν, ἧς ἄξιον ὀρεγομένους καθ' ὅσον οἷοί τ' ἐσμὲν ὁτιοῦν πάσχειν. 135 Ἴδοις δ' ἂν καὶ τῶν ἰδιωτῶν τοὺς ἐπιεικεστάτους ὑπὲρ ἄλλου μὲν οὐδενὸς ἂν τὸ ζῆν ἀντικαταλλαξαμένους, ὑπὲρ δὲ τοῦ τυχεῖν καλῆς

131 2 τούτοις ὑπ' ἐμοῦ μὲν ΓΕ : τοῖς μὲν ὑπ' ἐμοῦ Π τούτοις μὲν ὑπ' ἐμοῦ Λ τοῖς ὑπ' ἐμοῦ μὲν Θ ‖ 131 5 ὠφελειῶν codd. : -λιῶν Γ¹ ‖ 132 9 μεταστατέων ΓΕ : μεταναστατέον ΘΠ ‖ 134 5 εὐλογίαν Γ² : εὐδοξίαν ΘΛΠ ευ ... αν Γ¹ ‖ 6 καὶ τὴν μνήμην om. ΘΛΠ.

afin d'obtenir de la gloire [1]; qu'en général on loue les gens
qui désirent des honneurs supérieurs à ceux qu'ils ont et
que l'on juge trop intempérants et trop vils ceux qui sont
insatiables de quelque autre objet [2]. **136** Enfin (et c'est
le point le plus important) il arrive souvent que notre
richesse et notre puissance tombent aux mains de nos
ennemis, mais pour le dévouement que nous témoigne
la foule et pour tout ce que je viens de te citer, nous ne
laissons pas d'autres héritiers que nos descendants [3]. Aussi
serais-je honteux si ce n'était pas pour ces raisons que je
te conseille de faire cette expédition, de combattre et de
t'exposer aux dangers.

137 Tu prendras la meilleure décision à ce sujet si tu
penses que ce n'est pas seulement ce discours qui t'exhorte,
mais aussi tes ancêtres [4], le manque d'énergie des Barbares [5],
les hommes qui ont acquis du renom et ont passé pour
des demi-dieux [6] à cause de leurs expéditions contre
ceux-ci, et surtout le moment où tu te trouves possesseur
d'une puissance telle que n'en a eue aucun des habitants
de l'Europe et où celui que tu combattras se trouve détesté
et méprisé de tous comme ne l'a jamais été aucun roi.

138 Je préférerais de beaucoup pouvoir réunir en un
seul tous les discours que j'ai faits sur cette question, car

1. Même opposition entre les simples particuliers et les
rois dans l'*Evagoras* 72.

2. La même pensée se retrouve dans la *Lettre III*, 4.

3. Ici l'idée de la gloire, qui sera reprise dans la péroraison
(§ 146 et suivants), vient se substituer à celle de l'intérêt,
qui avait semblé dominer au début (§ 3-5 et 45).

4. Cf. 105-108. Les mêmes raisons sont encore citées par
Polybe III, 6, 12.

5. Cf. § 124. Ce mépris des Barbares, ordinaire chez Isocrate
(cf. *Panégyrique*, 150) lui est commun avec tous les Grecs.
Cf. par exemple Euripide, *Iphigénie à Aulis* 1400-1401, et la
justification qu'Aristote donne de l'esclavage dans la *Politique* 1252 b 5 et suivantes.

6. Héraclès, Agamemnon (cité comme exemple dans le *Pana-*

δόξης ἀποθνήσκειν ἐν τοῖς πολέμοις ἐθέλοντας, ὅλως
δὲ τοὺς μὲν τιμῆς ἐπιθυμοῦντας ἀεὶ μείζονος ἧς
ἔχουσιν ὑπὸ πάντων ἐπαινουμένους, τοὺς δὲ πρὸς ἄλλο τι
τῶν ὄντων ἀπλήστως διακειμένους ἀκρατεστέρους καὶ
φαυλοτέρους εἶναι δοκοῦντας. 136 Τὸ δὲ μέγιστον τῶν
εἰρημένων· ὅτι συμβαίνει τοῦ μὲν πλούτου καὶ τῶν δυνασ-
τειῶν πολλάκις τοὺς ἐχθροὺς κυρίους γίγνεσθαι, τῆς δ᾽
εὐνοίας τῆς παρὰ τῶν πολλῶν καὶ τῶν ἄλλων τῶν προειρημένων μηδένας ἄλλους καταλείπεσθαι κληρονόμους πλὴν
τοὺς ἐξ ἡμῶν γεγονότας. Ὥστ᾽ ᾐσχυνόμην ἂν, εἰ μὴ τούτων ἕνεκά σοι συνεβούλευον καὶ τὴν στρατείαν ποιεῖσθαι
ταύτην καὶ |πολεμεῖν καὶ κινδυνεύειν.

137 Οὕτω δ᾽ ἄριστα βουλεύσει περὶ τούτων, ἢν ὑπο-
λάβῃς μὴ μόνον τὸν λόγον τοῦτόν σε παρακαλεῖν, ἀλλὰ
καὶ τοὺς προγόνους καὶ τὴν τῶν βαρβάρων ἀνανδρίαν καὶ
τοὺς ὀνομαστοὺς γενομένους καὶ δόξαντας ἡμιθέους εἶναι
διὰ τὴν στρατείαν τὴν ἐπ᾽ ἐκείνους, μάλιστα δὲ πάντων
τὸν καιρόν, ἐν ᾧ σὺ μὲν τυγχάνεις τοσαύτην δύναμιν
κεκτημένος ὅσην οὐδεὶς τῶν τὴν Εὐρώπην κατοικησάντων,
πρὸς ὃν δὲ πολεμήσεις, οὕτω σφόδρα μεμισημένος καὶ
καταπεφρονημένος ὑφ᾽ ἁπάντων, ὡς οὐδεὶς πώποτε τῶν
βασιλευσάντων.

138 Πρὸ πολλοῦ δ᾽ ἂν ἐποιησάμην οἷόν τ᾽ εἶναι συνερᾶσαι τοὺς λόγους ἅπαντας τοὺς ὑπ᾽ ἐμοῦ περὶ τούτων

---

135 7 ὄντων ΓΛ : ἀνοήτων Ε ἀνοήτως φιλουμένων τοῖς πολλοῖς vulg.
ἀγαθῶν Dionysius (in *Isocr.*, 6) ‖ ἀπλήστως Γ : ἀπλείστως Ε ἀπλήστως διακειμένοις (-μένων Λ) Λ Dion. ὁλοσχερῶς vulg. ‖ 6 τοὺς δὲ …
διακειμένους om. Π ‖ 136 4 πολλῶν ΓΕ : πολιτῶν ΘΛΠ ‖ 5 καταλείπεσθαι Γ¹ΛΠ : -λιπέσθαι Γ²ΕΘ ‖ 137 1 βουλεύσει codd.: ση Γ ‖ 3 βαρβάρων ἀνανδρίαν ΓΕ : πατέρων ἀνδρίαν ΛΠ ‖ 4 ὀνομαστοὺς ΓΕΘ: -στο-
τάτους ΛΠ ‖ 7 κατοικησάντων ΓΕ : οἰκ- ΘΛΠ ‖ 8 οὕτω σφοδρα ΓΕ :
οὕτως ἐστὶ σφόδρα ΛΠ ‖ μεμισημένος καὶ καταπεφρονημένος ΛΠ
μεμισημένον καὶ καταπεφρονημένον ΓΕ ‖ 138 1 συνερᾶσαι Bekker :
συνερασαι Γ¹ συγχέρασαι ΓΕΘ ὅπως ἂν (om. Λ¹) συνερανίσαιμι Λ.

il semblerait ainsi plus digne de son sujet. Quoi qu'il en
soit, tu dois au moins examiner parmi tous les arguments
ceux qui t'entraînent et te poussent à cette guerre; car
c'est ainsi que tu te décideras le mieux à leur sujet.

139 Je n'ignore pas que bien des Grecs croient invin-
cible la puissance du Grand Roi. On doit s'étonner de
ce qu'ils ne croient pas qu'une puissance conquise et organisée pour la servitude par quelque Barbare dont l'éducation avait été négligée [1] puisse être détruite pour la liberté
par un Grec [2] plein d'expérience pour la guerre, et cela
alors qu'ils savent que toute chose est difficile à organiser
et facile à désorganiser.

140 Songe que tout le monde honore et admire surtout
ceux qui peuvent à la fois être hommes d'État [3] et généraux.
Quand donc tu vois arriver à la gloire ceux qui montrent
ces qualités dans une seule cité, quels éloges ne doit-on
pas s'attendre à te voir accorder lorsqu'on te verra rendre
à tous les Grecs les services d'un homme d'État et soumettre les Barbares par tes exploits de général. **141**
Pour ma part je crois que ces éloges atteindront le plus
haut degré; car nul autre ne pourra jamais faire plus que
toi : il n'y aura jamais chez les Grecs d'action égale à
celle qui nous fera sortir de si grandes guerres et nous
amènera à la concorde, et il n'est pas vraisemblable qu'une
puissance égale renaisse chez les Barbares quand tu auras
détruit celle qui existe maintenant. **142** Aussi, même
si parmi nos successeurs quelqu'un l'emporte sur les

thénaïque 72-89) et tous les héros de la guerre de Troie.

1. Isocrate fait allusion non seulement à ce qu'il dit de
l'abandon de Cyrus (par. 66 et 132), mais aussi à son enfance
passée au milieu des bergers (cf. Hérodote I, 114).

2. Il y a dans cette phrase un parallélisme intentionnel et
des oppositions dont la principale, qui consiste dans l'emploi
pour Cyrus d'ἄνθρωπος (péjoratif) et pour Philippe d'ἀνήρ, ne
peut que difficilement être rendue par la traduction.

3. L'expression se retrouve dans [Démosthène] XIII, 35.

εἰρημένους· μᾶλλον γὰρ ἂν ἀξιόχρεως οὗτος ἔδοξεν εἶναι
τῆς ὑποθέσεως. Οὐ μὴν ἀλλὰ σέ γε χρὴ σκοπεῖν ἐξ ἁπάντων τὰ συντείνοντα καὶ προτρέποντα πρὸς τὸν πόλεμον
τοῦτον· οὕτω γὰρ ἂν ἄριστα βουλεύσαιο περὶ αὐτῶν.

139 Οὐκ ἀγνοῶ δ' ὅτι πολλοὶ τῶν Ἑλλήνων τὴν βασιλέως δύναμιν ἄμαχον εἶναι νομίζουσιν· ὧν ἄξιον θαυμάζειν, εἰ τὴν ὑπ' ἀνθρώπου βαρβάρου καὶ κακῶς τεθραμμένου
καταστραφεῖσαν καὶ συναχθεῖσαν ἐπὶ δουλείᾳ, ταύτην ὑπ'
ἀνδρὸς Ἕλληνος καὶ περὶ τοὺς πολέμους πολλὴν ἐμπειρίαν
ἔχοντος μὴ νομίζουσιν ἂν ἐπ' ἐλευθερίᾳ διαλυθῆναι, καὶ
ταῦτ' εἰδότες ὅτι συστῆσαι μέν ἐστιν ἅπαντα χαλεπόν,
διαστῆσαι δὲ ῥᾴδιον.

140 Ἐνθυμοῦ δ' ὅτι μάλιστα τούτους τιμῶσιν ἅπαντες
καὶ θαυμάζουσιν, οἵτινες ἀμφότερα δύνανται καὶ πολιτεύεσθαι καὶ στρατηγεῖν. Ὅταν οὖν ὁρᾷς τοὺς ἐν μιᾷ
πόλει ταύτην ἔχοντας τὴν φύσιν εὐδοκιμοῦντας, ποίους
τινὰς χρὴ προσδοκᾶν τοὺς ἐπαίνους ἔσεσθαι τοὺς περὶ σοῦ
ῥηθησομένους, ὅταν φαίνῃ ταῖς μὲν εὐεργεσίαις ἐν ἅπασι
τοῖς Ἕλλησι πεπολιτευμένος, ταῖς δὲ στρατηγίαις τοὺς
βαρβάρους κατεστραμμένος; 141 Ἐγὼ μὲν γὰρ ἡγοῦμαι
ταῦτα πέρας ἕξειν· οὐδένα γὰρ ἄλλον ποτὲ δυνήσεσθαι
μεῖζω πρᾶξαι τούτων· οὔτε γὰρ ἐν τοῖς Ἕλλησι | γενήσεσθαι
τηλικοῦτον ἔργον, ὅσον ἐστὶν τὸ πάντας ἡμᾶς ἐκ τοσούτων
πολέμων ἐπὶ τὴν ὁμόνοιαν προαγαγεῖν, οὔτε τοῖς βαρβάροις εἰκός ἐστι συστῆναι τηλικαύτην δύναμιν, ἣν τὴν νῦν
ὑπάρχουσαν καταλύσῃς. 142 Ὥστε τῶν μὲν ἐπιγιγ-
νομένων οὐδ' ἢν τις τῶν ἄλλων διενέγκῃ τὴν φύσιν, οὐδὲν ἕξει

---

3 ἂν ἀξιόχρεως· codd. : ἄξιος Γ' ‖ οὗτος (om. ΘΠ) ἔδοξεν εἶναι ΓΕ :
ἔδοξεν οὗτος· ἡ πραγμάτεια εἶναι Λ ‖ 6 οὕτω ... αὐτῶν om. ΘΛΠ
139 4 καταστραφεῖσαν ΓΕ : -σταθεῖσαν ΛΠ ‖ 8 διαστῆσαι ΓΕ :
διαλῦσαι ΛΠ ‖ 140 2 δύνανται ΓΕ : ἂν δύνωνται ΘΛΠ ‖ 4 ταύτην
ΓΕ : τοιαύτην ΘΛΠ ‖ 141 3 γενήσεσθαι ΓΕ : γεγενῆσθαι ΛΠ ‖
6 συστῆναι codd. : συνστῆσαι Γ⁴ ‖ 142 1 τῶν μὲν ΓΕ : τῶν νῦν μὲν
ΘΛΠ.

autres par ses qualités, il n'aura rien de tel à accomplir.
Et même je puis mettre au-dessus des actions de nos
prédécesseurs celles que tu as déjà accomplies, et cela
sans esprit vétilleux, en toute vérité : puisque tu as soumis
des peuples plus nombreux que les villes prises par aucun
autre Grec, comment, en te comparant à chacun, n'aurais-
je pas facilement démontré que tu as accompli des exploits
plus grands qu'eux ? **143** Mais j'ai décidé de m'abstenir
de ce procédé, pour deux raisons, parce que certains se
servent de lui à contre-temps, et parce que je ne veux pas
mettre au-dessous de nos contemporains ceux en qui l'on
voit des demi-dieux.

144 Songe (pour citer aussi quelque ancienne histoire)
que la richesse de Tantale, le pouvoir de Pélops, la puissance d'Eurysthée ne seraient loués par aucun inventeur
de discours ni par aucun poète, mais qu'après le mérite
éclatant d'Héraclès et les vertus de Thésée[1], tous célé-
breraient ceux qui ont fait l'expédition de Troie et ceux
qui leur ont ressemblé. **145** Or nous savons que les
plus renommés et les plus grands d'entre eux possédaient
leur pouvoir dans de petites cités et de petites îles[2] ; cependant ils ont laissé une gloire égale à celle des dieux et
célébrée partout ; car tout le monde aime, non pas ceux
qui ont acquis pour eux-mêmes une grande puissance,
mais ceux qui ont été pour les Grecs les auteurs des plus
grands biens.

146 Ce n'est pas seulement à leur propos que tu verras
les hommes avoir cette opinion, mais en tous les cas également. Car nul ne louerait notre cité, ni d'avoir eu la
maîtrise de la mer, ni d'avoir levé sur ses alliés une si
grande somme d'argent et de l'avoir transportée sur l'Acropole, non pas même d'avoir dominé beaucoup de villes

---

1. Rapprochement intentionnel d'Héraclès, et de Thésée,
qui ailleurs font figure de rivaux.

2. Souvenir évident de Thucydide (I, 10, 3-11). D'ailleurs en
339 (*Panathénaïque*, 81), Isocrate revient à la légende de

ποιῆσαι τοιοῦτον. Ἀλλὰ μὴν τῶν γε προγεγενημένων ἔχω
μὲν ὑπερβαλεῖν τὰς πράξεις τοῖς ἤδη διὰ σοῦ κατειργασ-
μένοις, οὐ γλίσχρως ἀλλ᾽ ἀληθινῶς· ὅστις γὰρ ἔθνη τοσαῦτα
τυγχάνεις κατεστραμμένος ὅσας οὐδεὶς πώποτε τῶν ἄλλων
Ἑλλήνων πόλεις εἷλεν, πῶς οὐκ ἂν πρὸς ἕκαστον αὐτῶν
ἀντιπαραβάλλων ῥᾳδίως ἂν ἐπέδειξα μείζω σε κἀκείνων
διαπεπραγμένον; 143 Ἀλλὰ γὰρ εἱλόμην ἀποσχέσθαι
τῆς τοιαύτης ἰδέας δι᾽ ἀμφότερα, διά τε τοὺς οὐκ εὐκαίρως
αὐτῇ χρωμένους καὶ διὰ τὸ μὴ βούλεσθαι ταπεινοτέρους
ποιεῖν τῶν νῦν ὄντων τοὺς ἡμιθέους εἶναι νομιζομένους.

144 Ἐνθυμοῦ δ᾽ ἵνα τι καὶ τῶν ἀρχαίων εἴπωμεν, ὅτι
τὸν Ταντάλου πλοῦτον καὶ τὴν Πέλοπος ἀρχὴν καὶ τὴν
Εὐρυσθέως δύναμιν οὐδεὶς ἂν οὔτε λόγων εὑρετὴς οὔτε
ποιητὴς ἐπαινέσειεν, ἀλλὰ μετά γε τὴν Ἡρακλέους
ὑπερβολὴν καὶ τὴν Θησέως ἀρετὴν τοὺς ἐπὶ Τροίαν στρατευσαμένους καὶ τοὺς ἐκείνοις ὁμοίους γενομένους
ἅπαντες ἂν εὐλογήσειαν. 145 Καίτοι τοὺς ὀνομαστοτάτους καὶ τοὺς ἀρίστους αὐτῶν ἴσμεν ἐν μικροῖς πο-
λιχνίοις καὶ νησυδρίοις τὰς ἀρχὰς κατασχόντας. Ἀλλ᾽
ὅμως ἰσόθεον καὶ παρὰ πᾶσιν ὀνομαστὴν τὴν αὐτῶν δόξαν
κατέλιπον· ἅπαντες γὰρ φιλοῦσιν οὐ τοὺς σφίσιν αὐτοῖς
μεγίστην δυναστείαν κτησαμένους, ἀλλὰ τοὺς τοῖς Ἕλλησι πλείστων ἀγαθῶν αἰτίους γεγενημένους.

146 Οὐ μόνον δ᾽ ἐπὶ τούτων αὐτοὺς ὄψει τὴν γνώμην
ταύτην ἔχοντας, ἀλλ᾽ ἐπὶ πάντων ὁμοίως, ἐπεὶ καὶ τὴν
πόλιν ἡμῶν οὐδεὶς ἂν ἐπαινέσειεν, οὔθ᾽ ὅτι τῆς θαλάττης
ἦρξεν, οὔθ᾽ ὅτι τοσοῦτον πλῆθος χρημάτων εἰσπράξασα
τοὺς συμμάχους εἰς τὴν ἀκρόπολιν ἀνήνεγκεν· ἀλλὰ μὴν
οὐδ᾽ ὅτι πολλῶν πόλεων ἐξουσίαν ἔλαβε τὰς μὲν ἀναστά-

142 3 ἔχω μὲν ΓΕ : ἔχομεν ΛΠ ‖ 4 ὑπερβαλεῖν ΓΕ : παραβ-
vulg. ‖ 5 οὐ γλίσχρως Γ : οὐκ (οὐ Ε) αἰσχρῶς ΕΘΛΠ ‖ 6 ἄλλων om.
Γ¹ ‖ 7 εἷλεν codd. : εἶδεν Γ¹ ‖ 8 ἀντιπαραβάλλων ΓΕ : -βαλὼν ΛΘ
-λαβὼν Π. ‖ 145 1 καίτοι ΓΕΘΛΤ : καὶ Π ‖ 3 νησυδρίοις codd. :
νησιδρίοις ΕΘ ‖ 6 κτησαμένους ΓΕΛ : κεκτημένους vulg.

dont elle pouvait détruire les unes, agrandir d'autres,
gouverner d'autres à son gré[1]. **147** Certes elle avait ce
pouvoir, mais il a suscité contre elle bien des accusations.
C'est à cause de la bataille de Marathon, de celle de Salamine[2] et surtout parce que les Athéniens ont abandonné
leur pays[3] pour le salut des Grecs, que tous lui adressent
des éloges. On pense de même sur les Lacédémoniens :
148 on préfère leur défaite des Thermopyles à toutes
leurs victoires; on admire et on contemple le trophée
élevé sur eux par les Barbares[4] et, loin de célébrer ceux qu'ils
ont élevés eux-mêmes sur les autres[5], on les regarde sans
plaisir; car on juge que le premier est un monument de
courage, les autres des monuments d'orgueil.

149 Quand tu auras examiné tout cela et que tu auras
réfléchi, si un passage te paraît trop plat ou inférieur,
accuse mon âge à qui tous auraient raison de pardonner.
Mais si ce que je dis est semblable à ce que j'ai répandu
auparavant dans le public, il faut penser que ce n'est pas
ma vieillesse, mais la divinité qui me l'a inspiré, non qu'elle
ait quelque souci de moi, mais par intérêt pour la Grèce,
en voulant la délivrer de ses maux présents et t'entourer
d'une gloire bien plus grande que celle que tu as mani-
tenant. **150** Je crois que tu n'ignores pas comment les
dieux gouvernent les affaires des hommes : ils ne causent
pas directement le bonheur ou le malheur qui nous atteint,

Mycènes « riche en or », conforme à la tradition poétique.
  1. En 454, le trésor de la confédération attico-délienne fut
transporté de Délos à Athènes. Isocrate passe rapidement sur
la prospérité financière d'Athènes alors, parce qu'il renonce à
l'hégémonie maritime qui l'avait provoquée. Pour les abus les
plus graves, cf. *Pan.* 100, *Panath.* 63, *Sur la Paix*, 37-38.
  2. Cf. *Pan.*, 91, *Sur la Paix*, 38.
  3. Cf. *Pan.*, 96-99; *Archidamos*, 83; *Sur la Paix*, 43. Isocrate
songe plutôt à l'évacuation qui précéda Salamine qu'à celle
qui précéda Platées. Cf. d'ailleurs Thucydide, I, 73, 4-5.
  4. Allusion au crucifiement du cadavre de Léonidas (cf.
Hérod. VII, 238) ?
  5. Sans doute allusion à des monuments réels élevés par les

τους ποιήσαι, τὰς δ᾽ αὐξῆσαι, τὰς δ᾽ ὅπως ἐβουλήθη
διοικῆσαι· — 147 πάντα γὰρ ταῦτα παρῆν αὐτῇ πράτ-
τειν· | — ἀλλ᾽ ἐκ τούτων μὲν πολλαὶ κατηγορίαι κατ᾽ αὐτῆς
γεγόνασιν, ἐκ δὲ τῆς Μαραθῶνι μάχης καὶ τῆς ἐν Σαλαμῖνι
ναυμαχίας, καὶ μάλισθ᾽ ὅτι τὴν αὐτῶν ἐξέλιπον ὑπὲρ τῆς
τῶν Ἑλλήνων σωτηρίας, ἅπαντες ἐγκωμιάζουσιν. Τὴν
αὐτὴν δὲ γνώμην καὶ περὶ Λακεδαιμονίων ἔχουσιν· 148
καὶ γὰρ ἐκείνων μᾶλλον ἄγανται τὴν ἧτταν τὴν ἐν Θερμοπύλαις ἢ τὰς ἄλλας νίκας, καὶ τὸ τρόπαιον τὸ μὲν κατ᾽
ἐκείνων ὑπὸ τῶν βαρβάρων σταθὲν ἀγαπῶσι καὶ θεωροῦσιν
τὰ δ᾽ ὑπὸ Λακεδαιμονίων κατὰ τῶν ἄλλων οὐκ ἐπαινοῦσιν,
ἀλλ᾽ ἀηδῶς ὁρῶσιν· ἡγοῦνται γὰρ τὸ μὲν ἀρετῆς εἶναι
σημεῖον, τὰ δὲ πλεονεξίας.

149 Ταῦτ᾽ οὖν ἐξετάσας ἅπαντα καὶ διελθὼν πρὸς
αὐτόν, ἢν μέν τι τῶν εἰρημένων ᾖ μαλακώτερον ἢ καταδεέστερον, αἰτιῶ τὴν ἡλικίαν τὴν ἐμὴν ᾖ δικαίως ἂν
ἅπαντες συγγνώμην ἔχοιεν· ἢν δ᾽ ὅμοια τοῖς πρότερον
διαδεδομένοις, νομίζειν αὐτὰ χρὴ μὴ τὸ γῆρας τοὐμὸν
εὑρεῖν ἀλλὰ τὸ δαιμόνιον ὑποβαλεῖν, οὐκ ἐμοῦ φροντίζον,
ἀλλὰ τῆς Ἑλλάδος κηδόμενον καὶ βουλόμενον ταύτην τε
τῶν κακῶν ἀπαλλάξαι τῶν παρόντων καὶ σοὶ πολὺ μείζω
περιθεῖναι δόξαν τῆς νῦν ὑπαρχούσης. 150 Οἶμαι δέ σ᾽
οὐκ ἀγνοεῖν ὃν τρόπον οἱ θεοὶ τὰ τῶν ἀνθρώπων διοικοῦσιν. Οὐ γὰρ αὐτόχειρες οὔτε τῶν ἀγαθῶν οὔτε τῶν

147 2 κατ᾽ αὐτῆς ΘΛΠ : κατὰ ταύτης ΓΕ ‖ 3 Μαραθῶνι Γ¹ : ἐν
Μαρ- cett. ‖ τῆς ἐν om. ΘΛΠ ‖ 4 τῆς τῶν Ἑλλήνων σωτηρίας Γ² intra spatium duodecim litterarum; forsitan in arche-
typo ἄλλων Ἑλλήνων scriptum fuerit ‖ 5 ἅπαντες Γ¹ : ἅπαντες αὐτὴν cett. ‖ 148 3 τὸ τρόπαιον τὸ codd.: τὰ τρόπαια
τὰ Ε ‖ 6 ἡγοῦνται codd.: ἡγοῦντο Θ ‖ 6 τὸ μὲν codd.: τὰ μὲν Γ
‖ 149 2 ᾖ Θ : ἢ ΓΕ εἴη ΛΠ ‖ 3 αἰτιῶ τὴν ἡλικίαν τὴν ἐμὴν ΓΕ :
ἀποβλέπειν εἰς τὴν ἡλικίαν τὴν ἐμὴν δεῖ ΛΠ ‖ 5 διαδεδομένοις codd. :
διαδιδ -ΓΕ ‖ 8 πολὺ μείζω περιθεῖναι δόξαν ΓΕ : δόξαν πολὺ μείζω
τηρηθῆναι (περιθεῖναι Θ) ΘΛΠ ‖ 150 3 οὔτε τῶν ΓΕ : οὔτε μετὰ τῶν
ΛΠ.

mais ils donnent à chacun des dispositions d'esprit telles
que biens et maux nous arrivent par notre action réci-
proque. **151** C'est ainsi sans doute que maintenant
même ils nous ont attribué les discours et t'ont chargé
des actions [1], jugeant que c'est toi qui pourrais le mieux
les diriger, mais que mon discours ne serait pas désa-
gréable aux auditeurs. Je pense aussi que tes exploits précédents n'auraient pas été si grands si quelque dieu n'avait
pas aidé à leur succès, **152** non pas pour que tu fasses
une guerre continuelle aux seuls Barbares établis en Europe [2],
mais pour que tu t'exerces ainsi, que tu y prennes de
l'expérience, que tu fasses connaître qui tu es et qu'enfin
tu portes tes désirs vers ce que j'ai déjà conseillé [3]. Donc
il est honteux de rester en arrière quand le sort te guide
sur une noble voie et de ne pas t'offrir à lui pour le but
où il veut te conduire.

153 Je crois que tu dois accorder de l'honneur à tous
ceux qui parlent bien de ce que tu as fait, mais que tu
dois surtout penser que ton plus bel éloge est fait par
ceux qui jugent ton caractère digne d'exploits plus grands,
et ceux qui, non contents de parler agréablement dans
le temps présent, peuvent faire admirer aux générations
futures tes actions plus que celles d'aucun de tes prédécesseurs. Je voudrais dire bien des choses de ce genre,
mais je ne le puis et la raison, je l'ai déjà dite plus
souvent qu'il ne faut.

154 Il me reste à résumer ce que j'ai dit pour que tu
voies en aussi peu de mots que possible l'essentiel de mes
conseils. Je dis qu'il te faut être le bienfaiteur des Grecs,

Lacédémoniens : par exemple à Olympie le trophée qui rappe-
lait la victoire de 457 à Tanagra ; à Delphes le monument élevé
après Aigos-Potamoi. (cf. *Pan.* 158).

1. Une mission de ce genre semble attribuée par Isocrate
à Timothée entre 375 et 360.

2. Il s'agit des campagnes faites par Philippe contre les
Thraces, les Péoniens et les Illyriens.

3. Isocrate adresse à Philippe un conseil qu'il a déjà donné

κακῶν γίγνονται τῶν συμβαινόντων αὐτοῖς, ἀλλ᾽ ἑκάστοις
τοιαύτην ἔννοιαν ἐμποιοῦσιν ὥστε δι᾽ ἀλλήλων ἡμῖν
ἑκάτερα παραγίγνεσθαι τούτων. 151 Οἷον ἴσως καὶ
νῦν τοὺς μὲν λόγους ἡμῖν ἀπένειμαν, ἐπὶ δὲ τὰς
πράξεις σε τάττουσιν, νομίζοντες τούτων μὲν σὲ
κάλλιστ᾽ ἂν ἐπιστατῆσαι, τὸν δὲ λόγον τὸν ἐμὸν ἥκιστ᾽ ἂν
ὀχληρὸν γενέσθαι τοῖς ἀκούουσιν. Ἡγοῦμαι δὲ καὶ τὰ
πεπραγμένα πρότερον οὐκ ἂν ποτέ σοι γενέσθαι τηλικαῦτα
τὸ μέγεθος, εἰ μή τις θεῶν αὐτὰ συγκατώρθωσεν, 152 οὐχ
ἵνα τοῖς βαρβάροις μόνον τοῖς ἐπὶ τῆς Εὐρώπης κατοι-
κοῦσιν πολεμῶν διατελῇς, |ἀλλ᾽ ὅπως ἂν ἐν τούτοις γυμ-
νασθεὶς καὶ λαβὼν ἐμπειρίαν καὶ γνωσθεὶς οἷος εἶ, τούτων
ἐπιθυμήσῃς ὧν ἐγὼ τυγχάνω συμβεβουλευκώς. Αἰσχρὸν
οὖν ἐστιν καλῶς τῆς τύχης ἡγουμένης ἀπολειφθῆναι καὶ
μὴ παρασχεῖν σαυτὸν εἰς ὃ βούλεταί σε προαγαγεῖν.

153 Νομίζω δὲ χρῆναί σε πάντας μὲν τιμᾶν τοὺς περὶ
τῶν σοι πεπραγμένων ἀγαθόν τι λέγοντας, κάλλιστα μέντοι
νομίζειν ἐκείνους ἐγκωμιάζειν τοὺς μειζόνων ἔργων ἢ
τηλικούτων τὴν σὴν φύσιν ἀξιοῦντας, καὶ τοὺς μὴ μόνον
ἐν τῷ παρόντι κεχαρισμένως διειλεγμένους, ἀλλ᾽ οἵτινες
ἂν τοὺς ἐπιγιγνομένους οὕτω ποιήσωσι τὰς σὰς πράξεις
θαυμάζειν ὡς οὐδενὸς ἄλλου τῶν προγεγενημένων. Πολλὰ
δὲ βουλόμενος τοιαῦτα λέγειν οὐ δύναμαι· τὴν δ᾽ αἰτίαν
δι᾽ ἣν, πλεονάκις τοῦ δέοντος εἴρηκα.

154 Λοιπὸν οὖν ἐστιν τὰ προειρημένα συναγαγεῖν, ἵν᾽
ὡς ἐν ἐλαχίστοις κατίδῃς τὸ κεφάλαιον τῶν συμβεβουλευ-
μένων. Φημὶ γὰρ χρῆναί σε τοὺς μὲν Ἕλληνας εὐεργετεῖν,

150 4 συμβαινόντων ΓΕ : συνόντων ΘΛΠ ‖ ἑκάστοις ΘΛΠ : ἕκαστος ΓΕ ‖ 5 ἔννοιαν ΓΛΠ : εὔνοιαν ΕΘ ‖ 1523 ἂν om. ΘΛΠ ‖ 5 ἐγὼ
om. ΘΛΠ ‖ 7 σαυτὸν εἰς ὃ ΓΕ : αὐτὸν εἰς ἃ ΘΛΠ. ‖ 153 1 μὲν
τιμᾶν ΘΛΠ : ... μαν Γ¹ μ᾽ ἂν Γ² μὲν Ε ‖ 2 λέγοντας codd. : λέγοντας
τιμᾶν Ε ‖ 5 οἵτινες ἂν ... ποιήσωσι ΓΕ : οἵτινες ... ποιήσουσι ΘΛ ‖
6 τὰς om. Γ¹ ‖ 154 2 ἐν om. ΘΛΠ ‖ κατίδῃς Baiter : κατίδοις
codd.

le roi des Macédoniens, le maître du plus grand nombre
possible de Barbares [1]. Si tu agis ainsi, tous te seront reconnaissants, les Grecs des bienfaits que tu leur accorderas,
les Macédoniens si tu les gouvernes en roi et non en tyran,
les autres races si tu les délivres d'une domination barbare pour leur donner la protection grecque. 155 Quelle
est la valeur de mon ouvrage en ce qui concerne les faits
et l'exactitude du détail, il est juste de vous le demander,
à vous qui l'écoutez. Mais que personne ne puisse te donner
des conseils meilleurs et mieux en rapport avec les circonstances présentes, c'est ce que je crois bien savoir.

à bien des États; de là vient qu'il emploie συμβεβουλευκώς et
non σοι συμβεβουλευκώς.

1. La même distinction entre Grecs et Barbares se retrouve
en 338 dans la *Lettre III*, 5 et dans le conseil donné par Aristote à Alexandre (Plutarque, *Sur la fortune d'Alexandre* I, 6).

Μακεδόνων δὲ βασιλεύειν, τῶν δὲ βαρβάρων ὡς πλείστων ἄρχειν. Ἦν γὰρ ταῦτα πράττῃς, ἅπαντές σοι χάριν ἕξουσιν, οἱ μὲν Ἕλληνες ὑπὲρ ὧν ἂν εὖ πάσχωσιν, Μακεδόνες δ᾽ ἢν βασιλικῶς ἀλλὰ μὴ τυραννικῶς αὐτῶν ἐπιστατῇς, τὸ δὲ τῶν ἄλλων γένος, ἢν διὰ σὲ βαρβαρικῆς δεσποτείας ἀπαλλαγέντες Ἑλληνικῆς ἐπιμελείας τύχωσιν. 155 Ταῦθ᾽ ὅπως μὲν γέγραπται τοῖς καιροῖς καὶ ταῖς ἀκριβείαις, παρ᾽ ὑμῶν τῶν ἀκουόντων πυνθάνεσθαι δίκαιόν ἐστιν· ὅτι μέντοι βελτίω τούτων καὶ μᾶλλον ἁρμόττοντα τοῖς ὑπάρχουσιν οὐδεὶς ἄν σοι συμβουλεύσειεν, σαφῶς εἰδέναι νομίζω.

154 6 ἂν εὖ πάσχωσι vulg.: εὖ πάσχουσι ΓΕ ‖ 155 4 ὑπάρχουσιν codd.: ἐπ- ΓΕ.

Subscr.: Φίλιππος ΓΛ¹ τέλος τοῦ φιλίππου Λ² Ἰσοκράτους φίλιππος Θ.

XXI

PANATHENAÏQUE

par Émile BRÉMOND

NOTICE

Isocrate indique dès le début du *Panathénaïque* qu'il était entré dans sa quatre-vingt-quatorzième année, lorsqu'il a commencé d'écrire cette œuvre (3); mais il précisera lorsqu'il atteindra le terme de son entreprise (267), que la maladie le contraignit d'interrompre son effort, la moitié du discours étant déjà composée; pendant trois ans il lutta contre un mal dont il réussit à triompher; il approchait donc, à trois années près, du centenaire lorsqu'il mit fin au *Panathénaïque*. De telles indications sont intéressantes par leur netteté, mais elles ne donnent pas réponse à toutes les questions qu'elles font naître.

Deux biographies d'Isocrate peuvent être mises à profit pour situer le cours de la longue existence de l'auteur : celle qui fait partie de la « Vie des dix orateurs », attribuée faussement à Plutarque et une « Vie » anonyme qui fréquemment est jointe aux manuscrits dont nous disposons : nous apprenons par elles qu'Isocrate est né en 436, dans le dème d'Erchia; le commencement de la rédaction du *Panathénaïque* peut donc être fixé à l'année 342; trois ans d'interruption conduisent à 339, date à laquelle l'œuvre est achevée.

Malheureusement, l'expression même dont se sert Isocrate pour désigner le point de la rédaction auquel il est arrivé, lorsqu'il lui faut la suspendre — la « moitié » du discours — ne peut être prise à la lettre et l'incertitude ainsi créée s'irradiera sur tout un ensemble de problèmes auxquels il sera fait allusion plus loin. D'autre part, nous ne sommes pas assurés de la date de la mort d'Isocrate, le témoignage de son fils adoptif, Aphareus, n'ayant pas été accepté sans réserve et nous ne disposons que d'un document postérieur à 339 qui nous éclaire sur ce que purent être les réactions de l'orateur devant les résultats et les conséquences de la bataille de Chéronée; mais ce texte — la lettre III — est d'une authenticité contestée.

Considéré dans son ensemble et tel que les manuscrits nous l'ont transmis, le discours paraît conforme à un plan qui est simple :

— Un avant-propos (1-39).

— Un large exposé (40-199) développant le thème annoncé mais susceptible de comporter une subdivision que justifie la transformation profonde du mode de traitement du sujet, telle qu'elle se manifeste dans le déroulement du discours.

— Les mérites d'Athènes (40-107).

— La valeur de sa Constitution (108-199).

— Une large discussion (200-265) amorcée puis alimentée par l'intervention d'un ancien élève d'abord, d'un groupe de disciples et amis, ensuite, portant sur les commentaires qu'Isocrate consacre à Sparte et sur les raisons qui ont inspiré à l'auteur la rectification de son jugement.

— Un bref retour à des considérations d'ordre personnel servant de conclusion pour l'ensemble de l'œuvre (266-272).

Mais un examen plus attentif de cette structure et surtout des développements qu'elle accueille, fait apparaître, très vite, un ensemble d'anomalies que la seule référence à l'âge avancé de l'auteur ne permet pas d'interpréter de façon satisfaisante, qu'elle prenne la forme d'une excuse ou d'un témoignage d'admiration, auxquels, au demeurant, leur caractère sentimental enlève toute valeur pour une utilisation précise.

Ces difficultés multiples apparaîtront en pleine lumière si nous les rattachons aux diverses parties de la structure qui viennent d'être schématiquement analysées.

L'Avant-propos. Il frappe avant tout, par la ténuité du lien logique unissant le sujet annoncé (1-5) et les réflexions d'ordre personnel qui sont immédiatement après développées; par suite, sa longueur a été jugée disproportionnée.

Ce lien existe cependant; il apparaît dès que les préoccupations que manifeste Isocrate, en tant que chef d'école
littéraire et oratoire, sont dégagées des commentaires
historiques et politiques que l'auteur leur associe : en
ripostant à ses adversaires par des considérations qu'il
espère décisives, il compte assurer sa tranquillité et surtout
confirmer son autorité (6); en insistant sur sa conception
de la παιδεία et, plus loin, sur la valeur de sa méthode
dialectique ou sur l'importance du rôle qu'il laisse prendre
à ses disciples, ce qui autorise la comparaison avec les
chefs des écoles philosophiques les mieux en vue, il confirme
l'équipe très large de ses élèves dans leur sentiment de
confiance admirative à son égard — et nous savons la
place souvent éminente qu'occupent beaucoup d'entre
eux dans la vie collective de la cité; il n'est donc pas
suffisant d'invoquer la vanité ou la verbosité sénile de
l'auteur pour rendre un compte satisfaisant de la dimen-
sion prise par l'avant-propos du discours; cette place
excessive, si décevante soit-elle, est liée d'une part à la
violence des attaques qui convergeaient sur Isocrate
et d'autre part à l'importance même que l'auteur accor-
dait au sujet qu'il avait adopté et au poids de l'autorité
qu'il jugeait nécessaire pour se faire écouter. Elle répondait par ailleurs à des habitudes d'esprit, traditionnelles
chez Isocrate et vraisemblablement aussi à des usages
largement pratiqués autour de lui. Lorsqu'Isocrate écrit
le *Panégyrique* (380) il annonce qu'en présentant le programme pan-hellénique, il se propose de transférer l'activité politique de sa patrie sur une base transformée et
élargie, mais, en même temps (3-4), il a soin de présenter
son entreprise, de façon explicite, comme une initiative
concurrentielle qui répond à la préoccupation de rejeter
dans l'ombre les adversaires qui se sont exprimés avant lui
sur le même thème. Le *Philippe* offre un exemple du même
ordre, associant dans le préambule les réflexions politiques
qu'inspirent à l'auteur des événements récents et les
scrupules oratoires et artistiques que lui dicte le risque de
revenir sur des développements déjà abordés dans le
Panégyrique.

Dans le *Panathénaïque* lui-même, en dehors et au delà

de l'avant-propos, Isocrate à plus d'une reprise a souligné l'importance de l'incidence concurrentielle dans la décision prise par lui, d'introduire dans le texte des considérations propres à diminuer ses rivaux (108).

Enfin, ce n'est pas sans raison que l'exemple de plusieurs élèves d'Isocrate a été mis en avant pour confirmer, chez les historiens grecs contemporains, un goût pour la polémique, une propension à la critique dépréciatrice qui s'inscrivent dans une tendance générale à laquelle Isocrate leur maître n'a pas tenté de se dérober. Plusieurs siècles plus tard, Denys d'Halicarnasse reprochera par exemple à Théopompe les διαϐολαί semées dans les préludes de ses œuvres historiques.

Quand se trouve en cause une personnalité de premier plan, tel Isocrate, il apparaît que la gravité des sujets abordés ne se dissocie plus de l'autorité personnelle de l'orateur qui les expose et que c'est précisément l'association intime de ces deux ordres de grandeurs qui apporte la réponse à la question que suscite l'avant-propos du *Panathénaïque* : comment s'explique que des considérations marquées d'un intérêt égoïste certain, puissent être frappées en même temps du signe qui consacre les idées générales et, mieux encore, les desseins désintéressés? Isocrate ne se défend et donc n'attaque que pour mieux asseoir un programme et des suggestions dont il s'estime fondé à proclamer la solennelle opportunité.

Les mérites d'Athènes et les griefs contre Sparte. Avec le par. 39, Isocrate pénètre dans le vif du sujet qu'il avait annoncé dans le par. 5 du début : l'orateur traitera des mérites d'Athènes, définis en fonction de l'intérêt général de la Grèce; cette nuance est à noter, de même que l'insistance avec laquelle l'auteur se référera à la période ancienne de l'histoire de sa patrie, illustrée par les actions d'éclat des « ancêtres ».

Ainsi se trouvent justifiées d'emblée deux questions : pourquoi Isocrate estime-t-il devoir, au déclin de sa longue carrière, reprendre un thème abordé déjà, à plusieurs reprises, par lui? Pourquoi l'histoire de Sparte, la rivale, est-elle aussitôt associée à l'évocation des mérites d'Athènes mais dans la forme d'une comparaison systématiquement dénigrante?

Isocrate a donné la réponse à l'une et à l'autre question : il parlera des mérites d'Athènes mais avec la préoccupation de mettre la ville au centre de son exposé dont elle devient l'élément principal (35); décision motivée par trois ordres de considérations : l'obligation de répondre aux attaques dirigées contre Athènes par des publicistes hostiles, l'obligation de pallier par son intervention personnelle la médiocrité des orateurs qui se sont posés en défenseurs de la ville, enfin l'avantage que lui réserve son âge, quel que soit le sort de sa tentative (38). Et comme il est d'usage lorsqu'un ἔπαινος est entrepris, l'éloge est construit sur une comparaison qui permet, en confrontant ici des villes de puissance sensiblement égale, de mieux mettre en relief l'usage fait par l'une et par l'autre des moyens dont l'histoire les a dotées (40).

Les raisons que donne ainsi l'auteur de la décision qu'il a prise en traitant à nouveau des mérites d'Athènes et des griefs qu'alimente le comportement spartiate, sont donc des raisons d'ordre professionnel qui relèvent de sa responsabilité de chef d'école, — aussi de ses ambitions et de l'évidente fierté que légitime une activité demeurée intacte à un âge aussi avancé.

Le discours s'apparente avec deux œuvres précédentes d'Isocrate : le *Panégyrique* (380) et le *Philippe* (346) par une identité d'inspiration qu'alimentent les idées directrices auxquelles, pendant près d'un demi-siècle, l'auteur s'est manifesté fidèle : la fragilité de l'indépendance de la Grèce, toujours menacée par la puissance de l'Asie, l'impérieuse nécessité de l'union entre les Grecs, condition obligée mais déterminante de leur sécurité collective, les titres éminents d'Athènes à jouer un rôle de premier plan dans cette politique d'affranchissement permanent. Ces idées avec leur grandeur et leurs illusions, définissent ce qu'il est convenu d'appeler le patriotisme d'Isocrate; qu'elles aient été inspirées par la méditation des événements passés ou présents qu'a connus l'auteur relève de l'évidence; mais dans quelle mesure précise l'histoire écrite ou les drames contemporains de la vie politique de la Grèce ont-ils pesé sur la conscience de l'auteur et tracé

dans son détail le cours de sa pensée, c'est ce qu'il est
difficile d'établir, et pour deux raisons : l'édification d'un
tel parallélisme nécessiterait le recours à une documentation
double, d'une sûreté confirmée : l'une se référant aux événements historiques en corrélation directe ou lointaine
avec l'époque de la composition de l'œuvre, l'autre à la
chronologie rigoureuse des œuvres de l'auteur constituant
la chaîne dans laquelle s'insère le texte spécialement
étudié. Nous ne possédons, dans leur plénitude, ni l'une
ni l'autre de ces sécurités, et le problème se complique
encore de l'incertitude où nous sommes du point exact
du *Panathénaïque* où s'interrompt la rédaction, pour un
arrêt de trois années. Toutefois, sous les réserves qui
viennent d'être faites, il demeure possible et vraisemblable,
— sinon toujours prouvé —, que des concordances d'ordre
général, soient établies entre certains événements de
l'histoire grecque et certaines prises de position adoptées
par Isocrate. Il est vraisemblable, par exemple, que le
Panégyrique, écrit en 380, ait été conçu dans une intention
de propagande en faveur de la résurrection de la ligue
maritime attique à laquelle s'employait alors activement
la diplomatie athénienne [1]; il est vraisemblable que la
violence des critiques que contient le *Panégyrique* à
l'adresse de Sparte, ait été commandée par l'amertume
qu'entretenait, dans l'opinion publique d'Athènes, le
récent traité d'Antalcidas (387) et les conséquences
qu'entraînait la paix de trahison signée par Sparte avec
le Grand Roi. Il est très vraisemblable que le *Philippe*
fut composé alors que la guerre entre le roi de Macédoine
et Athènes, venait de se terminer par la paix de Philocrate
(346) mais avant que le roi n'intervînt, dans la guerre
Sacrée, à l'appel du Conseil amphictyonique [2] dans les
derniers mois de la même année.

Mais un incident particulier de la rédaction de la première partie du *Panathénaïque* est révélateur des

1. G. Mathieu : *Les idées politiques d'Isocrate*, p. 77, note 9
(avec référence à von Wilamowitz-Moellendorff (Aristoteles und
Athen. II p. 388-389).

2. G. Mathieu : *Philippe*, page 8.

limites assez souples et distantes entre lesquelles flotte
inévitablement tout effort pour « actualiser » l'œuvre, —
ici la première partie de l'œuvre — en tentant de la rattacher à la réalité politique immédiate. Entre le par. 72
et le par. 88 s'intercale une longue digression : reprochant
à Sparte d'avoir détruit les grandes villes du Péloponnèse,
alors que ces villes avaient tenu un rôle considérable dans
la guerre contre Troie et enrichi le monde grec de personnalités ou de généraux éminents, Isocrate entreprend un
portrait riche de couleur et chaudement admiratif
d'Agamemnon. La critique a souligné que ce long développement dont s'excuse l'auteur (88), cependant qu'il accu-
mule les raisons tendant à le justifier, était un procédé
auquel avait recours Isocrate pour faire accepter de ses
lecteurs l'idée que le rassemblement des Grecs fût confié
désormais — non plus à une ville — mais à une personnalité
forte, laquelle en 342, ne pouvait être que Philippe; le
rapprochement a été fait et il apparaît justifié, de la
rédaction du par. 77 du discours et de celle du par. 111 du
Philippe qui lui-même s'insère dans un portrait d'Héraclès
qu'Isocrate propose expressément en exemple flatteur
à Philippe. Si la confrontation sur ce point précis du
Panathénaïque avec le *Philippe*, permet d'identifier l'intention voilée que l'auteur a mise dans la glorification
d'Agamemnon, il doit être également constaté que cette
digression n'apporte rien de nouveau puisqu'elle ne fait
que reprendre et illustrer le programme du *Philippe* et
des lettres au Prince qui l'ont suivi.

De plus, on devra retenir que seule une estimation
abusive de l'importance de telles digressions a permis de
les juger comme étant détentrices de l'intérêt essentiel des
œuvres dans lesquelles elles s'inséraient; cette réserve
appliquée à la première partie du *Panathénaïque*, impose
l'obligation de conserver à la présentation des mérites
d'Athènes, le rôle essentiel que lui reconnaît l'ὑπόθεσις
visée au par. 4 du discours.

La valeur des constitutions. Avec le par. 108 et jusqu'au par. 199,
Isocrate poursuit l'examen du sujet
qu'il s'est proposé de traiter, mais
dans une perspective nouvelle : il continuera de dégager

les mérites d'Athènes, et par contraste les erreurs coupables
de Sparte, mais en rattachant les témoignages qui appuient
son jugement à la valeur éminente de l'ancienne constitution d'Athènes qui en explique à ses yeux, les caractéristiques et les vertus bienfaisantes.

Pourquoi l'auteur fait-il ainsi rebondir le discours?
Lui-même répond à la question : ses adversaires après la
démonstration qu'il a donnée de la légitimité des griefs
qu'alimente le comportement spartiate, ne peuvent désormais prétendre offrir à l'opinion publique un éloge de
Sparte (111), s'ils ne déplacent pas la présentation du
sujet en le transposant sur une comparaison des institutions
des deux cités, — comparaison qu'ils croient toute à l'avantage de Sparte. C'est pourquoi l'auteur traitera maintenant
de la Constitution d'Athènes, bien que ce thème ne relève
pas directement de son sujet (112); au demeurant, sur ce
plan comme sur les autres, il se fera fort de prouver la
brillante supériorité de sa patrie (113).

Isocrate, en expliquant ainsi l'orientation qu'il imprime
à son discours, continue donc de parler en chef d'école :
dans la polémique qu'il évoque et qui l'oppose aux orateurs
spécialisés dans l'apologie de Sparte, il entend prévoir, pour
l'écarter, la parade de ses adversaires; d'où le glissement
du discours, à son initiative, sur le thème de la πολιτεία.

Ce thème est développé du par. 114 au par. 150 dans la
forme de considérations d'ordre général aux lignes schéma-
tisées, comme Isocrate s'abandonne trop volontiers à le
faire, dût la vérité subir le contre-coup déformant de ces
simplifications [1]; du moins éclairent-elles parfois de
commentaires intéressants telles situations historiques
évoquées dans les pages antérieures de l'œuvre : ainsi
l'analyse des raisons qui contraignirent les Athéniens
d'abandonner leur constitution primitive pour faire face,
dans le calme civique, aux exigences nouvelles qu'imposait le développement de leur puissance maritime (115 et
suivants), ne manque ni de perspicacité ni de finesse.

Autre défaut de ces commentaires trop aisément dégagés

1. Exemple : par. 152-155, digression sur les réformes de
Lycurgue, présentées comme une copie des institutions
athéniennes.

de leur soutien historique : ils donnent prétexte à des réflexions qui traduisent une préférence personnelle de l'auteur bien plutôt qu'un jugement autorisé par la leçon des faits (141).

Mais c'est la méthode de développement adoptée par Isocrate qui a motivé les critiques les plus graves : par. 151, Isocrate annonce qu'après avoir exposé le mécanisme du système politique conçu et réalisé par les anciens Athéniens, il lui reste à « énumérer les faits qui ont découlé de cette heureuse constitution ».

Parmi les faits de cette nature pris pour témoignage, Isocrate est naturellement incité à ranger les actions politiques ou militaires par lesquelles se traduisit le comportement d'Athènes, — avec lequel celui de Sparte reste mis en contraste — vis-à-vis des villes grecques et vis-à-vis du Grand Roi; ainsi se trouvent « repris » plusieurs développements que la première partie du discours avait déjà abordés, sans qu'une différenciation, marquée par un suffisant relief, permette de sentir dans ces reprises autre chose qu'une répétition.

Cependant, les historiens de la pensée d'Isocrate ont tenté de justifier le plan du *Panathénaïque*, en s'efforçant de demander à l'évolution des événements, entre l'année 342 et l'année 339, la justification soit des nuances, soit des détails qui diversifieraient les deux sections dont l'ensemble constitue la première partie de l'œuvre. Les essais engagés dans cette voie reposent tous sur un préalable dont l'indispensable exactitude n'est malheureusement pas garantie : la première section de la première partie du discours (40-107) aurait été écrite en 342, la seconde section en 339 [1]; de ce flottement hypothétique découle l'impossibilité de déterminer avec certitude quelle partie de l'œuvre fut rédigée après l'interruption de trois années provoquée par la maladie d'Isocrate [2]; il donne, par suite, aux hypo-

---

1. Tradition issue des travaux de Paul Wendland, dans *Nachr. Gott. Gesellsch. d. Wiss. Phil. Hist.*, 1910, page 137 et suivantes.

2. Edmond Buchner, *Gnomon* (1956), p. 351 (à l'occasion du compte rendu de l'ouvrage de Fr. Zucker), *Isokrates Panathenaïkos*.

thèses avancées pour rendre compte du plan suivi par
l'auteur une fragilité qui grandit en raison même des préci-
sions dont elles veulent s'armer.

C'est ainsi qu'une divergence profonde pourrait être
relevée entre l'éloge d'Athènes tel qu'il est présenté dans la
première section de la première partie du discours et l'éloge
complémentaire qui lui fait suite : à partir du par. 108,
l'éloge serait concentré sur l'ancienne Athènes et l'Athènes
moderne serait à peu près exclue des commentaires de
l'auteur ; par suite, les exemples choisis, les actions évoquées
relèveraient de la période mythique de l'histoire de la cité,
cependant que sa vie moderne, liée à la conquête, puis au
déclin de la suprématie maritime, sévèrement jugée, serait
passée sous un silence à peu près absolu. Ce contraste
permettrait de comprendre pourquoi le premier portrait
d'Athènes, un portrait simplifié, idéalisé, se prêtait à
servir de soutien à la thèse, chère à Isocrate, que la grande
cité attique disposait de toutes les qualités requises pour
servir, au premier rang, la cause pan-hellénique, alors que
le portrait additionnel, en révélant que la politique athénienne moderne n'avait pas toujours choisi pour objectif
le bien de l'ensemble de la Grèce, déposséderait la cité
de toute prétention légitime à jouer dans l'histoire plus
récente de la Grèce le rôle que l'auteur ambitionna longtemps pour elle. Cette évolution dans la position d'Isocrate
serait liée à l'évolution même des événements de l'immédiate actualité : lorsqu'Isocrate commença de rédiger le
développement axé sur la notion de πολιτεία, Athènes était
en guerre ouverte avec Philippe depuis l'automne 340 ;
devant les menaces redoutables qui s'accumulaient sur
l'avenir de la Cité et de la Grèce, Isocrate aurait définitivement annulé ses espérances anciennes, pour ne plus
réserver à Athènes, dans la ligne esquissée par le *Philippe*
(346) et par la IIᵉ lettre *A Philippe* (344) qu'un rôle de
« brillant second » ; la revision du portrait d'Athènes aurait
donné la raison, voire le prétexte d'une telle renonciation [1].

A vrai dire, cette interprétation de la pensée d'Isocrate,

1. Friedrich Zucker, *Isokrates Panathénaïkos*, p. 20 : « Aber
in der Situation von 339, konnte von Athen nicht mehr dasselbe
gesagt werden wie im ersten Hauptteil ».

laisse intacte une objection qui vient aussitôt à l'esprit :
on s'étonnera que l'auteur, devant les leçons brutales de
la politique et de la guerre, n'ait pas levé le risque d'une
contradiction en renonçant purement et simplement à la
première partie de son discours, lorsqu'il en aurait repris la
rédaction en 339, après trois ans d'interruption. Et c'est
précisément pour répondre à ce scrupule que Zucker,
après Wendland, s'appuyant sur une confidence d'Isocrate
lui-même [1] avance assez audacieusement l'hypothèse
qu'Isocrate, avec la vanité habituelle aux écrivains
vieillis, ne put se résigner à consentir une ablation que
cependant le souci d'une composition bien ordonnée
conseillait [2].

Mais, à la vérité, c'est la base même de l'hypothèse qui
vient d'être évoquée, qui prête à la réserve la plus stricte
et la plus ferme : comme le remarque judicieusement
Edmond Buchner [3], l'hégémonie maritime d'Athènes se
trouve déjà condamnée dans les par. 53 et suivants de la
première section de la première partie, cependant que l'éloge
de l'antique Athènes, de la période mythologique jusqu'aux
guerres médiques, se retrouve dans la deuxième section
(par. 155 et suivants) à peu près semblable à celui qui illustre
les par. 42-52 du développement précédent.

L'inspiration qui commande tout l'ensemble de la première partie apparaît donc continue et homogène, en ce
qui concerne le jugement porté sur Athènes, même si les
réflexions de philosophie politique que fait naître l'examen
de la notion de πολιτεία paraissent envelopper le développement nouveau d'une sérénité plus « académique » [4].

Plus homogène encore dans sa fermeté est le jugement
de contraste porté sur Sparte. La position d'Isocrate,
face au comportement de Sparte, a cependant donné motif
pour relever une différence de ton entre les deux dévelop-

---

1. *Panathénaïque*, par. 232 : ὥστε πολλάκις ὁρμήσας ἐξαλείφειν
αὐτὸν (le discours) ἢ κατακάειν μετεγίγνωσκον, ἐλεῶν τὸ γῆρας
τοὐμαυτοῦ καὶ τὸν πόνον τὸν περὶ τὸν λόγον γεγενημένον.
2. F. Zucker, *o. c.* page 21.
3. Edmund Buchner, *o. c.*, page 352.
4. L'expression est de Wendland, *o. c.*, page 175.

ments [1] dont l'ensemble constitue la première partie du
discours; l'origine de ces observations se trouve dans les
travaux de P. Wendland, déjà mentionnés. Dans le
premier développement dominerait la haine contre Sparte,
dans le second, cette haine se serait muée en une attitude
par intermittence critique, mais aux arêtes assez émous-
sées. L'atténuation de la sévérité d'Isocrate serait la
conséquence des événements historiques survenus entre
342 et 339, dates du commencement et de l'achèvement
du *Panathénaïque*.

En 342, les rapports entre Athènes et Philippe se trouvent
dangereusement détériorés depuis déjà quatre ans [2].
Avec la même période coïncide le redoublement de l'activité
de Démosthène qui vient d'assumer coup sur coup deux
missions diplomatiques auprès des habitants du Péloponnèse : il s'agit de les éclairer sur les agissements de la
Macédoine; les Péloponnésiens accueilleront les avertisse-
ments et les propositions athéniennes avec des réactions
diverses, selon leurs attaches avec Sparte, car les intrigues
de Philippe dans le Péloponnèse interfèrent avec les entreprises de Sparte, toujours obsédée par le désir d'unifier
son autorité sur l'ensemble du territoire péloponnésien;
d'où ses ambitions, avivées à nouveau en 344 sur
Mégalopolis et la Messénie.

En 343, la menace que Philippe fait peser sur Mégare
provoque à nouveau l'intervention d'Athènes : Démosthène
négocie l'alliance avec Corinthe et ses colonies. Bientôt,
en 341, Démosthène pour la troisième fois, prendra la tête
d'une députation chargée de mettre debout dans l'Isthme,
le Péloponnèse et l'Acarnanie une ligue hellénique défensive.
Sparte seule se refusera tenacement à s'associer à un effort
d'union dont elle pouvait redouter que la conséquence
immédiate ne fût le relâchement des liens, sollicités ou
subis, qu'elle avait patiemment tissés pour tenir une large
partie de la presqu'île sous sa lourde autorité.

---

1. Ces développements, rappelons-le, se situent entre le
par. 40 et le par. 199. La seconde partie du discours (par. 200
à 205), dans laquelle le jugement d'Isocrate apparaît profondé-
ment différent, n'est pas ici visée.
2. Depuis 346, date de la signature de la paix de Philocrate.

La prudence avec laquelle Isocrate se refuse à accepter
une part de responsabilité même indirecte dans les remous
immédiats de la politique active a été souvent observée :
il peut donc être tenu pour vraisemblable qu'au cours
de ces années difficiles il se soit interdit de critiquer osten-
siblement les idées des personnalités à qui incombait la
défense des intérêts supérieurs de la cité, même si ces idées
ne concordaient pas avec son sentiment[1]; il est vraisemblable encore qu'il ait tenu à soutenir discrètement leur
effort, en mettant en cause ceux précisément qui le contra-
riaient : tel serait le sens profond, quoique voilé, de la sévérité virulente du jugement porté sur Sparte dont l'égoïsme
à courte vue expliquerait l'isolement calculé. Quant à la
modération relative avec laquelle s'exprimerait ensuite
Isocrate sur le sujet de Sparte, dans le développement
consacré à l'étude des institutions propres aux deux villes,
elle traduirait la répercussion sur la conscience de l'auteur
de la redoutable aggravation de la situation générale : l'état
de guerre entre Athènes et Philippe s'est officialisé depuis
le coup de force macédonien sur Hiéron; en octobre 340,
sur la proposition de Démosthène, le peuple a décidé que
serait abattue la stèle où était gravé le traité de paix;
il est de toute évidence logique qu'à l'échelon du drame
que la défaite proche de Chéronée allait dénouer, la vieille
querelle avec Sparte perdait toute valeur d'actualité.
Telle serait l'interprétation « historique » qui permettrait
d'expliquer la divergence de ton qu'il serait permis de
relever, dans la première partie du discours, entre la sévérité d'Isocrate et la relative indulgence à l'adresse de
Sparte qui lui fait suite.

Malheureusement, cet essai d'explication se heurte
aux mêmes difficultés que celles que le jugement sur
Athènes a soulevées.

Et d'abord, la divergence de ton, si elle existe, souli-
gnerait une contradiction intime que l'auteur avait toute
facilité d'éliminer au moment de la publication : la lenteur
avec laquelle il écrit ne le prive pas, bien au contraire, du
droit de revoir son œuvre dans son ensemble avant d'en

---

1. Cf. plus loin, page 77.

saisir l'opinion. Mais en vérité, c'est cette dissonance de
ton qui est elle-même sujette à réserves : tout lecteur
attentif est sensible au contraire à l'aggravation des griefs,
arbitraires ou fondés, qu'Isocrate entend faire peser sur
le comportement de Sparte lorsqu'il étudie ses institutions.

Non seulement l'action d'éclat des Thermopyles est
une seconde fois dégradée, mais Isocrate, au prix de
sophismes pénibles, n'hésite pas attribuer à Athènes
tout le mérite des heureuses dispositions inscrites dans la
constitution spartiate, voire même à rendre Sparte responsable de la corruption des mœurs politiques dont souffre
Athènes dans la période moderne de son histoire, — car
ce serait la nécessité de se défendre contre les agissements
agressifs de sa rivale qui auraient contraint la cité de
l'Attique à se tourner vers la conquête de la puissance
maritime, source de ses malheurs, comme l'auteur n'a
cessé de le répéter [1] (153-154). Entraîné par l'enchaîne-
ment de ses paradoxes, Isocrate entreprend même (155)
de démontrer que les Athéniens sont supérieurs aux
Spartiates dans l'art de la guerre, ce qui l'oblige à mutiler
son sujet pour s'attarder à souligner que les victoires
athéniennes ont été bienfaisantes, elles, pour l'ensemble
des Grecs, considération, à proprement parler extérieure
au thème précis qu'il traite. Enfin, le par. 177 et ceux qui
le suivent, accumulent les affirmations les plus brutales
sur la politique intérieure de Sparte et sur l'implacable
cruauté que les Lacédoméniens ont manifestée à l'égard
des populations qu'ils ont dépossédées et socialement
déclassées. Si donc, dans l'étude comparée des πολιτεῖαι
la place que réserve Isocrate aux institutions athéniennes
est dominante, il ne peut être perdu de vue cependant,
que toutes les fois que les institutions de Sparte sont mises
en avant par l'auteur, c'est dans le dessein manifeste
et d'ailleurs annoncé dès le début par lui, de les condamner
ou d'en contester l'authenticité.

La sévérité d'Isocrate à l'égard de Sparte, dans la première partie du *Panathénaïque*, est issue de la même inspiration que traduisait déjà le *Panégyrique*, quarante ans

---

1. François Ollier, *Le mirage spartiate*, p. 337 et suiv.

plus tôt, elle a traversé la vie presque entière de l'auteur.

En résumé, la comparaison des deux développements qui constituent la première partie du discours, n'apporte pas de motifs pour qu'une différenciation soit retenue, fondée sur les événements historiques qui se sont déroulés de 342 à 339, qui permette de séparer avec netteté les commentaires consacrés dans l'un et dans l'autre, soit aux mérites d'Athènes, soit aux griefs rassemblés contre Sparte : la répétition du commentaire est imputable avant tout, au plan de présentation adopté.

Par contre, le deuxième de ces développements présente pour la première fois dans le discours, des références précises à des faits mythiques ou historiques qui peuvent être rapprochés avec vraisemblance, dans l'intention qui les inspire, de certains événements historiques contemporains.

Le commentaire dont Isocrate accompagne l'évocation des malheurs d'Adraste (par. 169 et suivants) est particulièrement significatif, car l'auteur prend la peine d'expliquer, encore qu'en termes discrets, pour quelles raisons il a substitué dans le *Panathénaïque*, la version d'une restitution négociée des corps des guerriers Argiens tombés dans l'attaque contre Thèbes, à celle d'une restitution imposée par Athènes, à la suite d'une guerre victorieuse avec sa voisine, — version qu'Isocrate avait retenue dans le *Panégyrique* [1] l'empruntant à Hérodote et Euripide ; il va de soi que la version du *Panathénaïque* était également celle des Thébains.

Or, en 339, Thèbes est encore neutre ; si elle le demeurait, elle s'interposait, par sa situation géographique, entre les deux adversaires ; si elle se rangeait du côté d'Athènes, la défense de l'Attique se trouvait reportée sur la forte position des Thermopyles. L'enjeu justifiait les ménagements dont il convenait d'entourer Thèbes ; discrètement, indirectement, Isocrate pouvait s'associer à l'effort diplomatique d'Athènes, en insérant dans son discours, la version, aimable pour Thèbes, d'un célèbre récit mythique [2].

De même, il n'est pas interdit d'établir une relation

---

1. *Panégyrique*, par. 55-59.
2. Après l'occupation d'Elatée par Philippe (Oct. 339), Thèbes et Athènes feront alliance devant le danger commun.

assez précise entre la condamnation des initiatives diplomatiques tendant à solliciter l'appui ou la bienveillance
du Grand Roi, qu'Isocrate développe du par. 160 au par.
162 et plusieurs démarches ou ambassades envoyées par
Athènes ou par Sparte auprès d'Artaxerxès Okhos; peut-
être même un rapprochement plus précis est-il permis entre
le texte d'Isocrate et les recommandations que Démosthène
adressait aux Athéniens dans le même temps, lors de la
Quatrième Philippique [1].

Il n'est pas jusqu'à la critique de la Constitution moderne
d'Athènes qui ne puisse être considérée dans la perspective
des difficultés intérieures auxquelles se heurtaient les
esprits avisés, soucieux de sauver Athènes, et dans celle
des excès d'une démagogie abusive que depuis 357, date
de l'Aréopagitique, Isocrate avait toujours fermement
stigmatisée.

Ainsi, d'un bout à l'autre de la première partie du discours, l'explication de l'intention vraie d'Isocrate, lorsqu'il
juge Athènes ou Sparte, oscille entre l'appel à la préoccupation prêtée à l'auteur — et d'ailleurs revendiquée
par lui — de se comporter fermement en défenseur de
l'école philosophique et oratoire qu'il a créée ou l'appel
au désir d'Isocrate de peser sur le cours immédiat de
l'Histoire par une action psychologique exercée sur ses
contemporains, mais aucune de ces deux attitudes, prise
en elle-même, ne peut livrer l'interprétation adéquate
des nombreuses difficultés que soulève le texte.

Il est donc particulièrement intéressant d'aborder l'examen de la deuxième partie du discours où des difficultés
nouvelles se manifestent dans un relief accentué. Cette
partie s'étend du par. 200 jusqu'à la fin de l'œuvre, les
derniers paragraphes (266-272) n'apportant que quelques
explications complémentaires sur les conditions dans
lesquelles la rédaction du texte fut reprise et achevée.

*Le revirement
d'Isocrate.*
　　　　Dès les premiers paragraphes, le
lecteur est frappé non seulement par
la présentation transformée du discours
mais par le changement complet du climat : à l'énuméra-

1. Georges Mathieu, *Les idées politiques d'Isocrate*, p. 170.

tion complaisante des mérites d'Athènes et, par contraste, des griefs que suscite, au jugement d'Isocrate, la conduite de Sparte, est substitué un examen critique de ces griefs, auquel est lié un brusque renversement de l'attitude de l'auteur : le style lui-même du discours semble gagner en précision rapide et nuancée pour l'heureux détriment de la monotonie que lui imposait la banalité traditionnelle de l'éloge ou la brutalité un peu morne de la critique.

C'est qu'un nouveau personnage entre en scène : un ancien élève, choisi laconisant, appelé pour un motif d'apparence assez grêle ; il ne s'agirait que d'une précaution prise par l'auteur, pour s'assurer, avant de donner au discours la conclusion qu'il appelle, qu'aucune « erreur » ne s'est glissée dans le texte ; mais en fait, un dialogue s'engage qui semé de péripéties diverses, se prolongera jusqu'à la fin (201-263).

L'intervention d'un interlocuteur et la substitution du rythme dialogué au simple récit, n'est pas une innovation dont le *Panathénaïque* avait reçu le privilège. Dans le discours sur l'*Échange* un disciple anonyme fait son apparition qui exprime quelques conseils de prudence et met en garde Isocrate sur les réactions à redouter de l'opinion publique, lorsqu'elle aura connaissance de certains de ses propos.

Dans le *Philippe*[1] Isocrate ouvre le texte au porte-parole d'un groupe de disciples qui prennent en charge l'éloge du roi de Macédoine. Dans l'*Aréopagitique*[2], Isocrate avait déjà rappelé, mais indirectement, le jugement d'un groupe d'élèves, appelés à donner leur avis sur le discours dans un entretien préliminaire.

De telles interruptions dans le récit relèvent d'un procédé rédactionnel évident : l'intervention d'un interlocuteur fictif permet d'insérer dans la continuité du texte des commentaires qui mis dans la bouche de l'auteur apparaîtraient déplacés, mais toutes ont entre elles un trait qui les apparente : elles répondent toujours à la préoccupation, de défendre les intérêts intellectuels ou moraux de l'auteur

1. *Philippe*, par. 17-23.
2. *Aréopagitique*, par. 56-57.

soit qu'elles le servent ouvertement, soit qu'elles lui
livrent un prétexte, pour renforcer, par riposte, sa position
personnelle ou pour esquisser une volte-face ou un repli.

C'est cette éventualité qui alimentera la seconde partie
du discours tout entière axée sur une reconsidération du
dossier spartiate, et cette revision des valeurs sera présentée
dans la forme d'un échange de vues dialogué qui laissera
la responsabilité des affirmations nouvelles s'inscrire au
compte de l'interlocuteur, voire même de l'ensemble des
disciples convoqués, qui sauront associer adroitement à
la déférence chaleureuse pour leur maître l'applaudisse-
ment unanime des propos tenus par leur condisciple.

A vrai dire le développement est amorcé par un premier
dialogue dans lequel les propos de l'auteur occupent encore
la place principale et ces propos prolongent, en les souli-
gnant, les commentaires antérieurs par lesquels Isocrate
condamnait les agissements de Sparte (203-228). Il y a
donc jusqu'au par. 228 continuité d'inspiration et l'analyse de la πολιτεία spartiate semble se poursuivre dans
l'esprit des développements antérieurs. Mais cette unité
de vues reçoit sa première atteinte lorsqu'Isocrate fait,
sans transition et sans explication, l'aveu (230 à 232)
du trouble qu'avait laissé dans son esprit les propos de
son jeune disciple : la conscience d'un manque de mesure
et de pondération dans ses affirmations sur le comportement des Spartiates s'était installée dans son esprit.
D'où la décision prise par l'auteur de recueillir l'avis de
l'ensemble de ses anciens élèves habitant la ville (233)
avant de terminer l'ouvrage et le rendre public ou de
le détruire inachevé.

Par cette transition, nous sommes conduits à la partie
dominante du discours qui en constitue la clé de voûte.
L'élève ami de Sparte reprend la parole (234) pour exposer,
avec une précision et une adresse qui doivent être retenues,
les raisons qui, pense-t-il, ont déterminé son maître à
agir comme il l'a fait.

Les raisons ainsi mises en avant sont toutes des raisons
d'école et relèvent de la technique professionnelle de l'art
oratoire : elles sont toutes présentées comme des témoignages de l'habileté du maître à manier cette discipline,

tant vis-à-vis de ses élèves que pour son usage propre.
Elles sont donc inspirées de la même méthode que celle
dont a usé l'auteur, lorsqu'il a voulu justifier la présentation des développements qui s'inséraient dans la première
partie du discours : cette préoccupation apparaît continue.

Le maître, avance l'interlocuteur « opposant » avec
assurance, a voulu mettre ses élèves à l'épreuve en les
incitant à découvrir l'intention vraie qui l'a guidé, à travers
la composition du discours (236). Isocrate s'était donné
pour objectif un nouvel éloge d'Athènes, dans l'intention
de faire plaisir à la masse de ses concitoyens (237); pour
corser l'éloge, il l'a renforcé d'un parallèle avec Sparte
(238); le dénigrement systématique de Sparte engageait
imprudemment l'auteur dans une contradiction qui pouvait lui être reprochée (239); Isocrate s'est ingénieuse-
ment dégagé de la difficulté en pratiquant avec dextérité
l'art de l'ambiguïté (239-244).

C'est pourquoi l'élève ne cherche pas à dépouiller le
discours de son prestige en dégageant ses habiletés d'une
ombre propice; par contre il donne à Isocrate le conseil
de le porter à la connaissance des Spartiates qui lui sauront
gré d'avoir rompu avec le sectarisme et d'avoir mentionné
leurs exploits (245-259).

Par la lumière qu'elle projette sur le discours, par l'assurance et la précision des affirmations qu'elle développe,
il était normal que la deuxième intervention de l'élève,
ami de Sparte, retînt l'attention des historiens d'Isocrate.
Les recherches ont eu d'abord pour objet d'identifier
le personnage [1] : elles n'ont abouti à aucune conclusion
valable et pour notre part, nous tenons la personnalité de cet
interlocuteur pour fictive; elle s'insère dans la mise
en scène du procédé oratoire analysé précédemment [2].

Un retour sur l'ensemble de l'œuvre d'Isocrate éclaire,
sans difficulté, le risque d'une contradiction mis en avant
pour tenter d'expliquer le revirement de son attitude à
l'adresse de Sparte; nombreuses en effet peuvent être les
citations extraites de ses discours antérieurs où Sparte

1. Fr. Ollier, *o. c.*, recherches résumées p. 339, note 1.
2. Cf. p. 79.

est jugée avec éloge et sympathie [1] soit que les deux cités
aient associé leurs efforts pour le grand grand bien de la
Grèce entière (*Panégyrique*, 75) soit que devant une menace
grave elles aient oublié momentanément leurs querelles
pour se porter mutuellement assistance (*Panégyrique*, 85,
Sur la Paix, 105) soit que Sparte ait donné l'exemple
de la démocratie « la plus pure », entendons la mieux
pondérée (*Nicoclès* 24, *Aréopagitique* 61). Quant à *l'Archidamos*, placé dans la bouche du fils du roi Agésilas, il
était logique qu'il traduisît sous leur aspect le plus favorable les sentiments de noblesse et de patriotisme qui
pouvaient animer un jeune Spartiate partant pour la
défense de sa patrie menacée; encore est-il à retenir
qu'Isocrate avait accepté de traiter le sujet, qu'il fût
l'objet d'une manifestation fictive ou qu'il fût effectivement mis à la disposition du grand personnage qui lui
donne son nom.

   Plus difficile à interpréter est à coup sûr la notion des
λόγοι ἀμφιϐόλοι (240) et de l'ἀμφιϐολία dont ils s'autorisent;
or c'est elle qui commande tout l'exposé de l'élève laconisant. L'expression est claire : elle signifie qu'un exposé,
considéré dans son ensemble, est ainsi construit qu'il
permet d'en dégager une signification générale contraire
au sens immédiat des mots utilisés [2]. L'ἀμφιϐολία est donc
apparentée avec l'ironie dont elle ne retient toutefois ni
l'humour ni l'intention de raillerie. A-t-elle été classée
par les grammairiens anciens comme procédé stylistique
usuellement consacré? Les textes dont nous disposons
ne nous en donnent pas l'assurance, encore que certaines
définitions de Denys d'Halicarnasse, dans les fragments
conservés de *l'Art de la rhétorique*, concernant le discours
en style figuré (λόγος ἐσχηματισμένος) paraissent s'appliquer
au procédé de l'ἀμφιϐολία; d'autre part Isocrate qui a si
fréquemment et si abondamment parlé de ses méthodes
d'enseignement, n'avait jamais, avant la rédaction du
Panathénaïque, fait allusion à l'ἀμφιϐολία ni même utilisé
l'expression.

---

   1. Fr. Ollier, *o. c.* p. 346 et suiv. où les références à ces textes
sont rassemblées.
   2. Cf. Zucker, *o. c.*, page 26 et suivantes et Exkurs. page 31.

Ces réserves autorisent à tenir pour vraisemblable l'hypothèse que le recours à l'ambiguïté telle que la présente l'élève d'Isocrate a été introduite dans le *Panathénaïque* avec la préoccupation d'y manifester une virtuosité d'exception : la logique du raisonnement poussée jusqu'à son extrême limite, entraînerait à tenir le changement d'attitude de l'auteur, devant le problème de Sparte, pour la suprême coquetterie d'un maître attiré, à l'heure proche de son effacement définitif, par la tentation de « finir en beauté ». Et l'aspect énigmatique que confère au dialogue le silence obstiné d'Isocrate, en même temps qu'il élimine de sa part, en apparence, toute prise de position personnelle, pourrait être tenu sans paradoxe pour une habileté complémentaire, renforçant le caractère désintéressé du « jeu ». Tel est le sens dans lequel H. von Arnim interprète ce qu'il a nommé « Le testament d'Isocrate »[1].

Malheureusement une présentation aussi purement artistique, aussi étroitement scolaire des intentions d'Isocrate a l'inconvénient grave de négliger le caractère essentiel de l'ensemble de son œuvre, auquel l'auteur a soin de rappeler, et dans le discours lui-même, que le *Panathénaïque* demeurait plus que jamais fidèle.

L'originalité que revendique Isocrate pour lui-même et pour son école, c'est l'étroite union de la perfection de la forme et des conceptions de politique générale[2] qu'il entend non seulement défendre, mais diffuser autour de lui. Isocrate le rappelle, dès le début du *Panathénaïque* (2 et suivants), et le précise par l'intermédiaire de son interlocuteur au paragraphe 246 qui doit être reproduit ici tout entier : « Mais quand tu choisis de composer un discours qui ne ressemble en rien aux autres, qui donnera à ceux qui le parcourent superficiellement une impression de simplicité et de facile intelligence, par contre, à ceux qui l'examinent attentivement et s'efforcent de saisir ce qui a pu échapper au vulgaire, l'impression d'être difficile et malaisé à pénétrer, chargé de multiples allusions,

1. Hans von Arnim, *Das Testament des Isocrates*, dans *Deutsche Revue*, t. 42 (1917), p. 245 et suivantes.
2. G. Mathieu, *o. c.*, p. 36 et suivantes.

historiques et philosophiques, plein d'effets variés et d'artifices de style... ».

Par l'action conjuguée de la valeur des idées qu'il sait réunir et de la beauté de la langue et du style par lesquels il sait exprimer ces idées, Isocrate depuis un demi-siècle [1] entend compenser la faiblesse de ses moyens physiques qui lui interdit la tribune pour servir de guide politique à ses concitoyens et si possible à la Grèce tout entière; « son ambition et la conscience (peut-être exagérée) de sa valeur le portent à donner son opinion sur les problèmes les plus importants de la politique internationale » [2].

Dans la perspective d'un tel programme que le succès a justifié, il devient impossible de réduire un problème aussi grave que la revision d'une attitude fondamentale — le jugement sur Sparte — à un exercice d'école entrepris dans l'intimité d'une conversation privée. En réalité le *Panathénaïque* sera rédigé pour être livré à l'opinion publique car c'est pour elle qu'auront été méditées les idées générales qu'il devra diffuser.

Si la leçon d'art oratoire qu'analyse avec une intelligente adresse l'interlocuteur d'Isocrate, ne peut être, en elle seule, l'objectif que s'est donné l'auteur, — du moins ouvre-t-elle la voie qui conduit le lecteur ou l'auditeur dans la direction de cet objectif.

Quel est cet objectif et pourquoi Isocrate ne l'a-t-il pas expressément désigné? A coup sûr, il ne peut être celui que semblait annoncer l'avant-propos et la première partie du discours dans la ligne qu'avait tracée vigoureusement le *Panégyrique*, quarante ans plus tôt. Toute hésitation, tout fléchissement du jugement sur le comportement de Sparte apparaîtrait alors, et sans compromis possible, — immédiatement contradictoire avec un éloge inconditionnel d'Athènes qu'accompagnerait la condamnation de Sparte.

Mais, en vérité, en 339, peut-il s'agir encore pour Isocrate, d'un objectif à atteindre, si par ce mot doit être entendu un programme positif à réaliser, un succès intellectuel

---

1. *Contre les Sophistes* (390).
2. G. Mathieu, *o. c.*, p. 2.

ou politique à remporter? En 339, tout nous paraît inter-
dire à Isocrate une ambition de cette ampleur et de cette
nature : la situation de la Grèce, qui est à la veille de
tomber sous le joug macédonien, le danger qui menace
directement Athènes, l'aspect « dépassé » d'une querelle
bientôt et pour toujours sans objet. Isocrate a quatre-
vingt-dix-sept ans; il relève d'une maladie très grave qui a
failli l'emporter. Le discours ultime qu'il rédige peut-il
être autre chose qu'un renoncement et n'est-ce pas dans
ce sens qu'il peut être tenu pour un testament?

Pour le lecteur qui consent à se placer face à ces sombres
perspectives, il nous semble que s'estompent les contradictions et que les anomalies de l'œuvre s'atténuent de quelque
logique. Il devient raisonnable que soit tenté par l'auteur
un effort tendant à rapprocher les destinées des deux
grandes Cités, comme il est raisonnable que ce son de
cloche nouveau soit apporté par une intervention étrangère
et qu'Isocrate ne se laisse pas acculer par les exigences de
l'heure à un reniement brutal de ses idées passées, comme
il est raisonnable enfin que l'attitude personnelle de l'auteur
se devine à travers cet effort d'apaisement et d'objectivité
mais ne s'exprime pas dans une confession.

Il demeure que l'œuvre apparaît lourdement construite
et mal équilibrée : il n'est pas invraisemblable que, pressé
par la hantise de l'âge et de sa fin toute proche, Isocrate
ait hâtivement juxtaposé des pages écrites à des époques
différentes et qu'il n'ait eu ni le temps ni la force de les
réduire ou de les harmoniser. Il demeure aussi que l'œuvre
a sa valeur qui n'est pas purement documentaire, s'il est
permis d'en juger par les curiosités savantes que ses obscurités mêmes n'ont cessé de renouveler.

Tradition manuscrite. — Aucun papyrus ne nous a conservé
de passage du *Panathénaïque*. Le discours figure dans vingt
manuscrits. Ceux qui ont servi de base sont l'*Urbinas* 111 (Γ),
le *Vaticanus gr.* 936 (Δ), l'*Ambrosianus* O-144-sup. (E).

E. B.

PANATHÉNAIQUE
(XII)

—————

1 En un temps où j'étais plus jeune, j'ai choisi le parti d'écarter, en matière de discours, les récits fabuleux ou remplis d'invraisemblances et de mensonges, que la foule aime et préfère aux discours prononcés pour sa sauvegarde; j'ai négligé de même ceux qui exposent en détail les exploits de nos aînés et les guerres helléniques, bien que je sache qu'on en fait l'éloge à bon droit, et tout autant ceux qui semblent prononcés sur un ton simple et ne participer d'aucun apprêt, — objets des recommandations que les maîtres de nos luttes oratoires adressent aux jeunes s'ils veulent triompher de leurs adversaires; **2** j'avais, dis-je, laissé de côté tous ces discours pour me consacrer à ceux qui présentent des suggestions conformes aux intérêts de notre ville et de tous les Grecs et qui sont remplis non seulement d'argumentations abondantes, mais aussi d'antithèses nombreuses, de développements symétriques et de toutes les figures de style qui brillent dans les effets oratoires et contraignent l'auditeur à manifester son approbation du geste et de la voix. Mais aujourd'hui mes intentions sont totalement différentes. **3** J'estime qu'il ne convient ni à mes quatre-vingt-quatorze ans, ni de façon générale à ceux dont les cheveux sont blancs, de pratiquer encore cette manière; je procéderai comme chacun pourrait espérer le faire s'il le voulait, mais comme aussi personne n'y parviendrait aisément, à moins de consentir

1. S. e. προῃρούμην γράφειν.

ΠΑΝΑΘΗΝΑΙΚΟΣ
(XII)

1 Νεώτερος μὲν ὢν προῃρούμην γράφειν τῶν λόγων οὐ
τοὺς μυθώδεις οὐδὲ τοὺς τερατείας καὶ ψευδολογίας μεσ-
τούς, οἷς οἱ πολλοὶ μᾶλλον χαίρουσιν ἢ τοῖς περὶ τῆς αὐτῶν σωτηρίας λεγομένοις, οὐδὲ τοὺς τὰς παλαιὰς πράξεις
καὶ τοὺς πολέμους τοὺς Ἑλληνικοὺς ἐξηγουμένους, καί-
περ εἰδὼς δικαίως αὐτοὺς ἐπαινουμένους, | οὐδ᾿ αὖ τοὺς
ἁπλῶς δοκοῦντας εἰρῆσθαι καὶ μηδεμιᾶς κομψότητος
μετέχοντας, οὓς οἱ δεινοὶ περὶ τοὺς ἀγῶνας παραινοῦσι
τοῖς νεωτέροις μελετᾶν, εἴπερ βούλονται πλέον ἔχειν τῶν
ἀντιδίκων, 2 ἀλλὰ πάντας τούτους ἐάσας περὶ ἐκείνους
ἐπραγματευόμην τοὺς περὶ τῶν συμφερόντων τῇ τε πόλει
καὶ τοῖς ἄλλοις Ἕλλησι συμβουλεύοντας, καὶ πολλῶν μὲν
ἐνθυμημάτων γέμοντας, οὐκ ὀλίγων δ᾿ ἀντιθέσεων καὶ
παρισώσεων καὶ τῶν ἄλλων ἰδεῶν τῶν ἐν ταῖς ῥητορείαις
διαλαμπουσῶν καὶ τοὺς ἀκούοντας ἐπισημαίνεσθαι καὶ
θορυβεῖν ἀναγκαζουσῶν· νῦν δ᾿ οὐδ᾿ ὁπωσοῦν τοὺς τοιούτους. 3 Ἡγοῦμαι γὰρ οὐχ ἁρμόττειν οὔτε τοῖς ἔτεσι
τοῖς ἐνενήκοντα καὶ τέτταρσιν, ἃγὼ τυγχάνω γεγονώς,
οὔθ᾿ ὅλως τοῖς ἤδη πολιὰς ἔχουσιν ἐκεῖνον τὸν τρόπον ἔτι
λέγειν, ἀλλ᾿ ὡς ἅπαντες μὲν ἂν ἐλπίσειαν, εἰ βουληθεῖεν,
οὐδεὶς δ᾿ ἂν δυνηθείη ῥᾳδίως πλὴν τῶν πονεῖν ἐθελόντων

1 3-4 αὑτῶν *Turicenses* : αὐτῶν codd. ‖ 7 κομψότητος Γ : κοσμιό-
τητος Γmg. cett. ‖ 3 2 ἁγὼ ΓΔ : ὧν ἐγὼ vulg. ‖ 4 εἰ Γ : ἢ vulg.

un gros effort de travail et de manifester une grande
application de l'esprit.   4   Cette déclaration préliminaire
est destinée à éviter que dans le cas où le discours que je
vais présenter paraîtrait plus abandonné de ton que les
précédents, on ne le confronte avec leur riche variété;
qu'on le juge, au contraire, sur l'intention fondamentale
à laquelle je me suis arrêté présentement.

5   Je parlerai des exploits accomplis par notre pays et
des mérites de nos ancêtres, mais prendrai toutefois pour
point de départ non pas ces considérations mais les circonstances de ma propre vie; je crois plus pressants les motifs
qui m'incitent à partir de là [1].

Tandis que je m'efforçais de vivre sans commettre de
faute dans ma conduite et sans porter dommage à autrui,
je n'ai cessé d'être calomnié par d'obscurs et malhonnêtes
sophistes; certains autres qui ne me connaissent pas
tel que je suis, se sont fait de moi une image qu'ils ont
recueillie de la bouche d'autrui.   6   Je veux donc
commencer par parler de moi-même et des gens qui
nourrissent ces dispositions à mon égard afin, si j'en ai le
moyen, que je mette un terme aux mauvais propos des
uns et donne aux autres idée de ce que sont mes occupations habituelles; si je parviens à développer convenablement ces vues dans mon discours, j'ai l'espoir que je
passerai sans difficultés le reste de ma vie et que mon
auditoire prêtera plus d'attention aux paroles que je
vais prononcer devant lui.

7   Je n'hésiterai pas à confesser le trouble qui s'empare
de mon esprit, l'extravagance de mon initiative; et même
je ne suis pas sûr que ce que j'entreprends est opportun.
J'ai eu ma part des avantages les plus précieux, de ceux
que tout le monde souhaiterait posséder, en premier la
santé physique et morale, et non pas selon une mesure
médiocre mais à l'égal de ceux que la fortune a le plus
favorisés de ce double point de vue; ensuite l'abondance

---

1. Rapprocher le début du discours *Sur l'Echange.*

καὶ σφόδρα προσεχόντων τὸν νοῦν. 4 Τούτου δ᾽ ἕνεκα
ταῦτα προεῖπον, ἵν᾽ ἦν τισιν ὁ μέλλων δειχθήσεσθαι λόγος
μαλακώτερος ὢν φαίνηται τῶν πρότερον διαδεδομένων, μὴ
παραβάλλωσι πρὸς τὴν ἐκείνων ποικιλίαν, ἀλλὰ πρὸς τὴν
ὑπόθεσιν αὐτὸν κρίνωσι τὴν ἐν τῷ παρόντι δεδοκιμασ-
μένην.

5 Διαλέξομαι δὲ περί τε τῶν τῇ πόλει πεπραγμένων
καὶ περὶ τῆς τῶν προγόνων ἀρετῆς, οὐκ ἀπὸ τούτων ἀρξάμενος, ἀλλ᾽ ἀπὸ τῶν ἐμοὶ συμβεβηκότων· ἐντεῦθεν γὰρ
οἶμαι μᾶλλον κατεπείγειν. Πειρώμενος γὰρ ἀναμαρτήτως
ζῆν καὶ τοῖς ἄλλοις ἀλύπως, οὐδένα διαλέλοιπα χρόνον
ὑπὸ μὲν τῶν σοφιστῶν τῶν ἀδοκίμων καὶ πονηρῶν διαβαλ-
λόμενος, ὑπ᾽ ἄλλων δέ τινων οὐχ οἷός εἰμι γιγνωσκόμενος,
ἀλλὰ τοιοῦτος ὑπολαμβανόμενος οἷον ἂν παρ᾽ ἑτέρων
ἀκούσωσιν. 6 Βούλομαι οὖν προδιαλεχθῆναι περὶ τ᾽
ἐμαυτοῦ καὶ περὶ τῶν οὕτω πρός με διακειμένων, ἵν᾽ ἦν
πως οἷός τε γένωμαι, τοὺς μὲν παύσω βλασφημοῦντας,
τοὺς δ᾽ εἰδέναι ποιήσω περὶ ἃ τυγχάνω διατρίβων· ἢν γὰρ
ταῦτα τῷ λόγῳ δυνηθῶ διοικῆσαι κατὰ τρόπον, | ἐλπίζω τὸν
ἐπίλοιπον χρόνον αὐτός τ᾽ ἀλύπως διάξειν καὶ τῷ λόγῳ τῷ
μέλλοντι ῥηθήσεσθαι τοὺς παρόντας μᾶλλον προσέξειν τὸν
νοῦν.

7 Οὐκ ὀκνήσω δὲ κατειπεῖν οὔτε τὴν νῦν ἐγγιγνομένην
ἐν τῇ διανοίᾳ μοι ταραχὴν οὔτε τὴν ἀτοπίαν ὧν ἐν τῷ
παρόντι τυγχάνω γιγνώσκων, οὔτ᾽ εἴ τι πράττω τῶν δεόντων. Ἐγὼ γὰρ μετεσχηκὼς τῶν μεγίστων ἀγαθῶν, ὧν
ἅπαντες ἂν εὔξαιντο μεταλαβεῖν, πρῶτον μὲν τῆς περὶ τὸ
σῶμα καὶ τὴν ψυχὴν ὑγιείας, οὐχ ὡς ἔτυχον, ἀλλ᾽ ἐνα-
μίλλως τοῖς μάλιστα περὶ ἑκάτερον τούτων εὐτυχηκόσιν,

---

4 1 ἕνεκα Γ²cett. : -κεν Γ¹ ‖ διαδεδομένων Γ : διδομ- cett. ‖ 5 1 τε
Γ : om. cett. ‖ 6 4 τυγχάνω διατρίβων (-βειν Λ¹)ΓΛ¹ : προαιρούμενος
τυγχάνω διατρίβειν Λ² vulg. ‖ 7 1 ἐγγιγνομένην Γ : γενομένην Λ
vulg. ‖ 2 μοι Γ : μου cett. ‖ 2 ὧν Γ : ἦν cett. ‖ 6 ἔτυχον Γ : ἔτυχεν
vulg.

des biens nécessaires à la vie me permettant de ne
manquer jamais d'aucune satisfaction mesurée ni de
celles qu'un homme raisonnable peut désirer;   8
je n'ai jamais appartenu à la catégorie des gens peu
estimés ou des gens méprisés, mais au contraire je suis
de ceux dont les plus distingués des Grecs peuvent
conserver le souvenir et célébrer la dignité; voilà tous
les biens qui m'ont été donnés, les uns en abondance,
les autres à suffisance; — et pourtant, je n'ai pas
plaisir à vivre dans ces conditions : la vieillesse est si
pénible, si vétilleuse, si chagrine, que souvent déjà j'ai
condamné ma nature que personne cependant ne méprisait
9   et déploré mon sort auquel je n'avais rien à reprocher, sinon quelques mésaventures et dénonciations calomnieuses que me valut la philosophie que j'avais choisie [1];
tout en sachant par ailleurs ma nature trop faible [2]
et trop timide pour l'action, imparfaite et insuffisante
à bien des égards pour la parole, mais plus apte à la
recherche de la vérité en toutes circonstances que ceux
qui affectent de la détenir, distancée toutefois par toute
autre, à vrai dire, quand il s'agit de parler de ces
mêmes questions devant un auditoire nombreux.

10 Je me suis trouvé tellement dépourvu des deux
qualités qui ont chez nous le plus de crédit, une voix suffisante et l'assurance du comportement, que je ne sais si
aucun de mes concitoyens a connu la même disgrâce;
ceux qui sont privés de ces dons finissent par être plus
déchus, dans l'échelle des valeurs, que les débiteurs du
trésor : ceux-ci conservent l'espoir d'acquitter leurs dettes,

---

1. Cf. Vie d'Isocrate : Λέγεται δὲ καὶ τοῦτο περὶ αὐτοῦ ὡς ὅτι
κατηγορηθεὶς ὡς διαβάλλων τὴν δημοκρατίαν...
2. Cf. Vie d'Isocrate : ὅτι τε δειλὸς ἦν καὶ ἀσθενὴς τῇ φωνῇ.
Il est déjà arrivé à Isocrate d'invoquer son grand âge,
ou bien, de déplorer sa faible voix; mais ici il groupe en un
portrait toutes ces disgrâces et y ajoute une pointe d'orgueil
familial.

ἔπειτα τῆς περὶ τὸν βίον εὐπορίας, ὥστε μηδενὸς πώποτ᾽
ἀπορῆσαι τῶν μετρίων, μηδ᾽ ὧν ἄνθρωπος ἂν νοῦν ἔχων
ἐπιθυμήσειεν, 8 ἔτι τοῦ μὴ τῶν καταβεβλημένων εἷς
εἶναι, μηδὲ τῶν κατημελημένων, ἀλλ᾽ ἐκείνων περὶ ὧν
οἱ χαριέστατοι τῶν Ἑλλήνων καὶ μνησθεῖεν ἂν καὶ δια-
λεχθεῖεν ὡς σπουδαίων ὄντων, τούτων ἁπάντων μοι συμβεβηκότων, τῶν μὲν ὑπερβαλλόντως, τῶν δ᾽ ἐξαρκούντως,
οὐκ ἀγαπῶ ζῶν ἐπὶ τούτοις, ἀλλ᾽ οὕτω τὸ γῆράς ἐστι
δυσάρεστον καὶ μικρολόγον καὶ μεμψίμοιρον ὥστε πολλάκις ἤδη τήν τε φύσιν τὴν ἐμαυτοῦ κατεμεμψάμην,
ἧς οὐδεὶς ἄλλος καταπεφρόνηκεν, 9 καὶ τὴν τύχην
ὠδυράμην, ταύτῃ μὲν οὐδὲν ἔχων ἐπικαλεῖν ἄλλο, πλὴν ὅτι
περὶ τὴν φιλοσοφίαν, ἣν προειλόμην, ἀτυχίαι τινὲς καὶ
συκοφαντίαι γεγόνασιν, τὴν δὲ φύσιν εἰδὼς πρὸς μὲν
τὰς πράξεις ἀρρωστοτέραν οὖσαν καὶ μαλακωτέραν τοῦ
δέοντος, πρὸς δὲ τοὺς λόγους οὔτε τελείαν οὔτε
πανταχῇ χρησίμην, ἀλλὰ δοξάσαι μὲν περὶ ἑκάστου τὴν
ἀλήθειαν μᾶλλον δυναμένην τῶν εἰδέναι φασκόντων, εἰπεῖν
δὲ περὶ τῶν αὐτῶν τούτων ἐν συλλόγῳ πολλῶν ἀνθρώπων
ἁπασῶν ὡς ἔπος εἰπεῖν ἀπολελειμμένην.

10 Οὕτω γὰρ ἐνδεὴς ἀμφοτέρων ἐγενόμην τῶν μεγίστην
δύναμιν ἐχόντων παρ᾽ ἡμῖν, φωνῆς ἱκανῆς καὶ τόλμης, ὡς
οὐκ οἶδ᾽ εἴ τις ἄλλος τῶν πολιτῶν· ὧν οἱ μὴ τυχόντες
ἀτιμότεροι περιέρχονται πρὸς τὸ δοκεῖν ἄξιοί τινος εἶναι
τῶν ὀφειλόντων τῷ δημοσίῳ· | τοῖς μὲν γὰρ ἐκτείσειν τὸ

---

7 8 ὥστε Γ: οὕτως ὥστε Γmg. vulg. ‖ 8 6 οὕτω ΓΕ Stobaeus 116, 40: οὕτω μοι cett. ‖ 8 τε Γ: μὲν Λ vulg. ‖ 9 ἧς Stobaeus vulg. ὡς Γ ‖ 9 1 τύχην codd.: ψυχὴν Γ ‖ 2 ἐπικαλεῖν Γ:
ἐγκ- vulg. ‖ 3 προειλόμην Γ² cett.: προσειλ- Γ¹ ‖ 3 τινὲς ΓΕ: τινές
μοι cett. ‖ 6 οὔτε τέλειαν Baiter: οὔτε λείαν Λ οὐ τέλεια vulg.:
om. Γ¹ ins. Γmg. ‖ 9 ἐν om. Γ¹ ins. Γ² ‖ 3 ἀνθρώπων ΓΕ:
παρρησίᾳ ἀνθρώπων Λ Monac. 224 ‖ 10 ἁπασῶν codd.: ἁπασῶν
τῶν φύσεων Monac 224. ‖ 10 4 περιέρ/ονται Γ: γίγνονται cett. ‖
4 τὸ δοκεῖν ΓΛ¹ Paris. 2991: τῷ μὴ δοκεῖν Λ² cett. ‖ 5 ἐκτείσειν
Γ¹: ἐκτίσειν Γ² cett.

mais les autres ne parviendraient jamais à changer leur
nature. **11** Néanmoins, je ne me suis résigné, découragé
par ces obstacles, ni à la privation de la gloire, ni à une
totale obscurité; puisque je faisais fausse route dans la vie
politique, je me suis réfugié dans la philosophie, dans le
travail, dans la rédaction de mes pensées; je n'ai pas
choisi des sujets médiocres, abordé les transactions parti-
culières ou les thèmes sur lesquels certains exercent
leur sottise; c'est sur les affaires qui intéressent les Grecs,
les rois, notre patrie que mon choix s'est porté; par là je
tenais pour justifié d'obtenir une considération qui dépassât
d'autant plus celle des orateurs qui montent à la tribune
que je donnais à mes discours une matière plus vaste et
plus belle. **12** De cette espérance, rien ne s'est réalisé.
Pourtant tout le monde le sait, la plupart des orateurs
ont le front de parler devant le peuple non pas sur ce qui
est l'intérêt de notre ville, mais sur les questions dont ils
s'attendent à tirer personnellement quelque profit; moi
et mes amis, au contraire, non seulement nous nous tenons
à l'écart des biens de l'État, plus strictement que les autres [2],
mais nous dépensons sur nos biens propres, au delà même
de nos possibilités, pour satisfaire aux besoins de notre
patrie; **13** qui plus est, ces hommes s'insultent mutuellement dans les assemblées pour un gage que détient un
tiers, ou bien injurient nos alliés ou diffament le premier
rencontré, tandis que moi j'ai pris l'initiative de ces
discours qui incitent les Grecs à la concorde et à la guerre
contre les Barbares, **14** qui nous conseillent d'envoyer à
frais communs une colonie vers ce territoire si vaste et si
riche que tous ceux qui en ont entendu parler sont d'accord
pour estimer que, si nous étions sages et renoncions à la
folie qui nous déchire, nous en prendrions possession
rapidement, sans effort et sans risque, et que cette contrée

---

1. Allusion au *Panégyrique*, au *Philippe*, à l'*Aréopagitique*.
2. Cf. Démosthène, *Sur l'Ambassade*, 7. Au reste, c'est là
un lieu commun oratoire.

καταγνωσθὲν ἐλπίδες ὕπεισιν, οἱ δ᾽ οὐδέποτ᾽ ἂν τὴν φύσιν
μεταβάλοιεν. 11 Οὐ μὴν ἐπὶ τούτοις ἀθυμήσας περιεῖ-
δον ἐμαυτὸν ἄδοξον οὐδ᾽ ἀφανῆ παντάπασι γενόμενον, ἀλλ᾽
ἐπειδὴ τοῦ πολιτεύεσθαι διήμαρτον, ἐπὶ τὸ φιλοσοφεῖν καὶ
πονεῖν καὶ γράφειν ἃ διανοηθείην κατέφυγον, οὐ περὶ
μικρῶν τὴν προαίρεσιν ποιούμενος οὐδὲ περὶ τῶν ἰδίων
συμβολαίων οὐδὲ περὶ ὧν ἄλλοι τινὲς ληροῦσιν, ἀλλὰ περὶ
τῶν Ἑλληνικῶν καὶ βασιλικῶν καὶ πολιτικῶν πραγμάτων,
δι᾽ ἃ προσήκειν ᾤμην μοι τοσούτῳ μᾶλλον τιμᾶσθαι τῶν
ἐπὶ τὸ βῆμα παριόντων, ὅσῳ περ περὶ μειζόνων καὶ καλλιόνων ἢ ᾽κεῖνοι τοὺς λόγους ἐποιούμην. 12 Ὧν οὐδὲν
ἡμῖν ἀποβέβηκεν. Καίτοι πάντες ἴσασι τῶν μὲν ῥητόρων
τοὺς πολλοὺς οὐχ ὑπὲρ τῶν τῇ πόλει συμφερόντων, ἀλλ᾽
ὑπὲρ ὧν αὐτοὶ λήψεσθαι προσδοκῶσι, δημηγορεῖν τολμῶντας,
ἐμὲ δὲ καὶ τοὺς ἐμοὺς οὐ μόνον τῶν κοινῶν ἀπεχομένους
μᾶλλον τῶν ἄλλων, ἀλλὰ καὶ τῶν ἰδίων εἰς τὰς τῆς πόλεως
χρείας ὑπὲρ τὴν δύναμιν τὴν ἡμετέραν αὐτῶν δαπανωμέ-
νους, 13 ἔτι δὲ τοὺς μὲν ἢ λοιδορουμένους ἐν ταῖς
ἐκκλησίαις περὶ μεσεγγυήματος σφίσιν αὐτοῖς ἢ λυμαινομένους τοὺς συμμάχους ἢ τῶν ἄλλων ὃν ἂν τύχωσι συκοφαντοῦντας, ἐμὲ δὲ τῶν λόγων ἡγεμόνα τούτων γεγενημένον
τῶν παρακαλούντων τοὺς Ἕλληνας ἐπί τε τὴν ὁμόνοιαν
τὴν πρὸς ἀλλήλους καὶ τὴν στρατείαν τὴν ἐπὶ τοὺς βαρβάρους, 14 καὶ τῶν συμβουλευόντων ἀποικίαν ἐκπέμπειν
κοινῇ πάντας ἡμᾶς ἐπὶ τοσαύτην χώραν καὶ τοιαύτην περὶ
ἧς, ὅσοι περ ἀκηκόασιν, ὁμολογοῦσιν ἡμᾶς τ᾽ εἰ σωφρονή-
σαιμεν καὶ παυσαίμεθα τῆς πρὸς ἀλλήλους μανίας, ταχέως
ἂν ἄνευ πόνων καὶ κινδύνων κατασχεῖν αὐτήν, ἐκείνην τε

11 3 ἐπειδὴ Γ: ἐπεὶ cett. ‖ 3 τοῦ πολιτεύεσθαι Γ: πεπολιτεῦσθαι
cett. ‖ 5 ποιούμενος Γ: αἱρούμενος cett. ‖ φώιην Γ: ᾤμην cett. ‖
9 περ om. vulg. ‖ 12 3 τοὺς πολλοὺς Γ: πολλοὺς vulg. ‖ 7 αὐτῶν
Γ: om. cett. ‖ 13 2 μεσεγγυήματος Sauppe (ex Harpocr. s. v.):
-ημάτων vulg. -ώματος Γ ‖ 3 ὃν ἂν Γ: ὧν ἂν cett. ‖ 6 ἀλλήλους
codd.: τοὺς Ἕλληνας Γ ‖ 14 2 πάντας ἡμᾶς Γ: πάντας vulg.

accueillerait aisément tous ceux qui parmi nous sont privés
du nécessaire. A une telle entreprise, tout le monde se
grouperait-il pour tenter d'opposer un projet qui fût plus
beau, plus grand, plus utile à nous tous, qu'on ne le trouverait jamais.

15 Pourtant, bien que l'écart qui sépare nos desseins
soit si large, bien que mon choix ait été singulièrement
plus noble, la masse nous a jugés, non pas avec justice,
mais en pleine confusion et avec une absence complète de
logique : tandis qu'elle blâme le comportement des orateurs,
elle les met à la tête de la cité et leur confère un pouvoir
de décision général; quant à moi, elle fait l'éloge de mes
discours, mais me porte jalousie sans autre motif que ces
discours mêmes qu'elles se trouve approuver : telle est
l'infortune de mon destin auprès d'elle.

16 Et pourquoi s'étonner en présence de gens que leur
nature porte à de tels sentiments à l'égard de toutes les
supériorités, quand, parmi ceux-là mêmes qui affirment
leur distinction, qui rivalisent avec moi, qui brûlent de
m'imiter, il en est certains qui sont plus mal disposés encore
à mon égard que les hommes du commun. Qui trouverait-
on qui soit plus mauvais — car je le dirai, même si l'on juge
mes paroles trop osées et trop dures pour mon âge — que
ces gens qui, incapables de faire comprendre à leurs disciples
quoi que ce soit des idées que j'ai exprimées[1], utilisent mes
discours comme exemples, en vivent, et cependant sont
si loin d'en témoigner quelque gratitude qu'ils ne consentent
même pas à me laisser en repos et ne cessent, au contraire,
de tenir sur moi des propos désobligeants. 17 Certes aussi
longtemps qu'ils ont abîmé mes discours en les lisant
à côté des leurs aussi mal que possible, en les divisant
incorrectement, en les déchiquetant, en les dénigrant de
toutes les manières, je ne me suis préoccupé de rien de
ce qui m'était rapporté; j'ai conservé ma sérénité. Mais,

---

1. Le texte Teubner, de Benseler-Blass, ἄνευ τῶν εἰρημένων,
donne un sens différent : « Sans l'aide de mon enseignement ».

ῥᾳδίως ἂν ἅπαντας δέξασθαι τοὺς ἐνδεεῖς ἡμῶν ὄντας τῶν
ἐπιτηδείων· ὧν πράξεις, εἰ πάντες συνελθόντες ζητοῖεν,
οὐδέποτ' ἂν εὕροιεν καλλίους οὐδὲ μείζους οὐδὲ μᾶλλον
ἅπασιν ἡμῖν συμφερούσας.

15 Ἀλλ' ὅμως οὕτω πολὺ τῇ διανοίᾳ διεστώτων ἡμῶν
καὶ τοσούτῳ | σπουδαιοτέραν ἐμοῦ πεποιημένου τὴν αἵρεσιν
οὐ δικαίως οἱ πολλοὶ περὶ ἡμῶν ὑπειλήφασιν, ἀλλὰ
ταραχωδῶς καὶ παντάπασιν ἀλογίστως. Τῶν μὲν γὰρ
ῥητόρων τὸν τρόπον ψέγοντες προστάτας αὐτοὺς τῆς
πόλεως ποιοῦνται καὶ κυρίους ἁπάντων καθιστᾶσιν, ἐμοῦ
δὲ τοὺς λόγους ἐπαινοῦντες αὐτῷ μοι φθονοῦσι δι' οὐδὲν
ἕτερον ἢ διὰ τούτους, οὓς ἀποδεχόμενοι τυγχάνουσιν·
οὕτως ἀτυχῶς φέρομαι παρ' αὐτοῖς.

16 Καὶ τί δεῖ θαυμάζειν τῶν πρὸς ἁπάσας τὰς ὑπε-
ροχὰς οὕτω διακεῖσθαι πεφυκότων, ὅπου καὶ τῶν οἰομένων
διαφέρειν καὶ ζηλούντων ἐμὲ καὶ μιμεῖσθαι γλιχομένων
τινὲς ἔτι δυσμενέστερον ἔχουσί μοι τῶν ἰδιωτῶν ; Ὧν τίνας
ἄν τις εὕροι πονηροτέρους, — εἰρήσεται γάρ, εἰ καί τισιν
δόξω νεώτερα καὶ βαρύτερα λέγειν τῆς ἡλικίας —, οἵτινες
οὔτε φράζειν οὐδὲν μέρος ἔχοντες τοῖς μαθηταῖς τῶν
εἰρημένων ὑπ' ἐμοῦ, τοῖς τε λόγοις παραδείγμασι χρώμενοι
τοῖς ἐμοῖς καὶ ζῶντες ἐντεῦθεν τοσούτου δέουσι χάριν
ἔχειν τούτων, ὥστ' οὐδ' ἀμελεῖν ἡμῶν ἐθέλουσιν, ἀλλ' ἀεί
τι φλαῦρον περὶ ἐμοῦ λέγουσιν ; 17 Ἕως μὲν οὖν τοὺς
λόγους ἡμῶν ἐλυμαίνοντο, παραναγιγνώσκοντες ὡς δυνατὸν κάκιστα τοῖς αὑτῶν καὶ διαιροῦντες οὐκ ὀρθῶς καὶ
κατακνίζοντες καὶ πάντα τρόπον διαφθείροντες, οὐδὲν
ἐφρόντιζον τῶν ἀπαγγελλομένων, ἀλλὰ ῥαθύμως εἶχον·

---

15 4 ταραχωδῶς ;,... ἀλογίστως Γ : ταραχώδη .... ἀλόγιστον Λ
vulg. ‖ 5 ῥητόρων Γ : ἄλλων ῥητόρων vulg. ‖ 6 ἁπάντων Γ : αὐτοὺς
cett. ‖ 7 δι' οὐδὲν om. Γ¹ ins. Γ² ‖ 16 1 τῶν πρὸς Γ² cett. : πρὸς
Γ¹ ‖ 4 τινὲς om. Γ¹ ins. Γ² ‖ 4 μοι Γ : om. cett. ‖ τισι Γ : τι cett. ‖
10 τούτων Γ : om. cett. ‖ 11 ἐμοῦ Γ² : μοῦ Γ¹ ‖ 17 4 διαφθείροντες
Γ² cett. : διαφέροντες Γ¹.

peu avant les grandes Panathénées, j'ai souffert de leur
fait. **18** Quelques amis intimes, m'ayant rencontré, me
dirent qu'assis dans le Lycée, trois ou quatre de ces
sophistes vulgaires qui prétendent tout savoir et se montrent
à l'improviste partout, dissertaient sur les poètes et en particulier sur la poésie d'Hésiode et d'Homère : ils ne disaient
rien qui fût tiré de leur fonds, mais récitaient des extraits
de ces auteurs[1] et se remémoraient les plus brillants passages
d'études faites par d'autres avant eux. **19** Comme
l'auditoire applaudissait leurs propos, l'un d'eux, le plus
audacieux, avait entrepris, me rapportait-on, de me calom-
nier[2] en disant que je méprisais de tels exercices, que je
détruisais les doctrines philosophiques des autres et tous
les systèmes d'éducation et que je déclarais que tout le
monde ne disait que sottises à l'exception de ceux qui
participaient à mes entretiens. A ces mots, certains assis-
tants avaient manifesté leur malveillance envers nous. **20**
A quel point je fus affligé et troublé en apprenant que
ces propos avaient trouvé audience auprès de certaines
gens, je serais incapable de le dire. Je me croyais suffisamment connu pour adversaire des imposteurs, et pour
m'être exprimé sur mon propre compte avec modération,
voire même avec une grande modestie pour qu'aucun crédit
ne fût accordé aux gens qui disaient que je me permettais de
pareilles vantardises. **21** Aussi bien, avais-je donc raison au
début lorsque je déplorais l'infortune qui m'a toujours
poursuivi dans de telles circonstances. Elle est la cause
des calomnies répandues sur moi, des accusations, de la
jalousie, de l'impossibilité où je me suis trouvé de jouir
de la bonne réputation que je mérite, aussi bien de celle
que m'accorde le sentiment général que de celle que je possède auprès du petit groupe des hommes qui ont vécu dans
mon intimité et qui en toute circonstance m'ont observé.

---

1. Cf. *Ion* de Platon : l'activité des rhapsodes.
2. A rapprocher de l'*Apologie de Socrate*, de Platon.

μικρὸν δὲ πρὸ τῶν Παναθηναίων τῶν μεγάλων ἠχθέσθην δι᾽
αὐτούς. 18 Ἀπαντήσαντες γάρ τινές μοι τῶν ἐπιτη-
δείων ἔλεγον ὡς ἐν τῷ Λυκείῳ συγκαθεζόμενοι τρεῖς ἢ
τέτταρες τῶν ἀγελαίων σοφιστῶν καὶ πάντα φασκόντων
εἰδέναι καὶ ταχέως πανταχοῦ γιγνομένων διαλέγοιντο περί
τε τῶν ἄλλων ποιητῶν καὶ τῆς Ἡσιόδου καὶ τῆς Ὁμήρου
ποιήσεως, οὐδὲν μὲν παρ᾽ αὐτῶν λέγοντες, τὰ δ᾽ ἐκείνων
ῥαψῳδοῦντες καὶ τῶν πρότερον ἄλλοις τισὶν εἰρημένων τὰ
χαριέστατα μνημονεύοντες· 19 ἀποδεξαμένων δὲ τῶν
περιεστώτων τὴν διατριβὴν αὐτῶν, ἕνα τὸν τολμηρότατον
ἐπιχειρῆσαι με διαβάλλειν, λέγονθ᾽ ὡς ἐγὼ πάντων κατα-
φρονῶ τῶν τοιούτων, | καὶ τάς τε φιλοσοφίας τὰς τῶν ἄλλων
καὶ τὰς παιδείας ἁπάσας ἀναιρῶ, καὶ φημὶ πάντας ληρεῖν
πλὴν τοὺς μετεσχηκότας τῆς ἐμῆς διατριβῆς· τούτων δὲ
ῥηθέντων ἀηδῶς τινας τῶν παρόντων διατεθῆναι πρὸς
ἡμᾶς. 20 Ὡς μὲν οὖν ἐλυπήθην καὶ συνεταράχθην
ἀκούσας ἀποδέξασθαί τινας τοὺς λόγους τούτους, οὐκ ἂν
δυναίμην εἰπεῖν· ᾤμην γὰρ οὕτως ἐπιφανὴς εἶναι τοῖς
ἀλαζονευομένοις πολεμῶν καὶ περὶ ἐμαυτοῦ μετρίως
διειλεγμένος, μᾶλλον δὲ ταπεινῶς, ὥστε μηδέν᾽ ἄν ποτε
γενέσθαι πιστὸν τῶν λεγόντων ὡς ἐγὼ τοιαύταις ἀλαζο-
νείαις ἐχρησάμην. 21 Ἀλλὰ γὰρ οὐκ ἀλόγως ὠδυράμην
ἐν ἀρχῇ τὴν ἀτυχίαν τὴν παρακολουθοῦσάν μοι πάντα τὸν
χρόνον ἐν τοῖς τοιούτοις· αὕτη γάρ ἐστιν αἰτία καὶ τῆς
ψευδολογίας τῆς περί με γιγνομένης καὶ τῶν διαβολῶν καὶ
τοῦ φθόνου καὶ τοῦ μὴ δύνασθαί με τυχεῖν τῆς δόξης ἧς
ἄξιός εἰμι, μηδ᾽ ὁμολογουμένης, μηδ᾽ ἣν ἔχουσί τινες τῶν
πεπλησιακότων μοι καὶ πανταχῇ τεθεωρηκότων ἡμᾶς.

18 5-6 τῆς ... ποιήσεως Γ: τῶν ... ποιήσεων vulg. ‖ 19 2 τολμηρότατον Γ: τολμηρότατον ἐκείνων vulg. ‖ 20 1 ὡς ... ἀκούσας om.
Γ¹ ins. Γ mg. ‖ 2 ἀποδέξασθαι codd.: ἀναλέξασθαι Γ ‖ 2 τούτους
Γ: τοὺς ἐμοὺς Λ τούτους εἶναι ἐμοὺς vulg. ‖ 5 μηδέν᾽ ἄν Γ²: μηδὲν
ἄν Γ¹ μηδένα vulg. ‖ 21 2 παρακολουθοῦσαν Γ: -θήσασαν Λ
vulg. ‖ 3 ἐν Γ: om. cett. ‖ 4 περί με Γ: περὶ ἐμὲ cett.

22   Sans doute est-il impossible de modifier cette situation, et faut-il se résigner devant les faits.

Des considérations à développer se sont présentées nombreuses à mon esprit; j'hésite[1] : vais-je accuser à mon tour ceux pour qui le mensonge à mon égard et la malveillance sont devenus une habitude? Mais si je parais me mettre en frais et composer de longs développements à propos d'hommes qui, de l'avis général, ne méritent pas qu'on parle d'eux, je donnerai à juste titre l'impression d'être un sot.   **23**   Les négligerai-je pour me défendre devant ces médiocres qui me jalousent injustement, pour tenter de leur montrer que l'opinion qu'ils ont de moi est contraire à la justice et à la correction? Mais qui ne m'accuserait d'aberration complète si, en présence de gens à qui je n'ai pas d'autre raison de déplaire que de passer pour avoir parlé avec bonheur sur certains sujets, je m'imaginais que je mettrais un terme au déplaisir que leur causent mes paroles, alors que je continuerais de m'exprimer comme par le passé; au contraire, ne les irriterai-je pas davantage, en particulier, si je leur apparais à mon âge n'offrant encore aucun signe de défaillance de l'esprit?   **24**   Mais à coup sûr on me déconseillerait tout autant de laisser de côté ces gens-là et de les oublier temporairement, pour mener à son terme le discours que j'ai choisi de traiter, dans l'intention de montrer notre pays à l'origine pour les Grecs de plus de bienfaits que ne leur en ont apporté les Lacédémoniens. Si j'agissais ainsi maintenant, sans donner de conclusion à ce que j'ai précédemment avancé, sans lier le commencement de ce que je dirai plus tard avec la fin de ce qui a déjà été exposé, je paraîtrais ressembler à ces orateurs qui disent au hasard et de façon désordonnée et dans la confusion, tout ce qui leur vient à l'esprit. C'est ce que nous avons le devoir d'éviter.   **25**   Le meilleur est donc de commencer par expliquer ce que je pense sur les thèmes d'accusation les

---

1. Πότερον laisse attendre un second membre non exprimé.

22 Ταῦτα μὲν οὖν οὐχ οἷόν τ' ἄλλως ἔχειν, ἀλλ' ἀνάγκη
στέργειν τοῖς ἤδη συμβεβηκόσιν. Πολλῶν δέ μοι λόγων
ἐφεστώτων ἀπορῶ πότερον ἀντικατηγορῶ τῶν εἰθισμένων
ἀεί τι ψεύδεσθαι περί μου καὶ λέγειν ἀνεπιτήδειον. Ἀλλ'
εἰ φανείην σπουδάζων καὶ πολλοὺς λόγους ποιούμενος
περὶ ἀνθρώπων οὓς οὐδεὶς ὑπείληφεν ἀξίους εἶναι λόγου,
δικαίως ἂν μωρὸς εἶναι δοκοίην. 23 Ἀλλὰ τούτους ὑπεριδὼν ἀπολογῶμαι πρὸς τοὺς ἀδίκως μοι τῶν ἰδιωτῶν
φθονοῦντας, καὶ πειρῶμαι διδάσκειν αὐτοὺς ὡς οὐ δικαίως
οὐδὲ προσηκόντως περί μου ταύτην ἔχουσι τὴν γνώμην;
Καὶ τίς οὐκ ἂν καταγνοίη μου πολλὴν ἄνοιαν, εἰ τοὺς
μηδὲν δι' ἕτερον δυσκόλως πρός με διακειμένους ἢ διὰ τὸ
δοκεῖν χαριέντως εἰρηκέναι περί τινων, τούτους οἰηθείην
ὁμοίως διαλεχθεὶς ὥσπερ πρότερον παύσειν ἐπὶ τοῖς
λεγομένοις λυπουμένους, ἀλλ' οὐ μᾶλλον ἀλγήσειν, ἄλλως
τε κἂν φανῶ μηδὲ νῦν πω τηλικοῦτος ὢν [πεπαυμένος]
παραληρῶν; 24 Ἀλλὰ μὴν οὐδ' ἐκεῖνο ποιεῖν οὐδεὶς ἂν
μοι συμβουλεύσειεν, | ἀμελήσαντι τούτων καὶ μεταξὺ κατα-
βαλόντι περαίνειν τὸν λόγον ὃν προήρημαι, βουλόμενος
ἐπιδεῖξαι τὴν πόλιν ἡμῶν πλειόνων ἀγαθῶν αἰτίαν γεγενημένην τοῖς Ἕλλησιν ἢ τὴν Λακεδαιμονίων· εἰ γὰρ τοῦτ'
ἤδη ποιοίην, μήτε τέλος ἐπιθεὶς τοῖς γεγραμμένοις μήτε
συγκλείσας τὴν ἀρχὴν τῶν ῥηθήσεσθαι μελλόντων τῇ
τελευτῇ τῶν ἤδη προειρημένων, ὅμοιος ἂν εἶναι δόξαιμι
τοῖς εἰκῇ καὶ φορτικῶς καὶ χύδην ὅ τι ἂν ἐπέλθῃ λέγουσιν·
ἃ φυλακτέον ἡμῖν ἐστιν. 25 Κράτιστον οὖν ἐξ ἁπάντων
τούτων, περὶ ὧν τὸ τελευταῖόν με διέβαλλον ἀποφηνάμενον

22 3 ἀντικατηγορῶ Γ: -ρῶν cett. || 4 περί μου Γ¹: περὶ 'μοῦ Γ²Ε
περὶ ἐμοῦ Λ¹ περὶ ἐμοῦ γενήσομαι Λ² vulg. || ἀνεπιτήδειον Γ¹: ἀνε-
πιτήδειον τολμώντων Γ² cett. || 23 1-2 ὑπεριδὼν ..... φθονοῦντας Γ:
ὑπεριδὼν ὡς φθονοῦντας cett. || 4 περί μου Γ¹: περὶ 'μοῦ Γ²Ε περὶ
ἐμοῦ vulg. || 6 διὰ Γ: om. cett. || 10 πεπαυμένος παραληρῶν Γ: παρα-
ληρῶν Γ¹ μὴ παραληρῶν Λ² vulg. || 24 2 μεταξὺ καταβαλόντι Γ:
καταβάλλοντι cett. || 6 ποιοίην Γ: ποιοίμην cett. || 25 2 τὸ
τελευταῖον ..... περὶ ὧν Γ: om. cett.

plus récents qu'ils ont lancés contre moi et d'aborder tout de
suite après les questions qu'au début de ce discours je me
proposais de traiter [1]. J'estime que, si j'apporte par écrit
et rends ainsi évidente l'opinion que je professe sur
l'éducation et les poètes, je mettrai fin à leurs imputations
mensongères et à leur propos inconsidérés.

26   Or, en ce qui concerne l'éducation que nous ont
transmise nos ancêtres, je suis si loin de la mépriser que
je vais jusqu'à louer le régime éducatif institué de notre
temps ; je vise la géométrie, l'astronomie, et les entretiens
par controverses, auxquels se plaisent les jeunes gens plus
qu'il ne conviendrait alors que pas un vieillard ne les tiendrait pour supportables.   27   Et cependant je conseille à
ceux qui se sont orientés vers ces enseignements de travailler et de concentrer leur attention sur toutes ces
études, car je dis que, même dans le cas où ces leçons ne
peuvent rien donner de mieux, elles détournent à tout
le moins les jeunes gens de bien des erreurs. Pour un auditoire de cet âge, j'estime que jamais occupations plus
utiles ne pourraient être trouvées ni mieux adaptées ;
28   par contre, pour les vieillards et pour ceux qui rentrent
dans la catégorie des hommes faits, j'affirme que ces
exercices ne conviennent plus [2]. Je constate, en effet,
que certains parmi ceux qui se sont perfectionnés dans
ces disciplines au point de les enseigner aux autres,
n'utilisent pas avec discernement le savoir qu'ils détiennent
et sont dans les affaires pratiques de la vie plus déraisonnables que leurs disciples, j'ai scrupule à dire que
leurs serviteurs.   29   J'ai la même opinion sur ceux qui
sont capables de parler devant le peuple, sur ceux qui
tiennent leur réputation de la publication de leurs discours
et de façon générale sur tous ceux qui se distinguent dans

---

1. Texte incertain : le texte Teubner de Benseler-Blass est
ici reproduit.
2. Une réserve comparable est exprimée par Calliclès dans
le *Gorgias* de Platon (484 c).

ἃ δοκεῖ μοι, τότ᾽ ἤδη λέγειν περὶ ὧν ἐξ ἀρχῆς διενοήθην·
οἶμαι γάρ, ἣν ἐξενέγκω γράψας καὶ ποιήσω φανερὰν ἣν
ἔχω γνώμην περί τε τῆς παιδείας καὶ τῶν ποιητῶν, παύσειν αὐτοὺς ψευδεῖς πλάττοντας αἰτίας καὶ λέγοντας ὅ τι
ἂν τύχωσιν.

26 Τῆς μὲν οὖν παιδείας τῆς ὑπὸ τῶν προγόνων κατα-
λειφθείσης τοσούτου δέω καταφρονεῖν ὥστε καὶ τὴν ἐφ᾽
ἡμῶν κατασταθεῖσαν ἐπαινῶ, λέγω δὲ τήν τε γεωμετρίαν
καὶ τὴν ἀστρολογίαν καὶ τοὺς διαλόγους τοὺς ἐριστικοὺς
καλουμένους, οἷς οἱ μὲν νεώτεροι μᾶλλον χαίρουσι τοῦ
δέοντος, τῶν δὲ πρεσβυτέρων οὐδείς ἔστιν ὅστις ⟨ἂν⟩
ἀνεκτοὺς αὐτοὺς εἶναι φήσειεν. 27 Ἀλλ᾽ ὅμως ἐγὼ
τοῖς ὡρμημένοις ἐπὶ ταῦτα παρακελεύομαι πονεῖν καὶ
προσέχειν τὸν νοῦν ἅπασι τούτοις, λέγων ὥς, εἰ καὶ μηδὲν
ἄλλο δύναται τὰ μαθήματα ταῦτα ποιεῖν ἀγαθόν, ἀλλ᾽ οὖν
ἀποτρέπει γε τοὺς νεωτέρους πολλῶν ἄλλων ἁμαρτημάτων.
Τοῖς μὲν οὖν τηλικούτοις οὐδέποτ᾽ ἂν εὑρεθῆναι νομίζω
διατριβὰς ὠφελιμωτέρας τούτων οὐδὲ μᾶλλον πρεπούσας·
28 τοῖς δὲ πρεσβυτέροις καὶ τοῖς εἰς ἄνδρας δεδοκι-
μασμένοις οὐκέτι φημὶ τὰς μελέτας ταύτας ἁρμόττειν.
Ὁρῶ γὰρ ἐνίους τῶν ἐπὶ τοῖς μαθήμασι τούτοις οὕτως
ἀπηκριβωμένων ὥστε καὶ τοὺς ἄλλους διδάσκειν, οὔτ᾽
εὐκαίρως ταῖς ἐπιστήμαις αἷς ἔχουσι χρωμένους, ἔν τε
ταῖς ἄλλαις πραγματείαις ταῖς περὶ τὸν βίον ἀφρονεστέ-
ρους ὄντας τῶν μαθητῶν· ὀκνῶ γὰρ εἰπεῖν τῶν οἰκετῶν.
29 Τὴν αὐτὴν δὲ γνώμην ἔχω καὶ περὶ τῶν δημηγορεῖν
δυναμένων καὶ τῶν περὶ τὴν γραφὴν τὴν τῶν λόγων εὐδοκιμούντων, ὅλως δὲ περὶ ἁπάντων τῶν περὶ τὰς τέχνας

25 3 διενοήθην Γ : διενοήθην εἰπεῖν vulg. ‖ 4 φανερὰν codd. : -ρὸν Γ ‖
26 1 τῆς μὲν οὖν ... φήσειεν Γ : om. cett. ‖ 5 καλουμένους Γ² :
ἐπικα - Γ¹ ‖ 6 ἂν ins. Strange. ‖ 27 2 παρακελεύομαι .... προσέχειν
Γ : παρακελεύω μὴ (μοι Λ) ... μὴ προσέχειν Λ vulg. ‖ 4 δύναται Γ :
δυνήσεται vulg. ‖ 28 4 ἀπηκριβωμένων codd. : -μένους Γ ‖ 29 1 περὶ
τὰς τεχνὰς καὶ Γ : om. cett.

les arts, dans les sciences et par les dons naturels. Car je
sais que la plupart d'entre eux n'ont pas heureusement
conduit leurs affaires personnelles et qu'ils ne se laissent
pas supporter dans les réunions entre amis; ils font peu
de cas de l'opinion de leurs concitoyens tout en accumu-
lant par ailleurs de nombreuses et lourdes fautes, si bien que
je ne considère pas qu'eux non plus détiennent cette formation générale dont je discute présentement. 30 Quels
sont donc les esprits que je déclare bien formés, puisque
j'écarte les arts, les sciences et les dons naturels? Ceux
d'abord qui se comportent honorablement dans les inci-
dents de la vie quotidienne, qui se façonnent une opinion
adéquate aux circonstances et capable de viser dans la
plupart des cas, au pratique [1],   31 ensuite ceux qui nouent
un commerce de courtoisie et d'équité avec leur entourage
familier, qui supportent avec sérénité et facilité les caractères
déplaisants et les difficultés d'humeur, qui se montrent
les plus doux et les plus modérés qu'il soit possible à l'égard
de ceux qui constituent leur compagnie; qui encore? ceux
qui sont maîtres en toutes circonstances de leurs plaisirs,
qui ne sont pas abattus par le malheur, qui devant lui se
comportent en hommes avec une attitude digne de la nature
qui nous a été donnée; 32 en quatrième lieu, point
capital, ceux qui ne sont pas gâtés par le succès, qui ne
sortent pas d'eux-mêmes, qui ne cèdent pas à l'orgueil,
mais demeurent au rang des esprits pondérés, qui ne tirent
pas plus de joie des biens que procure le hasard que de ceux
qui sont imputables dès leur origine à leur nature et à leur
propre sagesse. Les hommes qui possèdent une richesse
spirituelle accordée non seulement avec l'une, mais avec
l'ensemble de ces qualités, je les déclare des hommes

1. Isocrate développe des idées de même nature dans le
Sur l'Échange (261-268). Se reporter à la Notice du
Sur l'Échange, œuvres d'Isocrate, Tome III, p. 90 et suiv.,
où sont abordées les polémiques, opposant au ɪᴠᵉ siècle, les
adversaires et les partisans de la spéculation désintéressée.

καὶ τὰς ἐπιστήμας καὶ τὰς δυνάμεις διαφερόντων. Οἶδα
γὰρ καὶ τούτων τοὺς πολλοὺς οὔτε τὰ περὶ σφᾶς αὐτοὺς
καλῶς διῳκηκότας οὔτ᾽ ἐν ταῖς ἰδίαις συνουσίαις ἀνεκτοὺς ὄντας, τῆς τε δόξης τῆς τῶν συμπολιτευομένων
ὀλιγωροῦντας, ἄλλων τε πολλῶν καὶ μεγάλων ἁμαρτημάτων
γέμοντας· ὥστ᾽ οὐδὲ | τούτους ἡγοῦμαι μετέχειν τῆς ἕξεως
περὶ ἧς ἐγὼ τυγχάνω διαλεγόμενος. 30 Τίνας οὖν καλῶ
πεπαιδευμένους, ἐπειδὴ τὰς τέχνας καὶ τὰς ἐπιστήμας
καὶ τὰς δυνάμεις ἀποδοκιμάζω; Πρῶτον μὲν τοὺς καλῶς
χρωμένους τοῖς πράγμασι τοῖς κατὰ τὴν ἡμέραν ἑκάστην
προσπίπτουσι, καὶ τὴν δόξαν ἐπιτυχῆ τῶν καιρῶν ἔχοντας
καὶ δυναμένην ὡς ἐπὶ τὸ πολὺ στοχάζεσθαι τοῦ συμφέ-
ροντος· 31 ἔπειτα τοὺς πρεπόντως καὶ δικαίως ὁμιλοῦντας τοῖς ἀεὶ πλησιάζουσι, καὶ τὰς μὲν τῶν ἄλλων
ἀηδίας καὶ βαρύτητας εὐκόλως καὶ ῥᾳδίως φέροντας,
σφᾶς δ᾽ αὐτοὺς ὡς δυνατὸν ἐλαφροτάτους καὶ μετριωτά-
τους τοῖς συνοῦσι παρέχοντας· ἔτι τοὺς τῶν μὲν ἡδονῶν
ἀεὶ κρατοῦντας, τῶν δὲ συμφορῶν μὴ λίαν ἡττωμένους,
ἀλλ᾽ ἀνδρωδῶς ἐν αὐταῖς διακειμένους καὶ τῆς φύσεως
ἀξίως ἧς μετέχοντες τυγχάνομεν· 32 τέταρτον, ὅπερ
μέγιστον, τοὺς μὴ διαφθειρομένους ὑπὸ τῶν εὐπραγιῶν
μηδ᾽ ἐξισταμένους αὐτῶν μηδ᾽ ὑπερηφάνους γιγνομένους,
ἀλλ᾽ ἐμμένοντας τῇ τάξει τῇ τῶν εὖ φρονούντων καὶ μὴ
μᾶλλον χαίροντας τοῖς διὰ τύχην ὑπάρξασιν ἀγαθοῖς ἢ
τοῖς διὰ τὴν αὐτῶν φύσιν καὶ φρόνησιν ἐξ ἀρχῆς γιγνομένοις. Τοὺς δὲ μὴ μόνον πρὸς ἓν τούτων, ἀλλὰ καὶ
πρὸς ἅπαντα ταῦτα τὴν ἕξιν τῆς ψυχῆς εὐάρμοστον

30 1 καλῶ Γ Clemens Alex. Strom. V, 69 Stobaeus 1,44 : ἔχω
cett. codd. ‖ 31 4 ἐλαφροτάτους Γ Clemens Stobaeus Harpocr.
s. v. : -τέρους cett. codd. ‖ 5 ἔτι Γ¹ Stob. : ἔτι δὲ Γ² vulg. Clemens ‖ 6 ἀεὶ om. Clemens ‖ 7 διακειμένους codd. : ἀναστρεφομένους
Clemens ‖ 32 3 ἐξισταμένους Γ Clemens Stobaeus : ἐξανιστ- cett.
codd. ‖ 4 ἐμμένοντας codd. : ἐπιμέν- Clemens ‖ 4 τῇ τῶν Γ : om.
cett. ‖ 7 ἀλλὰ καὶ Γ : om. cett.

sages, des hommes complets, doués de toutes les vertus.
33 Telle est mon opinion sur la formation morale de
l'homme.

Je voudrais aussi parler de l'œuvre d'Homère, de celle
d'Hésiode et des autres poètes; je pense que je ferais
taire ceux qui dans le Lycée récitent des fragments de leurs
poèmes et débitent sur leur compte des sottises, mais je
me sens entraîné hors des justes limites qui sont assignées
à un avant-propos. 34 En outre, c'est la marque d'un
homme de bon sens de ne pas se satisfaire de la facilité
qu'on peut avoir à parler sur un même thème plus abondamment que les autres, mais d'observer au contraire
l'occasion favorable pour chaque sujet qu'il aborde; c'est ce
qu'il me faut faire. Nous reparlerons donc des poètes,
si la vieillesse ne m'emporte pas avant; nous avons présentement à traiter d'affaires plus sérieuses que celle-là [1].

35 Je vais, à partir de maintenant, m'étendre sur les
bienfaits que notre pays a apportés aux Grecs, non pas que
je ne leur aie donné plus de louanges dans le passé que tous
ceux qui s'occupent de poésie et d'art oratoire; mais aujour-
d'hui je ne procéderai pas de la même manière : autrefois,
dans mes discours, j'évoquais notre patrie à l'occasion
d'autres événements; aujourd'hui, c'est elle-même que j'ai
prise pour sujet. 36 Je n'ignore pas à quelle tâche
immense je m'attaque, en dépit de mon âge; je sais nettement et j'ai dit souvent qu'il est aisé de grossir par la
parole les petits événements [2], et qu'en revanche il est difficile d'élever l'éloge à la hauteur des actions que rendent
éminentes leur grandeur et leur beauté. 37 Néanmoins,
ces réflexions ne m'apportent aucune raison supplémentaire
de me dérober à mon projet; au contraire, j'ai le désir
de le mener à bonne fin, s'il m'est accordé de vivre,

---

1. Texte de l'édition A. Nucciotti, plus clair que celui de
l'édition Benseler-Blass (ἢ περὶ σπουδαιοτέρων πραγμάτων ἔχω
τι λέγειν ἢ τούτων : Texte B.-B.).

2. Cf. *Panégyrique*, 8.

ἔχοντας, τούτους φημὶ καὶ φρονίμους εἶναι καὶ τελέους
ἄνδρας καὶ πάσας ἔχειν τὰς ἀρετάς. 33 Περὶ μὲν οὖν
τῶν πεπαιδευμένων τυγχάνω ταῦτα γιγνώσκων. Περὶ
δὲ τῆς Ὁμήρου καὶ τῆς Ἡσιόδου καὶ τῆς τῶν ἄλλων
ποιήσεως ἐπιθυμῶ μὲν εἰπεῖν, οἶμαι γὰρ ἂν παῦσαι τοὺς
ἐν τῷ Λυκείῳ ῥαψῳδοῦντας τἀκείνων καὶ ληροῦντας
περὶ αὐτῶν, αἰσθάνομαι δ᾽ ἐμαυτὸν ἔξω φερόμενον
τῆς συμμετρίας τῆς συντεταγμένης τοῖς προοιμίοις.
34 Ἔστι δ᾽ ἀνδρὸς νοῦν ἔχοντος μὴ τὴν εὐπορίαν ἀγαπᾶν, ἣν ἔχῃ τις περὶ τῶν αὐτῶν πλείω τῶν ἄλλων εἰπεῖν,
ἀλλὰ τὴν εὐκαιρίαν διαφυλάττειν, ὑπὲρ ὧν ἂν ἀεὶ τυγχάνῃ
διαλεγόμενος· ὅπερ ἐμοὶ ποιητέον ἐστίν. Περὶ μὲν οὖν τῶν
ποιητῶν αὖθις ἐροῦμεν, ἢν μή με προανέλῃ τὸ γῆρας· περὶ γὰρ
σπουδαιοτέρων πραγμάτων ἔχομεν τι λέγειν ἢ | τούτων.

35 Περὶ δὲ τῶν τῆς πόλεως εὐεργεσιῶν τῶν εἰς τοὺς
Ἕλληνας ἤδη ποιήσομαι τοὺς λόγους, οὐχ ὡς οὐ πλείους
ἐπαίνους πεποιημένος περὶ αὐτῆς ἢ σύμπαντες οἱ περὶ
τὴν ποίησιν καὶ τοὺς λόγους ὄντες· οὐ μὴν ὁμοίως καὶ
νῦν. Τότε μὲν γὰρ ἐν λόγοις περὶ ἑτέρων πραγμάτων
ἐμεμνήμην αὐτῆς, νῦν δὲ περὶ ταύτης τὴν ὑπόθεσιν ποιησάμενος. 36 Οὐκ ἀγνοῶ δ᾽ ἡλίκος ὢν ὅσον ἔργον ἐνί-
σταμαι τὸ μέγεθος, ἀλλ᾽ ἀκριβῶς εἰδὼς καὶ πολλάκις
εἰρηκὼς ὅτι τὰ μὲν μικρὰ τῶν πραγμάτων ῥᾴδιον τοῖς
λόγοις αὐξῆσαι, τοῖς δ᾽ ὑπερβάλλουσι τῶν ἔργων καὶ τῷ
μεγέθει καὶ τῷ κάλλει χαλεπὸν ἐξισῶσαι τοὺς ἐπαίνους.
37 Ἀλλ᾽ ὅμως οὐδὲν μᾶλλον ἀποστατέον αὐτῶν ἐστιν,
ἀλλ᾽ ἐπιτελεστέον, ἤν περ ἔτι ζῆν δυνηθῶμεν, ἄλλως τε
καὶ πολλῶν με παροξυνόντων γράφειν αὐτόν, πρῶτον μὲν

32 9 τελέους ΓΕ: τελείους vulg.Clemens Stobaeus. ‖ 33 3 τῆς
Ἡσιόδου καὶ τῆς Γ om. cett. ‖ 34 1 ἔστι δ᾽ ἀνδρός om. Γ¹ ins.
Γ² ‖ 2 ἣν ἔχῃ Γ: ἣν ἔχει cett. ‖ 3 ὑπὲρ Γ: περ vulg. ‖ 5 περὶ γὰρ
vulg.: ἢ περὶ Γ: ‖ 6 ἔχομεν τι Nucciotti: ἔχομεν Λ vulg. ἔχω τι Γ¹:
ἔχωμέν τι Γ² ‖ 37 1 ὅμως Γ: om. cett. ‖ 3 με Γ: om. cett..

étant donné surtout que l'attitude de bien des gens m'incite
à écrire ce discours : d'abord ceux qui ont acquis l'habitude
d'accuser impudemment notre ville, ensuite ceux qui en
font l'éloge dans une bonne intention, mais sans la
ressource de l'expérience et des moyens, **38** et tous
les autres encore qui ont l'audace de lui rendre un honneur
excessif, en termes non pas à la mesure de l'humain, mais
si outrés qu'ils dressent contre eux de nombreux esprits;
enfin, je place au-dessus de tous les motifs mon âge
actuel qui découragerait normalement les autres hommes.
En effet, si je réussis, j'espère recueillir une gloire plus
grande que ma réputation présente, et, si ma parole est
insuffisante, j'espère trouver une grande indulgence auprès
de mes auditeurs.

39 Telles sont les réflexions sur moi-même et sur les
autres que j'ai voulu, tel le chœur, mettre en prélude.
J'estime qu'il est du devoir de ceux qui veulent faire d'une
cité un éloge exact et juste de ne pas limiter leurs propos
à la ville de leur choix; de même que nous contemplons
et que nous apprécions la pourpre et l'or en mettant à
côté des corps qui ont un aspect semblable et jouissent
d'une vogue égale, **40** ainsi doit-on faire pour les cités :
ne pas rapprocher les petites des grandes, celles qui ont
toujours été sous la domination étrangère de villes habi-
tuées à commander, celles qui ont besoin d'être secourues
de celles qui ont les moyens de porter secours aux autres,
mais confronter au contraire les cités qui détiennent une
puissance à peu près semblable, qui ont traversé les mêmes
événements, qui ont disposé de ressources identiques;
c'est ainsi que l'on peut atteindre le plus sûrement la vérité.
41 Si l'on nous étudie selon cette méthode, et si l'on nous
compare non pas avec la première ville venue, mais avec
celle des Spartiates que le grand public loue avec mesure,
mais que quelques esprits évoquent [1] comme si les demi-

---

1. Περὶ αὐτῶν se rapporte à Σπαρτιατῶν, mais à cause de ἐκεί
certaines éditions portent περὶ αὐτῆς se rapportant à πόλιν.

τῶν εἰθισμένων ἀσελγῶς κατηγορεῖν τῆς πόλεως ἡμῶν,
ἔπειτα τῶν χαριέντως μὲν, ἀπειροτέρως δὲ καὶ καταδεέστερον ἐπαινούντων αὐτὴν,   38   ἔτι δὲ τῶν ἑτέρων μᾶλλον εὐλογεῖν τολμώντων οὐκ ἀνθρωπίνως, ἀλλ᾽ οὕτως ὥστε
πολλοὺς ἀντιτάττεσθαι πρὸς αὐτοὺς, πάντων δὲ μάλιστα
τῆς ἡλικίας τῆς παρούσης, ἢ τοὺς ἄλλους πέφυκεν ἀπο-
τρέπειν· ἐλπίζω γὰρ, ἢν μὲν κατορθώσω, μείζω λήψεσθαι
δόξαν τῆς ὑπαρχούσης, ἢν δ᾽ ἐνδεέστερον τύχω διαλεχθεὶς,
πολλῆς συγγνώμης τεύξεσθαι παρὰ τῶν ἀκουόντων.

39   Ἃ μὲν οὖν ἐβουλήθην καὶ περὶ ἐμαυτοῦ καὶ περὶ
τῶν ἄλλων ὥσπερ χορὸς [πρὸ τοῦ ἀγῶνος] προαναβαλέσθαι,
ταῦτ᾽ ἐστιν. Ἡγοῦμαι δὲ χρῆναι τοὺς βουλομένους
ἐγκωμιάσαι τινὰ τῶν πόλεων ἀκριβῶς καὶ δικαίως μὴ μόνον
περὶ αὐτῆς ποιεῖσθαι τοὺς λόγους ἧς προῃρημένοι τυγχάνουσιν, ἀλλ᾽ ὥσπερ τὴν πορφύραν καὶ τὸν χρυσὸν θεωροῦ-
μεν καὶ δοκιμάζομεν ἕτερα παραδεικνύοντες τῶν καὶ τὴν
ὄψιν ὁμοίαν ἐχόντων καὶ τῆς τιμῆς τῆς αὐτῆς ἀξιου-
μένων,   40   οὕτω καὶ ταῖς πόλεσι παριστάναι μὴ τὰς
μικρὰς ταῖς μεγάλαις, μηδὲ τὰς πάντα τὸν χρόνον ὑφ᾽
ἑτέραις οὔσας ταῖς ἄρχειν εἰθισμέναις, μηδὲ τὰς | σφζεσθα
δεομένας πρὸς τὰς σφζειν δυναμένας, ἀλλὰ τὰς παρα-
πλησίαν καὶ τὴν δύναμιν ἐχούσας καὶ περὶ τὰς αὐτὰς
πράξεις γεγενημένας καὶ ταῖς ἐξουσίαις ὁμοίαις κεχρη-
μένας· οὕτω γὰρ ἂν μάλιστα τῆς ἀληθείας τύχοιεν.

41   Ἢν δή τις ἡμᾶς τὸν τρόπον τοῦτον σκοπῆται καὶ
παραβάλλῃ μὴ πρὸς τὴν τυχοῦσαν πόλιν, ἀλλὰ πρὸς τὴν
Σπαρτιατῶν, ἢν οἱ μὲν πολλοὶ μετρίως ἐπαινοῦσιν, ἔνιοι
δέ τινες ὥσπερ τῶν ἡμιθέων ἐκεῖ πεπολιτευμένων
μέμνηνται περὶ αὐτῶν, φανησόμεθα καὶ τῇ δυνάμει καὶ

---

37 5 ἀπειροτέρως Γ : ἀπείρως vulg. ‖ 5-6 καταδεέστερον ΓΕ : -στέρως
cett. ‖ 38 2 εὐλογεῖν Γ : εὖ λέγειν cett. ‖ 2 ἀνθρωπίνως codd. :
ἀπανθρωπίνως Γ. ‖ 39 πρὸ... ἀγῶνος seclusi. ‖ 40 2 πάντα codd. :
ἅπαντα Fuhr ‖ 3 ἄρχειν Γ : πάντα τὸν χρόνον ἄρχειν Λ vulg.

dieux y dirigeaient l'État, il apparaîtra que nous avons
surpassé les Spartiates par la puissance, les grandes actions,
les bienfaits répandus sur la Grèce, plus qu'ils n'ont eux-
mêmes surpassé les autres Grecs.

42 Les anciens combats livrés pour le salut de la Grèce,
nous les rappellerons plus tard; présentement je vais me
consacrer ici à ces hommes, en prenant pour point de
départ la période qui suivit l'occupation des villes de
l'Achaïe et le partage de ce territoire avec les Argiens et les
Messéniens; c'est à partir de cette époque qu'il convient de
parler d'eux. Nos ancêtres, eux, apparaîtront soucieux
de maintenir la bonne entente avec les Grecs, la haine contre
les Barbares qu'ils ont puisée dans les événements de Troie,
et de demeurer stables dans leurs sentiments. **43** Soit
d'abord l'exemple des Cyclades qui provoquèrent de
nombreux conflits à l'époque où Minos régnait sur la
Crète et qu'occupèrent en dernier lieu les Cariens. Nos
ancêtres les expulsèrent, mais ne se permirent pas de
s'approprier leurs terres : ils y installèrent ceux, parmi
les Grecs, à qui faisaient le plus défaut les moyens de
subsistance. **44** Ultérieurement, ils fondèrent des villes
nombreuses et puissantes sur les deux continents; ils
écartèrent les Barbares de la mer : ils apprirent aux Grecs
selon quelles méthodes ils devaient gouverner leurs patries
et contre quels adversaires ils devaient entrer en lutte
pour assurer la grandeur de la Grèce. **45** En ces mêmes
temps, les Lacédémoniens se tinrent si loin de la ligne de
conduite de nos ancêtres en s'abstenant de faire la guerre
aux Barbares et de combler les Grecs de leurs bienfaits,
qu'ils se refusèrent même à demeurer en paix : alors qu'ils
occupaient une ville étrangère, un territoire non seulement
suffisant, mais d'une superficie si vaste qu'aucune ville
grecque n'en possédait un semblable, ils ne se contentèrent
pas de ces avantages : **46** les événements qu'ils avaient
traversés leur avaient appris que, selon la loi, les villes
et les territoires paraissent être la propriété de ceux qui
les ont acquis régulièrement et légitimement, mais que

ταῖς πράξεσι καὶ ταῖς εὐεργεσίαις ταῖς περὶ τοὺς Ἕλληνας
πλέον ἀπολελοιπότες αὐτοὺς ἢ· κεῖνοι τοὺς ἄλλους.

42 Τοὺς μὲν οὖν παλαιοὺς ἀγῶνας τοὺς ὑπὲρ τῶν
Ἑλλήνων γεγενημένους ὕστερον ἐροῦμεν, νῦν δὲ ποιήσομαι
περὶ ἐκείνων τοὺς λόγους ἀρξάμενος, ἐπειδὴ κατέσχον
τὰς πόλεις τὰς Ἀχαιίδας καὶ πρὸς Ἀργείους καὶ Μεσσηνίους διείλοντο τὴν χώραν· ἐντεῦθεν γὰρ προσήκει
διαλέγεσθαι περὶ αὐτῶν. Οἱ μὲν τοίνυν ἡμέτεροι πρόγονοι
φανήσονται τήν τε πρὸς τοὺς Ἕλληνας ὁμόνοιαν καὶ
τὴν πρὸς τοὺς βαρβάρους ἔχθραν, ἣν παρέλαβον ἐκ τῶν
Τρωικῶν, διαφυλάττοντες καὶ μένοντες ἐν τοῖς αὐτοῖς.

43 Καὶ πρῶτον μὲν τὰς Κυκλάδας νήσους, περὶ ἃς
ἐγένοντο πολλαὶ πραγματεῖαι κατὰ τὴν Μίνω τοῦ Κρητὸς
δυναστείαν, ταύτας τὸ τελευταῖον ὑπὸ Καρῶν κατεχο-
μένας, ἐκβαλόντες ἐκείνους οὐκ ἐξιδιώσασθαι τὰς χώρας
ἐτόλμησαν, ἀλλὰ τοὺς μάλιστα βίου τῶν Ἑλλήνων
δεομένους κατῴκισαν εἰς αὐτάς· 44 καὶ μετὰ ταῦτα
πολλὰς πόλεις ἐφ᾽ ἑκατέρας τῆς ἠπείρου καὶ μεγάλας
ἔκτισαν, καὶ τοὺς μὲν βαρβάρους ἀνέστειλαν ἀπὸ
τῆς θαλάττης, τοὺς δ᾽ Ἕλληνας ἐδίδαξαν ὃν τρόπον
διοικοῦντες τὰς αὑτῶν πατρίδας καὶ πρὸς οὓς πολεμοῦντες μεγάλην ἂν τὴν Ἑλλάδα ποιήσειαν. 45 Λακεδαιμόνιοι δὲ περὶ τὸν αὐτὸν χρόνον τοσοῦτον ἀπέσχον τοῦ
πράττειν τι τῶν αὐτῶν τοῖς ἡμετέροις καὶ τοῦ τοῖς μὲν
βαρβάροις πολεμεῖν, τοὺς δ᾽ Ἕλληνας εὐεργετεῖν, ὥστ᾽
οὐδ᾽ ἡσυχίαν ἄγειν ἠθέλησαν, ἀλλ᾽ ἔχοντες πόλιν ἀλλοτρίαν
καὶ χώραν οὐ μόνον ἱκανὴν, | ἀλλ᾽ ὅσην οὐδεμία πόλις τῶν
Ἑλληνίδων, οὐκ ἔστερξαν ἐπὶ τούτοις, 46 ἀλλὰ μαθόντες
ἐξ αὐτῶν τῶν συμβεβηκότων κατὰ μὲν τοὺς νόμους τάς τε
πόλεις καὶ τὰς χώρας τούτων εἶναι δοκούσας τῶν ὀρθῶς

41 6 εὐεργεσίαις Γ¹: εὐπραγίαις Γ mg. cett. 44 2 ἑκατέρας
H. Wolf: ἑκατέρᾳ Γ¹ -ραν Γ²Ε ἑκάτερα ΘΛ vulg. ‖ 2 τῆς ἠπείρου
vulg.: τῶν ἠπείρων Γ ‖ 3 ἀνέστειλαν Γ: ἀνέστησαν vulg. ‖
4 θαλάττης Dindorf: θαλάσσης codd. ‖ 6 ἂν Γ: om. cett.

dans la réalité, ils tombent en la possession des peuples
entraînés de préférence à la pratique de la guerre et capables
de venir à bout de leurs ennemis par la force; ayant médité
cet enseignement et délaissé les travaux des champs, les
métiers et toutes les activités de cette nature, ils n'eurent
de cesse qu'ils n'eussent enlevé d'assaut et ruiné chaque
ville du Péloponnèse, jusqu'à ce qu'ils les eussent toutes
détruites, à l'exception de celle des Argiens [1]. 47 Ce qui
est sûr, c'est que de notre action, à nous, résultait pour la
Grèce un accroissement de puissance [2]; l'Europe devenait
plus forte que l'Asie; en outre les Grecs indigents recevaient
des villes et des territoires cependant que, parmi les
Barbares, ceux qui avaient pris l'habitude de l'insolence,
étaient chassés de leur pays et perdaient de leur hauteur de
ton. L'action des Spartiates, au contraire, avait pour résultat de ne rendre grande que leur ville qui établissait son
autorité sur toutes les villes du Péloponnèse, faisait d'elle-
même un objet de crainte pour les autres villes et s'arrogeait
de leur part toutes les formes de la domesticité. 48 Il
est donc juste de célébrer la ville qui fut la source
pour les autres de nombreux bienfaits et de tenir pour
dangereuse celle qui ne s'attache qu'à ses intérêts, de se
lier d'amitié avec ceux qui ont la même attitude vis-à-vis
d'autrui et vis-à-vis d'eux-mêmes, mais d'écarter et de
redouter ceux qui manifestent pour eux-mêmes les
dispositions les plus étroitement intéressées et administrent
leur ville en manifestant vis-à-vis des autres les sentiments
d'un étranger ou d'un ennemi. Tels furent les caractères
que les deux villes donnèrent à leur puissance.

49 Plus tard, lorsqu'éclata la guerre avec les Perses,
Xerxès qui régnait alors, après avoir réuni treize cents
navires et une armée de cinq millions d'hommes au total,

1. Dans l'*Archidamos* (16 et suiv.). Isocrate place dans la
bouche du jeune prince une version « laconisante » de l'occupation du Péloponnèse par les Doriens.
2. Thème favori d'Isocrate, cf. *Panégyrique*, 26 et suiv.

καὶ νομίμως κτησαμένων, κατὰ δὲ τὴν ἀλήθειαν τούτων
γιγνομένας τῶν τὰ περὶ τὸν πόλεμον μάλιστ' ἀσκούντων
καὶ νικᾶν ἐν ταῖς μάχαις τοὺς πολεμίους δυναμένων,
ταῦτα διανοηθέντες, ἀμελήσαντες γεωργιῶν καὶ τεχνῶν
καὶ τῶν ἄλλων ἁπάντων, οὐδὲν ἐπαύοντο κατὰ μίαν
ἑκάστην τῶν πόλεων τῶν ἐν Πελοποννήσῳ πολιορκοῦντες
καὶ κακῶς ποιοῦντες, ἕως ἁπάσας κατεστρέψαντο πλὴν
τῆς Ἀργείων. 47 Συνέβαινεν οὖν ἐξ ὧν μὲν ἡμεῖς
ἐπράττομεν, αὐξάνεσθαί τε τὴν Ἑλλάδα καὶ τὴν Εὐρώπην
κρείττω γίγνεσθαι τῆς Ἀσίας, καὶ πρὸς τούτοις τῶν μὲν
Ἑλλήνων τοὺς ἀποροῦντας πόλεις λαμβάνειν καὶ χώρας,
τῶν δὲ βαρβάρων τοὺς εἰθισμένους ὑβρίζειν ἐκτίπτειν ἐκ
τῆς αὑτῶν καὶ φρονεῖν ἔλαττον ἢ πρότερον· ἐξ ὧν δὲ
Σπαρτιᾶται, τὴν ἐκείνων μόνην μεγάλην γίγνεσθαι, καὶ
πασῶν μὲν τῶν ἐν Πελοποννήσῳ πόλεων ἄρχειν, ταῖς δ'
ἄλλαις φοβερὰν εἶναι καὶ πολλῆς θεραπείας τυγχάνειν παρ'
αὑτῶν. 48 Ἐπαινεῖν μὲν οὖν δίκαιόν ἐστι τὴν τοῖς
ἄλλοις πολλῶν ἀγαθῶν αἰτίαν γεγενημένην, δεινὴν δὲ νομίζειν τὴν αὑτῇ τὰ συμφέροντα διαπραττομένην, καὶ φίλους
μὲν ποιεῖσθαι τοὺς ὁμοίως αὑτοῖς τε καὶ τοῖς ἄλλοις
χρωμένους, φοβεῖσθαι δὲ καὶ δεδιέναι τοὺς πρὸς σφᾶς μὲν
αὑτοὺς ὡς δυνατὸν οἰκειότατα διακειμένους, πρὸς δὲ τοὺς
ἄλλους ἀλλοτρίως καὶ πολεμικῶς τὴν αὑτῶν διοικοῦντας.
Τὴν μὲν οὖν ἀρχὴν ἑκατέρα τοῖν πολέοιν τοιαύτην ἐποιήσατο.

49 Χρόνῳ δ' ὕστερον γενομένου τοῦ Περσικοῦ πολέμου
καὶ Ξέρξου τοῦ τότε βασιλεύοντος τριήρεις μὲν συναγα-
γόντος τριακοσίας καὶ χιλίας, τῆς δὲ πεζῆς στρατιᾶς
πεντακοσίας μὲν μυριάδας τῶν ἁπάντων, ἑβδομήκοντα δὲ

---

46 5 μάλιστ' Γ¹ : κάλλιστα cett. || 10 ἕως ἁπάσας κατεστρέψαντο Γ :
καὶ καταστρέψαντες vulg. καταστρέψαντες Λ || 47 2 ἐπράττομεν Γ²
cett. : πράττομεν Γ¹ || 5 ἐκ Γ : om. cett. : || φοβερὰν Γ : φανερὰν
cett. || 48 7 ἀλλοτρίως codd. : ὡς δυνατὸν ἀλλοτρίως Γ || 49 3 τρια-
κοσίας Γ : διακοσίας vulg.

IV. — 11

dont sept cent mille combattants, partit en expédition
contre les Grecs avec ces forces énormes. 50 Les Spartiates qui commandaient aux Péloponnésiens, n'envoyèrent
que dix navires, en prévision du combat naval qui a
décidé de toute la guerre ; nos pères, qui avaient été chassés
de leurs maisons et qui avaient quitté leur ville en raison
de l'absence de fortifications en ce temps-là, fournirent
un plus grand nombre de navires et des navires plus
puissamment armés que tous leurs compagnons d'armes.
51 Les uns donnèrent comme général Eurybiade [1], qui,
s'il eût réalisé le plan qu'il se proposait d'exécuter, n'eût
rien pu faire pour éviter la perte des Grecs ; les nôtres,
Thémistocle, qui, de l'avis unanime, est apparu comme
responsable de l'heureuse issue de la bataille navale et
de tous les succès remportés à cette époque. 52 En voici
le plus éclatant témoignage : nos compagnons d'armes
retirèrent le commandement suprême aux Lacédémoniens
pour le confier aux nôtres ; et vraiment, quels arbitres choisir
des actions qui s'accomplirent alors, qui fussent plus qua-
lifiés et plus dignes de confiance que les acteurs de ces
luttes elles-mêmes ? Et qui donc pourrait invoquer un
bienfait plus grand que celui qui assura le salut de la
Grèce tout entière ?

53 Ensuite, il advint que chacune des deux villes
détint la suprématie sur mer, et ceux qui possèdent
cette suprématie maintiennent la plupart des villes dans
leur dépendance. A coup sûr, je ne loue pleinement ni
l'une ni l'autre, et nombreux sont les reproches qu'on
pourrait leur adresser. Néanmoins dans la pratique de cette
politique, nous nous sommes écartés de leurs méthodes tout
autant qu'à l'occasion des événements rappelés à l'instant.
54 Nos pères persuadaient leurs alliés de se donner la forme
de gouvernement qu'eux-mêmes avaient toujours affec-
tionnée : témoignage de bienveillance et d'amitié que de
conseiller aux autres l'usage des biens que l'on tient pour

1. Eurybiade : un des deux rois de Sparte.

τῶν μαχίμων, τηλικαύτῃ δὲ δυνάμει στρατεύσαντος ἐπὶ
τοὺς Ἕλληνας, 50 Σπαρτιᾶται μὲν ἄρχοντες Πελοποννησίων εἰς τὴν ναυμαχίαν τὴν ποιήσασαν ῥοπὴν ἅπαντος
τοῦ πολέμου δέκα μόνον συνεβάλοντο τριήρεις, | οἱ δὲ πατέ-
ρες ἡμῶν ἀνάστατοι γενόμενοι καὶ τὴν πόλιν ἐκλελοιπότες
διὰ τὸ μὴ τετειχίσθαι κατ᾽ ἐκεῖνον τὸν χρόνον πλείους
ναῦς παρέσχοντο καὶ μείζω δύναμιν ἐχούσας ἢ σύμπαντες
οἱ συγκινδυνεύσαντες· 51 καὶ στρατηγὸν οἱ μὲν Εὐρυβιά-
δην, ὃς εἰ τέλος ἐπέθηκεν οἷς διενοήθη πράττειν, οὐδὲν
ἂν ἐκώλυεν ἀπολωλέναι τοὺς Ἕλληνας, οἱ δ᾽ ἡμέτεροι
Θεμιστοκλέα τὸν ὁμολογουμένως ἅπασιν αἴτιον εἶναι
δόξαντα καὶ τοῦ τὴν ναυμαχίαν γενέσθαι κατὰ τρόπον καὶ
τῶν ἄλλων ἁπάντων τῶν ἐν ἐκείνῳ τῷ χρόνῳ κατορθωθέν-
των. 52 Τεκμήριον δὲ μέγιστον· ἀφελόμενοι γὰρ Λακεδαιμονίους τὴν ἡγεμονίαν οἱ συγκινδυνεύσαντες τοῖς ἡμετέροις παρέδοσαν. Καίτοι τίνας ἄν τις κριτὰς ἱκανωτέρους
ποιήσαιτο καὶ πιστοτέρους τῶν τότε πραχθέντων ἢ τοὺς
ἐν αὐτοῖς τοῖς ἀγῶσι παραγενομένους; Τίς δ᾽ ἂν εὐεργε-
σίαν εἰπεῖν ἔχοι ταύτης μείζω τῆς ἅπασαν τὴν Ἑλλάδα
σῷσαι δυνηθείσης;

53 Μετὰ ταῦτα τοίνυν συνέβη κυρίαν ἑκατέραν εἶναι
τῆς ἀρχῆς τῆς κατὰ θάλατταν, ἣν ὁπότεροι ἂν κατάσχωσιν,
ὑπηκόους ἔχουσι τὰς πλείστας τῶν πόλεων. Ὅλως μὲν οὖν
οὐδετέραν ἐπαινῶ· πολλὰ γὰρ ἄν τις αὐταῖς ἐπιτιμήσειεν·
οὐ μὴν ἀλλὰ καὶ περὶ τὴν ἐπιμέλειαν ταύτην οὐκ ἔλαττον
αὐτῶν διηνέγκαμεν ἢ περὶ τὰς πράξεις τὰς ὀλίγῳ πρότερον εἰρημένας. 54 Οἱ μὲν γὰρ ἡμέτεροι πατέρες
ἔπειθον τοὺς συμμάχους ποιεῖσθαι πολιτείαν ταύτην,
ἥνπερ αὐτοὶ διετέλουν ἀγαπῶντες· ὃ σημεῖόν ἐστιν εὐνοίας καὶ φιλίας, ὅταν τινὲς παραινῶσι τοῖς ἄλλοις

---

50 2 ῥοπὴν codd. : τροπὴν Γ ‖ 4 γενόμενοι ΘΛ vulg. : γενόμενος
Γ² γεγόνασι μὲν Γ¹ ‖ 6 παρέσχοντο Γ: παρέσχον vulg. ‖ 52
5 ἀγῶσι Γ: κινδύνοις cett. ‖ 5 τίς δ᾽ ἂν Γ¹: τίνα δ᾽ ἄν τις Γ² vulg.
‖ 53 1 εἶναι Γ¹: γενέσθαι Γ²Ε vulg. ‖ 54 2 ταύτην Γ: τοιαύτην vulg.

utiles à ses propres intérêts. Les Lacédémoniens, eux,
n'établirent pas de constitutions semblables à la leur
ou semblables à celles qui avaient existé ailleurs; ils se
contentèrent de placer dix hommes à la tête de chaque
ville; et, si l'on entreprenait de mettre ces hommes en
accusation trois ou quatre jours consécutifs, on paraîtrait
n'avoir rien exposé des fautes qu'ils ont commises. 55
Sur des faits aussi graves et aussi nombreux, il y aurait folie
à s'étendre en détail; de l'ensemble, peut-être, étant plus
jeune, aurais-je cherché à parler en prononçant quelques
paroles qui eussent soulevé, chez l'auditeur, une indignation
à la mesure des crimes commis; en fait, rien de tel ne
se présente à mon esprit si ce n'est la réflexion de tout
le monde, à savoir que ces hommes ont dépassé leurs
prédécesseurs dans l'illégalité et dans la rapacité[1] à tel point
que non seulement ils se sont perdus, eux, leurs amis et
leurs patries, mais qu'en discréditant les Lacédémoniens
devant leurs alliés, ils les ont précipités dans des malheurs
si graves et si nombreux que personne n'eût pensé qu'ils
pouvaient jamais les rencontrer sur leur chemin.

56 Ces faits établissent très clairement combien nous
nous sommes montrés plus modérés et plus doux dans la
pratique des affaires politiques; mais on le verra une
seconde fois encore par ce qui va être dit maintenant.
Les Spartiates commandèrent à peine pendant dix ans; nous,
nous avons détenu l'autorité sans interruption pendant
soixante-cinq ans. Or, tout le monde sait que les villes
placées sous le pouvoir de l'étranger demeurent le plus
longtemps fidèles à ceux dont elles ont le moins à pâtir.
57 A la suite de ces événements, les deux villes, devenues
objet de haine, connurent la guerre et le désordre; mais en
cette circonstance on constaterait que notre ville, alors
que tous les Grecs et les Barbares se dressaient contre

---

1. Cf. Isocrate : *Contre Euthynous*, 12 : Πάντες γὰρ ἐπίστασθε
ὅτι ἐν ἐκείνῳ τῷ χρόνῳ δεινότερον ἦν πλουτεῖν ἢ ἀδικεῖν.

χρῆσθαι τούτοις, ἅπερ ἂν σφίσιν αὐτοῖς συμφέρειν
ὑπολάβωσιν· Λακεδαιμόνιοι δὲ κατέστησαν οὔθ᾽ ὁμοίαν
τῇ παρ᾽ αὐτοῖς οὔτε ταῖς ἄλλοθί που γεγενημέναις,
ἀλλὰ δέκα μόνους ἄνδρας κυρίους ἑκάστης τῆς πόλεως
ἐποίησαν, ὧν ἐπιχειρήσας ἄν τις κατηγορεῖν τρεῖς ἢ
τέτταρας ἡμέρας συνεχῶς οὐδὲν ἂν μέρος εἰρηκέναι
δόξειε τῶν ἐκείνοις ἡμαρτημένων. 55 Καθ᾽ ἕκαστον
μὲν οὖν διεξιέναι περὶ τῶν τοιούτων καὶ τοσούτων τὸ
πλῆθος ἀνόητόν ἐστιν· ὀλίγα δὲ καθ᾽ ἁπάντων εἰπεῖν, | ἃ
τοῖς ἀκούσασιν ὀργὴν ἀξίαν ἐμποιήσειεν ἂν τῶν πεπραγμένων, νεώτερος μὲν ὢν ἴσως ἂν ἐξεῦρον, νῦν δ᾽ οὐδὲν
ἐπέρχεταί μοι τοιοῦτον, ἀλλ᾽ ἅπερ ἅπασιν, ὅτι τοσοῦτον
ἐκεῖνοι διήνεγκαν ἀνομίᾳ καὶ πλεονεξίᾳ τῶν προγεγενημένων ὥστ᾽ οὐ μόνον αὐτοὺς ἀπώλεσαν καὶ τοὺς φίλους
καὶ τὰς πατρίδας τὰς αὑτῶν, ἀλλὰ καὶ Λακεδαιμονίους
πρὸς τοὺς συμμάχους διαβαλόντες εἰς τοσαύτας καὶ
τοιαύτας συμφορὰς εἰσέβαλον ὅσας οὐδεὶς πώποτ᾽ αὐτοῖς
γενήσεσθαι προσεδόκησεν.

56 Μάλιστα μὲν οὖν ἐντεῦθεν ἄν τις δυνηθείη κατιδεῖν ὅσῳ μετριώτερον καὶ πραότερον ἡμεῖς τῶν πραγμάτων
ἐπεμελήθημεν, δεύτερον δ᾽ ἐκ τοῦ ῥηθήσεσθαι μέλλοντος.
Σπαρτιᾶται μὲν γὰρ ἔτη δέκα μόλις ἐπεστάτησαν αὐτῶν,
ἡμεῖς δὲ πέντε καὶ ἑξήκοντα συνεχῶς κατέσχομεν τὴν
ἀρχήν. Καίτοι πάντες ἴσασι τὰς πόλεις τὰς ὑφ᾽ ἑτέροις
γιγνομένας, ὅτι πλεῖστον χρόνον τούτοις παραμένουσιν
ὑφ᾽ ὧν ἂν ἐλάχιστα κακὰ πάσχουσαι τυγχάνωσιν. 57 Ἐκ
τούτων τοίνυν ἀμφότεραι μισηθεῖσαι κατέστησαν εἰς
πόλεμον καὶ ταραχήν, ἐν ᾗ τὴν μὲν ἡμετέραν εὕροι τις ἄν,
ἁπάντων αὐτῇ καὶ τῶν Ἑλλήνων καὶ τῶν βαρβάρων

---

55 4 ἐμποιήσειεν ἂν Γ: ἐμποιήσουσι cett. ‖ 5 ἴσως ἂν Γ: ἴσως
cett. ‖ 6 ἅπερ ἅπασιν Γ: παρὰ πᾶσιν cett. ‖ 8 ἀπώλεσαν codd.:
ἅπαντας ἡμῖν ἀπώλεσαν ΓΕ ‖ 11 εἰσέβαλον ΓΕ : ἐνέβ- cett. ‖
56 6 ἑτέροις vulg.: ἑτέρων Γ.

elle, fut capable de leur faire front pendant dix ans;
que les Lacédémoniens, encore les maîtres sur terre,
n'eurent à combattre que contre les Thébains et ne
furent vaincus que dans une seule bataille; ils perdirent
cependant tous les biens qu'ils possédaient et connurent
des épreuves et des calamités à peu près semblables
aux nôtres; **58** de plus, notre pays se releva en moins
d'années qu'il n'en fallut pour l'abattre; les Spartiates,
après la défaite, n'ont pas été capables, en un laps de
temps plusieurs fois aussi grand, de remonter au degré
de puissance d'où ils étaient tombés, et aujourd'hui
encore ils demeurent dans le même état.

59   Comment nous nous sommes comportés, les uns
et les autres, envers les Barbares, voilà ce qu'il faut
maintenant exposer : c'est le point qui me reste à traiter.
Sous notre domination, il ne leur était permis [1] ni de franchir
le fleuve Halys avec une armée, ni de naviguer avec des
vaisseaux de guerre en deçà de Phaselis. Sous celle des
Lacédémoniens, non seulement ils prirent la liberté de
circuler et de naviguer où ils voulaient, mais ils se rendirent
maîtres de nombreuses villes grecques.   **60**   Une cité par
surcroît qui a conclu avec le Roi les traités les plus nobles
et les plus fiers, qui a valu aux Barbares les dommages,
aux Grecs les bienfaits les plus nombreux et les plus
grands, qui, de plus, a arraché à l'ennemi pour les donner
à ses alliés le littoral ainsi qu'un vaste territoire de
l'Asie, qui a mis fin à l'insolence du premier, à la détresse
des autres,   **61**   qui plus est, s'est mieux battue pour la
défense de ses intérêts propres que la cité à qui de semblables
préoccupations ont valu sa réputation et qui a pansé
ses maux plus rapidement que ce peuple-là, cette cité,
dis-je, comment ne serait-il pas juste de la célébrer par de
plus grands éloges et de plus grands honneurs que celle
qui demeure loin derrière elle sous tous ces rapports? Voilà
ce que j'avais à dire présentement sur leurs actes comparés

1. Allusion à la paix de Cimon (452).

ἐπιθεμένων, ἔτη δέκα τούτοις ἀντισχεῖν δυνηθεῖσαν,
Λακεδαιμονίους δὲ κρατοῦντας ἔτι κατὰ γῆν, πρὸς Θηβαίους μόνους πολεμήσαντας καὶ μίαν μάχην ἡττηθέντας,
ἁπάντων ἀποστερηθέντας ὧν εἶχον, καὶ παραπλησίαις
ἀτυχίαις χρησαμένους καὶ συμφοραῖς αἷσπερ ἡμεῖς,
58 καὶ πρὸς τούτοις τὴν μὲν ἡμετέραν πόλιν ⟨ἐν⟩ ἐλάττοσιν ἔτεσιν ἀναλαβοῦσαν αὐτὴν ἢ κατεπολεμήθη, Σπαρτιάτας δὲ μετὰ τὴν ἧτταν μηδ᾽ ἐν πολλαπλασίῳ χρόνῳ
δυνηθέντας καταστῆσαι σφᾶς αὐτοὺς εἰς τὴν αὐτὴν ἕξιν
ἐξ ἧσπερ ἐξέπεσον, ἀλλ᾽ ὁμοίως ἔτι καὶ νῦν ἔχοντας.

59 Τὰ τοίνυν πρὸς τοὺς βαρβάρους ὡς ἑκάτεροι προσ-
ηνέχθημεν, δηλωτέον· ἔτι γὰρ τοῦτο λοιπόν ἐστιν. Ἐπὶ μὲν
γὰρ τῆς ἡμετέρας δυναστείας οὐκ ἐξῆν αὐτοῖς οὔτ᾽ ἐντὸς
Ἅλυος πεζῷ στρατοπέδῳ καταβαίνειν οὔτε μακροῖς
πλοίοις ἐπὶ τάδε πλεῖν Φασήλιδος· ἐπὶ δὲ τῆς Λακεδαι-
μονίων | οὐ μόνον τοῦ πορεύεσθαι καὶ πλεῖν ὅποι βουληθεῖεν
ἐξουσίαν ἔλαβον, ἀλλὰ καὶ δεσπόται πολλῶν Ἑλληνίδων
πόλεων κατέστησαν. 60 Τὴν δὴ καὶ τὰς συνθήκας τὰς
πρὸς βασιλέα γενναιοτέρας καὶ μεγαλοφρονεστέρας ποιη-
σαμένην καὶ τῶν πλείστων καὶ μεγίστων τοῖς μὲν βαρβάροις κακῶν, τοῖς δ᾽ Ἕλλησιν ἀγαθῶν αἰτίαν γεγενημένην,
ἔτι δὲ τῆς Ἀσίας τὴν παραλίαν καὶ πολλὴν ἄλλην χώραν
τοὺς μὲν πολεμίους ἀφελομένην, τοῖς δὲ συμμάχοις
κτησαμένην, 61 καὶ τοὺς μὲν ὑβρίζοντας, τοὺς δ᾽ ἀποροῦντας παύσασαν, πρὸς δὲ τούτοις ὑπὲρ αὑτῆς τε πολεμήσασαν ἄμεινον τῆς εὐδοκιμούσης περὶ τὰ τοιαῦτα καὶ
τὰς συμφορὰς θᾶττον διαλυσαμένην τῶν αὐτῶν τούτων,
πῶς οὐ δίκαιον ἐπαινεῖν καὶ τιμᾶν μᾶλλον ἢ τὴν ἐν ἅπασι
τούτοις ἀπολελειμμένην; Περὶ μὲν οὖν τῶν πραχθέντων

58 3 ἐν ins. Coraï ‖ 4 τὴν αὐτὴν Γ : τὴν αὐτῶν cett. ‖ 59 4 Ἅλυος
Γ : Ἅλυος ποταμοῦ Λ vulg. ‖ 4 στρατοπέδῳ Γ : om. Λ vulg. ‖
5 τάδε Γ : τἄνδον vulg. ‖ 60 2 καὶ μεγαλοφρονεστέρας om. Γ¹ ins.
Γ mg. ‖ 5 τῆς Ἀσίας Γ¹ : τῆς μὲν Ἀσίας Γ² vulg. ‖ 61 4 τῶν ἅμα
Γ : ἅμα cett.

les uns aux autres et sur les dangers qu'elles ont affrontés en
commun contre les mêmes ennemis.

62 Je sais bien que ceux qui entendent avec déplaisir
ce discours, ne contrediront pas mes propos, sous prétexte
d'inexactitude, et n'auront pas la possibilité d'invoquer
d'autres actions par lesquelles les Lacédémoniens se
poseraient comme ayant apporté aux Grecs de nombreux
bienfaits, mais ils tenteront d'accuser notre pays, ce qu'ils
ont l'habitude de faire, et d'énumérer les affaires les plus
pénibles survenues au temps où nous avions l'empire des
mers ; **63** ils mettront en cause les procès et les jugements
qui frappaient ici même nos alliés [1] ainsi que la perception
des tributs [2] ; ils insisteront sur les souffrances des habitants
de Mélos [3], de Skionè [4], de Toronè [5], dans la pensée que
ces accusations jetteront une tache sur les bienfaits dont
je viens de parler qui sont imputables à notre cité. **64**
Pour ma part, je serais incapable de m'élever contre
toute critique qui mettrait légitimement en cause notre
pays et je n'essaierais même pas de le faire ; je rougirais,
comme je l'ai dit précédemment, si, tandis que les dieux, de
l'avis général, ne sont pas exempts de fautes, je m'attachais
fortement à démontrer que l'État, chez nous, n'a jamais
fait une fausse note. **65** Néanmoins, ce que je me propose
de faire c'est ceci : je montrerai que l'État spartiate, à
l'occasion des actes dont il a été parlé, a été beaucoup
plus dur et plus cruel que le nôtre, que ceux qui nous
diffament pour les défendre, manifestent les dispositions
d'esprit les plus déraisonnables qui soient et sont la
cause de la mauvaise réputation dont leurs amis pâtissent

1. Grief déjà rejeté par Isocrate dans le *Panégyrique* (113).
2. Contributions versées par les alliés d'Athènes en application des clauses du pacte de Délos (477).
3. L'île de Délos se révolta pendant la guerre de Péloponnèse :
les hommes furent massacrés, les femmes et les enfants vendus.
4. Skionè : ville de la Péninsule Chalcidique. Cf. Thucydide,
IV, 110 et V, 2, 3.
5. Ville de Thrace.

παρ᾽ ἄλληλα καὶ τῶν κινδύνων τῶν ἅμα καὶ πρὸς τοὺς
αὐτοὺς γενομένων ἐν τῷ παρόντι ταῦτ᾽ εἶχον εἰπεῖν.

62 Οἶμαι δὲ τοὺς ἀηδῶς ἀκούοντας τῶν λόγων τούτων
τοῖς μὲν εἰρημένοις οὐδὲν ἀντερεῖν ὡς οὐκ ἀληθέσιν οὖσιν,
οὐδ᾽ αὖ πράξεις ἑτέρας ἕξειν εἰπεῖν, περὶ ἃς Λακεδαιμόνιοι γενόμενοι πολλῶν ἀγαθῶν αἴτιοι τοῖς Ἕλλησι
κατέστησαν, κατηγορεῖν δὲ τῆς πόλεως ἡμῶν ἐπιχειρήσειν, 63 ὅπερ ἀεὶ ποιεῖν εἰώθασι, καὶ διεξιέναι τὰς
δυσχερεστάτας τῶν πράξεων τῶν ἐπὶ τῆς ἀρχῆς τῆς κατὰ
θάλατταν γεγενημένων, καὶ τάς τε δίκας καὶ τὰς κρίσεις
τὰς ἐνθάδε γιγνομένας τοῖς συμμάχοις καὶ τὴν τῶν φόρων
εἴσπραξιν διαβαλεῖν, καὶ μάλιστα διατρίψειν περὶ τὰ
Μηλίων πάθη καὶ Σκιωναίων καὶ Τορωναίων, οἰομένους
ταῖς κατηγορίαις ταύταις καταρρυπανεῖν τὰς τῆς πόλεως
εὐεργεσίας τὰς ὀλίγῳ πρότερον εἰρημένας. 64 Ἐγὼ δὲ
πρὸς ἅπαντα μὲν τὰ δικαίως ἂν ῥηθέντα κατὰ τῆς πόλεως
οὔτ᾽ ἂν δυναίμην ἀντειπεῖν οὔτ᾽ ἂν ἐπιχειρήσαιμι τοῦτο
ποιεῖν· καὶ γὰρ ἂν αἰσχυνοίμην, ὅπερ εἶπον ἤδη καὶ
πρότερον, εἰ τῶν ἄλλων μηδὲ τοὺς θεοὺς ἀναμαρτήτους
εἶναι νομιζόντων ἐγὼ γλιχοίμην καὶ πειρῴμην πείθειν
ὡς περὶ οὐδὲν πώποτε τὸ κοινὸν ἡμῶν πεπλημμέληκεν· |
65 οὐ μὴν ἀλλ᾽ ἐκεῖνό γ᾽ οἶμαι ποιήσειν, τήν τε πόλιν
τὴν Σπαρτιατῶν ἐπιδείξειν περὶ τὰς πράξεις τὰς
προειρημένας πολὺ πικροτέραν καὶ χαλεπωτέραν τῆς
ἡμετέρας γεγενημένην, τούς θ᾽ ὑπὲρ ἐκείνων βλασφημοῦντας καθ᾽ ἡμῶν ὡς δυνατὸν ἀφρονέστατα διακειμένους καὶ τοῦ κακῶς ἀκούειν ὑφ᾽ ἡμῶν τοὺς φίλους

---

61 8 εἶχον Γ : εἴχομεν vulg. ‖ 62 2 ἀντερεῖν Γ : ἂν ἀντερεῖν cett.
4 γενόμενοι Γ : γιγνόμ- cett. ‖ 5-6 ἐπιχειρήσειν Γ : -ροῦσιν cett. ‖
63 5 διαβαλεῖν Γ : διαβαλοῦσι vulg. ‖ 5 διατρίψειν Γ : διατρίψουσι
vulg. ‖ 6 καὶ Τορωναίων Γ : om. cett. ‖ 6 οἰομένους Γ :
οἰόμενοι vulg. ‖ 7 καταρρυπανεῖν Baiter : καταρυπ- Γ καταρυπαίνειν
vulg. ‖ 64 7 ὡς περὶ Γ¹ cett. : ὥσπερεὶ Γ².

parmi nous. 66   En effet, lorsqu'ils lancent des accusations auxquelles il se trouve que les Lacédémoniens
donnent prise plus que nous, nous ne sommes pas embar-
rassés pour leur reprocher une faute plus grave que celle
qu'ils nous imputent. Par exemple, s'ils rappelaient maintenant les procès intentés ici même à nos alliés, qui serait
assez sot pour ne pas trouver à répondre que les Lacédémoniens ont mis plus de Grecs à mort sans jugement,
qu'il n'y en a eu chez nous d'envoyés devant les tribunaux et jugés, depuis que nous habitons notre ville[1]?

67   Même réponse s'ils abordent aussi la question de la
levée des tributs : nous montrerons que nous avons rendu
beaucoup plus de services que les Lacédémoniens aux villes
qui nous versaient tribut. D'abord, elles ne le firent pas
sur un ordre de nous, mais elles en avaient ainsi décidé
de leur propre initiative, lorsqu'elles nous confièrent le
commandement suprême sur mer. 68   Ensuite, nos alliés
ne contribuaient pas pour assurer notre sécurité, mais pour
défendre leur régime démocratique et leur propre liberté,
pour ne pas risquer de subir, si l'oligarchie s'établissait,
des malheurs comparables par leur gravité à ceux qui
arrivèrent au temps des gouvernements par les Dix et de
la suprématie de Sparte. Et puis, ils ne contribuaient pas
en procédant à des prélèvements sur les biens qu'ils avaient
sauvés par leurs propres moyens, mais sur ceux qu'ils
tenaient de nous. 69   De toutes ces dispositions, s'il
leur restait quelque bon sens, ils pourraient à juste
titre nous savoir gré. Après avoir trouvé leurs villes, les
unes complètement détruites par les Barbares, les autres
ravagées, nous les avons amenées à un tel degré de prospérité que, tout en nous donnant une petite partie de leurs
revenus, ils disposaient d'un train de vie qui n'était en
rien inférieur à celui des Péloponnésiens exempts de toute
contribution.

70   Au sujet des destructions survenues du fait de cha-

---

1. Sur le chiffre des victimes des Trente, cf. *C. Lokhites*, 11.

αὐτῶν αἰτίους ὄντας· 66 ἐπειδὰν γὰρ τὰ τοιαῦτα
κατηγορῶσιν, οἷς ἔνοχοι Λακεδαιμόνιοι μᾶλλον τυγχάνουσιν ὄντες, οὐκ ἀποροῦμεν τοῦ περὶ ἡμῶν ῥηθέντος
μεῖζον ἁμάρτημα κατ᾽ ἐκείνων εἰπεῖν. Οἷον καὶ νῦν, ἢν
μνησθῶσιν τῶν ἀγώνων τῶν τοῖς συμμάχοις ἐνθάδε γιγνω-
μένων, τίς ἐστιν οὕτως ἀφυὴς ὅστις οὐχ εὑρήσει πρὸς
τοῦτ᾽ ἀντειπεῖν ὅτι πλείους Λακεδαιμόνιοι τῶν Ἑλλήνων
ἀκρίτους ἀπεκτόνασι τῶν παρ᾽ ἡμῖν, ἐξ οὗ τὴν πόλιν
οἰκοῦμεν, εἰς ἀγῶνα καὶ κρίσιν καταστάντων;

67 Τοιαῦτα δὲ καὶ περὶ τῆς εἰσπράξεως τῶν φόρων ἤν
τι λέγωσιν, ἕξομεν εἰπεῖν· πολὺ γὰρ ἐπιδείξομεν συμφο-
ρώτερα πράξαντας τοὺς ἡμετέρους ἢ Λακεδαιμονίους ταῖς
πόλεσιν ταῖς τὸν φόρον ἐνεγκούσαις. Πρῶτον μὲν γὰρ οὐ
προσταχθὲν ὑφ᾽ ἡμῶν τοῦτ᾽ ἐποίουν, ἀλλ᾽ αὐτοὶ γνόντες,
ὅτε περ τὴν ἡγεμονίαν ἡμῖν τὴν κατὰ θάλατταν ἔδοσαν·
68 ἔπειτ᾽ οὐχ ὑπὲρ τῆς σωτηρίας τῆς ἡμετέρας ἔφερον,
ἀλλ᾽ ὑπὲρ τῆς δημοκρατίας καὶ τῆς ἐλευθερίας τῆς αὐτῶν
καὶ τοῦ μὴ περιπεσεῖν ὀλιγαρχίας γενομένης τηλικούτοις
κακοῖς τὸ μέγεθος ἡλίκοις ἐπὶ τῶν δεκαρχιῶν καὶ τῆς
δυναστείας τῆς Λακεδαιμονίων. Ἔτι δ᾽ οὐκ ἐκ τούτων
ἔφερον ἐξ ὧν αὐτοὶ διέσῳσαν, ἀλλ᾽ ἀφ᾽ ὧν δι᾽ ἡμᾶς
εἶχον· 69 ὑπὲρ ὧν, εἰ καὶ μικρὸς λογισμὸς ἐνῆν αὐτοῖς,
δικαίως ἂν χάριν εἶχον ἡμῖν. Παραλαβόντες γὰρ τὰς πόλεις
αὐτῶν τὰς μὲν παντάπασιν ἀναστάτους γεγενημένας ὑπὸ
τῶν βαρβάρων, τὰς δὲ πεπορθημένας, εἰς τοῦτο προηγά-
γομεν ὥστε μικρὸν μέρος τῶν γιγνομένων ἡμῖν διδόντας
μηδὲν ἐλάττους ἔχειν τοὺς οἴκους Πελοποννησίων τῶν
οὐδένα φόρον ὑποτελούντων.

70 Περὶ τοίνυν τῶν ἀναστάτων γεγενημένων ὑφ᾽ ἑκα-

---

66 3 τοῦ ... ῥηθέντος Γ: τῶν ... ῥηθέντων vulg. ‖ 67 5 ἀλλ᾽
αὐτοὶ Γ¹ : ἀλλὰ καὶ αὐτοὶ Γ² vulg. ‖ 6 ὅτε περ Γ : ὅτε cett. ‖
68 4 δεκαρχιῶν ΓΕ : δεκαδαρχιῶν cett. ‖ 69 6 ἐλάττους ΓΛ *Monac.*
224 : ἔλαττον vulg. ‖ 6 οἴκους Γ : οἰκείους Λ *Monac.* 224 vulg.

cune des deux villes — ce que certains ne reprochent qu'à
nous seuls, — nous montrerons que ceux qui ont commis
les excès les plus terribles sont ceux que nos accusateurs
ne cessent de combler d'éloges. Il nous est arrivé de commettre des fautes à propos d'ilôts si petits et d'une importance si médiocre que bien des Grecs ne les connaissent
pas ; eux, au contraire, après avoir détruit les plus grandes
villes du Péloponnèse, les plus éminentes à tous égards,
se sont approprié leurs richesses ; 71 et pourtant ces
villes méritaient, même si rien de grand dans le passé
n'était à leur actif, de trouver auprès des Grecs la plus
grande reconnaissance, en raison de l'expédition contre
Troie, au cours de laquelle elles s'étaient placées au premier
rang et avaient fourni des chefs dotés, non seulement des
mérites que partagent bien des hommes, même parmi les
humbles, mais aussi des vertus auxquelles ne saurait prétendre un homme du médiocre. 72 Messène donna
Nestor[1], le plus sensé de tous les hommes de ce temps-là,
Lacédémone Ménélas, jugé seul digne par sa sagesse et sa
justice de devenir le gendre de Zeus, la cité d'Argos[2] Agamemnon qui posséda, non pas une ou deux vertus, mais
toutes celles que l'on pourrait énumérer, et cela non pas
dans une mesure ordinaire, mais à titre exceptionnel ;
73 nous ne découvrirons personne qui ait accompli des
actions plus heureuses, plus belles, plus grandes, plus utiles
aux Grecs, plus dignes d'éloges. Peut-être semblerait-il
normal de douter de ces exploits, si je me bornais à les
énumérer, mais en consacrant à chacun un court développement, je forcerai tout le monde à reconnaître que je dis
la vérité.

74 Je ne puis voir nettement et je me demande avec
hésitation quelles paroles prononcer, après cela, qui

---

1. Nestor, roi de Pylos, en Messénie. Isocrate suit la tradition
homérique, cf. Isocrate, *Archidamos*, 19.
2. Isocrate tient Argos pour une des villes les plus importantes
de la Grèce, cf. *Panégyrique*, 64.

τέρας τῶν πόλεων, ὃ μόνοις τινὲς ἡμῖν ὀνειδίζουσιν,
| ἐπιδείξομεν πολὺ δεινότερα πεποιηκότας, οὓς ἐπαι-
νοῦντες διατελοῦσιν. Ἡμῖν μὲν γὰρ συνέπεσε περὶ
νησύδρια τοιαῦτα καὶ τηλικαῦτα τὸ μέγεθος ἐξαμαρτεῖν,
ἃ πολλοὶ τῶν Ἑλλήνων οὐκ᾽ ἴσασιν, ἐκεῖνοι δὲ τὰς μεγίστας πόλεις τῶν ἐν Πελοποννήσῳ καὶ τὰς πανταχῇ
προεχούσας τῶν ἄλλων ἀναστάτους ποιήσαντες αὐτοὶ
τἀκείνων ἔχουσιν, 71 ἃς ἄξιον ἦν, εἰ καὶ μηδὲν αὐταῖς
πρότερον ὑπῆρχεν ἀγαθὸν, τῆς μεγίστης δωρεᾶς παρὰ
τῶν Ἑλλήνων τυχεῖν διὰ τὴν στρατείαν τὴν ἐπὶ Τροίαν,
ἐν ᾗ σφᾶς τ᾽ αὐτὰς παρέσχον πρωτευούσας καὶ τοὺς
ἡγεμόνας ἀρετὰς ἔχοντας οὐ μόνον τὰς τοιαύτας, ὧν
πολλοὶ καὶ τῶν φαύλων κοινωνοῦσιν, ἀλλὰ κἀκείνας, ὧν
οὐδεὶς ἂν πονηρὸς ὢν δυνηθείη μετασχεῖν. 72 Μεσσήνη
μὲν γὰρ Νέστορα παρέσχεν τὸν φρονιμώτατον ἁπάντων
τῶν κατ᾽ ἐκεῖνον τὸν χρόνον γενομένων, Λακεδαίμων δὲ
Μενέλαον τὸν διὰ σωφροσύνην καὶ δικαιοσύνην μόνον
ἀξιωθέντα Διὸς γενέσθαι κηδεστὴν, ἡ δ᾽ Ἀργείων πόλις
Ἀγαμέμνονα τὸν οὐ μίαν οὐδὲ δύο σχόντα μόνον ἀρετὰς,
ἀλλὰ πάσας, ὅσας ἂν ἔχοι τις εἰπεῖν, καὶ ταύτας οὐ
μετρίως, ἀλλ᾽ ὑπερβαλλόντως· 73 οὐδένα γὰρ εὑρήσομεν
τῶν ἁπάντων οὔτ᾽ ἰδιωτέρας πράξεις μεταχειρισάμενον
οὔτε καλλίους οὔτε μείζους οὔτε τοῖς Ἕλλησιν ὠφελιμωτέρας οὔτε πλειόνων ἐπαίνων ἀξίας. Καὶ τούτοις οὕτω
μὲν ἀπηριθμημένοις εἰκότως ἄν τινες ἀπιστήσειαν, μικρῶν
δὲ περὶ ἑκάστου ῥηθέντων ἅπαντες ἂν ἀληθῆ με λέγειν
ὁμολογήσειαν.

74 Οὐ δύναμαι δὲ κατιδεῖν, ἀλλ᾽ ἀπορῶ ποίοις ἂν
λόγοις μετὰ ταῦτα χρησάμενος ὀρθῶς εἴην βεβουλευμένος.

---

70 7 τῶν ἐν Γ : τὰς ἐν vulg. ‖ 8 προεχούσας Γ² : προσεχ-Γ¹ ‖
8 ἄλλων Γ : Ἑλλήνων cett. vulg. ‖ 71 1-2 αὐταῖς πρότερον edd. :
αὐτοῖς προτ- Γ πρότερον αὐταῖς vulg. ‖ 6 τῶν φαύλων Γ : φαῦλοι
vulg. 72 4 καὶ δικαιοσύνην Γ : om. vulg. ‖ 5 γενέσθαι Γ¹Ε : γενέσθαι
καὶ κληθῆναι Γ² vulg. ‖ 73 5 τινες Γ : πολλοὶ vulg.

justifient le bien-fondé de ma résolution. Je tiens pour
une indécence si, après avoir commencé par faire un tel
éloge du mérite d'Agamemnon, je n'évoque aucun de ses
exploits et je paraîtrai ressembler, devant mes auditeurs, à
ces fanfarons qui débitent les premières paroles venues. Par
ailleurs, je constate que les faits qui sont évoqués en
dehors du sujet ne sont pas appréciés, mais semblent
apporter un élément de confusion; beaucoup en font usage
à tort, plus nombreux sont ceux qui les condamnent.   75
C'est pourquoi je redoute pour moi un accident analogue.
Néanmoins, je choisis de donner mon aide à un homme
qui a pâti de la même injustice que moi et que bien d'autres,
qui a été frustré de la gloire qui lui revenait de droit, qui,
tout en portant le mérite des plus grands bienfaits rendus
à l'époque où il a vécu, est moins honoré que des hommes
qui n'ont rien fait qui fût digne de mention.

76   Qu'a-t-il donc manqué à ce héros qui eut de tels
titres à la gloire que, si tout le monde se réunissait pour en
chercher de plus grands, on ne parviendrait jamais à les
découvrir? Seul il a été jugé digne de devenir le général
de toute la Grèce. Fut-il choisi par tous ou le devint-il
par ses propres moyens [1], il ne m'appartient pas de le
dire; mais quelle que soit celle des deux voies adoptée, il
ne laissa aucune possibilité de surpasser sa propre gloire à
ceux qui de quelque autre manière ont accédé aux honneurs.
77   En possession de cette puissance, il n'est pas une
ville grecque à laquelle il porta préjudice; bien loin de
faire aucun tort à qui que ce fût, ayant trouvé les Grecs
en proie à la guerre, aux désordres, à toutes sortes de
maux il les en débarrassa; après les avoir réconciliés
entre eux, il laissa de côté les entreprises démesurées,
qui tiennent du fantastique et qui sont stériles, pour réunir
une expédition et la conduire contre les Barbares.   78   Il
n'est pas de campagne militaire plus brillante et plus

---

1. Thucydide I, IX, 3, fait allusion à la crainte qu'inspirait
Agamemnon, Euripide à sa flatterie intéressée. (*Iph. à Aulis*, 337).

Αἰσχύνομαι μὲν γάρ, εἰ τοσαῦτα περὶ τῆς Ἀγαμέμνονος
ἀρετῆς προειρηκὼς μηδενὸς μνησθήσομαι τῶν ὑπ' ἐκείνου
πεπραγμένων, ἀλλὰ δόξω τοῖς ἀκούουσιν ὅμοιος εἶναι
τοῖς ἀλαζονευομένοις καὶ λέγουσιν ὅ τι ἂν τύχωσιν· ὁρῶ δὲ
τὰς πράξεις τὰς ἔξω λεγομένας τῶν ὑποθέσεων οὐκ
ἐπαινουμένας, ἀλλὰ ταραχώδεις εἶναι δοκούσας, καὶ πολλοὺς μὲν ὄντας τοὺς κακῶς χρωμένους αὐταῖς, πολὺ δὲ
πλείους τοὺς ἐπιτιμῶντας.   75 Διὸ δέδοικα μὴ καὶ περὶ |
ἐμὲ συμβῇ τι τοιοῦτον. Οὐ μὴν ἀλλ' αἱροῦμαι βοηθῆσαι τῷ
ταὐτὸν ἐμοί τε καὶ πολλοῖς πεπονθότι καὶ διημαρτηκότι
τῆς δόξης ἧς προσῆκε τυχεῖν αὐτόν, καὶ μεγίστων μὲν
ἀγαθῶν αἰτίῳ γεγενημένῳ περὶ ἐκεῖνον τὸν χρόνον, ἧττον
δ' ἐπαινουμένῳ τῶν οὐδὲν ἄξιον λόγου διαπεπραγμένων.

76 Τί γὰρ ἐκεῖνος ἐνέλιπεν, ὃς τηλικαύτην μὲν ἔσχεν
τιμήν, ἧς εἰ πάντες συνελθόντες μείζω ζητοῖεν, οὐδέποτ'
ἂν εὑρεῖν δυνηθεῖεν; Μόνος γὰρ ἁπάσης τῆς Ἑλλάδος
ἠξιώθη γενέσθαι στρατηγός. Ὁπότερον δ' εἶθ' ὑπὸ πάντων αἱρεθεὶς εἴτ' αὐτὸς κτησάμενος, οὐκ ἔχω λέγειν.
Ὁποτέρως δ' οὖν συμβέβηκεν, οὐδεμίαν ὑπερβολὴν λέ-
λοιπεν τῆς περὶ αὐτὸν δόξης τοῖς ἄλλως πως τιμηθεῖσιν.

77 Ταύτην δὲ λαβὼν τὴν δύναμιν οὐκ ἔστιν ἥντινα τῶν
Ἑλληνίδων πόλεων ἐλύπησεν, ἀλλ' οὕτως ἦν πόρρω τοῦ
περί τινας ἐξαμαρτεῖν ὥστε παραλαβὼν τοὺς Ἕλληνας ἐν
πολέμῳ καὶ ταραχαῖς καὶ πολλοῖς κακοῖς ὄντας τούτων
μὲν αὐτοὺς ἀπήλλαξεν, εἰς ὁμόνοιαν δὲ καταστήσας τὰ
μὲν περιττὰ τῶν ἔργων καὶ τερατώδη καὶ μηδὲν ὠφελοῦντα
τοὺς ἄλλους ὑπερεῖδεν, στρατόπεδον δὲ συστήσας ἐπὶ τοὺς
βαρβάρους ἤγαγεν.   78 Τούτου δὲ κάλλιον στρατήγημα
καὶ τοῖς Ἕλλησιν ὠφελιμώτερον οὐδεὶς φανήσεται πράξας

75 3 πολλοῖς Γ¹: πολλοῖς ἄλλοις Γ² vulg. ‖ 4 αὐτὸν codd.:
δυνατὸν Γ ‖ 76 7 αὐτὸν Turicenses: αὑτὸν codd. ‖ 77 2-3 τοῦ περί
τινας ΓΛ τούτου ὡς καί τινας Λ² vulg. ‖ 4 ἐξαμαρτεῖν .... Ἕλληνας
Γ: om. Λ vulg. ‖ 4 πολλοῖς Γ¹: πολλοῖς ἄλλοις Γ² vulg. ‖ 5 αὐτοὺς
om. Γ¹ ins. Γ².

utile aux Grecs qui ait été entreprise ni par ceux qui
connurent la renommée en ce temps là, ni par les générations postérieures. Mais lui qui avait accompli cet exploit
et l'avait donné en exemple, n'en a pas recueilli la gloire
qu'il méritait, à cause de ces gens qui préfèrent les pro-
diges aux bienfaits, les mensonges à la vérité; si grand
qu'ait été son mérite, il jouit d'une réputation inférieure
à celle de gens qui n'ont pas même montré la hardiesse
de l'imiter.

79 Ce ne sont pas seulement ces raisons qui peuvent
justifier son éloge, mais aussi les résultats obtenus par lui
dans le même temps. Sa grandeur d'âme fut telle qu'il ne
lui suffit pas de puiser autant qu'il le voulut dans la population de chaque ville pour en faire des soldats; mieux
encore, les rois qui agissaient comme ils l'entendaient dans
leurs villes et qui commandaient aux autres, il les persuada
de se ranger sous son autorité, de l'accompagner pour
attaquer l'adversaire contre qui il les conduirait, d'exécuter
ses ordres, de renoncer à leurs habitudes royales pour
mener la vie du soldat, et même **80** d'affronter le danger
et la bataille, non pas pour la défense de leur propre
patrie et de leur royauté, mais pour sauver en principe
Hélène [1], la femme de Mélénas, en réalité pour épargner à
la Grèce de connaître du fait des Barbares des dommages
de gravité et de nature comparables à ceux dont elle avait
été atteinte auparavant, telle la prise de tout le Péloponnèse par Pélops [2], de la ville des Argiens par Danaos,
de Thèbes, par Cadmos. Qui donc trouver qui se soit
préoccupé de ces dangers ou qui se soit opposé à leur retour,
sinon ce grand esprit et cette puissante autorité? **81** Ce
qui suit est moins important que les développements
précédents, mais encore plus noble et plus digne d'être
rapporté que des actions souvent couvertes d'éloges.

Cette armée venue de toutes les villes, forte comme on

1. Cf. *Éloge d'Hélène*, 67 et suiv. développement comparable.
2. Cf. *Phil*. 144 : allusion aux épreuves traversées par la Grèce.

γενομένης ὡς τοιοῦτον ἐν τοῖς συμμάχοις τι διαπραξα-
μένην. 100 ᾽Αλλ᾽ ἐπειδὴ Λακεδαιμόνιοι κύριοι κατασ-
τάντες τῶν ῾Ελλήνων πάλιν ἐξέπιπτον ἐκ τῶν πραγμάτων.
ἐν τούτοις τοῖς καιροῖς στασιαζουσῶν τῶν ἄλλων πόλεων
δύ᾽ ἢ τρεῖς τῶν στρατηγῶν τῶν ἡμετέρων, — οὐ γὰρ
ἀποκρύψομαι τἀληθὲς —, ἐξήμαρτον περί τίνας αὐτῶν
ἐλπίζοντες, ἢν μιμήσωνται τὰς Σπαρτιατῶν πράξεις,
μᾶλλον αὐτὰς δυνήσεσθαι κατασχεῖν. 101 ῞Ωστε δικαίως
ἂν ἐκείνοις μὲν ἅπαντες ἐγκαλέσειαν ὡς ἀρχηγοῖς γεγενημένοις καὶ διδασκάλοις τῶν τοιούτων ἔργων, τοῖς δ᾽ ἡμετέροις ὥσπερ τῶν μαθητῶν τοῖς ὑπὸ τῶν ὑπισχνουμένων
ἐξηπατημένοις καὶ διημαρτηκόσι τῶν ἐλπίδων εἰκότως ἂν
συγγνώμην ἔχοιεν.

102 Τὸ τοίνυν τελευταῖον, ὃ μόνοι καὶ καθ᾽ αὑτοὺς
ἔπραξαν, τίς οὐκ οἶδεν, ὅτι κοινῆς ἡμῖν τῆς ἔχθρας
ὑπαρχούσης τῆς πρὸς τοὺς βαρβάρους καὶ τοὺς βασιλέας
αὐτῶν, ἡμεῖς μὲν ἐν πολέμοις πολλοῖς γιγνόμενοι καὶ
μεγάλαις συμφοραῖς ἐνίοτε περιπίπτοντες καὶ τῆς χώρας
ἡμῶν θαμὰ πορθουμένης καὶ τεμνομένης οὐδεπώποτ᾽
ἐβλέψαμεν πρὸς τὴν ἐκείνων φιλίαν καὶ συμμαχίαν, ἀλλ᾽
ὑπὲρ ὧν τοῖς ῞Ελλησιν ἐπεβούλευσαν μισοῦντες αὐτοὺς
διετελέσαμεν μᾶλλον ἢ τοὺς ἐν τῷ παρόντι κακῶς ἡμᾶς
ποιοῦντας· 103 | Λακεδαιμόνιοι δ᾽ οὔτε πάσχοντες κακὸν
οὐδὲν οὔτε μέλλοντες οὔτε δεδιότες εἰς τοῦτ᾽ ἀπληστίας
ἦλθον ὥστ᾽ οὐκ ἐξήρκεσεν αὐτοῖς ἔχειν τὴν κατὰ γῆν
ἀρχήν, ἀλλὰ καὶ τὴν κατὰ θάλατταν δύναμιν οὕτως ἐπεθύ-
μησαν λαβεῖν ὥστε κατὰ τοὺς αὐτοὺς χρόνους τούς τε
συμμάχους τοὺς ἡμετέρους ἀφίστασαν ἐλευθερώσειν αὐτοὺς

100 5 ἀποκρύψομαι Γ : -ψαιμι cett. ‖ 101 2 ἐγκαλέσειαν Γ : -σαιμεν
vulg. ‖ 3 ἔργων Γ² vulg. γεγόνασιν ἔργων Γ¹ ‖ 3 τοῖς δ᾽ Γ : τοῖς
μέντοι vulg. τοῖς μὲν δὴ Λ Monac. 224 ‖ 6 ἔχοιεν Γ : ἔχοιμεν vulg. ‖
102 4 ἡμεῖς codd. : ἢ ἡμεῖς Γ ‖ 6 ἡμῶν θαμὰ Γ : ἡμῖν θαμινὰ vulg. ‖
6 καὶ τεμνομένης Γ : om. cett. ‖ 7 ἐβλέψαμεν Ε : ἐβλάψαμεν Γ ἐπεβ-
λέψαμεν vulg.

tandis qu'ils engageaient des conversation avec le Roi
en vue d'un traité d'amitié et d'alliance, avec promesse
de lui livrer tous les peuples de l'Asie. 104 Après
s'être engagés solennellement vis-à-vis des uns et des
autres et nous avoir écrasés, ils imposèrent à ceux qu'ils
avaient juré de rendre libres, un esclavage plus dur que
celui des Hilotes[1]; quant au Roi, ils lui manifestèrent si
bien leur reconnaissance qu'ils persuadèrent son frère
Cyrus, plus jeune que lui, de lui disputer l'empire; ils
réunirent une armée, mirent Cléarque à sa tête et l'envoyèrent contre lui. 105 Trahis par la fortune dans
cette affaire, découverts dans leur dessein, haïs de tous, ils
s'engagèrent dans une guerre et dans des épreuves redoutables comme il est naturel qu'en subisse un peuple qui
s'est aussi mal comporté vis-à-vis des Grecs que des Barbares. A propos de ces événements, à quoi bon apporter
de plus amples considérations? Je dirai seulement que,
battus sur mer par les forces du Roi et l'habileté militaire
de Conon, 106 ils conclurent une paix si indigne[2] que
personne n'en pourrait désigner une autre qui ait été plus honteuse, ni plus coupable, ni plus dédaigneuse des intérêts des
Grecs, ni plus contradictoire avec les discours que tiennent
certains sur le mérite des Lacédémoniens, ces Lacédomoniens
qui du jour ou le Roi les eut rendus maîtres de la Grèce,
essayèrent de lui ravir sa couronne et de ruiner intégralement
sa prospérité. Mais, après qu'il les eut battus sur mer et
humiliés, ils lui livrèrent, non pas une petite portion du
monde grec mais tous les Grecs qui habitaient l'Asie,
107 ayant spécifié en termes nets qu'il en ferait ce qu'il
voudrait. Ils ne rougirent pas de passer de telles conven-
tions visant des populations qu'ils avaient utilisées comme
alliés pour nous vaincre, grâce auxquelles ils s'étaient

1. Allusion au régime très dur qu'imposèrent les garnisons
spartiates placées sous l'autorité des harmostes.

2. Allusion au traité d'Antalcidas (387). Voir le *Panégyrique* (122).

ὑπισχνούμενοι, καὶ βασιλεῖ περὶ φιλίας διελέγοντο καὶ
συμμαχίας, παραδώσειν αὐτῷ φάσκοντες ἅπαντας τοὺς
ἐπὶ τῆς Ἀσίας κατοικοῦντας· 104 πίστεις δὲ δόντες
τούτοις ἀμφοτέροις καὶ καταπολεμήσαντες ἡμᾶς, οὓς μὲν
ἐλευθερώσειν ὤμοσαν, κατεδουλώσαντο μᾶλλον ἢ τοὺς
Εἵλωτας, βασιλεῖ δὲ τοιαύτην χάριν ἀπέδοσαν ὥστ᾽ ἔπεισαν
τὸν ἀδελφὸν αὐτοῦ Κῦρον ὄντα νεώτερον ἀμφισβητεῖν
τῆς βασιλείας καὶ, στρατόπεδον αὐτῷ συναγαγόντες καὶ
στρατηγὸν Κλέαρχον ἐπιστήσαντες, ἀνέπεμψαν ἐπ᾽ ἐκεῖ-
νον· 105 ἀτυχήσαντες δ᾽ ἐν τούτοις καὶ γνωσθέντες ὧν
ἐπεθύμουν καὶ μισηθέντες ὑπὸ πάντων, εἰς πόλεμον καὶ
ταραχὰς τοσαύτας κατέστησαν, ὅσας εἰκὸς τοὺς καὶ περὶ
τοὺς Ἕλληνας καὶ τοὺς βαρβάρους ἐξημαρτηκότας. Περὶ
ὧν οὐκ οἶδ᾽ ὅ τι δεῖ πλείω λέγοντα διατρίβειν, πλὴν ὅτι
καταναυμαχηθέντες ὑπό τε τῆς βασιλέως δυνάμεως καὶ
τῆς Κόνωνος στρατηγίας τοιαύτην ἐποιήσαντο τὴν εἰρήνην, 106 ἧς οὐδεὶς ἂν ἐπιδείξειεν οὔτ᾽ αἰσχίω πώποτε
γενομένην οὔτ᾽ ἐπονειδιστοτέραν οὔτ᾽ ὀλιγωροτέραν τῶν
Ἑλλήνων οὔτ᾽ ἐναντιωτέραν τοῖς λεγομένοις ὑπό τινων
περὶ τῆς ἀρετῆς τῆς Λακεδαιμονίων· οἵτινες, ὅτε μὲν
αὐτοὺς ὁ βασιλεὺς δεσπότας τῶν Ἑλλήνων κατέστησεν,
ἀφελέσθαι τὴν βασιλείαν αὐτοῦ καὶ τὴν εὐδαιμονίαν
ἅπασαν ἐπεχείρησαν, ἐπειδὴ δὲ καταναυμαχήσας ταπει-
νοὺς ἐποίησεν, οὐ μικρὸν μέρος αὐτῷ τῶν Ἑλλήνων παρέδωκαν, ἀλλὰ πάντας τοὺς τὴν Ἀσίαν οἰκοῦντας, 107
διαρρήδην γράψαντες χρῆσθαι τοῦθ᾽ ὅ τι ἂν αὐτὸς βούληται,
καὶ οὐκ ᾐσχύνθησαν τοιαύτας ποιούμενοι τὰς ὁμολογίας
περὶ ἀνδρῶν οἷς χρώμενοι συμμάχοις ἡμῶν τε περιεγένοντο

---

103 9 χατοικοῦντας Γ : οἰκοῦντας cett. ‖ 104 2 τούτοις ἀμφοτέροις
Γ : τούτων ἀμφότεροι cett. ‖ 3 ὤμοσαν Γ : ὠμολόγησαν cett. ‖
105 1 γνωσθέντες Γ¹ : καταγνωσθέντες Γ² ‖ 3 ὅσας Γ : ὅσον vulg. ‖
106 4 οἵτινες codd. : οἵτινες ὄντες Γ ‖ 5 αὐτοὺς Γ : om. cett. ‖
5 τῶν Ἑλλήνων παρέδωκαν Γ : παρέδωκαν cett.

érigés en maîtres de la Grèce et avaient fondé l'espoir
de s'emparer de toute l'Asie; au contraire ils gravèrent ces
traités sur le marbre, dans leurs propres sanctuaires, et
forcèrent leurs alliés à en faire autant.

108   Je crois que mon auditoire ne désirera pas entendre
le récit d'autres faits; il estimera que ce que je lui
ait dit lui a permis de saisir comment chacune des deux
villes s'est comportée à l'égard des Grecs; mais moi, je
n'ai pas ce sentiment, je pense au contraire que mon sujet,
tel que je l'ai posé, exige le surcroît de nombreux développements et plus particulièrement de ceux qui démontreront
la folie des gens qui ont cherché[1] à contredire mes paroles;
et ces commentaires, je pense les trouver aisément.   109
Parmi les esprits qui font bon accueil à toutes les actions des
Lacédémoniens, je considère que les meilleurs d'entre eux,
les plus sensés, feront l'éloge de la constitution des Spartiates
et conserveront à son sujet l'opinion qu'ils avaient antérieurement; par contre, sur leur conduite à l'égard des Grecs,
je pense qu'ils se rangeront à mon exposé.   110   Quant aux
autres, de valeur inférieure à cette classe, inférieure même
au vulgaire, incapables de parler en termes acceptables
sur un sujet quelconque, mais incapables aussi de se taire
sur les Lacédémoniens, dans l'espoir qu'en leur décernant
des louanges exagérées ils recueilleront le même honneur que
les orateurs qui passent pour plus forts et meilleurs qu'eux,
111   ces individus, dis-je, lorsqu'ils s'apercevront que tous
leurs arguments sont neutralisés d'avance et qu'ils n'ont rien
à objecter à aucune de mes paroles, s'orienteront vers un
discours qui traitera des constitutions[2] politiques et confron-
tera les institutions de Sparte avec celles d'Athènes et plus
particulièrement la sagesse et la discipline de là-bas avec la
négligence de chez nous, et ils en profiteront pour chanter

----

1. Ἐπιχειρησάντων, préférable à la leçon ἐπιχειρησόντων de
Benseler-Blass; le passé justifie mieux l'expression qui suit :
τὴν ἄνοιαν.

2. Isocrate pourrait ici viser Platon dont les *Lois* viennent
de sortir.

καὶ τῶν Ἑλλήνων κύριοι κατέστησαν καὶ τὴν | Ἀσίαν
ἅπασαν ἤλπισαν κατασχήσειν, ἀλλὰ τὰς τοιαύτας συνθήκας
αὐτοί τ᾽ ἐν τοῖς ἱεροῖς τοῖς σφετέροις αὐτῶν ἀνέγραψαν
καὶ τοὺς συμμάχους ἠνάγκασαν.

108 Τοὺς μὲν οὖν ἄλλους οὐκ οἴομαι πράξεων ἑτέρων
ἐπιθυμήσειν ἀκούειν, ἀλλ᾽ ἐκ τῶν εἰρημένων ἱκανῶς
μεμαθηκέναι νομιεῖν ὁποία τις τοῖν πολέοιν ἑκατέρα περὶ
τοὺς Ἕλληνας γέγονεν· ἐγὼ δ᾽ οὐχ οὕτω τυγχάνω διακείμενος, ἀλλ᾽ ἡγοῦμαι τὴν ὑπόθεσιν ἣν ἐποιησάμην ἄλλων
τε πολλῶν προσδεῖσθαι λόγων καὶ μάλιστα τῶν ἐπιδειξόντων
τὴν ἄνοιαν τῶν ἀντιλέγειν τοῖς εἰρημένοις ἐπιχειρη-
σάντων· οὓς οἴομαι ῥᾳδίως εὑρήσειν. 109 Τῶν γὰρ ἀπο-
δεχομένων ἁπάσας τὰς Λακεδαιμονίων πράξεις, τοὺς μὲν
βελτίστους αὐτῶν ἡγοῦμαι καὶ πλεῖστον νοῦν ἔχοντας τὴν
μὲν Σπαρτιατῶν πολιτείαν ἐπαινέσεσθαι καὶ τὴν αὐτὴν
γνώμην ἕξειν περὶ αὐτῆς ἥνπερ πρότερον, περὶ δὲ τῶν εἰς
τοὺς Ἕλληνας πεπραγμένων ὁμονοήσειν τοῖς ὑπ᾽ ἐμοῦ
λεγομένοις, 110 τοὺς δὲ φαυλοτέρους οὐ μόνον τούτων
ὄντας, ἀλλὰ καὶ τῶν πολλῶν, καὶ περὶ μὲν ἄλλου πράγματος
οὐδενὸς ἂν οἵους τε γενομένους ἀνεκτῶς εἰπεῖν, περὶ δὲ
Λακεδαιμονίων οὐ δυναμένους σιωπᾶν, ἀλλὰ προσδοκῶντας,
ἢν ὑπερβάλλοντας τοὺς ἐπαίνους περὶ ἐκείνων ποιῶνται,
τὴν αὐτὴν λήψεσθαι δόξαν τοῖς ἁδροτέροις αὐτῶν καὶ
πολὺ βελτίοσιν εἶναι δοκοῦσιν· 111 τοὺς δὲ τοιούτους,
ἐπειδὰν αἴσθωνται τοὺς τόπους ἅπαντας προκατειλημ-
μένους καὶ μηδὲ πρὸς ἓν ἀντειπεῖν ἔχωσι τῶν εἰρημένων,
ἐπὶ τὸν λόγον οἶμαι τρέψεσθαι τὸν περὶ τῶν πολιτειῶν,
καὶ παραβάλλοντας τἀκεῖ καθεστῶτα τοῖς ἐνθάδε, καὶ
μάλιστα τὴν σωφροσύνην καὶ πειθαρχίαν πρὸς τὰς παρ᾽
ἡμῖν ὀλιγωρίας, ἐκ τούτων ἐγκωμιάσειν τὴν Σπάρτην.

108 2 εἰρημένων Γ: προ- vulg. ‖ 3 νομιεῖν Γ: νομίζειν vulg.‖
3 τοῖν Γ²: ταῖν Γ¹ cett. ‖ 7-8 ἐπιχειρησάντων vulg.: -σόντων Γ ‖
109 6 ὁμονοήσειν Γ: ὁμολογήσειν vulg. ‖ 111 1 τοὺς δὲ H. Wolf:
τοὺς δὴ codd. ‖ 5 παραβάλλοντας Γ: παραθέντας; vulg.

la gloire de Sparte.   112   Si tel est leur dessein, il convient
que les esprits sensés se rendent compte de leur sottise. Je
n'ai pas choisi mon sujet dans l'intention de disserter sur les
constitutions, mais de montrer que notre pays avait bien
mieux mérité de la Grèce que Lacédémone. Sans doute,
s'ils suppriment une partie des faits ou invoquent
des entreprises communes aux deux villes à l'occasion
desquelles les Lacédémoniens se seraient montrés meilleurs
que nous, trouveront-ils vraisemblablement approbation;
mais par contre s'ils entreprennent de parler sur des questions
dont je n'aurai pas fait la moindre mention, ils passeront
à juste titre pour manquer stupidement d'à-propos.
113   Néanmoins, comme je pense qu'ils porteront leur
discours sur les constitutions devant le public, je n'hésiterai pas à aborder ce sujet; j'estime pouvoir montrer
que, même sur ce plan, notre cité s'est distinguée plus
brillamment encore qu'à l'occasion des événements précédemment rappelés.

114   Que personne ne s'imagine que ces réflexions visent
la constitution que nous avons été contraints de substituer
à l'état de chose ancien; je pense à celle de nos ancêtres [1],
que nos pères n'ont pas délaissée par mépris, pour se
tourner vers la constitution présente; ils préféraient la
première la tenant pour mieux adaptée à toutes les autres
entreprises, mais, en ce qui concerne la suprématie maritime,
ils jugeaient plus utile celle que nous avons; c'est en l'adoptant, en l'appliquant heureusement qu'ils se rendirent
capables de repousser les machinations des Spartiates et
d'éliminer la puissance du Péléponnèse tout entier, car
l'éviction de ces menaces par la guerre s'imposait à notre
ville, à cette époque surtout.   115   Aussi personne ne
serait-il fondé à blâmer ceux qui en firent le choix. Ils ne
furent pas trompés dans leur attente. Ils n'ignoraient ni
les avantages, ni les inconvénients qui s'attachent à chacun
des deux régimes de puissance; ils avaient bien vu que, si

1. Sur les mérites de la constitution ancienne, cf. *Aréop.* 20.

112 Ἦν δὴ τοιοῦτον ἐπιχειρῶσίν τι ποιεῖν, προσήκει
τοὺς εὖ φρονοῦντας ληρεῖν νομίζειν αὐτούς. Ἐγὼ γὰρ
ὑπεθέμην οὐχ ὡς περὶ τῶν πολιτειῶν διαλεξόμενος, ἀλλ᾽
ὡς ἐπιδείξων τὴν πόλιν ἡμῶν πολὺ πλείονος ἀξίαν Λακεδαιμονίων περὶ τοὺς Ἕλληνας γεγενημένην. Ἦν μὲν οὖν
ἀναιρῶσίν τι τούτων ἢ πράξεις ἑτέρας κοινὰς λέγωσι,
περὶ ἃς ἐκεῖνοι βελτίους ἡμῶν γεγόνασιν, εἰκότως ἂν
ἐπαίνου τυγχάνοιεν· | ἢν δὲ λέγειν ἐπιχειρῶσιν περὶ ὧν
ἐγὼ μηδεμίαν μνείαν ποιησαίμην, δικαίως ἂν ἅπασιν
ἀναισθήτως ἔχειν δοκοῖεν. 113 Οὐ μὴν ἀλλ᾽ ἐπειδή περ
αὐτοὺς οἴομαι τὸν λόγον τὸν περὶ τῶν πολιτειῶν εἰς τὸ
μέσον ἐμβαλεῖν, οὐκ ὀκνήσω διαλεχθῆναι περὶ αὐτῶν· οἶμαι
γὰρ ἐν αὐτοῖς τούτοις τὴν πόλιν ἡμῶν ἐπιδείξειν πλέον
διενεγκοῦσαν ἢ τοῖς ἤδη προειρημένοις.

114 Καὶ μηδεὶς ὑπολάβῃ με ταῦτ᾽ εἰρηκέναι περὶ ταύτης τῆς πολιτείας, ἣν ἀναγκασθέντες μετελάβομεν, ἀλλὰ
περὶ τῆς τῶν προγόνων, ἧς οὐ καταφρονήσαντες οἱ πατέρες ἡμῶν ἐπὶ τὴν νῦν καθεστῶσαν ὥρμησαν, ἀλλὰ περὶ μὲν
τὰς ἄλλας πράξεις πολὺ σπουδαιοτέραν ἐκείνην προκρίναντες, περὶ δὲ τὴν δύναμιν τὴν κατὰ θάλατταν ταύτην
χρησιμωτέραν εἶναι νομίζοντες, ἣν λαβόντες καὶ καλῶς
ἐπιμεληθέντες οἷοί τ᾽ ἐγένοντο καὶ τὰς ἐπιβουλὰς τὰς
Σπαρτιατῶν ἀμύνασθαι καὶ τὴν Πελοποννησίων ἁπάντων
ῥώμην, ὧν κατήπειγεν τὴν πόλιν περὶ ἐκεῖνον τὸν χρόνον
μάλιστα περιγενέσθαι πολεμοῦσαν. 115 Ὥστ᾽ οὐδεὶς ἂν
δικαίως ἐπιτιμήσειεν τοῖς ἑλομένοις αὐτήν· οὐ γὰρ διήμαρτον τῶν ἐλπίδων, οὐδ᾽ ἠγνόησαν οὐδὲν οὔτε τῶν
ἀγαθῶν οὔτε τῶν κακῶν τῶν προσόντων ἑκατέρᾳ τῶν
δυνάμεων, ἀλλ᾽ ἀκριβῶς ᾔδεσαν τὴν μὲν κατὰ γῆν ἡγεμο-

---

112 1 τι ΓΕ : om. vulg. ‖ 4 ἀξίαν Γ¹ : ἀξίαν ἢ τὴν Γ² vulg. ‖
9 ποιησαίμην Γ : ἐποιησάμην vulg. ‖ **114** 2 τῆς πολιτείας Γ²Ε :
πολιτίας Γ¹ om. vulg. ‖ 5 ἐκείνην Γ : om. cett. ‖ 6 ταύτην Γ :
αὐτὴν cett. ‖ 7 καλῶς Γ : om. cett. ‖ **115** 3 οὐδὲν Γ : om. cett.

l'hégémonie sur terre requiert la pratique de l'ordre, du bon
sens, de la discipline, et de semblables qualités, la puissance
maritime ne grandit pas par les mêmes moyens, 116 mais
tient ses ressources des métiers qui s'appliquent à l'art naval,
de l'habileté des équipages, des hommes qui, pour avoir
perdu leurs biens propres, ont pris l'habitude de se procurer
leurs moyens de subsistance en les tirant de l'étranger. Ces
gens-là s'implantant dans la cité, il était évident que
l'ordre fondé sur la constitution ancienne allait être
troublé, que les dispositions bienveillantes de nos alliés
allaient connaître une évolution à partir du jour où
les peuples à qui l'on avait donné auparavant des
territoires et des villes, allaient être forcés de verser
des taxes et des tributs afin qu'il fût possible d'affecter
un salaire à la classe d'individus que je désignais précédemment. 117 Pourtant, si nos pères n'ignoraient rien des
risques que je viens d'évoquer, ils estimaient qu'il était
de l'intérêt et de la dignité d'une cité si grande par sa
puissance et par sa gloire de supporter toutes les difficultés plutôt que la domination des Lacédémoniens dans
la pensée que deux éventualités s'offrant, l'une et l'autre
fâcheuses, il était préférable d'opter pour le mal fait aux
autres plutôt que pour le mal fait à soi-même, et pour l'autorité sur les autres, injustement exercée, plutôt que pour
l'esclavage injustement subi sous le joug des Lacédémoniens,
à seule fin d'échapper à semblable accusation. 118 Tous
les hommes de bon sens choisiraient ce parti et cette
décision; seuls quelques prétendus sages répondraient par
la négative s'ils étaient interrogés. Les raisons pour lesquelles nos pères substituèrent une constitution critiquée
par certains à la constitution qui recueillait un éloge
unanime je les ai sans doute analysées trop longuement,
mais voilà quelles elles ont été.

   119 Et maintenant, je vais parler de la constitution
que j'ai choisie pour sujet ainsi que de nos ancêtres, me re-
portant au temps où n'existait encore ni le mot d'oligarchie,
ni celui de démocratie, où des monarchies gouvernaient

νίαν ὑπ᾽ εὐταξίας καὶ σωφροσύνης καὶ πειθαρχίας καὶ
τῶν ἄλλων τῶν τοιούτων μελετωμένην, τὴν δὲ κατὰ
θάλατταν δύναμιν οὐκ ἐκ τούτων αὐξανομένην, 116
ἀλλ᾽ ἔκ τε τῶν τεχνῶν τῶν περὶ τὰς ναῦς καὶ τῶν ἐλαύνειν
αὐτὰς δυναμένων καὶ τῶν τὰ σφέτερα μὲν αὐτῶν ἀπο-
λωλεκότων, ἐκ δὲ τῶν ἀλλοτρίων πορίζεσθαι τὸν βίον
εἰθισμένων· ὧν εἰσπεσόντων εἰς τὴν πόλιν οὐκ ἄδηλος ἦν
ὅ τε κόσμος ὁ τῆς πολιτείας τῆς πρότερον ὑπαρχούσης
λυθησόμενος, ἥ τε τῶν συμμάχων εὔνοια ταχέως ληψομένη
μεταβολήν, ὅταν οἷς πρότερον χώρας ἐδίδοσαν καὶ πόλεις,
τούτους ἀναγκάζωσι συντάξεις καὶ φόρους ὑποτελεῖν, ἵν᾽
ἔχωσι μισθὸν διδόναι τοῖς τοιούτοις οἵους ὀλίγῳ πρότερον
εἶπον.　117 Ἀλλ᾽ ὅμως οὐδὲν ἀγνοοῦντες τῶν προειρημένων ἐνόμιζον τῇ πόλει τῇ τηλικαύτῃ μὲν τὸ μέγεθος,
τοιαύτην δ᾽ ἐχούσῃ δόξαν, λυσιτελεῖν καὶ πρέπειν ἁπάσας
ὑπομεῖναι τὰς δυσχερείας μᾶλλον | ἢ τὴν Λακεδαιμονίων
ἀρχήν· δυοῖν γὰρ πραγμάτοιν προτεινομένοιν μὴ σπουδαίοιν,
κρείττω τὴν αἵρεσιν εἶναι τοῦ δεινὰ ποιεῖν ἑτέρους ἢ
πάσχειν αὐτοὺς καὶ τοῦ μὴ δικαίως τῶν ἄλλων ἄρχειν
μᾶλλον ἢ φεύγοντας τὴν αἰτίαν ταύτην ἀδίκως Λακεδαιμονίοις δουλεύειν.　118 Ἅπερ ἅπαντες μὲν ἂν οἱ νοῦν
ἔχοντες ἕλοιντο καὶ βουληθεῖεν, ὀλίγοι δ᾽ ἄν τινες τῶν
προσποιουμένων εἶναι σοφῶν ἐρωτηθέντες οὐκ ἂν φήσαιεν.
Αἱ μὲν οὖν αἰτίαι, δι᾽ ἃς μετέλαβον τὴν πολιτείαν τὴν
ὑπό τινων ψεγομένην ἀντὶ τῆς ὑπὸ πάντων ἐπαινουμένης,
διὰ μακροτέρων μὲν αὐτὰς διῆλθον, αὗται δ᾽ οὖν ἦσαν.

119 Ἤδη δὲ περὶ ἧς θ᾽ ὑπεθέμην καὶ τῶν προγόνων
ποιήσομαι τοὺς λόγους, ἐκείνων τῶν χρόνων ἐπιλαβόμενος
ὅτ᾽ οὐκ ἦν οὔτ᾽ ὀλιγαρχίας οὔτε δημοκρατίας ὄνομά πω
λεγόμενον, ἀλλὰ μοναρχίαι καὶ τὰ γένη τὰ τῶν βαρβάρων

115 6 ὑπ᾽ Γ: ἐπ᾽ Λ vulg. 117 2 τῇ τηλικαύτῃ Γ²: τηλικαύτῃ
Γ¹Λ cett. ‖ 5 μὴ σπουδαίοιν Γ: καὶ σπουδαίων Λ Monac. 224 καὶ
μὴ σπουδαίων vulg. ‖ 7 αὐτοὺς Γ: αὐτοὺς ἐνόμισαν vulg. ‖ 119 1 δὲ
περὶ ἧς Γ: δ᾽ ὑπὲρ ὧν vulg. ‖ 4 καὶ (post μοναρχίαι) om. Γ¹ ins. Γ².

aussi bien les populations barbares que les villes grecques.
120 J'ai adopté ce lointain point de départ, d'abord
parce que j'ai trouvé souhaitable que ceux qui rivalisent
pour le mérite fussent supérieurs aux autres peuples dès
leur origine, ensuite parce que je serais pris d'une gêne à la
pensée que je me suis étendu plus que de raison sur le
mérite d'hommes de valeur, certes, mais qui ne me touchent
en rien, alors que je ne ferais pas la plus petite mention de
nos ancêtres qui ont brillamment gouverné notre pays,
121 affirmant sur ceux qui détenaient ailleurs le pouvoir,
une supériorité comparable à celle que posséderaient les
hommes les plus sages et les plus modérés par rapport aux
bêtes les plus sauvages et les plus cruelles. Quels exemples,
en effet, ne trouverions-nous pas des crimes les plus marqués
par leur impiété et leur barbarie, dans les autres villes et
plus particulièrement dans celles que l'on tenait alors pour
les plus grandes et qui paraissent l'être encore aujourd'hui?
Les meurtres de frères, de pères, d'hôtes n'ont-ils pas été
innombrables [1]? 122 Les assassinats des mères, les
incestes, les enfants procréés dans les seins mêmes auxquels
les pères devaient le jour? Les enfants donnés en nourriture
par la perfidie de leurs parents les plus proches? Les aban-
dons consentis par les pères, les noyades, les cécités et
tant d'autres violences, si nombreuses que jamais l'embarras ne prend les écrivains qui ont coutume chaque année
de porter à la scène les calamités de ce temps-là?

123 Si j'ai rappelé ces souvenirs, ce n'est pas dans l'intention d'insulter ces coupables mais pour montrer à tout
le moins que rien de tel ne s'est produit chez nous,
car cette constatation ne serait pas un témoignage de
vertu, mais l'indice que les nôtres ne possédaient pas une
nature comparable à celle de ces êtres qui se rangèrent
parmi les plus impies; par contre, il importe que
quiconque entreprend un éloge de portée exceptionnelle,

---

1. Allusion à Etéocle et Polynice, à Œdipe meurtrier de son
père Laïos, peut-être à Lycaon ou Iphitos.

καὶ τὰς πόλεις τὰς Ἑλληνίδας ἁπάσας διῴκουν. 120 Διὰ τοῦτο δὲ προειλόμην πορρωτέρωθεν ποιήσασθαι τὴν ἀρχήν, πρῶτον μὲν ἡγούμενος προσήκειν τοῖς ἀμφισβητοῦσιν ἀρετῆς εὐθὺς ἀπὸ γενεᾶς διαφέροντας εἶναι τῶν ἄλλων, ἔπειτ᾽ αἰσχυνόμενος εἰ περὶ ἀνδρῶν ἀγαθῶν μὲν, οὐδὲν δ᾽ ἐμοὶ προσηκόντων πλείω διαλεχθεὶς τῶν μετρίων, περὶ τῶν προγόνων τῶν τὴν πόλιν κάλλιστα διοικησάντων μηδὲ μικρὰν ποιήσομαι μνείαν, 121 οἳ τοσοῦτον βελτίους ἐγένοντο τῶν τὰς δυναστείας ἐχόντων, ὅσον περ ἄνδρες οἱ φρονιμώτατοι καὶ πραότατοι διενέγκοιεν ἂν θηρίων τῶν ἀγριωτάτων καὶ πλείστης ὠμότητος μεστῶν. Τί γὰρ οὐκ ἂν εὕροιμεν τῶν ὑπερβαλλόντων ἀνοσιότητι καὶ δεινότητι πεπραγμένον ἐν ταῖς ἄλλαις πόλεσιν, καὶ μάλιστ᾽ ἐν ταῖς μεγίσταις καὶ τότε νομιζομέναις καὶ νῦν εἶναι δοκούσαις ; Οὐ φόνους ἀδελφῶν καὶ πατέρων καὶ ξένων παμπληθεῖς γεγενημένους ; 122 Οὐ σφαγὰς μητέρων καὶ μίξεις καὶ παιδοποιίας ἐξ ὧν ἐτύγχανον αὐτοὶ πεφυκότες ; Οὐ παίδων βρῶσιν ὑπὸ τῶν οἰκειοτάτων ἐπιβεβουλευμένην ; Οὐκ ἐκβολὰς ὧν ἐγέννησαν, καὶ καταποντισμοὺς καὶ τυφλώσεις | καὶ τοσαύτας τὸ πλῆθος κακοποιίας ὥστε μηδένα πώποτ᾽ ἀπορῆσαι τῶν εἰθισμένων καθ᾽ ἕκαστον τὸν ἐνιαυτὸν εἰσφέρειν εἰς τὸ θέατρον τὰς τότε γεγενημένας συμφοράς ; 123 Ταῦτα δὲ διῆλθον, οὐκ ἐκείνους λοιδορῆσαι βουλόμενος, ἀλλ᾽ ἐπιδεῖξαι παρὰ τοῖς ἡμετέροις οὐ μόνον οὐδὲν τοιοῦτον γεγενημένον· τοῦτο μὲν γὰρ ἂν σημεῖον ἦν οὐκ ἀρετῆς, ἀλλ᾽ ὡς οὐχ ὅμοιοι τὰς φύσεις ἦσαν τοῖς ἀνοσιωτάτοις γεγενημένοις· δεῖ δὲ τοὺς ἐπιχειροῦντας καθ᾽ ὑπερβολήν τινας ἐπαινεῖν μὴ τοῦτο μόνον ἐπιδεικνύναι,

---

120 2 πορρωτέρωθεν ποιήσασθαι Γ: ποιήσασθαι πόρρωθεν vulg. ‖ 5-6 δ᾽ ἐμοὶ ΓΕ: δέ μοι vulg. ‖ 121 2 τὰς vulg. : τοιαύτας Γ ‖ 3 διενέγκοιεν Γ: -καιεν vulg. ‖ 3 ἂν Γ: om. Λ vulg. ‖ 6 πεπραγμένον edd.: -μένων Γ τῶν πεπραγμένων vulg. ‖ 8 παμπληθεῖς codd.: -θεῖ Γ.

ne se contente pas de montrer que les intéressés ne sont pas
des misérables, mais établisse qu'ils ont surpassé par toutes
leurs vertus et les hommes d'autrefois et les hommes d'aujourd'hui. C'est ce qu'on pourrait affirmer en particulier de
nos ancêtres. 124 Ils administrèrent leur ville et leurs
intérêts privés avec la foi et la noblesse qui convenaient
à ce peuple, issu des dieux, qui le premier avait fondé une
ville et obéi à des lois, qui de tout temps pratiqua la piété
à l'égard des dieux, la justice à l'égard des hommes, qui
n'avait ni sang mêlé ni sang étranger dans les veines, mais
qui, seul de tous les Grecs, était né sur son territoire
125 et avait fait sa terre nourricière du sol même dont il
était sorti, qui chérissait son pays comme les meilleures
natures chérissent leurs pères et leurs mères, qui enfin
était tellement aimé des dieux que le privilège qui semble
exceptionnel et rare de trouver certaines familles de chefs
et de rois se prolongeant jusqu'à quatre ou cinq générations, ne s'est effectivement rencontré que chez eux. 126
Erichthonios, fils d'Héphaistos et de la Terre, reçut de
Cécrops qui n'avait pas d'enfants mâles le pouvoir héréditaire et royal; à partir de cette époque, tous ceux qui
vinrent après lui, et ils sont nombreux, transmirent à leurs
enfants leurs biens et leur pouvoir, jusqu'à Thésée [1].

De Thésée, j'aurais bien préféré ne pas avoir déjà parlé [2],
ni de son mérite ni de ses actions; mes remarques seraient
mieux à leur place dans ce discours que je consacre à notre
pays. 127 Mais il m'était difficile, pour ne pas dire
impossible, de réserver les idées qui me venaient alors à
l'esprit, en prévision d'une opportunité que je ne savais
pas devoir se produire. Je laisserai donc de côté ces développements puisque je me trouve aujourd'hui les avoir
utilisés et je ne ferai allusion qu'à un seul de ses exploits

---

1. Cf. tableau généalogique des rois d'Athènes dans le
Dictionnaire de la mythologie grecque et romaine, p. 144, de
P. Grimal.
2. Cf. *Éloge d'Hélène*, 21, 27.

μὴ πονηροὺς ὄντας αὐτούς, ἀλλ' ὡς ἀπάσαις ταῖς ἀρεταῖς
καὶ τῶν τότε καὶ τῶν νῦν διήνεγκαν. Ἅπερ ἔχοι τις ἂν
καὶ περὶ τῶν προγόνων τῶν ἡμετέρων εἰπεῖν. 124 Οὕτω
γὰρ ὁσίως καὶ καλῶς καὶ τὰ περὶ τὴν πόλιν καὶ τὰ περὶ
σφᾶς αὐτοὺς διῴκησαν, ὥσπερ προσῆκον ἦν τοὺς ἀπὸ θεῶν
μὲν γεγονότας, πρώτους δὲ καὶ πόλιν οἰκήσαντας καὶ
νόμοις χρησαμένους, ἅπαντα δὲ τὸν χρόνον ἠσκηκότας
εὐσέβειαν μὲν περὶ τοὺς θεοὺς δικαιοσύνην δὲ περὶ τοὺς
ἀνθρώπους, ὄντας δὲ μήτε μιγάδας μήτ' ἐπήλυδας, ἀλλὰ
μόνους αὐτόχθονας τῶν Ἑλλήνων, 125 καὶ ταύτην ἔχοντας τὴν χώραν τροφόν, ἐξ, ἧσπερ ἔφυσαν, καὶ στέργοντας
αὐτὴν ὁμοίως ὥσπερ οἱ βέλτιστοι τοὺς πατέρας καὶ τὰς
μητέρας τὰς αὐτῶν, πρὸς δὲ τούτοις οὕτω θεοφιλεῖς ὄντας
ὥσθ' ὃ δοκεῖ χαλεπώτατον εἶναι καὶ σπανιώτατον, εὑρεῖν
τινὰς τῶν οἴκων τῶν τυραννικῶν καὶ βασιλικῶν ἐπὶ τέτταρας
ἢ πέντε γενεὰς διαμείναντας, καὶ τοῦτο συμβῆναι μόνοις
ἐκείνοις. 126 Ἐριχθόνιος μὲν γὰρ ὁ φὺς ἐξ Ἡφαίστου
καὶ Γῆς παρὰ Κέκροπος ἄπαιδος ὄντος ἀρρένων παίδων
τὸν οἶκον καὶ τὴν βασιλείαν παρέλαβεν· ἐντεῦθεν δ' ἀρξάμενοι πάντες οἱ γενόμενοι μετ' ἐκεῖνον, ὄντες οὐκ ὀλίγοι,
τὰς κτήσεις τὰς αὐτῶν καὶ τὰς δυναστείας τοῖς αὑτῶν
παισὶν παρέδοσαν μέχρι Θησέως. Περὶ οὗ πρὸ πολλοῦ ἂν
ἐποιησάμην μὴ διειλέχθαι πρότερον περὶ τῆς ἀρετῆς καὶ
τῶν πεπραγμένων αὐτῷ· πολὺ γὰρ ἂν μᾶλλον ἥρμοσεν ἐν
τῷ λόγῳ τῷ περὶ τῆς πόλεως διελθεῖν περὶ αὐτῶν. 127
Ἀλλὰ γὰρ χαλεπὸν ἦν, μᾶλλον δ' ἀδύνατον, τὰ κατ' ἐκεῖνον
ἐπελθόντα τὸν χρόνον εἰς τοῦτον | ἀποθέσθαι τὸν καιρὸν ὃν
οὐ προῄδειν ἐσόμενον. Ἐκεῖνα μὲν οὖν ἐάσομεν, ἐπειδὴ
πρὸς τὸ παρὸν αὐτοῖς κατεχρησάμην· μιᾶς δὲ μόνον
μνησθήσομαι πράξεως, ᾗ συμβέβηκεν μήτ' εἰρῆσθαι πρό-

---

124 4 πρώτους Γ : πρώτως cett. ‖ 125 2 ἔφυσαν codd. : ἔφυσαν
ἡμῖν Γ ‖ 7 συμβῆναι Γ : συμβαίνει cett. ‖ 126 3-4 δ' ἀρξάμενοι Γ :
δραξάμενοι cett. ‖ 9 τῷ (ante περὶ) om. Γ ‖ 127 3-4 ὃν οὐ προῄδειν
Γ : οὐδὲ προιδεῖν Λ vulg.

caractérisé par le fait qu'il n'a pas été encore rapporté,
qu'il n'appartient à aucun autre qu'à Thésée et qu'il est le
témoignage le plus éclatant du mérite et de la sagesse de
ce héros.   128   Thésée détenait le pouvoir royal le plus
stable et le plus puissant; dans l'exercice de ce pouvoir, il
avait déjà de nombreuses et belles réalisations, tant à la
guerre que dans l'administration du pays; tous ces succès, il
les dédaigna et choisit la gloire à laquelle les épreuves et
les luttes confèrent une survivance éternelle plutôt que
la vie tranquille et heureuse que la royauté lui assurait
dans le présent.   129   Cette ligne de conduite, il ne l'adopta
pas alors que devenu vieux il se trouvait avoir déjà joui de
tous les biens mis à sa disposition; c'est à la fleur de l'âge
qu'il confia au peuple, dit-on, le soin d'administrer la
cité, et qu'il consacra sa vie à affronter le danger pour le
bonheur de sa patrie et des autres Grecs.

130   Nous venons ici d'évoquer le mérite de Thésée [1]
aussi bien que nous pouvions le faire; antérieurement nous
avions exposé tous ses exploits, et non sans soin. Quant aux
hommes qui reçurent de lui l'administration de notre pays,
je ne sais quels éloges leur décerner qui soient dignes de leur
sagesse. Bien que sans expérience politique, ils ne commirent
pas d'erreur dans leur choix en adoptant la forme de
gouvernement que non seulement tout le monde considère
comme la plus libérale et la plus juste, mais encore comme
la plus avantageuse et la plus agréable pour ses usagers.   131
Ils instituèrent la démocratie, non pas celle qui décrète
à l'aventure et tient la licence pour la liberté, la faculté
d'agir à sa guise pour le bonheur, mais celle, au contraire,
qui condamne de telles pratiques et fait appel aux meilleurs;
c'est cette aristocratie qu'en dépit de ses précieux services,
le commun assimile parmi les régimes politiques au régime
fondé sur les fortunes, erreur imputable moins à une
médiocrité de l'intelligence qu'au fait qu'il ne s'est jamais

1. Sur Thésée « héros athénien », cf. Ch. Dugas et R. Flacelière,
Thésée.

τερον μήτε πεπρᾶχθαι μηδ᾽ ὑφ᾽ ἑνὸς ἄλλου πλὴν ὑπὸ
Θησέως, σημεῖον δ᾽ εἶναι μέγιστον τῆς ἀρετῆς τῆς ἐκείνου
καὶ φρονήσεως. 128 Ἔχων γὰρ βασιλείαν ἀσφαλεστάτην
καὶ μεγίστην, ἐν ᾗ πολλὰ καὶ καλὰ διαπεπραγμένος ἦν καὶ
κατὰ πόλεμον καὶ περὶ διοίκησιν τῆς πόλεως, ἅπαντα
ταῦθ᾽ ὑπερεῖδεν, καὶ μᾶλλον εἵλετο τὴν δόξαν τὴν ἀπὸ τῶν
πόνων καὶ τῶν ἀγώνων εἰς ἅπαντα τὸν χρόνον μνημο-
νευθησομένην ἢ τὴν ῥαθυμίαν καὶ τὴν εὐδαιμονίαν τὴν διὰ
τὴν βασιλείαν ἐν τῷ παρόντι γιγνομένην. 129 Καὶ ταῦτ᾽
ἔπραξεν, οὐκ ἐπειδὴ πρεσβύτερος γενόμενος ἀπολελαυκὼς
ἦν τῶν ἀγαθῶν τῶν παρόντων, ἀλλ᾽ ἀκμάζων τὴν μὲν
πόλιν, ὡς λέγεται, διοικεῖν τῷ πλήθει παρέδωκεν, αὐτὸς
δ᾽ ὑπὲρ ταύτης τε καὶ τῶν ἄλλων Ἑλλήνων διετέλει
κινδυνεύων.

130 Περὶ μὲν οὖν τῆς Θησέως ἀρετῆς νῦν μὲν ὡς
οἷόν τ᾽ ἦν ἀνεμνήσαμεν, πρότερον δ᾽ ἁπάσας αὐτοῦ τὰς
πράξεις οὐκ ἀμελῶς διήλθομεν· περὶ δὲ τῶν παραλαβόντων
τὴν τῆς πόλεως διοίκησιν ἣν ἐκεῖνος παρέδωκεν, οὐκ
ἔχω τίνας ἐπαίνους εἰπὼν ἀξίους ἂν εἴην εἰρηκὼς τῆς
ἐκείνων διανοίας. Οἵτινες ἄπειροι πολιτειῶν ὄντες, οὐ
διήμαρτον αἱρούμενοι τῆς ὑπὸ πάντων ἂν ὁμολογηθείσης
οὐ μόνον εἶναι κοινοτάτης καὶ δικαιοτάτης, ἀλλὰ καὶ
συμφορωτάτης ἅπασιν καὶ τοῖς χρωμένοις ἡδίστης. 131
Κατεστήσαντο γὰρ δημοκρατίαν, οὐ τὴν εἰκῇ πολιτευο-
μένην καὶ νομίζουσαν τὴν μὲν ἀκολασίαν ἐλευθερίαν εἶναι,
τὴν δ᾽ ἐξουσίαν ὅ τι βούλεταί τις ποιεῖν εὐδαιμονίαν,
ἀλλὰ τὴν τοῖς τοιούτοις μὲν ἐπιτιμῶσαν, ἀριστοκρατίᾳ δὲ
χρωμένην· ἣν οἱ μὲν πολλοὶ χρησιμωτάτην οὖσαν ὥσπερ
τὴν ἀπὸ τῶν τιμημάτων ἐν ταῖς πολιτείαις ἀριθμοῦσιν,
οὐ δι᾽ ἀμαθίαν ἀγνοοῦντες, ἀλλὰ διὰ τὸ μηδὲν πώποτ᾽

---

128 3 περὶ Γ: κατὰ vulg. ‖ 130 9 καὶ τοῖς χρωμένοις ΓΕ: τοῖς
χρωμένοις καὶ cett. ‖ 131 3 εἶναι Γ: om. cett. ‖ 6 χρησιμωτάτην
Γ: χρησίμην vulg. ‖ 9 δεόντων ΓΕ: τοιούτων vulg.

préoccupé comme il le devait de ces questions. **132**
Pour ma part, j'estime qu'il n'y a que trois formes de
gouvernement [1] : l'oligarchie, la démocratie, la monarchie;
tous les peuples qui vivent sous ces régimes, dès l'instant
qu'ils ont pris l'habitude de mettre au pouvoir et à la tête
des affaires les citoyens les plus compétents, ceux qui
assureront le gouvernement de la façon la plus heureuse et la
plus juste, ces peuples, à mon avis, s'administreront au mieux
de leurs intérêts et des intérêts des autres, dans le cadre
de toutes les constitutions. **133** Les peuples par contre
qui font appel, pour leur confier le gouvernement, aux plus
audacieux et aux plus mauvais, aux hommes qui n'ont aucun
souci de l'intérêt public, mais sont prêts à tout affronter pour
satisfaire leur cupidité, j'estime que les villes de ces peuples
seront gouvernées à l'image de la méchanceté de leurs diri-
geants; quant à ceux qui ne se rangent ni dans cette dernière
catégorie ni dans la précédente, mais qui, dans les heures
de confiance, écoutent de préférence ceux qui les flattent,
dans les heures d'inquiétude font appel aux meilleurs et
aux plus sages, de tels peuples, je le dis, connaîtront alter-
nativement le pire et le meilleur. **134** Telles sont les
natures et les ressources des divers régimes politiques;
à mon avis, ils fourniront à d'autres de plus amples développements que ceux-ci; pour moi, je n'ai pas à disserter
sur toutes les constitutions, mais uniquement sur celle
de nos ancêtres; car j'ai promis de montrer qu'elle était
meilleure que celle de Sparte et qu'elle était à l'origine
d'un plus grand nombre de bienfaits. **135** Mon exposé
ne sera ni pénible, ni hors de propos pour ceux qui seront
disposés à m'écouter volontiers parler d'une constitution
bienfaisante; ils le trouveront même justement équilibré
et conforme à mes promesses. Quant à ceux qui ne prennent

---

1. Isocrate adopte ici la division traditionnelle (cf. Pindare,
Pythiques, II, 87; Hérodote, IV, 80, 83) sans tenir compte des
subdivisions qu'avant lui Platon a introduites; cf. J. de Romilly :
Le classement des constitutions d'Hérodote à Aristote (*Rev. des
études grecques*, t. LXXII (1959), p. 81 et suiv.

αὐτοῖς μελῆσαι τῶν δεόντων. 132 Ἐγὼ δὲ φημὶ τὰς
μὲν ἰδέας τῶν πολιτειῶν τρεῖς εἶναι μόνας, ὀλιγαρχίαν,
| δημοκρατίαν, μοναρχίαν, τῶν δ' ἐν ταύταις οἰκούντων ὅσοι
μὲν εἰώθασιν ἐπὶ τὰς ἀρχὰς καθιστάναι καὶ τὰς ἄλλας
πράξεις τοὺς ἱκανωτάτους τῶν πολιτῶν καὶ τοὺς μέλλοντας
ἄριστα καὶ δικαιότατα τῶν πραγμάτων ἐπιστατήσειν,
τούτους μὲν ἐν ἁπάσαις ταῖς πολιτείαις καλῶς οἰκήσειν
καὶ πρὸς σφᾶς αὐτοὺς καὶ πρὸς τοὺς ἄλλους· 133 τοὺς
δὲ τοῖς θρασυτάτοις καὶ πονηροτάτοις ἐπὶ ταῦτα χρωμένους, καὶ τῶν μὲν τῇ πόλει συμφερόντων μηδὲν φρον-
τίζουσιν, ὑπὲρ δὲ τῆς αὐτῶν πλεονεξίας ἑτοίμοις οὖσιν
ὁτιοῦν πάσχειν, τὰς δὲ τούτων πόλεις ὁμοίως οἰκήσεσθαι
ταῖς τῶν προεστώτων πονηρίαις· τοὺς δὲ μήθ' οὕτω μήθ' ὡς
πρότερον εἶπον, ἀλλ' ὅταν μὲν θαρρῶσιν, τούτους μάλιστα
τιμῶντας τοὺς πρὸς χάριν λέγοντας, ὅταν δὲ δείσωσιν,
ἐπὶ τοὺς βελτίστους καὶ φρονιμωτάτους καταφεύγοντας,
τοὺς δὲ τοιούτους ἐναλλὰξ τοτὲ μὲν χεῖρον, τοτὲ δὲ βέλτιον
πράξειν. 134 Αἱ μὲν οὖν φύσεις καὶ δυνάμεις τῶν
πολιτειῶν οὕτως ἔχουσιν· ἡγοῦμαι δὲ ταῦτα μὲν ἑτέροις
πολὺ πλείους λόγους παρέξειν τῶν νῦν εἰρημένων, ἐμοὶ δ'
οὐκέτι περὶ ἁπασῶν αὐτῶν εἶναι διαλεκτέον, ἀλλὰ περὶ
μόνης τῆς τῶν προγόνων· ταύτην γὰρ ὑπεσχόμην ἐπιδείξειν σπουδαιοτέραν καὶ πλειόνων ἀγαθῶν αἰτίαν οὖσαν
τῆς ἐν Σπάρτῃ καθεστηκυίας. 135 Ἔσται δ' ὁ λόγος
τοῖς μὲν ἡδέως ἂν ἀκούσασιν πολιτείαν χρηστὴν ἐμοῦ
διεξιόντος οὔτ' ὀχληρὸς οὔτ' ἄκαιρος, ἀλλὰ σύμμετρος
καὶ προσήκων τοῖς ἔμπροσθεν [εἰρημένοις], τοῖς δὲ μὴ

133 1-2 θρασυτάτοις καὶ πονηροτάτοις Γ: πονηροτάτοις καὶ χρησι-
μοτάτοις vulg. ‖ 6 πονηρίαις ΓΛ¹: πονηρίαις θέλοντας, τούτους αὖ
τοὐναντίον κακίστους ἑαυτοῖς τε καὶ τοῖς πολίταις εἶναι νομίζω Λ² vulg. ‖
οὕτω Ε: οὕτως Γ vulg. ‖ 10 τοὺς δὲ τοιούτους Γ: τοὺς δὴ τοιούτους
cett. ‖ 134 7 τῆς .... καθεστηκυίας Γ: ἢ τὴν ... καθεστηκυῖαν
vulg. ‖ 135 4 ἔμπροσθεν vulg.: πρότερον Γ. ‖ 5 εἰρημένοις codd.
del. Dobree.

aucun plaisir aux paroles dites avec un profond sérieux, mais
se plaisent surtout aux injures proférées dans les assemblées
publiques, ou qui, s'ils se tiennent à l'écart de cette fré-
nésie, vantent ouvertement les actions les plus basses ou
les hommes qui se sont placés le plus nettement en marge
des lois, je considère que mon discours leur donnera
l'impression d'être trop long. 136 Pour ma part, je ne
me suis jamais soucié de semblables auditeurs, pas plus
que tous les hommes de sens droit ; les auditeurs qui m'intéressent, ce sont ceux qui se rappelleront les propos que
j'ai placés en tête de l'ensemble de mon discours, et qui ne
condamneront pas l'abondance de mes réflexions, même si
elles remplissent des milliers de lignes, qui réfléchiront qu'il
ne dépend que d'eux de ne lire et parcourir isolément que telle
partie de mon travail qu'ils choisiront, et, par-dessus tout,
ceux qui n'entendront rien avec plus de satisfaction qu'un
discours où seront analysées les vertus des grands hommes
et les mœurs d'une ville bien gouvernée [1] ; 137 car,
quiconque voudrait ou serait capable d'imiter ces exemples,
passerait sa vie au milieu d'une gloire immense et ferait le
bonheur de sa patrie. Tels sont les auditeurs que je souhaiterais avoir ; après les avoir désignés, je redoute maintenant,
si je les trouve, de demeurer inférieur aux événements que je
me propose de donner pour sujet à mes propos. Néanmoins,
quels que soient mes moyens, je vais essayer de les aborder.
138 De la bonne administration par laquelle notre patrie
se distinguait des autres villes en ce temps-là, il serait juste de
reporter le mérite sur les rois dont j'ai parlé, voici peu
d'instants. Ce sont eux qui ont élevé la masse de la
population dans la pratique de la vertu, de la
justice, de la sagesse sous toutes ses formes et qui lui
ont montré par l'exemple de leur gestion, — je l'expose

---

1. Sur l'importance qu'Isocrate accorde aux questions morales
dans l'organisation de la vie politique, cf. G. Mathieu, *Les
idées politiques d'Isocrate*, p. 129 et suiv. Isocrate renvoie
aux par. 12-13 de sa « préface ».

χαίρουσιν τοῖς μετὰ πολλῆς σπουδῆς εἰρημένοις, ἀλλὰ
τοῖς ἐν ταῖς πανηγύρεσιν μάλιστα μὲν λοιδορουμένοις, ἢν
δ᾿ ἀπόσχωνται τῆς μανίας ταύτης, ἐγκωμιάζουσιν ἢ τὰ
φαυλότατα τῶν ὄντων ἢ τοὺς παρανομωτάτους τῶν
γεγενημένων, τούτοις δ᾿ αὐτὸν οἶμαι δόξειν πολὺ μακρό-
τερον εἶναι τοῦ δέοντος. 136 Ἐμοὶ δὲ τῶν μὲν τοιούτων ἀκροατῶν οὐδὲν πώποτ᾿ ἐμέλησεν, οὐδὲ τοῖς ἄλλοις
τοῖς εὖ φρονοῦσιν, ἐκείνων δὲ τῶν ἅ τε προεῖπον πρὸ
ἅπαντος τοῦ λόγου μνημονευσόντων, τῷ τε πλήθει τῶν
λεγομένων | οὐκ ἐπιτιμησόντων, οὐδ᾿ ἢν μυρίων ἐπῶν ᾖ τὸ
μῆκος, ἀλλ᾿ ἐφ᾿ αὑτοῖς εἶναι νομιούντων τοσοῦτον ἀναγνῶναι μέρος καὶ διελθεῖν ὁπόσον ἂν αὐτοὶ βουληθῶσιν,
πάντων δὲ μάλιστα τῶν οὐδενὸς ἂν ἥδιον ἀκουόντων ἢ
λόγου διεξιόντος ἀνδρῶν ἀρετὰς καὶ πόλεως τρόπον
καλῶς οἰκουμένης, 137 ἅπερ εἰ μιμήσασθαί τινες
βουληθεῖεν καὶ δυνηθεῖεν, αὐτοί τ᾿ ἂν ἐν μεγάλῃ δόξῃ τὸν
βίον διαγάγοιεν καὶ τὰς πόλεις τὰς αὑτῶν εὐδαίμονας
ποιήσαιεν. Οἵους μὲν οὖν εὐξαίμην ἂν εἶναι τοὺς ἀκουσο-
μένους τῶν ἐμῶν, εἴρηκα, δέδοικα δὲ μὴ τοιούτων γενομένων πολὺ καταδεέστερον εἴπω τῶν πραγμάτων περὶ ὧν
μέλλω ποιεῖσθαι τοὺς λόγους. Ὅμως δ᾿ οὕτως ὅπως ἂν
οἷός τ᾿ ὦ, πειράσομαι διαλεχθῆναι περὶ αὐτῶν. 138 Τοῦ
μὲν οὖν διαφερόντως τῶν ἄλλων οἰκεῖσθαι τὴν πόλιν ἡμῶν
κατ᾿ ἐκεῖνον τὸν χρόνον δικαίως ἂν ἐπενέγκοιμεν τὴν
αἰτίαν τοῖς βασιλεύσασιν αὐτῆς, περὶ ὧν ὀλίγῳ πρότερον
διελέχθην. Ἐκεῖνοι γὰρ ἦσαν οἱ παιδεύσαντες τὸ πλῆθος
ἐν ἀρετῇ καὶ δικαιοσύνῃ καὶ πολλῇ σωφροσύνῃ, καὶ
διδάξαντες ἐξ ὧν διῴκουν, ἅπερ ἐγὼ φανείην ἂν ὕστερον

135 7 ἢ (ante τὰ) Γ : om. cett. ‖ 136 2 τοῖς ἄλλοις Γ : τῶν
ἄλλων cett. ‖ 3 ἐκείνων codd. : ἐκείνοις Γ¹ ἐκεῖνα Γ² ‖ 4 τῷ τ. πλήθει
codd. : τῷ δὲ πλήθει Γ ‖ 137 4 ποιήσαιεν codd. : ποιήσειαν Γ ‖
7 ὅπως Γ : ὁποῖος Λ ὁποίως cett. ‖ 138 3 ἐπενέγκοιμεν Γ : -χαιμεν
vulg. ‖ 5 διελέχθην ΓΛ : διειλέχθην cett. ‖ 6 καὶ δικαιοσύνῃ om.
Γ¹ ins. Γ².

aujourd'hui, mais après qu'eux l'ont prouvé par l'action
— que toute constitution est l'âme d'une cité [1], ayant
sur elle la même autorité que l'intelligence sur le corps.
C'est elle qui dicte les décisions dans tous les ordres, qui
sauvegarde les biens, qui écarte les malheurs, qui est à
l'origine de tous les événements qui atteignent les cités.   139
Cet enseignement, le peuple ne l'a pas oublié lors du changement de régime. Au contraire il donna ses soins, avant toute
chose, à choisir des chefs qui fussent partisans du régime
démocratique, mais qui fussent doués des mœurs qui
avaient été celles de leurs chefs précédents; à ne pas
livrer à son insu les intérêts supérieurs de l'État à des
individus à qui personne ne confierait la moindre de ses
affaires privées,   140   à ne pas laisser par indifférence des
êtres reconnus malfaisants d'un avis unanime se porter
candidats aux charges de l'État, à ne pas supporter la voix
de ces orateurs qui, déshonorés par leurs mœurs, trouvent
à propos de donner aux autres des conseils sur la manière
de gérer la cité pour prouver leur sagesse et accroître leur
bonheur, ni celle des hommes qui, après avoir gaspillé
dans de honteux plaisirs les biens qu'ils ont reçus de
leurs pères, cherchent à renflouer leur propre détresse
au détriment du trésor, ni celle des flatteurs toujours
tentés de parler pour plaire, qui plongent ceux qui les
écoutent dans une masse d'ennuis et de peines.   141
Tout le monde admettra qu'il faut écarter des délibéra-
tions publiques de tels hommes, comme aussi les hommes
qui proclament que les biens d'autrui appartiennent à
l'État tandis qu'ils ont l'audace de voler et de prendre
pour eux les biens qui appartiennent en propre à la cité;
qui affectent d'aimer le peuple mais qui font en sorte qu'il
devienne pour tous un objet de haine;   142   qui affirment
en paroles leur sollicitude inquiète pour les Grecs mais
en réalité les insultent, les dénoncent et les indisposent
si fort à notre égard que certaines villes entrées en guerre

1. Cf. *Aréopagitique*, 13 : même idée, même comparaison.

εἰρηκὼς ἢ 'κεῖνοι πράξαντες, ὅτι πᾶσα πολιτεία ψυχὴ
πόλεώς ἐστι, τοσαύτην ἔχουσα δύναμιν ὅσην περ ἐν σώματι
φρόνησις· αὕτη γάρ ἐστιν ἡ βουλευομένη περὶ ἁπάντων
καὶ τὰ μὲν ἀγαθὰ διαφυλάττουσα, τὰς δὲ συμφορὰς δια-
φεύγουσα, καὶ πάντων αἰτία τῶν ταῖς πόλεσι συμβαινόντων. 139 Ἃ μαθὼν ὁ δῆμος οὐκ ἐπελάθετο διὰ τὴν
μεταβολήν, ἀλλὰ μᾶλλον τούτῳ προσεῖχεν ἢ τοῖς ἄλλοις
ὅπως λήψεται τοὺς ἡγεμόνας δημοκρατίας μὲν ἐπιθυμοῦντας, τὸ δ' ἦθος τοιοῦτον ἔχοντας οἷόν περ οἱ πρότερον
ἐπιστατοῦντες αὐτῶν. καὶ μὴ λήσουσι σφᾶς αὐτούς
κυρίους ἁπάντων τῶν κοινῶν καταστήσαντες, οἷς οὐδεὶς
ἂν οὐδὲν τῶν ἰδίων ἐπιτρέψειεν, 140 μηδὲ περιόψονται
πρὸς τὰ τῆς πόλεως προσιόντας τοὺς ὁμολογουμένως
ὄντας πονηρούς. μηδ' ἀνέξονται τὴν φωνὴν τῶν τὰ μὲν
σώματα τὰ σφέτερ' αὐτῶν ἐπονειδίστως διατιθεμένων,
συμβουλεύειν δὲ τοῖς ἄλλοις ἀξιούντων ὃν τρόπον τὴν
πόλιν διοικοῦντες σωφρονοῖεν | ἂν καὶ βέλτιον πράττοιεν,
μηδὲ τῶν ἃ μὲν παρὰ τῶν πατέρων παρέλαβον εἰς αἰσχρὰς
ἡδονὰς ἀνηλωκότων, ἐκ δὲ τῶν κοινῶν ταῖς ἰδίαις ἀπο-
ρίαις βοηθεῖν ζητούντων, μηδὲ τῶν πρὸς χάριν μὲν ἀεὶ
λέγειν γλιχομένων, εἰς πολλὰς δ' ἀηδίας καὶ λύπας τοὺς
πειθομένους ἐμβαλλόντων, 141 ἀλλὰ τούς τε τοιούτους
ἅπαντας ἀπείργειν ἀπὸ τοῦ συμβουλεύειν ἕκαστος οἰήσεται
δεῖν, καὶ πρὸς τούτοις ἐκείνους τοὺς τὰ μὲν τῶν ἄλλων
κτήματα τῆς πόλεως εἶναι φάσκοντας, τὰ δὲ ταύτης ἴδια
κλέπτειν καὶ διαρπάζειν τολμῶντας, καὶ φιλεῖν μὲν τὸν
δῆμον προσποιουμένους, ὑπὸ δὲ τῶν ἄλλων ἁπάντων αὐτὸν
μισεῖσθαι ποιοῦντας, 142 καὶ λόγῳ μὲν δεδιότας ὑπὲρ
τῶν Ἑλλήνων, ἔργῳ δὲ λυμαινομένους καὶ συκοφαντοῦντας
καὶ διατιθέντας αὐτοὺς οὕτω πρὸς ἡμᾶς ὥστε τῶν πόλεων

138 8 ψυχῇ Γ¹ΛΘ : τύχη Γ² ‖ 12-13 συμβαινόντων Γ : συμβαινόντων
ἀγαθῶν vulg. ‖ 139 1 ἅ μαθὼν Γ : ἧς cett. ‖ 7 ἂν οὐδὲν τῶν ἰδίων
Γ : οὐδὲ τῶν ἰδίων τι (om. Λ¹) Λ vulg. ‖ 140 6 διοικοῦντες Γ :
διοικήσουσι καὶ ὅπως vulg. ‖ 142 3 αὐτοὺς Γ : om. cett.

accueilleraient dans leurs murs avec plus de plaisir et de
facilité leurs assiégeants qu'un secours qui viendrait de
nous. On renoncerait à écrire, si l'on tentait de dénombrer les crimes et les infamies ainsi commises. 143
Nos pères, en haine de ces agissements et de ceux qui les
pratiquent, prirent pour conseillers et pour chefs, non pas
les premiers venus, mais les meilleurs, les plus sensés,
ceux dont la vie était la plus noble; ils en faisaient des
généraux ou les envoyaient comme ambassadeurs là où
cela était nécessaire; ils leur ont confié tous les postes de
commandement dans l'État. Ils estimaient que ceux qui
ont la volonté et le pouvoir de donner du haut de la tribune
les meilleurs conseils, conservent les mêmes dispositions
lorsqu'ils sont livrés à eux-mêmes, en tous lieux et en toutes
circonstances. Et c'est bien en effet ce qui leur arrivait.
144   Grâce à cette conception des choses, ils voyaient en
peu de jours les lois rédigées, des lois qui ne ressemblaient
pas à celles qui sont établies aujourd'hui, qui n'étaient pas
envahies par une confusion et par des contradictions si
nombreuses que personne ne serait capable d'y distinguer
des lois stériles celles qui sont utiles, des lois peu nombreuses
d'abord mais suffisantes pour qui devait les utiliser et
faciles à interpréter, et puis justes, utiles, homogènes,
plus attentives quand elles se réfèrent au bien public que
lorsqu'elles traitent des intérêts privés, des lois conformes
aux exigences d'un peuple bien gouverné. 145   A cette
même époque nos pères plaçaient à la tête des services
publics les citoyens choisis par les membres de chaque
tribu et de chaque dème[1]; ils n'avaient pas transformé
les charges en objets de rivalités ni de compétitions; ils
les rendaient bien plutôt comparables aux liturgies qui
sont des fardeaux pour qui doit les supporter, mais qui

1. Cf. *Aréopagitique*, 22 : même rappel élogieux des mœurs
politiques des anciens athéniens. Aristote (*Const. d'Athènes*, 8, 1)
rattache l'établissement probable des listes de candidats aux
magistratures, à la constitution de Solon.

τὰς εἰς πόλεμον καθισταμένας ἥδιον ἂν καὶ θᾶττον ἐνίας
εἰσδέξασθαι τοὺς πολιορκοῦντας ἢ τὴν παρ' ἡμῶν βοήθειαν.
Ἀπείποι δ' ἂν τις γράφων, εἰ πάσας τὰς κακοηθείας καὶ
πονηρίας ἐξαριθμεῖν ἐπιχειρήσειεν. 143 Ἃς ἐκεῖνοι
μισήσαντες καὶ τοὺς ἔχοντας αὐτὰς ἐποιοῦντο συμβούλους
καὶ προστάτας οὐ τοὺς τυχόντας, ἀλλὰ τοὺς βελτίστους
καὶ φρονιμωτάτους καὶ κάλλιστα βεβιωκότας, καὶ τοὺς
αὐτοὺς τούτους στρατηγοὺς ᾑροῦντο καὶ πρέσβεις, εἴ που
δεήσειεν, ἔπεμπον, καὶ πάσας τὰς ἡγεμονίας τὰς τῆς
πόλεως αὐτοῖς παρεδίδοσαν, νομίζοντες τοὺς ἐπὶ τοῦ
βήματος βουλομένους καὶ δυναμένους τὰ βέλτιστα συμβουλεύειν, τούτους καὶ καθ' αὑτοὺς γενομένους ἐν ἅπασι
τοῖς τόποις καὶ περὶ ἁπάσας τὰς πράξεις τὴν αὐτὴν
γνώμην ἕξειν· ἅπερ αὐτοῖς συνέβαινεν. 144 Διὰ γὰρ τὸ
ταῦτα γιγνώσκειν ἐν ὀλίγαις ἡμέραις ἑώρων τούς τε νόμους
ἀναγεγραμμένους, οὐχ ὁμοίους τοῖς νῦν κειμένοις, οὐδὲ
τοσαύτης ταραχῆς καὶ τοσούτων ἐναντιώσεων μεστοὺς
ὥστε μηδέν' ἂν δυνηθῆναι συνιδεῖν μήτε τοὺς χρησίμους
μήτε τοὺς ἀχρήστους αὐτῶν, ἀλλὰ πρῶτον μὲν ὀλίγους,
ἱκανοὺς δὲ τοῖς χρῆσθαι μέλλουσιν καὶ ῥᾳδίους συνιδεῖν,
ἔπειτα δικαίους καὶ συμφέροντας καὶ σφίσιν αὐτοῖς ὁμο-
λογουμένους, καὶ μᾶλλον ἐσπουδασμένους τοὺς περὶ | τῶν
κοινῶν ἐπιτηδευμάτων ἢ τοὺς περὶ τῶν ἰδίων συμβολαίων,
οἵους περ εἶναι χρὴ παρὰ τοῖς καλῶς πολιτευομένοις.
145 Περὶ δὲ τοὺς αὐτοὺς χρόνους καθίστασαν ἐπὶ τὰς
ἀρχὰς τοὺς προκριθέντας ὑπὸ τῶν φυλετῶν καὶ δημοτῶν,
οὐ περιμαχήτους αὐτὰς ποιήσαντες οὐδ' ἐπιθυμίας ἀξίας,
ἀλλὰ πολὺ μᾶλλον λειτουργίαις ὁμοίας ταῖς ἐνοχλούσαις
μὲν οἷς ἂν προσταχθῶσιν, τιμὴν δέ τινα περιτιθείσαις

143 5 εἴ που Γ : εἴ ποτε vulg. ‖ 144 2 ἑώρων Γ² cett. : ἑώρουν
Γ¹ ‖ 3 ὁμοίους Γ : ὁμοίως cett. ‖ 4 ἐναντιώσεων codd. : ἐναντίων Γ ‖
5 συνιδεῖν (post. δυνηθῆναι) om. vulg. ‖ 7 ῥᾳδίους Γ : ῥᾳδίως cett. ‖
145 2 φυλετῶν καὶ δημοτῶν ΓΘ : συμφυλετῶν καὶ τῶν δημοτῶν Λ
vulg. ‖ 5 περιτιθείσαις Γ : προστιθ- vulg.

lui confèrent l'honneur. Il fallait, en effet, que les
citoyens choisis pour commander cessassent de s'occuper
de leurs intérêts privés et s'abstinssent des profits que
l'habitude a été prise depuis d'attacher aux magistratures,
aussi strictement que de toucher aux offrandes. Qui suppor-
terait de telles conditions dans l'état présent de nos mœurs?
146 En outre, ceux qui s'étaient acquittés de leurs fonc-
tions sans encourir de critiques devaient, après avoir reçu
des éloges mesurés, donner leurs soins à de nouveaux
emplois, de semblable nature; par contre, ceux qui s'étaient
rendus coupables même d'une faute légère étaient atteints
d'un déshonneur extrême et frappés des plus lourdes
amendes. Aussi persone n'était-il porté comme
aujourd'hui vers les magistratures; on les fuyait en ce
temps-là plus encore qu'on ne les recherche aujourd'hui [1].
147 Tout le monde considérait qu'il n'était pas de démocratie plus vraie, plus solide, plus bienfaisante pour la
masse que celle qui assurait au peuple l'exemption de
pareils soucis tout en le faisant maître de pourvoir les
magistratures et de punir ceux qui manqueraient au devoir,
ce qui demeure le privilège des souverains absolus les
plus heureux. **148** Voici la meilleure preuve qu'ils
appréciaient cet état de choses plus encore que je ne le
dis. On peut constater que le peuple entre en lutte avec
les régimes qui ne lui plaisent pas, qu'il les abat et qu'il
tue ceux qui sont à la tête de leurs gouvernements; par
contre, il a fait usage du nôtre pendant au moins mille
ans; il lui est demeuré fidèle depuis l'époque où il l'a
reçu jusqu'au temps de Solon et de la tyrannie de
Pisistrate qui après avoir capté la faveur du peuple,
causé des torts multiples à la cité, et chassé les meilleurs
citoyens en les présentant comme des partisans de l'oligarchie, finit par abattre le gouvernement populaire et
s'institua tyran.

149 Peut être certains me trouveront-ils étrange —

---

1. Cf. *Aréopagitique*, 25 : même idée, même opposition.

αὐτοῖς· ἔδει γὰρ τοὺς ἄρχειν αἱρεθέντας τῶν τε κτημάτων
τῶν ἰδίων ἀμελεῖν καὶ τῶν λημμάτων τῶν εἰθισμένων
δίδοσθαι ταῖς ἀρχαῖς ἀπέχεσθαι μηδὲν ἧττον ἢ τῶν ἱερῶν,
— ἃ τίς ἂν ἐν τοῖς νῦν καθεστῶσιν ὑπομείνειεν ; —
146 Καὶ τοὺς μὲν ἀκριβεῖς περὶ ταύτας γιγνομένους
μετρίως ἐπαινεθέντας ἐφ᾽ ἑτέραν ἐπιμέλειαν τάττεσθαι
τοιαύτην, τοὺς δὲ καὶ μικρὸν παραβάντας ταῖς ἐσχάταις
αἰσχύναις καὶ μεγίσταις ζημίαις περιπίπτειν· ὥστε μηδένα
τῶν πολιτῶν ὥσπερ νῦν διακεῖσθαι πρὸς τὰς ἀρχάς, ἀλλὰ
μᾶλλον τότε ταύτας φεύγειν ἢ νῦν διώκειν. 147 καὶ
πάντας νομίζειν μηδέποτ᾽ ἂν γενέσθαι δημοκρατίαν
ἀληθεστέραν μηδὲ βεβαιοτέραν μηδὲ μᾶλλον τῷ πλήθει
συμφέρουσαν τῆς τῶν μὲν τοιούτων πραγματειῶν ἀτέλειαν
τῷ δήμῳ διδούσης, τοῦ δὲ τὰς ἀρχὰς καταστῆσαι καὶ
λαβεῖν δίκην παρὰ τῶν ἐξαμαρτόντων κύριον ποιούσης,
ἅπερ ὑπάρχει καὶ τῶν τυράννων τοῖς εὐδαιμονεστά-
τοις. 148 Σημεῖον δὲ μέγιστον ὅτι ταῦτ᾽ ἠγάπων μᾶλλον ἠγὼ λέγω· φαίνεται γὰρ ὁ δῆμος ταῖς μὲν ἄλλαις
πολιτείαις ταῖς οὐκ ἀρεσκούσαις μαχόμενος καὶ κατα-
λύων καὶ τοὺς προεστῶτας αὐτῶν ἀποκτείνων, ταύτῃ δὲ
χρώμενος οὐκ ἐλάττω χιλίων ἐτῶν, ἀλλ᾽ ἐμμείνας, ἀφ᾽
οὗπερ ἔλαβεν, μέχρι τῆς Σόλωνος μὲν ἡλικίας, Πεισιστράτου
δὲ δυναστείας, ὃς δημαγωγὸς γενόμενος καὶ πολλὰ τὴν πόλιν
λυμηνάμενος καὶ τοὺς βελτίστους τῶν πολιτῶν ὡς ὀλιγαρχι-
κοὺς ὄντας ἐκβαλών, τελευτῶν τόν τε δῆμον κατέλυσεν καὶ
τύραννον αὐτὸν κατέστησεν.
149 Τάχ᾽ οὖν ἄν τινες ἄτοπον εἶναί με φήσειαν, —

---

145 9 τίς ἂν Γ² cett.: τίς Γ¹ ‖ 146 1 ταύτας codd.: ταῦτα ΓΛ
Monac. 224 ‖ 6 τότε ταύτας Γ: τό ταύτας Λ vulg. ‖ 6 ἢ νῦν ΓΘ:
ἡδὺν Λ¹ ἡδὺ ἢ Λ² vulg. ‖ 147 3 μηδὲ βεβαιοτέραν Γ: om. cett. ‖
6 ἐξαμιρτόντων Γ: -τανόντων vulg. ‖ 148 2 ἠγὼ Γ: ἃ ἐγὼ cett. ‖
4 ἀποκτείνων codd. ἀποκτέννων Γ ‖ 6 οὗπερ ἔλαβεν Γ: οὗ παρέλαβε
vulg. ‖ 7 γενόμενος Γ⁴ΛΘ: ὢν Γ³ om. Γ¹.

car rien n'interdit d'interrompre mon discours — parce
que j'ose parler, comme si je les connaissais avec certitude,
d'événements auxquels je n'assistais pas lorsqu'ils se sont
accomplis. Pour ma part, je ne pense pas que rien de ce que
j'avance soit condamné par la raison. Si j'étais seul à faire
confiance à la tradition et aux écrits qui nous parviennent
de ces temps lointains, je serais blâmé à juste titre; mais
en fait, bien des esprits, et des esprits pleins de jugement,
apparaîtront comme ayant eu la même position que moi.
150 Par ailleurs[1], si je m'engageais dans la voie des
démonstrations et des raisonnements, je pourrais montrer
que tous les hommes ont rassemblé plus de connaissances
par recours à la tradition orale que par recours au témoignage de la vue et que les faits qu'ils connaissent pour en
avoir recueilli le récit sont plus grands et plus beaux que
ceux auxquels le hasard les a fait assister. Quoi qu'il en
soit, il ne convient ni de négliger de telles critiques,
dans l'éventualité où, personne n'en donnant la réfu-
tation, elles porteraient atteinte à la vérité, ni non plus
de consacrer trop de temps à les reprendre; il suffit
d'apporter à autrui la démonstration de la sottise de ces
gens et de revenir au sujet pour achever de le traiter en
le reprenant à partir du point où je l'ai abandonné.
C'est ce que je vais tenter.

151   Nous avons suffisamment exposé quelle était autrefois notre organisation politique et nous avons dit le temps
pendant lequel elle fut utilisée[2]. Il nous reste à énumérer
les faits qui ont découlé de cette heureuse constitution;
ils nous enseigneront, plus magistralement encore, que
nos ancêtres possédaient un régime politique meilleur et
plus sage que les autres et qu'ils faisaient appel aux chefs[3]

1. Χωρὶς δὲ τούτων (neutre). Isocrate a pu faire allusion
aussi bien à l' « archéologie » de Thucydide qu'aux enquêtes
conduites par Aristote pour sa *Politique*.
2. Cf. plus haut, 148.
3. Cf. plus haut, 143.

οὐδὲν γὰρ κωλύει διαλαβεῖν τὸν λόγον, — ὅτι τολμῶ λέγειν
ὡς ἀκριβῶς | εἰδὼς περὶ πραγμάτων, οἷς οὐ παρῆν πραττο-
μένοις. Ἐγὼ δ᾽ οὐδὲν τούτων ἄλογον οἶμαι ποιεῖν. Εἰ μὲν
γὰρ μόνος ἐπίστευον τοῖς τε λεγομένοις περὶ τῶν παλαιῶν
καὶ τοῖς γράμμασι τοῖς ἐξ ἐκείνου τοῦ χρόνου παραδεδο-
μένοις ἡμῖν, εἰκότως ἂν ἐπιτιμῴμην· νῦν δὲ πολλοὶ καὶ
νοῦν ἔχοντες ταὐτὸν ἐμοὶ φανεῖεν ἂν πεπονθότες. 150
Χωρὶς δὲ τούτων, εἰ κατασταίην εἰς ἔλεγχον καὶ λόγον,
δυνηθείην ἂν ἐπιδεῖξαι πάντας ἀνθρώπους πλείους
ἐπιστήμας ἔχοντας διὰ τῆς ἀκοῆς ἢ τῆς ὄψεως, καὶ
μείζους πράξεις καὶ καλλίους εἰδότας ἃς παρ᾽ ἑτέρων
ἀκηκόασιν ἢ ᾽κείνας αἷς αὐτοὶ παραγεγενημένοι τυγχάνουσιν. Ἀλλὰ γὰρ οὔτ᾽ ἀμελεῖν καλῶς ἔχει τῶν τοιούτων
ἐπιλήψεων, — τυχὸν γὰρ μηδενὸς ἀντειπόντος λυμήναιντ᾽
ἂν τὴν ἀλήθειαν, — οὔτ᾽ αὖ πολὺν χρόνον ἀντιλέγοντα
διατρίβειν ἐν αὐταῖς, ἀλλ᾽ ὅσον ὑποδείξαντα μόνον τοῖς
ἄλλοις, ἐξ ὧν ληροῦντας ἂν αὐτοὺς ἐπιδείξαιμεν, πάλιν
ἐπανελθόντα περαίνειν καὶ λέγειν ὅθεν ἀπέλιπον· ὅπερ ἐγὼ
ποιήσω.

151   Τὸ μὲν οὖν σύνταγμα τῆς τότε πολιτείας καὶ τὸν
χρόνον ὅσον αὐτῇ χρώμενοι διετέλεσαν, ἐξαρκούντως
δεδηλώκαμεν· λοιπὸν δ᾽ ἡμῖν τὰς πράξεις τὰς ἐκ τοῦ
καλῶς πολιτεύεσθαι γεγενημένας διελθεῖν. Ἐκ τούτων
γὰρ ἔτι μᾶλλον ἔσται καταμαθεῖν ὅτι καὶ τὴν πολιτείαν
εἶχον ἡμῶν οἱ πρόγονοι βελτίω τῶν ἄλλων καὶ σωφρονεσ-
τέραν, καὶ προστάταις καὶ συμβούλοις ἐχρῶντο τοιούτοις

---

149 2 διαλαβεῖν Γ: διαβαλεῖν vulg. ‖ 6 γράμμασι Γ² cett.:
πράγμασι Γ¹ ‖ 7 ἐπιτίμωμην codd.: ἐπετιμώμην ΓΕ ‖ 8 πεπονθότες Γ: πάσχοντες vulg. ‖ 150 2 καὶ λόγον Γ¹: καὶ λόγῳ Γ² om.
ΛΘ ‖ 8 ἐπιλήψεων Cobet: ὑπολήψεων codd. ‖ 9 οὔτ᾽ αὖ om. Γ¹ ins.
Γ² ‖ 9 ἀντιλέγοντα ... ὑποδείξαντα .... ἐπανελθόντα Γ: ἀντιλέγο-
ντας ... ὑποδείξαντας ... ἐπανελθόντας vulg. ‖ 11 ἐπιδείξαιμεν Γ:
-δείξαιεν vulg. ‖ 12 περαίνειν Γ vulg.: παραινεῖν Λ. ‖ 151 2
διετέλεσαν Γ: διετελέσαμεν vulg. ‖ 3 δεδηλώκαμεν Γ: δεδήλωται Λ
vulg. ‖ 5 ἔτι Γ: om. cett.

et aux conseillers que réclame un jugement avisé. 152
Toutefois, je ne dois pas aborder ces explications, sans
avoir dit au préalable quelques mots à leur sujet. En effet,
si négligeant les critiques des gens qui ne sont bons qu'à
critiquer, je m'étend méthodiquement sur les actes que nos
ancêtres ont encore accomplis, et sur les institutions militaires dont ils ont fait usage pour venir à bout des Barbares et acquérir leur bon renom auprès des Grecs, inévitablement certains déclareront que j'expose en réalité les
lois que Lycurgue a instituées et dont les Spartiates font
encore usage aujourd'hui.

153   Je conviens que je présenterai bien des observations qui concerneront les institutions en vigueur là-bas,
— non pas que Lycurgue en ait découvert ou conçu une
quelconque, mais dans la pensée qu'il a imité aussi heureusement qu'il était possible l'organisation établie par nos
ancêtres[1]; qu'il a institué chez les Lacédémoniens la démocratie, j'entends celle qui se fondait avec l'aristocratie
telle qu'elle existait chez nous, qu'il a rendu les magistratures accessibles non par le sort, mais par le choix;   154
qu'il a prescrit par une loi que la sélection des vieillards
placés à la tête de toutes les affaires fût aussi soigneu-
sement pratiquée que celle par laquelle, chez nous,
on raconte qu'étaient désignés les citoyens appelés à
monter à l'Aréopage, enfin qu'il leur a conféré une autorité
identique à celle qu'il savait que détenait chez nous le
Conseil.   155   Comment il organisa là-bas les institutions sur le modèle de ce qui existait dans l'ancien temps
chez nous, ceux qui veulent s'en rendre compte auront
la possibilité de l'apprendre d'après de nombreux témoignages. Quant à l'expérience militaire, que les Spartiates
ne l'aient pas acquise avant nous et ne l'aient pas mise
à profit mieux que les nôtres, je pense qu'en me fondant
sur les combats et sur les guerres qui, de l'avis général,

---

1. Affirmation tendancieuse et historiquement contestable.

οἷοις χρὴ τοὺς εὖ φρονοῦντας. 152 Οὐ μὴν οὐδέ ταῦτά
μοι πρότερον λεκτέον ἐστίν, πρὶν ἂν μικρὰ προείπω περὶ
αὐτῶν. Ἦν γὰρ ὑπεριδὼν τὰς ἐπιτιμήσεις τὰς τῶν οὐδὲν
ἄλλο ποιεῖν ἢ τοῦτο δυναμένων ἐφεξῆς διηγῶμαι περί τε
τῶν ἄλλων τῶν πεπραγμένων καὶ τῶν ἐπιτηδευμάτων τῶν
περὶ τὸν πόλεμον, οἷς οἱ πρόγονοι χρώμενοι τῶν τε
βαρβάρων περιεγένοντο καὶ παρὰ τοῖς Ἕλλησιν εὐδοκί-
μησαν, οὐκ ἔστιν ὅπως οὐ φήσουσίν τινές με διεξιέναι
τοὺς νόμους, οὓς Λυκοῦργος μὲν ἔθηκεν, Σπαρτιᾶται δ᾽
αὐτοῖς χρώμενοι τυγχάνουσιν.

153 Ἐγὼ δ᾽ ὁμολογῶ μὲν ἐρεῖν πολλὰ τῶν ἐκεῖ καθε-
στώτων, οὐχ ὡς Λυκούργου τι τούτων εὑρόντος ἢ δια-
νοηθέντος, ἀλλ᾽ ὡς | μιμησαμένου τὴν διοίκησιν ὡς δυνατὸν
ἄριστα τὴν τῶν προγόνων τῶν ἡμετέρων, καὶ τήν τε
δημοκρατίαν καταστήσαντος παρ᾽ αὐτοῖς τὴν ἀριστοκρατίᾳ
μεμιγμένην, ἥπερ ἦν παρ᾽ ἡμῖν, καὶ τὰς ἀρχὰς οὐ κλη-
ρωτάς, ἀλλ᾽ αἱρετὰς ποιήσαντος, 154 καὶ τὴν τῶν
γερόντων αἵρεσιν τῶν ἐπιστατούντων ἅπασι τοῖς πράγμασιν
μετὰ τοσαύτης σπουδῆς ποιεῖσθαι νομοθετήσαντος, μεθ᾽
ὅσης πέρ φασι καὶ τοὺς ἡμετέρους περὶ τῶν εἰς Ἄρειον
πάγον ἀναβήσεσθαι μελλόντων, ἔτι δὲ καὶ τὴν δύναμιν
αὐτοῖς περιθέντος τὴν αὐτὴν ἥνπερ ᾔδει καὶ τὴν βουλὴν
ἔχουσαν τὴν παρ᾽ ἡμῖν. 155 Ὅτι μὲν οὖν τὸν αὐτὸν
τρόπον τἀκεῖ καθέστηκεν ὥσπερ εἶχεν τὸ παλαιὸν καὶ τὰ
παρ᾽ ἡμῖν, παρὰ πολλῶν ἔσται πυθέσθαι τοῖς εἰδέναι βου-
λομένοις· ὡς δὲ καὶ τὴν ἐμπειρίαν τὴν περὶ τὸν πόλεμον
οὐ πρότερον ἤσκησαν οὐδ᾽ ἄμεινον ἐχρήσαντο Σπαρτιᾶται
τῶν ἡμετέρων, ἐκ τῶν ἀγώνων καὶ τῶν πολέμων τῶν ὁμολο-
γουμένων γενέσθαι κατ᾽ ἐκεῖνον τὸν χρόνον οὕτως οἶμαι
σαφῶς ἐπιδείξειν ὥστε μήτε τοὺς ἀνοήτως λακωνίζοντας

151 8 οἷοις H. Wolf: οἵους codd. 153 4 τήν τε Γ¹ΛΘ: τὴν τότε
Γ². ‖ 155 3 ἔσται ΓΛ: ἔστι cett. ‖ 8 ὥστε μήτε ΓΕ: ὥστε μηδὲ
cett.

eurent lieu à cette époque, je l'établirai avec une évidence
suffisante pour que les partisans insensés de Sparte ne
puissent pas me contredire, non plus que ceux qui admirent
nos œuvres en même temps qu'ils les décrient et qu'ils
brûlent de les imiter. **156** Je donnerai à ces développements un début qui ne sera peut-être pas goûté de
certains, mais qui ne sera pas inutile. Si quelqu'un avan-
çait que les deux cités ont été cause des plus grands biens
pour les Grecs, puis, après l'expédition de Xerxès, des
plus grands maux, de toute évidence ce jugement ne
pourraît pas sembler ne pas être conforme à la vérité
pour tous ceux qui connaissent quelque chose des événements de ce temps. **157** Elles ont lutté aussi brillamment que possible contre la puissance de ce roi mais,
après l'avoir fait, et tandis qu'il eût été opportun pour elles
de prendre aussi les heureuses décisions qui en découlaient,
elles ont porté, non pas la sottise, mais l'aberration jusqu'au point que voici : avec ce roi qui avait déclanché
la guerre contre les deux cités dans l'intention de les détruire
et qui voulait d'autre part asservir tous les Grecs, **158**
avec un tel roi qu'elles pouvaient pourtant vaincre aisément et sur terre et sur mer, elles conclurent une paix
perpétuelle comme s'il fût devenu leur bienfaiteur;
réciproquement jalouses de leurs mérites et s'étant engagées
l'une à l'égard de l'autre dans la guerre et dans des querelles
de prestige elles ne cessèrent de se faire du mal à elles-
mêmes ainsi qu'à tous les Grecs, aussi longtemps qu'elles
n'eurent pas rendu notre ennemi commun maître de préci-
piter dans des dangers extrêmes soit notre pays en utilisant
la puissance des Lacédémoniens, soit inversement celui des
Lacédémoniens en utilisant notre puissance. **159** Après
s'être révélées si inférieures au Barbare en habileté,
elles ne manifestèrent à cette époque aucune douleur
qui fût à la mesure de leurs malheurs et telle qu'il eût été
convenable de leur part de l'éprouver. Aujourd'hui
encore, les plus grandes cités de la Grèce ne rougissent
pas de rivaliser de flatteries en regardant du côté des

ἀντειπεῖν δυνήσεσθαι τοῖς ῥηθεῖσιν μήτε τοὺς θαμετέρ᾽
ἅμα τε θαυμάζοντας καὶ βασκαίνοντας καὶ μιμεῖσθαι
γλιχομένους. 156 Ποιήσομαι δὲ τὴν ἀρχὴν τῶν λεχθη-
σομένων ἀκοῦσαι μὲν ἴσως τισὶν ἀηδῆ, ῥηθῆναι δ᾽ οὐκ
ἀσύμφορον. Εἰ γάρ τις φαίη τὼ πόλεε τούτω πλείστων
ἀγαθῶν αἰτίας γεγενῆσθαι τοῖς Ἕλλησι καὶ μεγίστων
κακῶν μετὰ τὴν Ξέρξου στρατείαν, οὐκ ἔστιν ὅπως οὐκ
ἀληθῆ δόξειεν ἂν λέγειν τοῖς εἰδόσιν τι περὶ τῶν τότε
γεγενημένων. 157 Ἠγωνίσαντό τε γὰρ ὡς δυνατὸν ἄριστα
πρὸς τὴν ἐκείνου δύναμιν, ταῦτά τε πράξασαι, προσῆκον
αὐταῖς καὶ περὶ τῶν ἐχομένων βουλεύσασθαι καλῶς, εἰς
τοῦτ᾽ ἦλθον οὐκ ἀνοίας, ἀλλὰ μανίας, ὥστε πρὸς μὲν τὸν
ἐπιστρατεύσαντα καὶ βουληθέντα τὼ μὲν πόλεε τούτω
παντάπασιν ἀνελεῖν, τοὺς δ᾽ ἄλλους Ἕλληνας καταδουλώσασθαι, 158 πρὸς μὲν τὸν τοιοῦτον, κρατήσασαι ῥᾳδίως
ἂν αὐτοῦ καὶ κατὰ γῆν καὶ κατὰ θάλατταν, εἰρήνην εἰς
ἅπαντα συνεγράψαντο τὸν χρόνον ὥσπερ πρὸς εὐεργέτην
γεγενημένον, | φθονήσασαι δὲ ταῖς ἀρεταῖς ταῖς αὐτῶν, εἰς
πόλεμον καταστᾶσαι πρὸς ἀλλήλας καὶ φιλονικίαν, οὐ
πρότερον ἐπαύσαντο σφᾶς τ᾽ αὐτὰς ἀπολλύουσαι καὶ τοὺς
ἄλλους Ἕλληνας πρὶν κύριον ἐποίησαν τὸν κοινὸν ἐχθρὸν
τήν τε πόλιν τὴν ἡμετέραν εἰς τοὺς ἐσχάτους καταστῆσαι
κινδύνους διὰ τῆς δυνάμεως τῆς Λακεδαιμονίων, καὶ πάλιν
τὴν ἐκείνων διὰ τῆς πόλεως τῆς ἡμετέρας. 159 Καὶ
τοσοῦτον ἀπολειφθέντες τῆς τοῦ βαρβάρου φρονήσεως,
οὔτ᾽ ἐν ἐκείνοις τοῖς χρόνοις ἤλγησαν ἀξίως ὧν ἔπαθον
οὐδ᾽ ὡς προσῆκεν αὐτούς, οὔτε νῦν αἱ μέγισται τῶν Ἑλληνίδων πόλεων αἰσχύνονται διακολακευόμεναι πρὸς τὸν
ἐκείνου πλοῦτον, ἀλλ᾽ ἡ μὲν Ἀργείων καὶ Θηβαίων

155 9 θαμέτερ᾽ ἅμα τε nos: τὰ ἡμέτερα ἅμα τε Γ ἅμα τε
vulg. ‖ 156 3 τὼ πόλεε τούτω Γ: τὰ πόλεε ταύτα cett. ‖ 6 τι
Γ: τισὶ cett. ‖ 157 2 πράξασαι codd.: πρᾶξαι Γ ‖ 158 2 ἂν
Γ² cett. om. Γ¹: ‖ 5 φιλονικίαν Γ¹: -νεικίαν Γ² cett. ‖
7 ἐποίησαν Coraï: ἐποιήσαντο codd.

richesses de ce roi ; l'État argien et celui de Béotie se sont
unis à lui pour attaquer l'Égypte apparemment pour lui
permettre de monter une machination contre les Grecs
avec le maximum de forces ; et nous et les Spartiates, qui
pourtant avons une alliance, nous nous montrons plus
hostiles les uns vis-à-vis des autres que si nous étions
devant nos ennemis respectifs.   160   En voici une preuve
qui n'est pas négligeable : nous ne délibérons jamais en
commun sur la moindre affaire mais, isolément, chacune
de nos cités envoie des ambassadeurs au Roi dans l'espoir
que le peuple auquel il manifestera les dispositions les
plus amicales deviendra détenteur de la prépondérance
sur les Grecs ; c'est mal savoir que le Roi a pour habitude
de traiter avec insolence ceux qui se conduisent envers
lui en serviteurs, tandis que, devant ceux qui font face
et méprisent sa puissance il cherche tous les moyens
d'apaiser les différends.

161   En développant ces considérations, je n'ai pas
perdu de vue que certains n'hésiteront pas à déclarer que
j'ai fait appel à des commentaires qui sortent de mon sujet.
Pour ma part, je pense n'avoir jamais prononcé de paroles
qui soient plus intimement liées à mes précédents développements ni plus aptes à permettre de montrer que nos
ancêtres ont été plus avisés dans la gestion de nos intérêts
supérieurs que les citoyens qui administrèrent notre
pays et celui des Spartiates après la guerre contre
Xerxès.   162   On peut les voir alors faire la paix avec
les Barbares, puis se ruiner et ruiner les autres villes
comme on les voit aujourd'hui encore prétendre à la
domination sur les Grecs tout en envoyant auprès du
Roi des ambassadeurs pour traiter d'amitié et d'alliance[1].
Les hommes qui gouvernèrent autrefois notre cité,
n'agissaient pas ainsi, mais faisaient tout le contraire.
163   L'abstention de toute mainmise sur les villes grecques
leur était aussi fermement signifiée comme instructions

1. Cf. P. Cloché : *Isoc. et la polit. lacédémonienne*, *R.E.A.*, 1933,
p. 137.

Αἴγυπτον αὐτῷ συγκατεπολέμησεν, ἵν᾽ ὡς μεγίστην ἔχων δύναμιν ἐπιβουλεύῃ τοῖς Ἕλλησιν, ἡμεῖς δὲ καὶ Σπαρτιᾶται συμμαχίας ἡμῖν ὑπαρχούσης ἀλλοτριώτερον ἔχομεν πρὸς ἡμᾶς αὐτοὺς ἢ πρὸς οὓς ἑκάτεροι πολεμοῦντες τυγχάνομεν. 160 Σημεῖον δ᾽ οὐ μικρόν· κοινῇ μὲν γὰρ οὐδὲ περὶ ἑνὸς πράγματος βουλευόμεθα, χωρὶς δ᾽ ἑκάτεροι πρέσβεις πέμπομεν ὡς ἐκεῖνον, ἐλπίζοντες, ὁποτέροις ἂν οἰκειότερον διατεθῇ, τούτους κυρίους γενήσεσθαι τῆς ἐν τοῖς Ἕλλησι πλεονεξίας, κακῶς εἰδότες ὡς τοὺς μὲν θεραπεύοντας αὐτὸν ὑβρίζειν εἴθισται, πρὸς δὲ τοὺς ἀντιταττομένους καὶ καταφρονοῦντας τῆς ἐκείνου δυνάμεως ἐκ παντὸς τρόπου διαλύεσθαι πειρᾶται τὰς διαφοράς.

161 Ταῦτα δὲ διῆλθον οὐκ ἀγνοῶν ὅτι λέγειν τινὲς τολμήσουσιν ὡς ἔξω τῆς ὑποθέσεως τοῖς λόγοις τούτοις ἐχρησάμην. Ἐγὼ δ᾽ οὐδέποτ᾽ ἂν οἶμαι τοῖς προειρημένοις οἰκειοτέρους λόγους ῥηθῆναι τούτων, οὐδ᾽ ἐξ ὧν ἄν τις σαφέστερον ἐπιδείξειεν τοὺς προγόνους ἡμῶν φρονιμωτέρους ὄντας περὶ τὰ μέγιστα τῶν τήν τε πόλιν τὴν ἡμετέραν καὶ τὴν Σπαρτιατῶν μετὰ τὸν πόλεμον τὸν πρὸς Ξέρξην διοικησάντων. 162 Αὗται μὲν γὰρ ἂν φανεῖεν ἐν ἐκείνοις τε τοῖς χρόνοις πρὸς μὲν τοὺς βαρβάρους εἰρήνην ποιησάμεναι σφᾶς αὐτὰς καὶ τὰς ἄλλας πόλεις ἀπολλύουσαι, | νῦν τε τῶν μὲν Ἑλλήνων ἄρχειν ἀξιοῦσαι, πρὸς δὲ τὸν βασιλέα πρέσβεις πέμπουσαι περὶ φιλίας καὶ συμμαχίας. Οἱ δὲ τότε τὴν πόλιν οἰκοῦντες οὐδὲν τούτων ἔπραττον, ἀλλὰ πᾶν τοὐναντίον· 163 τῶν μὲν γὰρ Ἑλληνίδων πόλεων οὕτως αὐτοῖς ἀπέχεσθαι σφόδρα δεδογμένον ἦν,

---

160 4 διατεθῇ Γ: διατεθείη cett. ‖ 7 ἀντιταττομένους Γ: -πραττομένους cett. ‖ **161** 4 οἰκειοτέρους Γ: οἰκειοτέρους ἂν Γ² vulg. ‖ **162** 2 τε χρόνοις codd.: χρόνοις ἡμῖν Γ ‖ 3 σφᾶς αὐτὰς Γ: σφᾶς αὐτοὺς Λ σφᾶς δ᾽ αὐτὰς vulg. ‖ 3 τὰς ἄλλας πόλεις vulg.: τοὺς ἄλλους Ἕλληνας Γ ‖ 4 νῦν δὲ Γ: νῦν τε codd. ‖ 4 μὲν (ante Ἑλλήνων) Γ: om. cett. ‖ 7 πᾶν Γ: om. cett.

qu'aux hommes pieux le respect des biens déposés dans les
temples; parmi les guerres, ils tenaient pour la plus nécessaire et la plus juste celle que livraient tous les hommes à
la férocité des bêtes sauvages, et ensuite celle que menaient
les Grecs contre les Barbares, leurs ennemis naturels, en
état permanent de conspiration contre nous. 164 Ces
observations, je ne les ai pas avancées en les tirant de mon
fonds, je les ai rassemblées en les empruntant à leur
conduite. Voyant les autres cités accablées de maux
multiples, de guerres et de troubles, tandis que seule la
leur était bien gérée, ils n'estimèrent pas qu'il fallait que
les plus sages et les plus heureux demeurassent indifférents
ni qu'ils laissassent mourir des villes qui participaient de
la même origine qu'eux; ils pensèrent au contraire qu'il
fallait rechercher et adopter les mesures permettant de les
débarrasser de leurs maux présents. 165 Dans cette
pensée, ils s'efforçaient de supprimer les discordes dans les
villes les moins atteintes, en envoyant des ambassadeurs et
en donnant des avis; aux villes que déchirait plus pro-
fondément la désunion, ils adressaient les plus glorieux de
leurs concitoyens qui leur donnaient conseil sur les difficultés
du moment; enfin ils venaient en aide aux hommes
qui étaient dans l'impossibilité de vivre sur leur propre
pays et à ceux qui se comportaient d'une façon plus vile
que les lois ne le permettent, car ces catégories d'individus causent, la plupart du temps, du préjudice aux
villes; ils les persuadaient de partir en guerre avec eux
et de chercher ainsi de meilleurs moyens de vivre. 166
Comme nombreux avaient été ceux qui partagèrent
cette façon de voir et qui se laissèrent convaincre, ils en
firent un corps expéditionnaire et vainquirent les Barbares
qui occupaient les îles et étaient installés sur le rivage
des deux continents[1]; après les avoir tous chassés, ils y

1. Cf. *Panégyrique*, 35 : même thème sur le caractère « national » de l'idée de colonisation répandue dans le monde grec,
cf. G. Mathieu : *Les idées politiques d'Isocrate*, p. 59 et suiv.

ὥσπερ τοῖς εὐσεβεστάτοις τῶν ἐν τοῖς ἱεροῖς ἀνακειμένων,
τῶν δὲ πολέμων ὑπελάμβανον ἀναγκαιότατον μὲν εἶναι
καὶ δικαιότατον τὸν μετὰ πάντων ἀνθρώπων πρὸς τὴν
ἀγριότητα τῶν θηρίων γιγνόμενον, ἕτερον δὲ τὸν μετὰ τῶν
Ἑλλήνων πρὸς τοὺς βαρβάρους τοὺς καὶ φύσει πολεμίους
ὄντας καὶ πάντα τὸν χρόνον ἐπιβουλεύοντας ἡμῖν. 164
Τοῦτον δ᾽ εἴρηκα τὸν λόγον οὐκ αὐτὸς εὑρών, ἀλλ᾽ ἐκ τῶν
ἐκείνοις πεπραγμένων συλλογισάμενος. Ὁρῶντες γὰρ τὰς
μὲν ἄλλας πόλεις ἐν πολλοῖς κακοῖς καὶ πολέμοις καὶ
ταραχαῖς οὔσας, τὴν δ᾽ αὐτῶν μόνην καλῶς διοικουμένην,
οὐχ ἡγήσαντο δεῖν τοὺς ἄμεινον τῶν ἄλλων φρονοῦντας καὶ
πράττοντας ἀμελεῖν, οὐδὲ περιορᾶν τὰς τῆς αὐτῆς συγγενείας μετεχούσας ἀπολλυμένας, ἀλλὰ σκεπτέον εἶναι καὶ
πρακτέον ὅπως ἁπάσας ἀπαλλάξουσι τῶν κακῶν τῶν παρόντων. 165 Ταῦτα δὲ διανοηθέντες τῶν μὲν ἧττον νοσουσῶν πρεσβείαις καὶ λόγοις ἐξαιρεῖν ἐπειρῶντο τὰς διαφοράς, εἰς δὲ τὰς μᾶλλον στασιαζούσας ἐξέπεμπον τῶν πολιτῶν
τοὺς μεγίστην παρ᾽ αὐτοῖς δόξαν ἔχοντας, οἳ περί τε τῶν
παρόντων πραγμάτων αὐταῖς συνεβούλευον, καὶ συγγιγ-
νόμενοι τοῖς τε μὴ δυναμένοις ἐν ταῖς αὐτῶν ζῆν καὶ τοῖς
χεῖρον γεγονόσιν ὧν οἱ νόμοι προστάττουσιν, οἵπερ ὡς ἐπὶ
τὸ πολὺ λυμαίνονται τὰς πόλεις, ἔπειθον μεθ᾽ αὑτῶν
στρατεύεσθαι καὶ βίον ζητεῖν βελτίω τοῦ παρόντος. 166
Πολλῶν δὲ γιγνομένων τῶν ταῦτα βουλομένων καὶ πειθομένων, στρατόπεδα συνιστάντες ἐξ αὐτῶν, τούς τε τὰς
νήσους κατέχοντας τῶν βαρβάρων καὶ τοὺς ἐφ᾽ ἑκατέρας
τῆς ἠπείρου τὴν παραλίαν κατοικοῦντας καταστρεφόμενοι
καὶ πάντας ἐκβαλόντες, τοὺς μάλιστα βίου δεομένους τῶν

163 3 εὐσεβεστάτοις Γ: εὐσεβέσι codd. ‖ 4 εἶναι Γ: om. cett. ‖
6 γιγνόμενον Γ: γενόμενον cett. ‖ 6 ἕτερον Γ: δευτερόν vulg. ‖
164 5 διοικουμένην Γ: οἶκ- vulg. ‖ 165 1 ἧττον νοσουσῶν Γ: ἡττόνων
οὐσῶν cett. ‖ 5 αὐταῖς Γ: παρ᾽ αὐταῖς vulg. ‖ 6 ζῆν Γ: ζῆν πατρίσι
vulg. ‖ 9 παρόντος Γ: νῦν παρόντος vulg. ‖ 166 6 ἐκβαλόντες Γ:
ἐκβάλλοντες vulg.

installèrent les Grecs qui étaient les plus démunis. Ils
continuèrent d'agir ainsi et de donner cet exemple
jusqu'au jour où ils apprirent que les Spartiates avaient
fait rentrer sous leur domination, comme je l'ai dit, les
villes du Péloponnèse; à partir de ce moment, ils durent
veiller sur leurs propres intérêts.

167 Quel fut l'avantage de cette guerre déclenchée
pour des entreprises coloniales et de l'effort qu'elle néces-
sita, voilà, j'imagine, ce que le grand public désire surtout
savoir. Pour les Grecs, ce fut d'être mieux approvisionnés
des produits nécessaires à la vie et d'être plus étroitement
unis, une fois qu'ils eurent été débarrassés de cette masse
d'hommes animés d'une telle mentalité [1]; en ce qui concerne
les Barbares, ils perdirent leurs territoires et baissèrent le
ton; quant aux auteurs de ces transformations, ils connurent la gloire et passèrent pour avoir doublé l'étendue et
la puissance de la Grèce [2].   **168** Je ne pourrais à coup sûr
trouver un bienfait imputable à nos ancêtres qui fût plus
grand que celui-ci, plus profitable à la communauté
grecque; mais peut-être aurons-nous la possibilité de
présenter un événement plus étroitement lié à l'art de la
guerre, et qui, tout aussi digne de renommée, apparaîtra
dans une clarté plus grande aux yeux de tous. Qui ne
connaît, qui n'a pas appris par les poètes tragiques, au
cours des Dionysies, les malheurs dont fut victime
Adraste à Thèbes?   **169** Voulant ramener dans sa patrie
le fil d'Œdipe, son propre gendre, il perdit un nombre
considérable d'Argiens et fut le témoin de la mort de tous
les chefs; sauvé, mais non sans encourir le blâme, il ne
put obtenir une trève ni relever les corps des soldats
tués; c'est alors qu'il s'adressa en suppliant à notre
cité, du temps où Thésée la gouvernait encore,
pour demander de ne pas tolérer que de tels
hommes restassent sans sépulture et que fût aboli un

---

1. Cf. plus haut, 165.
2. Le Περὶ τῆς εἰρήνης, par. 19, offre un tableau comparable

Ἑλλήνων κατῴκιζον. | Καὶ ταῦτα πράττοντες καὶ τοῖς
ἄλλοις ὑποδεικνύοντες διετέλουν, ἕως ἤκουσαν Σπαρτιάτας
τὰς πόλεις τὰς ἐν Πελοποννήσῳ κατοικούσας, ὥσπερ
εἶπον, ὑφ᾽ αὑτοῖς πεποιημένους· μετὰ δὲ ταῦτα τοῖς ἰδίοις
ἠναγκάζοντο προσέχειν τὸν νοῦν.

167 Τί οὖν ἐστὶν τὸ συμβεβηκὸς ἀγαθὸν ἐκ τοῦ πολέμου
τοῦ περὶ τὰς ἀποικίας καὶ ⟨τῆς⟩ πραγματείας; Τοῦτο γὰρ
οἶμαι μάλιστα ποθεῖν ἀκοῦσαι τοὺς πολλούς. Τοῖς μὲν
Ἕλλησιν εὐπορωτέροις γενέσθαι τὰ περὶ τὸν βίον καὶ
μᾶλλον ὁμονοεῖν τοσούτων τὸ πλῆθος καὶ τοιούτων
ἀνθρώπων ἀπαλλαγεῖσιν, τοῖς δὲ βαρβάροις ἐκπίπτειν ἐκ
τῆς αὑτῶν καὶ φρονεῖν ἔλαττον ἢ πρότερον, τοῖς δ᾽ αἰτίοις
τούτων γεγενημένοις εὐδοκιμεῖν καὶ δοκεῖν διπλασίαν
πεποιηκέναι τὴν Ἑλλάδα τῆς ἐξ ἀρχῆς συστάσης. 168
Μεῖζον μὲν οὖν εὐεργέτημα τούτου καὶ κοινότερον τοῖς
Ἕλλησι γεγενημένον παρὰ τῶν προγόνων τῶν ἡμετέρων
οὐκ ἂν δυναίμην ἐξευρεῖν· οἰκειότερον δὲ τῇ περὶ τὸν πόλεμον ἐπιμελείᾳ καὶ δόξης οὐκ ἐλάττονος ἄξιον καὶ πᾶσι
φανερώτερον ἴσως ἕξομεν εἰπεῖν. Τίς γὰρ οὐκ οἶδεν ἢ τίς
οὐκ ἀκήκοεν τῶν τραγῳδοδιδασκάλων Διονυσίοις τὰς
Ἀδράστῳ γενομένας ἐν Θήβαις συμφοράς, 169 ὅτι κατάγειν βουληθεὶς τὸν Οἰδίπου μὲν υἱόν, αὑτοῦ δὲ κηδεστήν,
παμπληθεῖς μὲν Ἀργείων ἀπώλεσεν, ἅπαντας δὲ τοὺς
λοχαγοὺς ἐπεῖδεν διαφθαρέντας, αὐτὸς δ᾽ ἐπονειδίστως
σωθείς, ἐπειδὴ σπονδῶν οὐχ οἷός τ᾽ ἦν τυχεῖν οὐδ᾽ ἀνε-
λέσθαι τοὺς τετελευτηκότας, ἱκέτης γενόμενος τῆς πόλεως
ἔτι Θησέως αὐτὴν διοικοῦντος ἐδεῖτο μὴ περιιδεῖν τοιούτους ἄνδρας ἀτάφους γενομένους μηδὲ παλαιὸν ἔθος καὶ

166 9 κατοικούσας Γ: κατῳκισμένας vulg. || 167 2 τῆς (ante
πραγματείας) ins. Sauppe || 2 τοῦτο Γ¹: τουτὶ Γ² || 4 εὐπορωτέροις
Coraï: -τέρους codd. || 8 δοκεῖν Γ: om. cett. || 168 2 τούτου
Γ: om. cett. || φανερώτερον Γ: φανερὸν vulg. || 7 τραγῳδο-
διδασκάλων codd : τραγωδιδασκάλων Γ || 8 Θήβαις Γ: Θηβαίοις
vulg. || 169 7 περιιδεῖν Γ: παριδεῖν vulg.

usage ancien, une loi ancestrale, que l'ensemble des
hommes n'a cessé de pratiquer, non parce que la nature
humaine l'a établie, mais parce qu'une puissance divine
l'a imposée. 170 En présence de cette demande, le
peuple, sans attendre, envoya une délégation à Thèbes
avec mission de conseiller relativement à l'enlèvement
des morts une décision plus conforme à la religion et une
réponse mieux adaptée que la précédente à la tradition ;
ils devaient aussi laisser comprendre que notre pays ne
les laisserait pas libres de transgresser une loi qui s'appli-
quait à tous les Grecs. 171 Après les avoir entendus,
les chefs des Thébains se prononcèrent dans un sens qui
ne répondait ni à l'opinion que certains ont sur eux,
ni aux décisions qu'ils avaient prises auparavant ; après
s'être exprimés en termes modérés sur leur attitude et avoir
mis en cause ceux qui les avaient attaqués, ils accordèrent
à notre pays l'enlèvement des morts. 172 Et que personne ne s'imagine que j'ignore la contradiction qui existe
entre ce que je dis ici et ce que je pourrais paraître avoir
écrit sur le même sujet dans le *Discours Panégyrique* [1].
Je ne pense pas que personne, parmi ceux qui sont à même
de faire cette constatation, manifeste assez d'ignorance et
de jalousie pour ne pas m'approuver et considérer que j'ai
sagement agi en m'exprimant alors d'une certaine manière
sur ces événements et aujourd'hui comme je le fais.
173 J'ai la conviction que ce que j'ai écrit sur ces événements était digne et utile. Quant à la supériorité de notre
ville sur le plan militaire, — et c'est pour la mettre en
évidence que j'ai commenté ce qui est arrivé à Thèbes, —
j'estime que cette action la mit clairement en relief pour
tous, puisqu'elle contraignit le roi des Argiens à devenir le
suppliant de notre ville 174 et qu'elle mit par ailleurs les
chefs de Thèbes dans la situation de se ranger aux propositions que leur adressait Athènes plutôt que d'obéir aux
lois fixées par la divinité. Or notre cité n'eût pas été

1. *Panégyrique*, 54 et suiv. et note 2 du par. 58 (éd. Mathieu).

πάτριον νόμον καταλυόμενον, ᾧ πάντες ἄνθρωποι χρώμενοι
διατελοῦσιν οὐχ ὡς ὑπ᾽ ἀνθρωπίνης κειμένῳ φύσεως, ἀλλ᾽
ὡς ὑπὸ δαιμονίας προστεταγμένῳ δυνάμεως. 170 Ὧν
ἀκούσας οὐδένα χρόνον ἐπισχὼν ὁ δῆμος ἔπεμψεν πρεσ-
βείαν εἰς Θήβας, περί τε τῆς ἀναιρέσεως συμβουλεύσοντας
αὐτοῖς ὁσιώτερον βουλεύσασθαι καὶ τὴν ἀπόκρισιν νομι-
μωτέραν ποιήσασθαι τῆς πρότερον γενομένης, κἀκεῖν᾽
ὑποδείξοντας, ὡς ἡ πόλις αὐτοῖς οὐκ ἐπιτρέψει παρα-
βαίνουσι τὸν νόμον τὸν κοινὸν ἁπάντων τῶν Ἑλλήνων. |
171 Ὧν ἀκούσαντες οἱ κύριοι τότ᾽ ὄντες Θηβῶν οὐχ
ὁμοίως ἔγνωσαν οὔτε ταῖς δόξαις αἷς ἔχουσίν τινες περὶ
αὐτῶν, οὔθ᾽ οἷς ἐβουλεύσαντο πρότερον, ἀλλὰ μετρίως
περὶ αὐτῶν τε διαλεχθέντες καὶ τῶν ἐπιστρατευσάντων
κατηγορήσαντες ἔδοσαν τῇ πόλει τὴν ἀναίρεσιν. 172 Καὶ
μηδεὶς οἰέσθω μ᾽ ἀγνοεῖν, ὅτι τἀναντία τυγχάνω λέγων
οἷς ἐν τῷ Πανηγυρικῷ λόγῳ φανείην ἂν περὶ τῶν αὐτῶν
τούτων γεγραφώς· ἀλλὰ γὰρ οὐδένα νομίζω τῶν ταῦτα
συνιδεῖν ἂν δυνηθέντων τοσαύτης ἀμαθίας εἶναι καὶ φθόνου
μεστόν, ὅστις οὐκ ἂν ἐπαινέσειέ με καὶ σωφρονεῖν ἡγή-
σαιτο τότε μὲν ἐκείνως, νῦν δ᾽ οὕτω διαλεχθέντα περὶ
αὐτῶν. 173 Περὶ μὲν οὖν τούτων οἶδ᾽ ὅτι καλῶς γέγραφα
καὶ συμφερόντως· ὅσον δ᾽ ἡ πόλις ἡμῶν διέφερε τὰ περὶ
τὸν πόλεμον κατ᾽ ἐκεῖνον τὸν χρόνον, — τοῦτο γὰρ ἀπο-
δεῖξαι βουλόμενος διῆλθον τὰ γενόμενα Θήβησιν, —
ἡγοῦμαι τὴν πρᾶξιν ἐκείνην ἅπασι σαφῶς δηλοῦν τὴν τὸν
μὲν βασιλέα τῶν Ἀργείων ἀναγκάσασαν ἱκέτην γενέσθαι
τῆς πόλεως τῆς ἡμετέρας, 174 τοὺς δὲ κυρίους ὄντας
Θηβῶν οὕτω διαθεῖσαν ὥσθ᾽ ἑλέσθαι μᾶλλον αὐτοὺς
ἐμμεῖναι τοῖς λόγοις τοῖς ὑπὸ τῆς πόλεως πεμφθεῖσιν ἢ
τοῖς νόμοις τοῖς ὑπὸ τοῦ δαιμονίου κατασταθεῖσιν· ὧν

---

170 2 ὁ δῆμος Γ: om. cett. || 171 1 ὧν ἀκούσαντες Γ: ἀκούσαντες
δὲ cett. || 1 ὄντες Θηβῶν ΓΕ: Θηβαίων ὄντες vulg. || 172 2 τἀνάντια
codd.: τἀνάντια τῇ πόλει Γ || 174 2 Θηβῶν codd.: Θηβαίων Γ ||
3 πεμφθεῖσιν Γ: ἐκπεμφθ- vulg.

à même de régler convenablement cette affaire si elle n'avait
pas affirmé sa supériorité et par sa gloire et par sa puissance.

175 J'ai bien des actions mémorables à évoquer qui
concernent nos ancêtres, mais je me demande selon quelle
méthode les présenter; ce souci est en moi plus vif que tout
le reste. J'aborde maintenant la partie de mon sujet que
j'ai réservée pour la fin et dans laquelle je faisais pressentir
que je montrerais la supériorité de nos ancêtres sur les
Spartiates s'affirmant dans le domaine de la guerre et des
combats plus encore que partout ailleurs. 176 Cette affirmation heurtera l'opinion de la foule, mais sera reconnue
tout aussi exacte par les autres. J'hésitais à l'instant même,
me demandant quel était celui des deux peuples dont j'exa-
minerais en premier les périls et les luttes, les Spartiates ou nous; je choisis les actions de guerre des
premiers pour terminer mon exposé sur ce problème par
l'examen des faits les plus brillants et les plus justes.

177 Les Doriens, qui avaient envahi le Péloponnèse,
avaient réparti les villes et les territoires dont ils avaient
dépouillé les possesseurs légitimes, en trois lots[1]. Ceux qui
reçurent en partage Argos et Messène, organisèrent leur
vie commune sur un modèle assez semblable à celle des
autres Grecs; quant au troisième groupe, que nous appelons
aujourd'hui les Lacédémoniens, il fut, si nous en croyons
les auteurs qui connaissent bien cette période, la proie de
la dissension comme aucun autre peuple grec; et ceux qui
par leur orgueil se plaçaient au-dessus de la masse l'ayant
emporté chez eux, ces derniers prirent des décisions com-
mandées par les événements dont aucune n'est comparable
à ce qu'avaient fait les vainqueurs placés dans le même
cas. 178 Les autres peuples, en effet, nous apprend-on,
conservent auprès d'eux, dans leur ville, la population
qui a lutté contre eux; ils la font participer à tous les
avantages de la vie en commun, à l'exception des magis-

1. La légende s'était emparée de ces faits lointains pour les
transformer en un retour des Héraclides dans le Péloponnèse.

οὐδὲν ἂν οἶα τ᾽ ἐγένετο διοικῆσαι κατὰ τρόπον ἡ πόλις
ἡμῶν, εἰ μὴ καὶ τῇ δόξῃ καὶ τῇ δυνάμει πολὺ διήνεγκε
τῶν ἄλλων.

175 Ἔχων δὲ πολλὰς καὶ καλὰς πράξεις περὶ τῶν
προγόνων εἰπεῖν, σκοποῦμαι τίνα τρόπον διαλεχθῶ περὶ
αὐτῶν. Μέλει γάρ μοι τούτων μᾶλλον ἢ τῶν ἄλλων·
τυγχάνω γὰρ ὢν περὶ τὴν ὑπόθεσιν, ἣν ἐποιησάμην τελευ-
ταίαν, ἐν ᾗ προεῖπον ὡς ἐπιδείξω τοὺς προγόνους ἡμῶν
ἐν τοῖς πολέμοις καὶ ταῖς μάχαις πλέον διενεγκόντας
Σπαρτιατῶν ἢ τοῖς ἄλλοις ἅπασιν. 176 Ἔσται δ᾽ ὁ
λόγος παράδοξος μὲν τοῖς πολλοῖς, ὁμοίως δ᾽ ἀληθὴς τοῖς
ἄλλοις. Ἄρτι μὲν οὖν ἠπόρουν ποτέρων διεξίω πρότερον
τοὺς κινδύνους καὶ τὰς μάχας, τὰς Σπαρτιατῶν ἢ τὰς
τῶν ἡμετέρων· νῦν δὲ προαιροῦμαι λέγειν τὰς ἐκείνων, ἵν᾽
ἐν ταῖς καλλίοσιν καὶ δικαιοτέραις καταλύω τὸν λόγον τὸν
περὶ τούτων. |

177 Ἐπειδὴ γὰρ Δωριέων οἱ στρατεύσαντες εἰς Πελο-
πόννησον τριχὰ διείλοντο τάς τε πόλεις καὶ τὰς χώρας
⟨ἃς⟩ ἀφείλοντο τοὺς δικαίως κεκτημένους, οἱ μὲν Ἄργος
λαχόντες καὶ Μεσσήνην παραπλησίως διῴκουν τὰ σφέτερ᾽
αὐτῶν τοῖς ἄλλοις Ἕλλησιν, τὸ δὲ τρίτον μέρος αὐτῶν,
οὓς καλοῦμεν νῦν Λακεδαιμονίους, στασιάσαι μέν φασιν
αὐτοὺς οἱ τἀκείνων ἀκριβοῦντες ὡς οὐδένας ἄλλους τῶν
Ἑλλήνων, περιγενομένους δὲ τοὺς μεῖζον τοῦ πλήθους
φρονοῦντας οὐδὲν τῶν αὐτῶν βουλεύσασθαι περὶ τῶν
συμβεβηκότων τοῖς τοιαῦτα διαπεπραγμένοις· 178 τοὺς
μὲν γὰρ ἄλλους συνοίκους ἔχειν ἐν τῇ πόλει τοὺς στασιά-
σαντας καὶ κοινωνοὺς ἁπάντων πλὴν τῶν ἀρχῶν καὶ τῶν

---

174 5 οἷά τ᾽ Γ² vulg. : οἷόν τ᾽ Γ¹ || 175 4-5 τελευταίαν Γ : τὸ
τελευταῖον vulg. || 176 3 ποτέρων Γ : πότερον vulg. || 177 2 τὰς
(ante πόλεις) Γ : om. cett. || 3 ἃς ins. Blass || 178 2 ἐν Γ : om.
cett. || 3 ἁπάντων Γ : ὥσθ᾽ ἁπάντων vulg. || 3 ἀρχῶν Γ : ἀρχόντων
cett.

tratures et des honneurs; mais les esprits sérieux, parmi
les Spartiates, tiennent pour mauvaise une méthode selon
laquelle on s'imagine pouvoir diriger sûrement l'État
en cohabitant avec des hommes vis-à-vis desquels on a
assumé les torts les plus graves. Ils procèdent tout diffé-
remment; ils ont établi pour eux-mêmes l'égalité juridique
et une forme de démocratie nécessaire à des hommes qui
veulent assurer en toute circonstance leur unité de vues;
par contre, ils ont installé le peuple dans les environs de
la ville, après avoir réduit les âmes en esclavage aussi
strictement que celles de leurs serviteurs. **179** Cela fait,
des territoires dont il eût été juste que chacun reçût une
part égale, ils ont pris, bien qu'ils fussent le petit nombre,
non seulement les plus beaux, mais les plus étendus, de
sorte qu'aucun homme parmi les Grecs ne possède une
superficie semblable; par contre, ils ne laissèrent à la masse
qu'une portion insignifiante de la partie la plus mauvaise, si
bien qu'en dépit d'un travail pénible ces malheureux ont à
peine de quoi subsister au jour le jour [1]. Après ces événements, ils partagèrent la masse de cette population en
groupes aussi menus qu'il était possible et les établirent
sur des zones petites et nombreuses, en leur affectant des
noms comme s'ils habitaient des villes, alors qu'ils n'avaient
qu'une importance inférieure à celle des dèmes de chez nous.
180 Après les avoir privés de tous les biens qui appartiennent légitimement à des hommes libres, ils les exposèrent à la plupart des dangers; car dans les expéditions
que conduisait le roi, ils les mettaient en ligne, homme pour
homme, à leurs côtés, quelques-uns même placés au premier
rang et, s'il devenait nécessaire d'organiser des secours,
par crainte des fatigues, des dangers, d'une longue absence,

---

1. Isocrate, en ne dissociant pas le nom des Périèques de celui
des Hilotes, noircit arbitrairement le tableau qu'il présente
de la cruauté des Spartiates. Il est intéressant de noter que
Platon remarque à son tour dans le *Premier Alcibiade* (122 d)
la supériorité économique des grands de Sparte sur les
Athéniens.

τιμῶν· οὒς οὐκ εὖ φρονεῖν ἡγεῖσθαι **Σπαρτιατῶν** τοὺς νοῦν
ἔχοντας, εἰ νομίζουσιν ἀσφαλῶς πολιτεύεσθαι μετὰ τούτων
οἰκοῦντες περὶ οὒς τὰ μέγιστα τυγχάνουσιν ἐξημαρτηκότες·
αὐτοὺς δ᾽ οὐδὲν τούτων ποιεῖν, ἀλλὰ παρὰ σφίσιν μὲν
αὐτοῖς ἰσονομίαν καταστῆσαι καὶ δημοκρατίαν τοιαύτην
οἵαν περ χρὴ τοὺς μέλλοντας ἅπαντα τὸν χρόνον ὁμονοήσειν, τὸν δὲ δῆμον περιοίκους ποιήσασθαι, καταδουλωσαμένους αὐτῶν τὰς ψυχὰς οὐδὲν ἧττον ἢ τὰς τῶν οἰκε-
τῶν·   179   ταῦτα δὲ πράξαντας τῆς χώρας, ἧς προσῆκεν
ἴσον ἔχειν ἕκαστον, αὐτοὺς μὲν λαβεῖν ὀλίγους ὄντας οὐ
μόνον τὴν ἀρίστην, ἀλλὰ καὶ τοσαύτην ὅσην οὐδένες τῶν
Ἑλλήνων ἔχουσιν, τῷ δὲ πλήθει τηλικοῦτον ἀπονεῖμαι
μέρος τῆς χειρίστης ὥστ᾽ ἐπιπόνως ἐργαζομένους μόλις
ἔχειν τὰ καθ᾽ ἡμέραν· μετὰ δὲ ταῦτα διελόντας τὸ πλῆθος
αὐτῶν ὡς οἷόν τ᾽ ἦν εἰς ἐλαχίστους εἰς τόπους κατοικίσαι
μικροὺς καὶ πολλούς, ὀνόμασι μὲν προσαγορευομένους ὡς
πόλεις οἰκοῦντας, τὴν δὲ δύναμιν ἔχοντας ἐλάττω τῶν
δήμων τῶν παρ᾽ ἡμῖν·   180   ἁπάντων δ᾽ ἀποστερήσαντας
αὐτοὺς ὧν προσήκει μετέχειν τοὺς ἐλευθέρους, τοὺς
πλείστους ἐπιθεῖναι τῶν κινδύνων αὐτοῖς· ἔν τε γὰρ ταῖς
στρατείαις αἷς ἡγεῖται βασιλεύς, | κατ᾽ ἄνδρα συμπαρα-
τάττεσθαι σφίσιν αὐτοῖς, ἐνίους δὲ καὶ τῆς πρώτης τάττειν, ἄν τέ που δεήσαν αὐτοὺς ἐκπέμψαι βοήθειαν φοβηθῶσιν ἢ τοὺς πόνους ἢ τοὺς κινδύνους ἢ τὸ πλῆθος τοῦ
χρόνου, τούτους ἀποστέλλειν προκινδυνεύσοντας τῶν

---

178 4 οὒς οὐκ εὖ Γ : αὐτῶν Γ mg. μετέχειν αὐτοὺς οὐκ ἂν Λ² vulg.
αὐτοὺς οὒς οὐκ ἂν Λ¹ ‖ 4 ἡγεῖσθαι Γ : ἡγεῖσθαι εἰκὸς Λ¹ ἡγεῖσθαι εἰκὸς
ἐκρίθη Λ² *Paris* 2931 ἡγεῖσθαι εἰ μὴ cett. ‖ 10-11 καταδουλωσαμένους
Γ : -μένων cett. ‖ **179** 6 τὰ καθ᾽ Hertlein : τὸ καθ᾽ codd. ‖ 7 εἰς
ἐλαχίστους εἰς τόπους Γ : εἰς ἐλάχιστον τόπον vulg. ‖ 7 κατοικίσαι
Γ : κατοικεῖσθαι cett. ‖ **180** 2 προσήκει Γ : προσῆκε vulg. ‖
4 ἡγεῖται Γ : ἡγεῖτο vulg. ‖ 4 κατ᾽ ἄνδρα Γ : κατ᾽ ἄνδρα ἠνάγκαζον
Λ vulg. ‖ 5 πρώτης Γ : πρώτης φάλαγγος ᾑροῦντο vulg. ‖ 6-7 φοβηθῶσιν Γ : ἵνα (om. Λ) βοηθῶσιν Λ vulg. ‖ 8 ἀποστέλλειν Γ : ἀποστέλλειν ἤθελον vulg. ‖ 8 προκινδυνεύσοντας cood. : -σαντας Γ.

ils les envoyaient risquer leur vie pour les autres. **181**
Mais à quoi bon s'étendre sur toutes les violences que subit
la masse de la population? Mieux vaut les négliger toutes
pour ne retenir que le plus grand des torts infligés. Alors
que cette population à l'origine, a si cruellement souffert
et rend, dans les circonstances présentes, de si nombreux
services, les éphores ont le droit de choisir autant
d'hommes qu'ils le désirent et de les mettre à mort, et cela
quand, pour tous les Grecs, le meurtre des serviteurs même
les plus pervers est un crime impie.

182 Si j'ai montré avec une ampleur inusitée cette intimité des rapports [1] et les torts faits à ces hommes, c'est pour
me donner le droit de demander à ceux qui acceptent tous
les actes des Spartiates, s'ils admettent aussi ceux-là, s'ils
croient approuvés par les dieux et s'ils tiennent pour nobles
les combats qu'ils ont livrés à ces populations. **183** Pour
ma part, j'estime qu'ils ont été importants et rudes, qu'ils
ont apporté bien des malheurs aux vaincus et beaucoup
de profits aux vainqueurs, tout en les contraignant à
poursuivre la lutte sans arrêt; mais je ne les juge ni saints,
ni nobles, ni dignes de ceux qui revendiquent le mérite,
j'entends non pas le mérite qui s'acquiert dans les arts
et dans bien d'autres domaines, mais celui qui s'affirme
chez les hommes de bien, en prenant place dans leurs
cœurs à côté de la piété et de la justice : c'est à lui seul
que mon discours tout entier est consacré. **184** Certains,
qui en font peu de cas, louent des hommes qui se sont
particulièrement marqués par leurs fautes; ils ne s'aper-
çoivent pas qu'ils révèlent ainsi leurs propres sentiments
en se montrant capables d'approuver même des criminels
qui, tout en possédant plus de biens qu'il ne leur en faut,
auraient le cynisme de tuer leurs frères, leurs compagnons,
leurs associés pour mettre la main sur leurs richesses. Ces
crimes sont semblables à ceux que commettent les
Spartiates, et ceux qui les admettent, doivent nécessai-

---

1. Οἰκειότητος est obscur.

ἄλλων. 181 Καὶ τί δεῖ μακρολογεῖν ἁπάσας διεξιόντα
τὰς ὕβρεις τὰς περὶ τὸ πλῆθος γιγνομένας, ἀλλὰ μὴ τὸ
μέγιστον εἰπόντα τῶν κακῶν ἀπαλλαγῆναι τῶν ἄλλων;
Τῶν γὰρ οὕτω μὲν ἐξ ἀρχῆς δεινὰ πεπονθότων, ἐν δὲ τοῖς
παροῦσι καιροῖς χρησίμων ὄντων, ἔξεστι τοῖς ἐφόροις
ἀκρίτους ἀποκτεῖναι τοσούτους ὁπόσους ἂν βουληθῶσιν· ἃ
τοῖς ἄλλοις Ἕλλησιν οὐδὲ τοὺς πονηροτάτους τῶν οἰκετῶν
ὅσιόν ἐστι μιαιφονεῖν.

182 Τούτου δ᾽ ἕνεκα περὶ τῆς οἰκειότητος καὶ τῶν
ἡμαρτημένων εἰς αὐτοὺς διὰ πλειόνων διῆλθον, ἵν᾽ ἔρωμαι
τοὺς ἀποδεχομένους ἁπάσας τὰς Σπαρτιατῶν πράξεις, εἰ
καὶ ταύτας ἀποδέχονται, καὶ τὰς μάχας εὐσεβεῖς εἶναι
νομίζουσιν καὶ καλὰς τὰς πρὸς τούτους γεγενημένας.
183 Ἐγὼ μὲν γὰρ ἡγοῦμαι μεγάλας μὲν αὐτὰς γεγενῆσθαι
καὶ δεινὰς καὶ πολλῶν αἰτίας τοῖς μὲν ἡττηθεῖσιν κακῶν,
τοῖς δὲ κατορθώσασι λημμάτων, ὧνπερ ἕνεκα πολεμοῦντες
ἅπαντα τὸν χρόνον διατελοῦσιν, οὐ μὴν ὁσίας οὐδὲ καλὰς
οὐδὲ πρεπούσας τοῖς ἀρετῆς ἀντιποιουμένοις, μὴ τῆς ἐπὶ
τῶν τεχνῶν ὀνομαζομένης καὶ πολλῶν ἄλλων, ἀλλὰ τῆς τοῖς
καλοῖς κἀγαθοῖς τῶν ἀνδρῶν ἐν ταῖς ψυχαῖς μετ᾽ εὐσε-
βείας καὶ δικαιοσύνης ἐγγιγνομένης, περὶ ἧς ἅπας ὁ λόγος
ἐστίν. 184 Ἧς ὀλιγωροῦντές τινες ἐγκωμιάζουσι τοὺς
πλείω τῶν ἄλλων ἡμαρτηκότας, καὶ οὐκ αἰσθάνονται τὰς
διανοίας ἐπιδεικνύντες τὰς σφετέρας αὐτῶν ὅτι κἀκεί-
νους ἂν ἐπαινέσειαν τοὺς πλείω μὲν κεκτημένους τῶν
ἱκανῶν, ἀποκτεῖναι δ᾽ ἂν τολμήσοντας τοὺς ἀδελφοὺς
τοὺς αὑτῶν καὶ τοὺς ἑταίρους καὶ τοὺς κοινωνοὺς ὥστε
καὶ τἀκείνων λαβεῖν· ὅμοια γὰρ τὰ τοιαῦτα τῶν ἔργων
ἐστὶν τοῖς ὑπὸ Σπαρτιατῶν πεπραγμένοις, ἃ τοὺς ἀπο-

---

181 2 γιγνομένας codd. : γιν- Γ ‖ 6 ἀκρίτους Γ : ἀκρίτως vulg. ‖
182 1 περὶ τῆς ὠμότητος proposuerunt quidam ‖ 4 εὐσεβεῖς Γ : om.
cett. ‖ 183 4 ὁσίας codd. : ὁσίους Γ ‖ 8 ἐγγιγνομένης Γ : γιγνομ-
vulg. ‖ 184 5 τολμήσοντας Γ : -σαντας cett.

rement avoir la même opinion sur les faits dont je viens
de parler. 185 Je m'étonne que certains esprits ne
tiennent pas les combats et les victoires remportées en
violation du droit pour plus méprisables et plus déshono-
rantes que des défaites, j'entends survenues sans déshonneur, d'autant qu'ils savent bien que des armées puissantes, mises au service d'une mauvaise cause, triomphent
souvent de soldats honnêtes qui ont choisi d'affronter la
mort pour la défense de leur patrie. 186 Il y aurait plus
de justice à louer ces derniers que ceux qui se déclarent
prêts à mourir par convoitise du bien d'autrui et se
comportent comme des troupes mercenaires; la conduite
de ceux-ci est celle d'hommes vils, tandis que le fait, pour
des hommes de bien, de succomber parfois devant le mal
peut être considéré comme un signe d'indifférence de la
part des dieux. 187 Je pourrais user de ce raisonnement en l'appliquant aussi au malheur qu'éprouvèrent
les Spartiates aux Thermopyles[1] : tous ceux qui connaissent
ce fait d'armes le couvrent d'éloges et l'admirent plus
que les combats et les victoires qu'ils remportèrent
sur des adversaires contre qui jamais elles n'eussent dû
être remportées; si quelques-uns les célèbrent, c'est qu'ils
ignorent que rien n'est saint, rien n'est noble de ce qui
se dit ou se fait sans l'accompagnement de la justice.
188 De cette vérité, les Spartiates ne se sont jamais
souciés : leurs regards ne se tournent que vers le bien
d'autrui pour en accaparer le plus possible.

Nos ancêtres, eux, n'avaient pas d'autre ambition au
monde que de mériter l'estime des Grecs; ils pensaient
qu'aucun jugement n'est plus véridique ni plus juste que
celui que rend toute une race. 189 Ils se montraient
animés de ce sentiment aussi bien dans les affaires qui
concernaient l'administration de la cité que dans les circonstances les plus graves. Trois guerres, sans compter la
guerre de Troie, ont mis la Grèce aux prises avec les Bar-

---

1. La préoccupation, trop évidente, d'Isocrate d'étouffer

δεχομένους ἀναγκαῖόν ἐστιν καὶ περὶ τῶν εἰρημένων ἄρτι
τὴν αὐτὴν ἔχειν γνώμην. 185 |Θαυμάζω δ᾽ εἴ τινες τὰς
μάχας καὶ τὰς νίκας τὰς παρὰ τὸ δίκαιον γιγνομένας μὴ
νομίζουσιν αἰσχίους εἶναι καὶ πλειόνων ὀνειδῶν μεστὰς ἢ
τὰς ἥττας τὰς ἄνευ κακίας συμβαινούσας, καὶ ταῦτ᾽
εἰδότες ὅτι μεγάλαι δυνάμεις, πονηραὶ δὲ, πολλάκις γίγνονται κρείττους ἀνδρῶν σπουδαίων καὶ κινδυνεύειν ὑπὲρ
τῆς πατρίδος αἱρουμένων. 186 Οὓς πολὺ ἂν δικαιότερον
ἐπαινοῖμεν ἢ τοὺς περὶ τῶν ἀλλοτρίων ἑτοίμως ἀποθνῄσ-
κειν ἐθέλοντας καὶ τοῖς ξενικοῖς στρατεύμασιν ὁμοίους
ὄντας· ταῦτα μὲν γάρ ἐστιν ἔργα πονηρῶν ἀνθρώπων, τὸ
δὲ τοὺς χρηστοὺς ἐνίοτε χεῖρον ἀγωνίζεσθαι τῶν ἀδικεῖν
βουλομένων θεῶν ἄν τις ἀμέλειαν εἶναι φήσειεν. 187
Ἔχοιμι δ᾽ ἂν τῷ λόγῳ τούτῳ χρήσασθαι καὶ περὶ τῆς
συμφορᾶς τῆς Σπαρτιάταις ἐν Θερμοπύλαις γενομένης,
ἣν ἅπαντες ὅσοι περ ἀκηκόασιν ἐπαινοῦσι καὶ θαυμάζουσι
μᾶλλον ἢ τὰς μάχας καὶ τὰς νίκας τὰς κρατησάσας μὲν
τῶν ἐναντίων, πρὸς οὓς δ᾽ οὐκ ἐχρῆν γεγενημένας· ἃς
εὐλογεῖν τινες τολμῶσι, κακῶς εἰδότες ὡς οὐδὲν οὔθ᾽
ὅσιον οὔτε καλόν ἐστιν τῶν μὴ μετὰ δικαιοσύνης καὶ λεγομένων καὶ πραττομένων. 188 Ὧν Σπαρτιάταις μὲν
οὐδὲν πώποτ᾽ ἐμέλησεν· βλέπουσι γὰρ εἰς οὐδὲν ἄλλο πλὴν
ὅπως ὡς πλεῖστα τῶν ἀλλοτρίων κατασχήσουσιν. Οἱ δ᾽
ἡμέτεροι περὶ οὐδὲν οὕτω τῶν ὄντων ἐσπούδαζον ὡς τὸ
παρὰ τοῖς Ἕλλησιν εὐδοκιμεῖν· ἡγοῦντο γὰρ οὐδεμίαν ἂν
γενέσθαι κρίσιν οὔτ᾽ ἀληθεστέραν οὔτε δικαιοτέραν τῆς
ὑπὸ παντὸς τοῦ γένους γνωσθείσης. 189 Δῆλοι δ᾽ ἦσαν
οὕτως ἔχοντες ἔν τε τοῖς ἄλλοις οἷς διῴκουν τὴν πόλιν
καὶ τοῖς μεγίστοις τῶν πραγμάτων. Τριῶν γὰρ πολέμων

---

185 2 γιγνομένας Γ : γενομ- cett. ‖ 7 αἱρουμένων Γ : προαιρ- vulg. ‖
187 6 τῶν ... λεγομένων καὶ πραττομένων Γ : τὸ ... λεγόμενον καὶ
πραττόμενον vulg. ‖ 188 2 ἐμέλησεν codd. : μετεμέλησε Λ Monac.
224 ‖ 3 ὡς Γ: om. vulg. (ante πλεῖστα) ‖ 189 3 μεγίστοις Γ:
τρίσι τούτοισι Paris 2991 om. cett.

bares; dans ces trois occasions, ils ont porté notre pays au
premier rang. La première est la guerre contre Xerxès, au
cours de laquelle leur supériorité sur les Lacédémoniens,
dans toutes les heures critiques, dépassa celle que les Lacédémoniens affirmèrent sur tous les autres Grecs,   190   la
seconde est la guerre pour la fondation des colonies à laquelle
aucun Dorien [1] ne s'associa tandis que notre pays, se mettant
à la tête des malheureux sans ressources et de tous ceux qui
voulaient s'expatrier, renversa la situation si complètement que, là où les Barbares avaient coutume auparavant
de s'emparer des villes grecques les plus importantes, elle
donna aux Grecs le moyen de faire à leur tour ce qu'ils
étaient antérieurement contraints de supporter.

191   Nous avons suffisamment parlé de ces deux guerres
dans les développements qui précèdent [2]; j'aborde maintenant la troisième qui survint lorsque les villes grecques
venaient d'être fondées et que la nôtre était encore sous
l'autorité de nos rois. Sous leurs règnes, éclatèrent des
guerres nombreuses et apparurent déjà de très grands
dangers; je ne pourrais ni les distinguer tous ni les décrire;
192   je laisserai donc de côté la masse considérable des
événements survenus à cette époque dont il n'y a pas
nécessité urgente à parler, et je chercherai à montrer le plus
brièvement possible les peuples qui entrèrent en guerre
contre notre ville, les combats dignes d'être mentionnés et
décrits, les chefs qui commandèrent, également les motifs
qu'ils invoquèrent et la puissance des peuples qui s'étaient
groupés derrière eux. Cet exposé suffira en plus de ce que
j'ai dit de nos rivaux.   193   Les Thraces d'abord, qui
envahirent notre territoire, sous la conduite d'Eumolpos,

---

ici la grandeur du sacrifice spartiate sous des considérations
étrangères à l'action d'éclat, a été maintes fois relevée.

1. Inexact. Les « cantons » du Péloponnèse participèrent à
la colonisation; cf. J. Bérard: *L'expansion et la colonisation
grecques*, p. 53.

2. La guerre contre Xerxès et la guerre pour la colonisation.

γενομένων ἄνευ τοῦ Τρωικοῦ τοῖς Ἕλλησι πρὸς τοὺς
βαρβάρους, ἐν ἅπασι τούτοις πρωτεύουσαν αὐτὴν παρέσχον.
Ὧν εἷς μὲν ἦν ὁ πρὸς Ξέρξην, ἐν ᾧ πλέον διήνεγκαν
Λακεδαιμονίων ἐν ἅπασι τοῖς κινδύνοις ἢ ᾽κεῖνοι τῶν
ἄλλων, 190 δεύτερος δ᾽ ὁ περὶ τὴν κτίσιν τῶν ἀποι-
κιῶν, εἰς ὃν Δωριέων μὲν οὐδεὶς ἦλθεν ἡμῖν συμπολεμήσων,
ἡ δὲ πόλις ἡμῶν ἡγεμὼν καταστᾶσα τῶν οὐκ εὐπορούντων |
καὶ τῶν ἄλλων τῶν βουλομένων τοσοῦτον τὰ πράγματα
μετέστησεν ὥστ᾽ εἰθισμένων τῶν βαρβάρων τὸν ἄλλον
χρόνον τὰς μεγίστας πόλεις τῶν Ἑλληνίδων καταλαμ-
βάνειν ἐποίησε τοὺς Ἕλληνας, ἃ πρότερον ἔπασχον,
ταῦτα δύνασθαι ποιεῖν.

191 Περὶ μὲν οὖν τοῖν δυοῖν πολέμοιν ἐν τοῖς ἔμπροσθεν ἱκανῶς εἰρήκαμεν, περὶ δὲ τοῦ τρίτου ποιήσομαι
τοὺς λόγους, ὃς ἐγένετο τῶν μὲν Ἑλληνίδων πόλεων ἄρτι
κατῳκισμένων, τῆς δ᾽ ἡμετέρας ἔτι βασιλευομένης. Ἐφ᾽
ὧν καὶ πόλεμοι πλεῖστοι καὶ κίνδυνοι μέγιστοι συνέπεσον,
οὓς ἅπαντας μὲν οὔθ᾽ εὑρεῖν οὔτ᾽ εἰπεῖν ἂν δυνηθείην,
192 παραλιπὼν δὲ τὸν πλεῖστον ὄχλον τῶν ἐν ἐκείνῳ μὲν
τῷ χρόνῳ πραχθέντων, ῥηθῆναι δὲ νῦν οὐ κατεπειγόντων, ὡς
ἂν δύνωμαι συντομώτατα πειράσομαι δηλῶσαι τούς τ᾽ ἐπιστ-
ρατεύσαντας τῇ πόλει καὶ τὰς μάχας τὰς ἀξίας μνημο-
νευθῆναι καὶ ῥηθῆναι καὶ τοὺς ἡγεμόνας αὐτῶν, ἔτι δὲ τὰς
προφάσεις ἃς ἔλεγον, καὶ τὴν δύναμιν τῶν γενῶν τῶν
συνακολουθησάντων αὐτοῖς· ἱκανὰ γὰρ ἔσται ταῦτ᾽ εἰπεῖν
πρὸς οἷς περὶ τῶν ἐναντίων εἰρήκαμεν. 193 Θρᾷκες
μὲν γὰρ μετ᾽ Εὐμόλπου τοῦ Ποσειδῶνος εἰσέβαλον εἰς τὴν

---

190 2 ἡμῖν Γ : om. cett. ‖ 5 τὸν ἄλλον χρόνον Γ : om. cett. ‖
191 2 εἰρήκαμεν Γ : ἡμῖν εἴρηται vulg. ‖ 3 ὃς Γ¹ cett. : ἢ ὃς Γ² ‖
4 ἐφ᾽ ὧν codd. : σφῶν Γ ‖ 5 συνέπεσον Γ : συνέβησαν vulg. ‖ 192 1
ὄχλον Γ : χρόνον Λ vulg. ‖ 5 καὶ τοὺς ἡγεμόνας αὐτῶν Γ : τοὺς
ἡγεμόνας ἡμῶν cett. ‖ 8 πρὸς οἷς Γ : πρὸς ἃ cett. ‖ 193 2 εἰσέβαλον
Γ : ἐνέβ- vulg.

fils de Poseidon, qui contestait à Erechthée la possession
de notre ville, en assurant que Poseidon s'en était
emparé avant Athéna. Puis, les Scythes en compagnie des
Amazones, filles d'Arès, qui partirent en expédition contre
Hippolytè coupable d'avoir transgressé les lois en vigueur
parmi elles, de s'être éprise de Thésée, d'avoir quitté son
pays pour l'accompagner et de vivre avec lui. **194** Puis,
les Péloponnésiens alliés à Eurysthée qui n'avait pas
donné réparation à Héraclès des torts commis envers lui
et qui était parti en expédition contre nos ancêtres dans
l'intention d'enlever par la force les enfants du héros, car
ils s'étaient réfugiés auprès de nous. Mais il eut le sort
qu'il méritait; loin de s'emparer de ceux qui s'étaient
tournés vers nous en suppliants, il fut au contraire vaincu
dans un combat et fait prisonnier par les nôtres; il finit
sa vie après être devenu lui-même le suppliant de ceux
dont il était venu réclamer la livraison [1]. **195** Après lui,
ce furent les soldats envoyés par Darius pour ravager
la Grèce; débarqués à Marathon, ils tombèrent sur plus de
malheurs et sur de plus grandes épreuves que celles qu'ils
avaient escompté infliger à notre ville; ils s'enfuirent
en évacuant toute la Grèce. **196** Tous ces peuples dont
je viens de parler, ne nous attaquèrent pas ensemble,
ni dans le même temps, mais au gré des circonstances,
de leurs intérêts et de leur volonté. Nos ancêtres, après
les avoir vaincus et avoir mis fin à leur insolence, ne
se départirent pas de leur nature, si grands qu'aient
été leurs exploits; ils n'eurent pas les sentiments de ceux
qui, après avoir acquis de grosses richesses et des réputa-
tions éclatantes par la noblesse et la justesse de leurs
décisions, succombent à l'orgueil par excès de prospérité,

---

1. Isocrate, depuis le par. 193 jusqu'au par. 196, juxtapose
sans scrupule les évocations légendaires et les souvenirs historiques. Sur les Thraces, conduits par Eumolpos et sur les
Amazones, filles d'Arès, cf. *Panégyrique*, 68, *Archidamos*, 142,
Aréopagitique, 75.

χώραν ήμῶν, ὃς ἠμφισβήτησεν Ἐρεχθεῖ τῆς πόλεως,
φάσκων Ποσειδῶ πρότερον Ἀθηνᾶς καταλαβεῖν αὐτήν.
Σκύθαι δὲ μετ' Ἀμαζόνων τῶν ἐξ Ἄρεως γενομένων, αἳ
τὴν στρατείαν ἐφ' Ἱππολύτην ἐποιήσαντο τὴν τούς τε
νόμους παραβᾶσαν τοὺς παρ' αὐταῖς κειμένους, ἐρασθεῖσάν
τε Θησέως καὶ συνακολουθήσασαν ἐκεῖθεν καὶ συνοική-
σασαν αὐτῷ. 194 Πελοποννήσιοι δὲ μετ' Εὐρυσθέως,
ὃς Ἡρακλεῖ μὲν οὐκ ἔδωκε δίκην ὧν ἥμάρτανεν εἰς αὐτὸν,
στρατεύσας δ' ἐπὶ τοὺς ἡμετέρους προγόνους ὡς ἐκληψόμενος βίᾳ τοὺς ἐκείνου παῖδας, — παρ' ἡμῖν γὰρ ἦσαν
καταπεφευγότες, — ἔπαθεν ἃ προσῆκεν αὐτόν· τοσούτου
γὰρ ἐδέησεν κύριος γενέσθαι τῶν ἱκετῶν ὥσθ' ἡττηθεὶς
μάχῃ καὶ ζωγρηθεὶς ὑπὸ τῶν ἡμετέρων, αὐτὸς ἱκέτης
γενόμενος τούτων οὓς ἐξαιτῶν ἦλθεν, τὸν βίον ἐτελεύτησεν. 195 Μετὰ δὲ τοῦτον οἱ πεμφθέντες ὑπὸ Δαρείου
τὴν Ἑλλάδα πορθήσοντες, | ἀποβάντες εἰς Μαραθῶνα,
πλείοσιν κακοῖς καὶ μείζοσι συμφοραῖς περιπεσόντες ὧν
ἤλπισαν τὴν πόλιν ἡμῶν ποιήσειν, ᾤχοντο φεύγοντες ἐξ
ἁπάσης τῆς Ἑλλάδος. 196 Τούτους δ' ἅπαντας οὓς
διῆλθον, οὐ μετ' ἀλλήλων εἰσβαλόντας οὐδὲ κατὰ τοὺς
αὐτοὺς χρόνους, ἀλλ' ὡς οἵ τε καιροὶ καὶ τὸ συμφέρον
ἑκάστοις καὶ τὸ βούλεσθαι συνέπιπτε, μάχῃ νικήσαντες
καὶ τῆς ὕβρεως παύσαντες οὐκ ἐξέστησαν αὐτῶν, τηλικαῦτα διαπραξάμενοι τὸ μέγεθος, οὐδ' ἔπαθον ταὐτὸν τοῖς
διὰ μὲν τὸ καλῶς καὶ φρονίμως βουλεύσασθαι καὶ πλούτους
μεγάλους καὶ δόξας καλὰς κτησαμένοις, διὰ δὲ τὰς ὑπερ-
βολὰς τὰς τούτων ὑπερηφάνοις γενομένοις καὶ τὴν φρόνησιν

193 5 Ἄρεως codd. : Ἄρεος Θ ‖ 5 γενομένων γενέσθαι λεγομένων
cett. ‖ 6 ἐφ' Ἱππολύτην Γ : ἐπὶ Ἀντιόπην τὴν Ἱππολύτης cett. ‖
6 ἐποιήσαντο Γ : ἐποίησαν cett. ‖ 194 2 ἡμάρτανεν Γ : ἥμαρτεν vulg. ‖
3-4 ἐκληψόμενος codd. : μένους Γ ‖ 4 βίᾳ Γ : om. cett. ‖ 6 ἐδέησεν Γ¹ :
ἐδέησε γράψας Γ mg Λ vulg. ‖ 8 ἐξαιτῶν Γ¹ : ἐξαιτήσων Γ² vulg. ‖
195 2 εἰς Μαραθῶνα Γ : ἐπὶ Μαραθῶνι vulg. ‖ 196 3 ὡς om. Γ¹
ins. Γ² ‖ 4 βούλεσθαι Γ : συμβουλεύσασθαι vulg. ‖ 4 συνέπιπτε Γ²
cett. : συνεπίπτειν Γ¹ ‖ 6 ταὐτὸν Benseler : ταὐτὸ codd.

perdent la rectitude de leur jugement, et tombent dans un
état pitoyable bien inférieur à leur ancienne situation.
197 Au contraire, ils évitèrent tous ces risques et
demeurèrent fidèles aux principes qu'ils devaient à leur
bon régime politique, plus fiers du comportement de leur
âme et de leurs sentiments que des combats livrés, et plus
admirés pour leur constance et leur sagesse que pour la
valeur qu'ils avaient manifestée au combat. 198 Tous
constataient, en effet, que bien des hommes montrent
de l'assurance à la guerre même parmi les plus marqués
par leurs mauvaises actions tandis qu'une fermeté d'âme
solide en toute circonstance et utile à tous n'est pas le
propre des mauvais sujets [1]; elle n'appartient qu'aux
hommes bien nés, élevés et formés à la vertu [2], qualités que
possédaient alors les magistrats de notre cité qui furent les
auteurs de toutes les belles actions que j'ai énumérées.

199 Je vois les autres orateurs terminer leurs discours
en traitant des faits les plus considérables et les plus
dignes d'être remémorés; pour ma part, je les tiens pour
sensés de juger et d'agir ainsi, mais les circonstances ne me
permettent pas de faire de même; je suis dans l'obligation
d'allonger mon exposé et j'en donnerai dans quelques
instants la raison après avoir au préalable présenté quelques
très brèves observations.

200 Je corrigeais mon discours, j'entends la partie
déjà lue, en compagnie de trois ou quatre jeunes gens [3]
accoutumés à me consacrer leur temps. Lorsque notre
lecture fut finie, il nous sembla que le discours se tenait
bien et manquait seulement de conclusion; je décidai

1. La préoccupation d'associer les qualités morales à certaines
valeurs, afin de leur donner leur exact prix, se manifeste chez
Isocrate comme chez Platon.

2. Comparer avec certains développement du *Lachès* de
Platon, sur le courage, « éclairé » 192 *c*.

3. Sur cette partie du discours, voir la *Notice* p. 78. Sur cette
habitude d'Isocrate, à la fin de sa carrière, de céder la parole
à un élève, voir la *Notice* du *Philippe* p. 13 n. 1.

διαφθαρεῖσιν καὶ κατενεχθεῖσιν εἰς χείρω πράγματα καὶ
ταπεινότερα τῶν πρότερον αὐτοῖς ὑπαρχόντων,　197　ἀλλὰ
πάντα τὰ τοιαῦτα διαφυγόντες ἐνέμειναν τοῖς ἤθεσιν οἷς
εἶχον διὰ τὸ πολιτεύεσθαι καλῶς, μεῖζον φρονοῦντες ἐπὶ
τῇ τῆς ψυχῆς ἕξει καὶ ταῖς διανοίαις ταῖς αὐτῶν ἢ ταῖς
μάχαις ταῖς γεγενημέναις, καὶ μᾶλλον ὑπὸ τῶν ἄλλων
θαυμαζόμενοι διὰ τὴν καρτερίαν ταύτην καὶ σωφροσύνην ἢ
διὰ τὴν ἀνδρείαν τὴν ἐν τοῖς κινδύνοις αὐτοῖς παραγενο-
μένην·　198　ἑώρων γὰρ πάντες τὴν μὲν εὐψυχίαν τὴν
πολεμικὴν πολλοὺς ἔχοντας καὶ τῶν ταῖς κακουργίαις
ὑπερβαλλόντων, τῆς δὲ χρησίμης ἐπὶ πᾶσι καὶ πάντας
δυναμένης ὠφελεῖν οὐ κοινωνοῦντας τοὺς πονηρούς,
ἀλλὰ μόνοις ἐγγιγνομένην τοῖς καλῶς γεγονόσιν καὶ τε-
θραμμένοις καὶ πεπαιδευμένοις, ἅπερ προσῆν τοῖς τότε
τὴν πόλιν διοικοῦσιν καὶ τῶν εἰρημένων ἀγαθῶν ἁπάντων
αἰτίοις καταστᾶσιν.

199　Τοὺς μὲν οὖν ἄλλους ὁρῶ περὶ τὰ μέγιστα τῶν
ἔργων καὶ μάλιστα μνημονευθησόμενα τοὺς λόγους κατα-
λύοντας, ἐγὼ δὲ σωφρονεῖν μὲν νομίζω τοὺς ταῦτα
γιγνώσκοντας καὶ πράττοντας, οὐ μὴν συμβαίνει μοι
ταὐτὸν ποιεῖν ἐκείνοις, ἀλλ᾿ ἔτι λέγειν ἀναγκάζομαι. Τὴν
δ᾿ αἰτίαν δι᾿ ἣν, ὀλίγον ὕστερον ἐρῶ, μικρὰ πάνυ προδια-
λεχθείς.

200　Ἐπηνώρθουν μὲν γὰρ τὸν λόγον τὸν μέχρι τῶν
ἀναγνωσθέντων γεγραμμένον μετὰ μειρακίων τριῶν ἢ
τεττάρων τῶν εἰθισμένων μοι | συνδιατρίβειν· ἐπειδὴ δὲ
διεξιοῦσιν ἡμῖν ἐδόκει καλῶς ἔχειν καὶ προσδεῖσθαι

---

197 2 πάντα τὰ τοιαῦτα Γ : πάντα ταῦτα Λ ταῦτα πάντα vulg. ||
6 θαυμαζόμενοι Γ : θαυμάζεσθαι Λ vulg. || 198 2 κακουργίαις Γ :
κακίαις vulg. || 3 πάντας codd. : τῆς Γ || 7 εἰρημένων Γ : προειρ-
vulg. || 199 2 μάλιστα codd. : μᾶλλον Γ || 5 ταὐτὸν Benseler : ταὐτὸ
codd. || 6 ὀλίγον Γ : ποιῶ vulg. om. Λ || 6 πάνυ codd : τῶν πάνυ Γ ||
6-7 προδιαλεχθείς Γ : περὶ αὐτῶν διαλεχθεὶς vulg. || 200 1 μὲν (post
ἐμοί) om. ΓΕ.

d'envoyer chercher un de mes anciens élèves, choisi parmi
ceux qui avaient participé aux affaires publiques sous l'oligarchie et s'étaient fait une règle de louer les Lacédémoniens ; je désirais que, dans le cas où une erreur nous
aurait échappé, il pût la voir et nous la déceler. 201 Il
répondit à mon appel et lut le discours, — à quoi bon,
n'est-ce pas, m'attarder sur ce qui se passa dans l'intervalle?
— Il ne prit ombrage d'aucune partie de mon travail ; il le
loua même aussi chaleureusement qu'il était possible et
commenta chacun de ses développements avec des idées
semblables aux nôtres. Néanmoins, il était évident que ce
que j'avais dit à l'adresse des Lacédémoniens ne lui plaisait
pas. 202 Il le montra bien vite par l'audacieuse réflexion
que voici : les Lacédémoniens n'auraient-ils apporté
aucun autre bienfait aux Grecs qu'ils mériteraient la reconnaissance générale pour avoir découvert les institutions les
meilleures et, tout en les pratiquant eux-mêmes, pour les
avoir communiquées aux autres[1].

203 Ces réflexions, si sommaires et si rapides, furent
cause que je ne terminai pas mon discours sur les conclu-
sions que je voulais : je considérai que j'allais commettre
un acte déshonorant et coupable si, en ma présence, je
laissais un de mes élèves user de propos si fâcheux. Dans
cet esprit, je lui demandai s'il ne tenait en aucune considération les personnes présentes et ne rougissait pas de
ses paroles impies, inexactes et remplies de multiples contradictions. 204 « Tu reconnaîtras que tes propos méritent
ces qualificatifs, si tu interroges quelques esprits sensés
pour leur demander quelles sont les manières de vivre
qu'ils tiennent pour les plus belles et par ailleurs combien de
temps s'est écoulé depuis que les Spartiates se trouvent
habiter le Péloponnèse. Pas un qui ne mette en tête des plus
nobles traditions la piété à l'égard des dieux, la justice à
l'égard des hommes, la sagesse dans toutes les actions ; ils

1. Cf. *Notice* p. 78 et suiv.

τελευτῆς μόνον, ἔδοξέ μοι μεταπέμψασθαί τινα τῶν ἐμοὶ
μὲν πεπλησιακότων, ἐν ὀλιγαρχίᾳ δὲ πεπολιτευμένων,
προῃρημένων δὲ Λακεδαιμονίους ἐπαινεῖν, ἵν᾿ εἴ τι παρέ-
λαθεν ἡμᾶς ψεῦδος εἰρημένον, ἐκεῖνος κατιδὼν δηλώσειεν
ἡμῖν. 201 Ἐλθὼν δ᾿ ὁ κληθεὶς καὶ διαναγνοὺς τὸν λόγον,
— τὰ γὰρ μεταξὺ τί δεῖ λέγοντα διατρίβειν ; — ἐδυσχέρανε
μὲν ἐπ᾿ οὐδενὶ τῶν γεγραμμένων, ἐπῄνεσεν δ᾿ ὡς δυνατὸν
μάλιστα, καὶ διελέχθη περὶ ἑκάστου τῶν μερῶν παραπλησίως οἷς ἡμεῖς ἐγιγνώσκομεν· οὐ μὴν ἀλλὰ φανερὸς ἦν
οὐχ ἡδέως ἔχων ἐπὶ τοῖς περὶ Λακεδαιμονίων εἰρημένοις
202 Ἐδήλωσεν δὲ διὰ ταχέων· ἐτόλμησε γὰρ εἰπεῖν ὡς εἰ
καὶ μηδὲν ἄλλο πεποιήκασι τοὺς Ἕλληνας ἀγαθὸν, ἀλλ᾿
οὖν ⟨δι᾿⟩ ἐκεῖνό γε δικαίως ἂν αὐτοῖς ἅπαντες χάριν ἔχοιεν
ὅτι τὰ κάλλιστα τῶν ἐπιτηδευμάτων εὑρόντες αὐτοί τε
χρῶνται καὶ τοῖς ἄλλοις κατέδειξαν.

203 Τοῦτο δὲ ῥηθὲν οὕτω βραχὺ καὶ μικρὸν αἴτιον
ἐγένετο τοῦ μήτε καταλῦσαί με τὸν λόγον ἐφ᾿ ὧν ἐβουλήθην, ὑπολαβεῖν θ᾿ ὡς αἰσχρὸν ποιήσω καὶ δεινὸν, εἰ
παρὼν περιόψομαί τινα τῶν ἐμοὶ πεπλησιακότων πονη-
ροῖς λόγοις χρώμενον. Ταῦτα δὲ διανοηθεὶς ἠρόμην αὐτὸν
εἰ μηδὲν φροντίζει τῶν παρόντων, μηδ᾿ αἰσχύνεται λόγον
εἰρηκὼς ἀσεβῆ καὶ ψευδῆ καὶ πολλῶν ἐναντιώσεων μεστόν.
204 « Γνώσει δ᾿ ὡς ἔστιν τοιοῦτος, ἢν ἐρωτήσῃς τινὰς
τῶν εὖ φρονούντων, ποῖα τῶν ἐπιτηδευμάτων κάλλιστα
νομίζουσιν εἶναι, καὶ μετὰ ταῦτα πόσος χρόνος ἐστὶν ἐξ
οὗ Σπαρτιᾶται τυγχάνουσιν ἐν Πελοποννήσῳ κατοικοῦντες.
Οὐδεὶς γὰρ ὅστις οὐ τῶν μὲν ἐπιτηδευμάτων προκρίνει
τὴν εὐσέβειαν τὴν περὶ τοὺς θεοὺς καὶ τὴν δικαιοσύνην
τὴν περὶ τοὺς ἀνθρώπους καὶ τὴν φρόνησιν τὴν περὶ τὰς

200 6 πεπολιτευμένων Γ¹ cett. : -μένον Γ² ‖ 7 προῃρημένων δὲ (om.
Γ) codd. : -μένον Γ² ‖ 8 ψεῦδος Γ : ψευδῶς vulg. ‖ 201 1 διαναγνοὺς
Γ : διαγνοὺς cett. ‖ 3 ἐπ᾿ Γ : om. cett. ‖ 5 ἐγιγνώσκομεν codd. :
γιγν- Γ ‖ 202 3 δι᾿ ins. Tur. ‖ 5 χρῶνται Γ : ἐχρῶντο vulg. ‖
204 2-3 κάλλιστα νομίζουσιν Γ : κάλλιστ᾿ ἂν νομίζωσιν cett.

ajouteront que les Spartiates n'habitent pas leur pays
depuis plus de sept cents ans.   205   S'il en est bien ainsi,
considérons le cas où tu es dans le vrai lorsque tu déclares
que ces hommes ont été les créateurs des traditions les
plus belles : alors nécessairement ceux qui, au cours de
nombreuses générations, ont existé avant l'établissement
des Spartiates sur leur territoire, ne possèdent rien de
ces qualités[1], ni les soldats qui partirent en expédition
contre Troie, ni les contemporains d'Héraclès et de
Thésée, ni Minos, fils de Zeus, ni Rhadamante, ni Éaque,
ni aucun des grands hommes qui ont été célèbres pour
avoir pratiqué ces vertus; il faut admettre que tous
ont usurpé leur renommée.   206   Si par contre tu te
trouv·s avoir parlé à la légère, s'il est convenable que
les enfants des dieux non seulement pratiquent ces vertus
plus intensément que les autres, mais les aient transmises
à leurs descendants, il est impossible que tu ne donnes pas
à tout ton auditoire l'impression d'un esprit déréglé par
la passion en louant les premiers rencontrés avec autant
de légéreté et d'injustice.

« Enfin, si tu les traitais avec éloge sans rien connaître
de ma pensée, tu dirais sans doute des sottises, mais on ne
te verrait pas en contradiction avec toi-même.   207   En
fait, puisque tu as loué mon discours qui montre les Lacédémoniens coupables de crimes nombreux et graves envers
les peuples de leur sang et envers tous les Grecs, comment
te serait-il possible de dire que des hommes qui portent
le poids de telles responsabilités ont été les premiers auteurs
des traditions les plus belles?   208   Mais il y a plus;
une chose encore t'a échappé. Dans les institutions, dans les
arts, dans toutes les inventions il est des domaines qui
ont été négligés; ce ne sont pas les premiers venus qui les
mettent à jour, mais les esprits naturellement supérieurs,
capables de s'assimiler la plus grande quantité du savoir

1. Isocrate met sur le même plan le mythe et l'histoire.

ἄλλας πράξεις, Σπαρτιάτας δ᾽ ἐνταῦθα κατοικεῖν οὐ πλείω
φήσουσιν ἐτῶν ἑπτακοσίων. 205 Τούτων δ᾽ οὕτως ἐχόντων εἰ μὲν τυγχάνεις ἀληθῆ λέγων, τούτους φάσκων εὑρε-
τὰς γεγενῆσθαι τῶν καλλίστων ἐπιτηδευμάτων, ἀναγκαῖόν
ἐστι τοὺς πολλαῖς γενεαῖς πρότερον γεγονότας πρὶν
Σπαρτιάτας ἐνταῦθα | κατοικῆσαι, μὴ μετέχειν αὐτῶν, μήτε
τοὺς ἐπὶ Τροίαν στρατευσαμένους μήτε τοὺς περὶ Ἡρακλέα
καὶ Θησέα γεγονότας μήτε Μίνω τὸν Διὸς μήτε Ῥαδάμανθυν
μήτ᾽ Αἰακὸν μήτε τῶν ἄλλων μηδένα τῶν ὑμνουμένων ἐπὶ ταῖς
ἀρεταῖς ταύταις, ἀλλὰ ψευδῆ τὴν δόξαν ταύτην ἅπαντας
ἔχειν· 206 εἰ δὲ σὺ μὲν φλυαρῶν τυγχάνεις, προσήκει
δὲ τοὺς ἀπὸ θεῶν γεγονότας καὶ χρῆσθαι ταύταις μᾶλλον
τῶν ἄλλων καὶ καταδεῖξαι τοῖς ἐπιγιγνομένοις, οὐκ ἔστιν
ὅπως οὐ μαίνεσθαι δόξεις ἅπασι τοῖς ἀκούσασιν, οὕτως
εἰκῇ καὶ παρανόμως οὓς ἂν τύχῃς ἐπαινῶν.

« Ἔπειτ᾽ εἰ μὲν εὐλόγεις αὐτοὺς μηδὲν ἀκηκοὼς τῶν
ἐμῶν, ἐλήρεις μὲν ἄν, οὐ μὴν ἐναντία γε λέγων ἐφαίνου
σαυτῷ· 207 νῦν δ᾽ ἐπῃνεκότι σοι τὸν ἐμὸν λόγον, τὸν
ἐπιδεικνύντα πολλὰ καὶ δεινὰ Λακεδαιμονίους περί τε τοὺς
συγγενεῖς τοὺς αὐτῶν καὶ περὶ τοὺς ἄλλους Ἕλληνας
διαπεπραγμένους, πῶς οἷόν τ᾽ ἦν ἔτι σοι λέγειν τοὺς
ἐνόχους ὄντας τούτοις ὡς τῶν καλλίστων ἐπιτηδευμάτων
ἡγεμόνες γεγόνασιν ; 208 Πρὸς δὲ τούτοις κἀκεῖνό σε
λέληθεν, ὅτι τὰ παραλελειμμένα τῶν ἐπιτηδευμάτων καὶ
τῶν τεχνῶν καὶ τῶν ἄλλων ἁπάντων οὐχ οἱ τυχόντες
εὑρίσκουσιν, ἀλλ᾽ οἱ τάς τε φύσεις διαφέροντες καὶ μαθεῖν
πλεῖστα τῶν πρότερον εὑρημένων δυνηθέντες καὶ προσ-

---

205 8 ὑμνουμένων Γ: νῦν ὑμνουμένων vulg. ‖ 206 2 χρῆσθαι Γ:
κεχρῆσθαι vulg. ‖ 3 ἐπιγιγνομένοις codd. : γενομένοις Λ ‖ 6 ἔπειτ᾽
εἰ μὲν εὐλογεῖς Γ: οὓς δ᾽ ἐπιτιμᾶν δέον εὐλογεῖς cett. ‖ 6 μηδὲν codd. :
οὐδὲν Γ ‖ 7 μὲν ἄν Γ: μὲν γὰρ καὶ πρὶν ἄν Λ vulg. ‖ 207 1 ᾽πῃνεκότι
ΓΛ¹ : ἐπενεγκότι Λ² Monac. 224 ἐπενεγκόντι cett. ‖ 1 σοι Γ: μοι
cett. ‖ 208 1-2 σε λέληθεν Γ: ἐθαύμαζον εἰ λέληθεν αὐτὸν cett. ‖
2 τὰ om. Γ¹ ins. Γ².

antérieurement acquis et décidés à appliquer leurs soins
à mieux chercher que les autres. De ces dispositions les
Lacédémoniens sont plus éloignés que les Barbares.
209 Ceux-ci peuvent être considérés en face de bien des
découvertes, comme des disciples ou comme des maîtres;
les Spartiates, au contraire, sont demeurés si loin en arrière
sur la voie de l'éducation et du savoir communs à tous qu'ils
n'apprennent même pas leurs lettres[1]; leur connaissance
pourtant est si importante que ceux qui les savent et s'en
servent, acquièrent l'expérience non seulement des événements qui se déroulent de leur temps, mais aussi de ceux
qui ont pu jamais arriver dans le passé. 210 Pourtant,
toi, tu as osé soutenir que des hommes qui vivaient dans
une si profonde ignorance, avaient été les créateurs des
pratiques les plus belles, et tu savais pourtant qu'ils
habituent leurs enfants à des manières d'agir dont ils
attendent non pas qu'ils fassent d'eux les bienfaiteurs
de leurs semblables mais qu'ils les mettent à même de
causer le plus de mal possible aux Grecs. 211 Si je
passais en revue toutes ces pratiques, ce serait bien de
la fatigue pour moi-même et pour mes auditeurs, je
n'en citerai qu'une qu'ils affectionnent et à laquelle
ils apportent tout leur zèle; je pense montrer ainsi
le fond de leur caractère. Ces gens-là, chaque jour et
aussitôt après le lever, envoient leurs enfants, chacun
avec les compagnons de son choix, en théorie chasser, mais
en pratique voler les habitants des campagnes. 212 Et
voici le résultat : ceux qui sont pris, paient une amende
en argent et reçoivent un châtiment corporel; ceux qui
ont commis le plus de méfaits et sont parvenus à les cacher,
jouissent parmi les jeunes gens d'une considération supé-
rieure aux autres, et lorsqu'ensuite ils entrent dans la
catégorie des hommes faits, s'ils demeurent fidèles aux
habitudes contractées dans leur enfance, ils sont en bonne

1. Abus de rhétorique (cf. Plutarque, *Lycurgue*, 16).

ἔχειν τὸν νοῦν τῷ ζητεῖν μᾶλλον τῶν ἄλλων ἐθελήσαντες.
Ὧν Λακεδαιμόνιοι πλέον ἀπέχουσι τῶν βαρβάρων· 209
οἱ μὲν γὰρ ἂν φανεῖεν πολλῶν εὑρημάτων καὶ μαθηταὶ καὶ
διδάσκαλοι γεγονότες, οὗτοι δὲ τοσοῦτον ἀπολελειμμένοι
τῆς κοινῆς παιδείας καὶ φιλοσοφίας εἰσὶν ὥστ᾽ οὐδὲ γράμματα μανθάνουσιν, ἃ τηλικαύτην ἔχει δύναμιν ὥστε τοὺς
ἐπισταμένους καὶ χρωμένους αὐτοῖς μὴ μόνον ἐμπείρους
γίγνεσθαι τῶν ἐπὶ τῆς ἡλικίας τῆς αὐτῶν πραχθέντων,
ἀλλὰ καὶ τῶν πώποτε γενομένων. 210 Ἀλλ᾽ ὅμως σὺ
καὶ τοὺς τῶν τοιούτων ἀμαθεῖς ὄντας ἐτόλμησας εἰπεῖν
ὡς εὑρεταὶ τῶν καλλίστων ἐπιτηδευμάτων γεγόνασιν, καὶ
ταῦτ᾽ εἰδὼς ὅτι τοὺς παῖδας τοὺς αὐτῶν ἐθίζουσιν περὶ
τοιαύτας πραγματείας διατρίβειν, ἐξ ὧν ἐλπίζουσιν | αὐ-
τοὺς οὐκ εὐεργέτας γενήσεσθαι τῶν ἄλλων, ἀλλὰ κακῶς
ποιεῖν μάλιστα δυνήσεσθαι τοὺς Ἕλληνας. 211 Ἃς
πάσας μὲν διεξιὼν πολὺν ὄχλον ἐμαυτῷ τ᾽ ἂν παράσχοιμι
καὶ τοῖς ἀκούουσιν, μίαν δὲ μόνον εἰπὼν ἣν ἀγαπῶσι καὶ
περὶ ἣν μάλιστα σπουδάζουσιν, οἶμαι δηλώσειν ἅπαντα
τὸν τρόπον αὐτῶν. Ἐκεῖνοι γὰρ καθ᾽ ἑκάστην τὴν ἡμέραν
εὐθὺς ἐξ εὐνῆς ἐκπέμπουσι τοὺς παῖδας, μεθ᾽ ὧν | ἂν
ἕκαστοι βουληθῶσιν λόγῳ μὲν ἐπὶ θήραν, ἔργῳ δ᾽ ἐπὶ
κλωπείαν τῶν ἐν τοῖς ἀγροῖς κατοικούντων· 212 ἐν ᾗ
συμβαίνει τοὺς μὲν ληφθέντας ἀργύριον ἀποτίνειν καὶ
πληγὰς λαμβάνειν, τοὺς δὲ πλεῖστα κακουργήσαντας καὶ
λαθεῖν δυνηθέντας ἔν τε τοῖς παισὶν εὐδοκιμεῖν μᾶλλον
τῶν ἄλλων, ἐπειδὰν δ᾽ εἰς ἄνδρας συντελῶσιν, ἢν ἐμμείνω-
σιν τοῖς ἤθεσιν οἷς παῖδες ὄντες ἐμελέτησαν, ἐγγὺς εἶναι

---

208 7 πλέον Γ : πλεῖστον cett. ‖ **209** 6 ἐπισταμένους καὶ χρωμένους
Γ : ἐπισταμένους αὐτὰ καὶ χρωμένους ὀρθῶς vulg. ‖ **210** 3 ἐπιτηδευμάτων Γ : παιδευμάτων cett. ‖ **211** 1-2 ἃς πάσας Γ² : ἀπάσας Γ¹Λ¹Θ
ἃς ἀπάσας Λ² Monac. 224 καὶ ἀπάσας vulg. ‖ 6 ἐκπέμπουσι Γ :
προπ- vulg. ‖ **212** 4 λαθεῖν ΓΛ : λαβεῖν cett. ‖ 4 παισὶν codd. :
πᾶσιν Γ ‖ 5 ἐπειδάν τ᾽ Bekker : ἐπειδὰν δὲ Γ²ΛΘ ἐπειδὰν Γ¹.

place pour accéder aux plus hautes charges. 213 Me montrera-t-on une éducation plus appréciée des Spartiates et jugée par eux plus digne que celle-là, je conviendrai n'avoir rien avancé qui soit vrai, sur quelque point que ce soit. Mais qu'y a-t-il dans de telles actions de noble, de respectable? N'est-ce pas au contraire une honte? Et comment ne pas trouver insensés ceux qui distribuent leurs éloges à des hommes qui se sont écartés à ce point des lois communes à l'humanité et qui n'ont pas une idée qu'ils partagent ni avec les Grecs ni avec les Barbares? 214 Tout le monde considère comme les plus vicieux des serviteurs ceux qui font le mal et volent; ces gens là tiennent pour les meilleurs de leurs fils ceux qui ont pris la première place dans de semblables pratiques et ils les honorent tout spécialement[1]. Et pourtant qui parmi les gens de sens droit ne choisirait pas trois fois la mort plutôt que de s'être fait connaître pour s'exercer à la vertu en recourant à la mise en œuvre de tels usages? »

215 Ayant entendu cette déclaration, mon élève ne répondit franchement à aucun de mes propos; pourtant son silence ne fut pas absolu et il dit en me désignant : « Tu as parlé comme si j'admettais tout ce qui se passe là-bas et considérais que tout cela est bien. Il me semble qu'en ce qui concerne la liberté laissée aux enfants et bien d'autres traits, tu as raison de critiquer ces manières de faire, mais que tes accusations contre moi sont injustifiées. 216 J'ai souffert en lisant ton discours, à l'occasion des griefs que tu lançais contre les Lacédémoniens, mais pas autant que de ne rien avoir à répondre sur ces questions à ce que tu as écrit, alors qu'en toute autre circonstance j'ai l'habitude de présenter leur éloge. Placé dans un si grand embarras, j'ai fait la seule déclaration qui me restait à faire, à savoir que, n'aurions-nous aucun autre motif de gratitude envers eux, nous serions encore tous fondés

---

1. Cf. Xénophon, *République de Sparte*, 2, 6; Plutarque, *Lycurgue*, 17.

τῶν μεγίστων ἀρχῶν.   213   Καὶ ταύτης ἥν τις ἐπιδείξῃ
παιδείαν μᾶλλον ἀγαπωμένην ἢ σπουδαιοτέραν παρ' αὐτοῖς
εἶναι νομιζομένην, ὁμολογῶ μηδὲν ἀληθὲς εἰρηκέναι μηδὲ
περὶ ἑνὸς πώποτε πράγματος. Καίτοι τί τῶν τοιούτων
ἔργων καλόν ἐστιν ἢ σεμνὸν, ἀλλ' οὐκ αἰσχύνης ἄξιον;
Πῶς δ' οὐκ ἀνοήτους χρὴ νομίζειν τοὺς ἐπαινοῦντας τοὺς
τοσοῦτον τῶν νόμων τῶν κοινῶν ἐξεστηκότας καὶ μηδὲν
τῶν αὐτῶν μήτε τοῖς Ἕλλησι μήτε τοῖς βαρβάροις γιγνώσκοντας;   214   Οἱ μὲν γὰρ ἄλλοι τοὺς κακουργοῦντας
καὶ κλέπτοντας πονηροτάτους τῶν οἰκετῶν νομίζουσιν,
ἐκεῖνοι δὲ τοὺς ἐν τοῖς τοιούτοις τῶν ἔργων πρωτεύοντας
βελτίστους εἶναι τῶν παίδων ὑπολαμβάνουσιν καὶ μάλιστα
τιμῶσιν. Καίτοι τίς ἂν τῶν εὖ φρονούντων οὐκ ἂν τρὶς
ἀποθανεῖν ἕλοιτο μᾶλλον ἢ διὰ τοιούτων ἐπιτηδευμάτων
γνωσθῆναι τὴν ἄσκησιν τῆς ἀρετῆς ποιούμενος;»
215   Ταῦτ' ἀκούσας θρασέως μὲν οὐδὲ πρὸς ἓν ἀντεῖπε
τῶν εἰρημένων, οὐδ' αὖ παντάπασιν ἀπεσιώπησεν, ἀλλ'
ἔλεγεν, ὅτι. «Σὺ μὲν πεποίησαι τοὺς λόγους» — ἐμὲ λέγων — « ὡς ἅπαντ' ἀποδεχομένου μου τἀκεῖ καὶ καλῶς
ἔχειν νομίζοντος· ἐμοὶ δὲ δοκεῖς περὶ μὲν τῆς τῶν παίδων
αὐτονομίας καὶ περὶ ἄλλων πολλῶν εἰκότως ἐπιτιμᾶν
ἐκείνοις, ἐμοῦ δ' οὐ δικαίως κατηγορεῖν.   216   Ἐγὼ γὰρ
ἐλυπήθην μὲν τὸν λόγον ἀναγιγνώσκων|ἐπὶ τοῖς περὶ Λακε-
δαιμονίων εἰρημένοις, οὐ μὴν οὕτως ὡς ἐπὶ τῷ μηδὲν
ἀντειπεῖν ὑπὲρ αὐτῶν δύνασθαι τοῖς γεγραμμένοις,
εἰθισμένος τὸν ἄλλον χρόνον ἐπαινεῖν. Εἰς τοιαύτην δ'
ἀπορίαν καταστὰς εἶπον, ὅπερ ἦν λοιπὸν, ὡς εἰ καὶ μηδὲν
δι' ἄλλο, διά γ' ἐκεῖνο δικαίως ἂν αὐτοῖς ἅπαντες χάριν

213 3 ἀληθὲς Γ : om. cett. ‖ 214 1 ἄλλοι Γ : om. cett. ‖ 2 πονηροτάτους Γ : -τέρους vulg. ‖ 3 ἐν τοῖς τοιούτοις τῶν Γ : τοιούτων Λ τοιούτων
τῶν vulg. ‖ 5 τρὶς Γ : om. cett. ‖ 215 1-2 ἀντεῖπε τῶν εἰρημένων ΛΘ :
ἀντειπεῖν τῶν εἰρ- Γ¹ ἀντειπεῖν τῶν εἰρ- ἐτόλμησεν Γ² ‖ 4 ἅπαντ' Γ :
ἂν ἅπαντ' vulg. ‖ 4 τἀκεῖ Γ : τἀκείνων vulg. ‖ 6 περὶ μὲν Bekker :
ευπερὶ μὲν Γ ὑπὲρ vulg. ‖ 216 5 χρόνον ΓΕ : χρόνον αὐτοὺς cett.

à leur manifester notre reconnaissance pour l'usage qu'ils
font des pratiques les plus belles. 217 Je l'ai dit en
pensant non pas à la piété, à la justice, à la sagesse politique dont tu as traité, mais aux exercices gymniques en
usage là-bas, à l'entraînement au courage[1], à la discipline
et, d'un mot, à la préparation à la guerre, qualités que
tout le monde est disposé à louer et dont on reconnaît
que ce peuple-là surtout entretient le culte. »

218 J'accueillis les explications de mon élève, non pas
comme s'il ruinait une partie de mes accusations, mais dans
la pensée qu'il voilait ainsi ce qu'il y avait de plus âpre
dans ses propos, attitude d'un homme de tact et non pas
d'un homme sans éducation, et qu'il présentait le reste
de son apologie avec plus de sagesse qu'il n'avait manifesté
de hardiesse dans des propos antérieurs. Quoi qu'il en
soit, je laissai ce point de côté et déclarai que, sur les
questions mêmes qui venaient d'être abordées, j'avais une
accusation beaucoup plus grave à présenter que celle
portant sur les vols commis par des enfants. 219 « Par
ces pratiques, dis-je, ils souillaient l'âme de leurs propres
enfants; mais par celles que tu viens d'énumérer, ils ont
causé la perte des Grecs. Et il est aisé de constater qu'il
en est ainsi. Tout le monde est d'accord, j'imagine, pour
reconnaître que les hommes les plus mauvais et qui
méritent le plus lourd châtiment, sont ceux qui utilisent
pour faire du mal les découvertes acquises dans une intention utile. 220 et cela non pas contre les Barbares,
ni contre les malfaiteurs, ni non plus contre les enva-
hisseurs de leur territoire, mais contre leurs amis les
plus intimes et contre leurs frères de race. Telle fut précisément la conduite des Spartiates. Or comment le respect
des dieux permet-il d'affirmer que c'est bien cultiver l'art

---

1. Par ex. par l'épreuve de la διαμαστίγωσις qui avait lieu
chaque année devant l'hotel d'Artémis Orthia. Platon lui
aussi fut très favorable à la gymnastique telle qu'on la
pratiquait à Sparte et il la préconise même pour les femmes,
dans la *République*.

ἔχοιεν ὅτι τοῖς καλλίστοις τῶν ἐπιτηδευμάτων χρώμενοι τυγχάνουσιν. 217 Ταῦτα δ᾽ εἶπον οὐ πρὸς τὴν εὐσέβειαν οὐδὲ πρὸς τὴν δικαιοσύνην οὐδὲ πρὸς τὴν φρόνησιν ἀποβλέψας, ἃ σὺ διῆλθες, ἀλλὰ πρὸς τὰ γυμνάσια τἀκεῖ καθεστηκότα καὶ πρὸς τὴν ἄσκησιν τῆς ἀνδρείας καὶ τὴν ὁμόνοιαν καὶ συνόλως τὴν περὶ τὸν πόλεμον ἐπιμέλειαν, ἅπερ ἅπαντες ἂν ἐπαινοῖεν, καὶ μάλιστ᾽ ἂν αὐτοῖς ἐκείνους χρῆσθαι φήσαιεν. »

218 Ταῦτα δ᾽ αὐτοῦ διαλεχθέντος ἀπεδεξάμην μὲν, οὐχ ὡς διαλυόμενόν τι τῶν κατηγορημένων, ἀλλ᾽ ὡς ἀποκρυπτόμενον τὸ πικρότατον τῶν τότε ῥηθέντων, οὐκ ἀπαιδεύτως, ἀλλὰ νοῦν ἔχοντος, καὶ περὶ τῶν ἄλλων ἀπολελογημένον σωφρονέστερον ἢ τότε παρρησιασάμενον. Οὐ μὴν ἀλλ᾽ ἐκεῖν᾽ ἐάσας περὶ αὐτῶν τούτων ἔφασκον κατηγορίαν ἔχειν πολὺ δεινοτέραν ἢ περὶ τῆς τῶν παίδων κλωπείας. 219 « Ἐκείνοις μὲν γὰρ τοῖς ἐπιτηδεύμασιν ἐλυμαίνοντο τοὺς αὑτῶν παῖδας, οἷς δ᾽ ὀλίγῳ πρότερον σὺ διῆλθες, τοὺς Ἕλληνας ἀπώλλυσαν. Ῥᾴδιον δ᾽ ὡς οὕτως εἶχεν ταῦτα συνιδεῖν. Οἶμαι γὰρ ἅπαντας ἂν ὁμολογῆσαι κακίστους ἄνδρας εἶναι καὶ μεγίστης ζημίας ἀξίους ὅσοι τοῖς πράγμασιν τοῖς εὑρημένοις ἐπ᾽ ὠφελείᾳ, τούτοις ἐπὶ βλάβῃ χρώμενοι τυγχάνουσιν, 220 μὴ πρὸς τοὺς βαρβάρους μηδὲ πρὸς τοὺς ἁμαρτάνοντας μηδὲ πρὸς τοὺς εἰς τὴν αὑτῶν χώραν εἰσβάλλοντας, ἀλλὰ πρὸς τοὺς οἰκειοτάτους καὶ τῆς αὐτῆς συγγενείας μετέχοντας· ἅπερ ἐποίουν Σπαρτιᾶται. Καίτοι πῶς ὅσιόν ἐστιν φάσκειν

---

216 8 ἔχοιεν Γ: ἔχοιμεν vulg. || 217 4-5 τὴν ὁμονοίαν καὶ συνόλως Γ: πρὸς τὴν ὁμονοίαν καὶ τὸ σύνολον Λ *Monac.* 224 vulg. || 6 ἐπαινοῖεν H. Wolf: εἴποιεν codd. || 7 φήσαιεν vulg. φήσειαν || 218 1 αὐτοῦ Γ: αὐτοῦ μοι vulg. || 2 διαλυόμενον Γ: ἀπολ- vulg. || 5 παρρησιασάμενον codd.: πεπαρρησιασμένον Θ || 6 τούτων om. Γ || 219 3 ἀπώλλυσαν Γ: ἀπώλεσαν vulg. || 4 ἅπαντα; ἂν Γ: ἅπαντας cett. || 6 ὠφελείᾳ Γ² vulg.: ὠφελίᾳ Γ¹ || 220 5 φάσκειν Γ: τούτους φάσκειν vulg.

de la guerre que de consommer la totalité du temps à
tuer ceux-là mêmes que le devoir commandait de sauver?
221 Mais, à vrai dire, tu n'es pas seul à ignorer quels sont
les hommes qui se comportent convenablement devant
les événements; presque tous les Grecs sont dans ton cas.
Lorsqu'ils voient ou lorsqu'ils apprennent que certains
sujets s'adonnent avec zèle à la pratique de ce qui passe
pour beau, ils en font l'éloge, ils leurs consacrent de multiples commentaires, sans savoir quelle sera la suite. **222**
Il faut au contraire que ceux qui entendent juger sainement
de tels hommes commencent par demeurer sur la réserve
et n'exprimer aucune opinion à leur égard; puis, lorsqu'est
venu le moment où ils les voient parler et agir, aussi bien
dans leurs affaires privées que dans les affaires publiques,
alors qu'ils observent chacun d'eux avec attention, **223**
qu'ils louent et qu'ils honorent ceux qui exercent correctement et noblement les activités auxquelles ils ont donné
leurs soins, qu'ils blâment et qu'ils détestent ceux qui font
le mal par erreur ou par dessein, et qu'ils se gardent de leurs
méthodes, guidés par la conviction que ce ne sont pas les
choses par elles-mêmes qui nous servent ou nous nuisent,
mais que l'usage et la pratique qu'en font les hommes sont
au point de départ de tout ce qui nous arrive. **224** On
le comprendra bien par ce qui suit : les mêmes circonstances, partout où elles se produisent et sans distinction qui les sépare, deviennent utiles aux uns et
nuisibles aux autres; et cependant il n'est pas rationnel
de considérer que chaque chose possède une nature
capable de la rendre contraire et non pas identique à
elle-même; par contre, le fait que la suite des événements ne soit pas la même pour ceux qui se comportent
correctement et conformément à la justice et pour ceux qui
agissent contre la piété et contre le bien, ce fait ne paraîtra-

---

1. Ici encore, insistance d'Isocrate à souligner que la valeur
morale, appréciée sur le plan pratique, est seule apte à donner
une solution aux problèmes de pure philosophie.

καλῶς χρῆσθαι τοῖς περὶ τὸν πόλεμον ἐπιτηδεύμασιν,
οἵτινες οὓς προσῆκεν σφζειν, τούτους ἀπολλύοντες
ἅπαντα τὸν χρόνον διετέλεσαν; 221 Ἀλλὰ γὰρ οὐ σὺ
μόνος ἀγνοεῖς τοὺς καλῶς χρωμένους τοῖς πράγμασιν,
ἀλλὰ σχεδὸν οἱ πλεῖστοι τῶν Ἑλλήνων. Ἐπειδὰν γάρ τινας
ἴδωσιν ἢ πύθωνται παρά τινων|ἐπιμελῶς διατρίβοντας περὶ
τὰ δοκοῦντ᾽ εἶναι καλὰ τῶν ἐπιτηδευμάτων, ἐπαινοῦσι καὶ
πολλοὺς λόγους ποιοῦνται περὶ αὐτῶν, οὐκ εἰδότες τὸ
συμβησόμενον. 222 Χρὴ δὲ τοὺς ὀρθῶς δοκιμάζειν βουλομένους περὶ τῶν τοιούτων ἐν ἀρχῇ μὲν ἡσυχίαν ἄγειν
καὶ μηδεμίαν δόξαν ἔχειν περὶ αὐτῶν, ἐπειδὰν δ᾽ εἰς τὸν
χρόνον ἐκεῖνον ἔλθωσιν ἐν ᾧ καὶ λέγοντας καὶ πράττοντας
αὐτοὺς ὄψονται καὶ περὶ τῶν ἰδίων καὶ περὶ τῶν κοινῶν,
τότε θεωρεῖν ἀκριβῶς ἕκαστον αὐτῶν, 223 καὶ τοὺς μὲν
νομίμως καὶ καλῶς χρωμένους οἷς ἐμελέτησαν ἐπαινεῖν
καὶ τιμᾶν, τοὺς δὲ πλημμελοῦντας καὶ κακουργοῦντας
ψέγειν καὶ μισεῖν καὶ φυλάττεσθαι τὸν τρόπον αὐτῶν,
ἐνθυμουμένους ὡς οὐχ αἱ φύσεις αἱ τῶν πραγμάτων οὔτ᾽
ὠφελοῦσιν οὔτε βλάπτουσιν ἡμᾶς, ἀλλ᾽ ὡς αἱ τῶν ἀνθρώπων χρήσεις καὶ πράξεις ἁπάντων ἡμῖν αἴτιαι τῶν συμβαινόντων εἰσίν. 224 Γνοίη δ᾽ ἄν τις ἐκεῖθεν· τὰ γὰρ
αὐτὰ πανταχῇ καὶ μηδαμῇ διαφέροντα τοῖς μὲν ὠφέλιμα,
τοῖς δὲ βλαβερὰ γίγνεται. Καίτοι τὴν μὲν φύσιν ἔχειν
ἕκαστον τῶν ὄντων ἐναντίαν αὐτὴν καὶ μὴ τὴν αὐτὴν οὐκ
εὔλογόν ἐστιν· τὸ δὲ μηδὲν τῶν αὐτῶν συμβαίνειν τοῖς ὀρθῶς
καὶ δικαίως πράττουσιν καὶ τοῖς ἀσελγῶς τε καὶ κακῶς, τίνι
τῶν ὀρθῶς λογιζομένων οὐκ ἂν εἰκότως ταῦτα γίγνεσθαι

221 2 καλῶς codd.: κακῶς Γ ‖ 3 ἐπειδὰν codd.: ἐπειδὴ Γ ‖
5 τὰ δοκοῦντ᾽ εἶναι καλὰ τῶν Γ: τι (om. Λ) τῶν δοκούντων εἶναι
καλῶν Λ vulg. ‖ 222 1-2 βουλομένους Γ: προαιρουμένους Λ vulg. ‖
223 2 ἐμελέτησαν Coraï: ἐμελέτησεν Γ ἂν ἐμελέτησαν Λ vulg. ‖
6 ἀλλ᾽ ὡς ΓΕ: ἀλλ᾽ cett. ‖ 224 3 καίτοι· Γ: καίτοι οὐ τὸ Λ
vulg. ‖ 4 ἐναντίαν vulg.: τὴν ἐναντίαν Γ ‖ αὐτὴν Γ: om. cett. ‖
μὴ τὴν codd.: μάτην Γ ‖ 5 εὔλογον vulg.: εὔκολον Γ ‖ 6 τίνι Γ:
τίσι Λ vulg. 2 ἂν εἰκότως ΓΛ: ἀπεικότως cett.

t-il pas normal à quiconque raisonne sainement? **225** Le
même raisonnement s'appliquerait également aux différentes formes que prend la concorde. Par leur nature, elles
ne diffèrent pas des données morales dont je viens de parler,
mais nous pouvons constater que ces manifestations sont
au point de départ, les unes des plus grands biens,
les autres des plus grands maux et des plus grands
malheurs.

« A ce dernier groupe, appartient la concorde que pratiquent les Spartiates, — car je dirai la vérité même, si
je parais à certains tenir des propos qui heurtent l'opinion
commune.

226 « Ce peuple, en effet, fort de son unité de vues sur
les affaires extérieures, a poussé les Grecs à se diviser,
comme s'il en faisait un art, et il a considéré que le pire des
malheurs qui frappait les autres cités était pour lui ce qui
pouvait arriver de plus utile; les Spartiates avaient ainsi
le moyen de les conduire comme ils l'entendaient, étant
donné l'état dans lequel elles étaient. En conséquence,
personne ne serait fondé à les féliciter de leur concorde
intérieure, pas plus qu'on ne féliciterait des brigands,
des voleurs et autres auteurs de méfaits : s'ils tombent
d'accord entre eux, c'est pour perdre les autres. **227**
Trouvera-t-on que je me suis servi d'une comparaison peu
convenable, en raison de la renommée de ce peuple, je la
laisse de côté et je cite les Triballes que tout le monde
reconnaît être un peuple uni comme il n'en existe aucun
autre; mais on concède aussi qu'ils font le malheur, non
seulement de leurs voisins et de ceux qui habitent à proxi-
mité de leur territoire, mais encore de tous ceux qu'ils
parviennent à atteindre. **228** Ce ne sont pas ces modèles
que doivent choisir ceux qui s'arrogent le mérite de la
vertu; leur ambition doit être plutôt la force que confèrent
la sagesse, la justice et les autres qualités morales. Ces
mérites n'exercent pas une action bienfaisante sur leur
essence propre; ils rendent heureux et apportent une
joie divine à ceux dans l'âme de qui ils se sont durable-

δόξειεν; 225 Ὁ δ᾽ αὐτὸς οὗτος λόγος καὶ περὶ τὰς
ὁμονοίας ἂν ἁρμόσειεν· καὶ γὰρ ἐκεῖναι τὴν φύσιν εἰσὶν
οὐκ ἀνόμοιαι τοῖς εἰρημένοις, ἀλλὰ τὰς μὲν αὐτῶν εὕροιμεν ἂν πλείστων ἀγαθῶν αἰτίας γιγνομένας, τὰς δὲ τῶν
μεγίστων κακῶν καὶ συμφορῶν. »

« Ὧν μίαν εἶναί φημι καὶ τὴν Σπαρτιατῶν· εἰρήσεται
γὰρ τἀληθές, εἰ καί τισιν δόξω λίαν παράδοξα λέγειν.
226 Οὗτοι γὰρ τῷ ταὐτὰ γιγνώσκειν περὶ τῶν ἔξω
πραγμάτων ἀλλήλοις στασιάζειν τοὺς Ἕλληνας ὥσπερ
τέχνην ἔχοντες ἐποίουν, καὶ τὸ χαλεπώτατον ταῖς ἄλλαις
πόλεσιν τῶν κακῶν γιγνόμενον, τοῦθ᾽ αὐτοῖς ἁπάντων
συμφορώτατον ἐνόμιζον εἶναι· τὰς γὰρ οὕτω διακειμένας
ἐξῆν αὐτοῖς ὅπως ἠβούλοντο διοικεῖν. Ὥστ᾽ οὐδεὶς ἂν
αὐτοὺς διά γε τὴν ὁμόνοιαν δικαίως ἐπαινέσειεν, | οὐδὲν
μᾶλλον ἢ τοὺς καταποντιστὰς καὶ λῃστὰς καὶ τοὺς περὶ
τὰς ἄλλας ἀδικίας ὄντας· καὶ γὰρ ἐκεῖνοι σφίσιν αὐτοῖς
ὁμονοοῦντες τοὺς ἄλλους ἀπολλύουσιν. 227 Εἰ δέ τισιν
δοκῶ τὴν παραβολὴν ἀπρεπῆ πεποιῆσθαι πρὸς τὴν ἐκείνων
δόξαν, ταύτην μὲν ἐῶ, λέγω δὲ Τριβαλλούς, οὓς ἅπαντές
φασιν ὁμονοεῖν μὲν ὡς οὐδένας ἄλλους ἀνθρώπους, ἀπολλύναι δ᾽ οὐ μόνον τοὺς ὁμόρους καὶ τοὺς πλησίον οἰκοῦντας,
ἀλλὰ καὶ τοὺς ἄλλους ὅσων ἂν ἐφικέσθαι δυνηθῶσιν.
228 Οὓς οὐ χρὴ μιμεῖσθαι τοὺς ἀρετῆς ἀντιποιουμένους,
ἀλλὰ πολὺ μᾶλλον τὴν τῆς σοφίας καὶ τῆς δικαιοσύνης
καὶ τῶν ἄλλων ἀρετῶν δύναμιν. Αὗται μὲν γὰρ οὐ τὰς
σφετέρας αὐτῶν φύσεις εὐεργετοῦσιν, ἀλλ᾽ οἷς ἂν παραγε-
νόμεναι παραμείνωσιν, εὐδαίμονας καὶ μακαρίους ποιοῦσιν·
Λακεδαιμόνιοι δὲ τοὐναντίον, οἷς μὲν ἂν πλησιάσωσιν,

---

225 2 εἰσὶν Γ: om. cett. ‖ 226 1 τῷ (τὸ Λ) ταὐτὰ .... πραγμάτων
ΓΛ¹: ἀφορμῇ τοῦ ταῦτα γιγνώσκειν εἰδότες παρὰ (περὶ Λ² Monac.
224) τῶν ἔξω παραγενομένων (πραγμάτων Paris 2931 ΤΛ² Monac.)
ΤΛ² Monac. 224 vulg. ‖ 3 ἔχοντες ΓΛ¹ Monac. 224 : ἔχοντες τὸ
ἁρπάζειν οὕτως cett. ‖ 3 ταῖς (ante ἄλλαις) om. Γ ‖ 5 γὰρ Γ²Ε:
οὖν vulg., om. Γ¹ ‖ 8 καὶ λῃστὰς Γ: om. cett.

ment installés. Les Lacédémoniens, au contraire, ruinent
ceux dont ils s'approchent et s'approprient tous les biens
que les autres possèdent... »

229   Voilà les propos par lesquels je tins tête à mon
interlocuteur, adversaire habile, expérimenté, entraîné
à la parole tout autant que mes autres élèves. A vrai dire,
les jeunes gens qui avaient assisté à tout cet échange de
vues, ne partageaient pas mon impression; ils me félici-
taient pour avoir discouru avec plus de flamme juvénile
qu'ils ne s'y étaient attendu et pour avoir bien lutté;
par contre, ils méprisaient mon interlocuteur; en quoi ils
ne voyaient pas juste, mais ils se trompaient sur lui comme
sur moi.   **230**   Il se retira, en effet, plus réfléchi et l'esprit ramené à de plus modestes ambitions, comme il
sied à un homme de jugement sain; il avait fait l'expérience du précepte inscrit à Delphes, ayant appris à mieux
connaître et sa propre nature et celle des Lacédémoniens.
Pour moi, j'étais déçu : sans doute avais-je discuté avec
succès, mais j'avais par là même perdu de ma sérénité
de jugement; je ressentais une satisfaction orgueilleuse
qui ne convient pas à mon âge; j'étais rempli d'une agi-
tation qui n'appartient qu'aux jeunes gens.   **231**   Ces
dispositions d'esprit étaient chez moi visibles; car après
avoir pris quelque repos, je n'eus de cesse que je n'eusse
dicté à mon jeune scribe le discours que, quelques instants avant, je développais avec plaisir et qui allait peu
après me causer du souci. Trois ou quatre jours passèrent;
je le relus et l'examinai attentivement; ce que j'avais dit
de notre pays ne me déplut pas; je m'étais exprimé sur
lui en termes nobles et justes.   **232**   Par contre, ce que
j'avais dit des Lacédémoniens me contraria et je ne
l'acceptais qu'avec peine; il me semblait que je ne
m'étais pas exprimé à leur égard avec mesure ni
dans le même esprit qu'à l'égard des autres peuples;
il y avait dans mes propos du mépris, une amertume excessive, un manque complet de compréhen-
sion; si bien qu'à plusieurs reprises j'eus le désir de

ἀπολλύουσιν, τὰ δὲ τῶν ἄλλων ἀγαθὰ πάντα περὶ σφᾶς αὐτοὺς ποιοῦνται. »

229 Ταῦτ᾽ εἰπὼν κατέσχον πρὸς ὃν τοὺς λόγους ἐποιούμην, ἄνδρα δεινὸν καὶ πολλῶν ἔμπειρον καὶ περὶ τὸ λέγειν γεγυμνασμένον οὐδενὸς ἧττον τῶν ἐμοὶ πεπλησιακότων. Οὐ μὴν τὰ μειράκια τὰ πᾶσιν παραγεγενημένα τούτοις τὴν αὐτὴν ἐμοὶ γνώμην ἔσχεν, ἀλλ᾽ ἐμὲ μὲν ἐπῄνεσαν ὡς διειλεγμένον τε νεαρωτέρως ἢ προσεδόκησαν, ἠγωνισμένον τε καλῶς, ἐκείνου δὲ κατεφρόνησαν, οὐκ ὀρθῶς γιγνώσκοντες, ἀλλὰ διημαρτηκότες ἀμφοτέρων ἡμῶν. 230 Ὁ μὲν γὰρ ἀπῄει φρονιμώτερος γεγενημένος καὶ συνεσταλμένην ἔχων τὴν διάνοιαν, ὥσπερ χρὴ τοὺς εὖ φρονοῦντας, καὶ πεπονθὼς τὸ γεγραμμένον ἐν Δελφοῖς, αὑτόν τ᾽ ἐγνωκὼς καὶ τὴν Λακεδαιμονίων φύσιν μᾶλλον ἢ πρότερον· ἐγὼ δ᾽ ὑπελειπόμην ἐπιτυχῶς μὲν ἴσως διειλεγμένος, ἀνοητότερος δὲ δι᾽ αὐτὸ τοῦτο γεγενημένος καὶ φρονῶν μεῖζον ἢ προσήκει τοὺς τηλικούτους καὶ ταραχῆς μειρακιώδους μεστὸς ὤν. 231 Δῆλος δ᾽ ἦν οὕτω διακείμενος· ἐπειδὴ γὰρ ἡσυχίας ἐπελαβόμην, οὐ πρότερον ἐπαυσάμην, πρὶν ὑπέβαλον τῷ παιδὶ τὸν λόγον ὃν ὀλίγῳ μὲν πρότερον μεθ᾽ ἡδονῆς διῆλθον, μικρῷ δ᾽ ὕστερον ἤμελλέ με λυπήσειν. | Τριῶν γὰρ ἢ τεττάρων ἡμερῶν διαλειφθεισῶν ἀναγιγνώσκων αὐτὰ καὶ διεξιών, ἐπὶ μὲν οἷς περὶ τῆς πόλεως ἦν εἰρηκώς, οὐκ ἠχθόμην, — καλῶς γὰρ καὶ δικαίως ἦν ἅπαντα περὶ αὐτῆς γεγραφώς, — 232 ἐπὶ δὲ τοῖς περὶ Λακεδαιμονίων ἐλυπήθην καὶ βαρέως ἔφερον· οὐ γὰρ μετρίως ἐδόκουν μοι διειλέχθαι περὶ αὐτῶν οὐδ᾽ ὁμοίως τοῖς ἄλλοις, ἀλλ᾽ ὀλιγώρως καὶ λίαν πικρῶς καὶ παντάπασιν ἀνοήτως· ὥστε πολλάκις ὁρμήσας ἐξαλείφειν αὐτὸν ἢ κατακάειν μετεγίγνωσκον, ἐλεῶν τὸ γῆρας τοῦ-

---

229 6 νεαρωτέρως Γ : νεαρώτερον vulg. ‖ 230 7 προσήκει codd. : προσήκε ΓΕ ‖ 231 5 διαλειφθεισῶν Γ : διαλειπουσῶν vulg. ‖ 232 5 ὁρμήσας Γ : ἐξορμήσας vulg. ‖ 6 κατακάειν Γ¹ vulg. -κάιειν Γ².

l'effacer ou de le brûler; puis je changeai d'avis, prenant
en considération mon âge et le mal que je m'étais donné
pour le faire.

233   Dans un tel trouble et devant tant de revirements
il me sembla que le mieux était d'appeler près de moi ceux
de mes élèves qui habitaient la ville et d'examiner avec eux
si cet ouvrage devait être détruit ou bien remis à qui voudrait en prendre connaissance, étant entendu que leur
opinion, quelle qu'elle fût, serait respectée. Cette décision
prise, je ne m'accordai aucun délai; aussitôt convoqués
les élèves dont j'ai parlé, je leur dis pour quel motif ils
étaient réunis, puis je leur lus le discours. Je fus couvert de
louanges et d'applaudissements et connus le même succès
que les vainqueurs dans les lectures publiques[1]. **234**
Toutes ces questions réglées, mes invités s'entretenaient
entre eux et manifestement du texte qui venait de leur
être lu. Mais l'élève que nous avions envoyé chercher la
première fois pour le consulter, le panégyriste des Lacédémoniens, avec qui j'avais échangé mes vues plus qu'il
n'était nécessaire, leur demanda le silence; les yeux
fixés sur moi, il déclara qu'il hésitait sur la conduite à
tenir dans les circonstances présentes; il ne voulait pas
mettre en doute mes déclarations, il ne pouvait accorder
crédit à toutes. **235** « Je m'étonne, dit-il, que tu aies
été aussi contrarié et que tu supportes aussi péniblement,
selon ton expression, les propos que tu as tenus sur les
Lacédémoniens; je ne vois rien dans ce que tu as écrit
qui le justifie. Je m'étonne aussi que, pour prendre notre
avis sur ton discours, tu nous aies réunis, car tu sais bien
que nous approuvons tout ce que tu dis ou fais. Les
hommes de jugement ont l'habitude de communiquer le
fruit de leurs travaux de préférence à ceux qui leur sont
supérieurs ou tout au moins sont disposés à faire
connaître leur sentiment personnel. Or, toi, tu as fait le

1. Cf. Platon, *Gorgias*, début du dialogue.

μαυτοῦ καὶ τὸν πόνον τὸν περὶ τὸν λόγον γεγενημένον.

233 Ἐν τοιαύτῃ δέ μοι ταραχῇ καθεστηκότι καὶ μεταβολὰς ποιουμένῳ πολλὰς ἔδοξε κράτιστον εἶναι παρακα-
λέσαντι τῶν πεπλησιακότων τοὺς ἐπιδημοῦντας βουλεύσασθαι μετ᾽ αὐτῶν πότερον ἀφανιστέος παντάπασίν ἐστιν
ἢ διαδοτέος τοῖς βουλομένοις λαμβάνειν, ὁπότερα δ᾽ ἂν
ἐκείνοις δόξῃ, ταῦτα ποιεῖν. Τούτων γνωσθέντων οὐδεμίαν
διατριβὴν ἐποιησάμην, ἀλλ᾽ εὐθὺς παρεκέκληντο μὲν, οὓς
εἶπον, προειρηκὼς δ᾽ ἦν αὐτοῖς ἐφ᾽ ᾧ συνεληλυθότες
ἦσαν, ἀνέγνωστο δ᾽ ὁ λόγος, ἐπῃνημένος δ᾽ ἦν καὶ τεθορυ-
βημένος καὶ τετυχηκὼς ὧνπερ οἱ κατορθοῦντες ἐν ταῖς
ἐπιδείξεσιν. 234 Ἁπάντων δὲ τούτων ἐπιτετελεσμένων
οἱ μὲν ἄλλοι διελέγοντο πρὸς σφᾶς αὐτούς, δῆλον ὅτι περὶ
τῶν ἀναγνωσθέντων· ὃν δ᾽ ἐξ ἀρχῆς μετεπεμψάμεθα
σύμβουλον, τὸν τῶν Λακεδαιμονίων ἐπαινέτην, πρὸς ὃν
πλείω διελέχθην τοῦ δέοντος, σιωπὴν ποιησάμενος καὶ
πρὸς ἐμὲ βλέψας ἀπορεῖν ἔφασκεν ὅ τι χρήσηται τοῖς
παροῦσιν· οὔτε γὰρ ἀπιστεῖν βούλεσθαι τοῖς ὑπ᾽ ἐμοῦ
λεγομένοις οὔτε πιστεύειν δύνασθαι παντάπασιν αὐτοῖς.
235 « Θαυμάζω γὰρ, εἴθ᾽ οὕτως ἐλυπήθης καὶ βαρέως
ἔσχες, ὥσπερ φῄς, ἐπὶ τοῖς περὶ Λακεδαιμονίων εἰρημένοις, — οὐδὲν γὰρ ἐν αὐτοῖς ὁρῶ τοιοῦτον γεγραμμένον, —
εἴτε συμβούλοις περὶ τοῦ λόγου χρήσασθαι βουλόμενος
ἡμᾶς συνήγαγες, οὓς οἶσθ᾽ ἀκριβῶς ἅπαν ὅ τι ἂν σὺ λέγῃς
ἢ πράττῃς ἐπαινοῦντας. Εἰθισμένοι δ᾽ εἰσὶν οἱ νοῦν
ἔχοντες ἀνακοινοῦσθαι περὶ ὧν ἂν σπουδάζωσι μάλιστα
μὲν τοῖς ἄμεινον αὐτῶν φρονοῦσιν, | εἰ δὲ μη, τοῖς μέλλουσιν
ἀποφαίνεσθαι τὴν αὐτῶν γνώμην· ὧν τἀναντία σὺ πε-

233 1-2 μεταβολὰς Γ : μετὰς Λ¹ μεταμελείας cett. ‖ 2 ἔδοξε Γ :
ἔδοξέ μοι vulg. ‖ 4 ἐστιν Γ : ἔσται vulg. ‖ 5 λαμβάνειν Γ : μεταλ-
vulg. ‖ 7 οὓς Γ : ὡς cett. ‖ 10 ὧνπερ Γ¹ : ὥσπερ Γ² cett. ‖ 11 ἐπιδείξεσιν Γ : ἀποδ- cett. ‖ 234 2 πρός ἐμὲ βλέψας Γ : προσεμβλέψας
cett. ‖ 6 χρήσηται Γ¹ΛΘ : χρήσεται Γ².

contraire. **236**   En vérité, je n'accepte ni l'une ni l'autre
de tes attitudes et tu me parais avoir lancé cet appel à
notre concours et fait cet éloge de notre cité, non pas en
toute simplicité d'intention, ni pour atteindre le but que
tu nous as dit, mais dans le dessein de nous mettre à
l'épreuve ; tu voulais voir si nous poursuivions sérieusement
nos travaux, si nous nous souvenions des propos tenus
dans nos échanges de vues, si nous étions capables
d'apercevoir dans quelle exacte intention le discours
avait été composé ; **237**   et tu voulais aussi donner
sagement la préférence à l'éloge de ta propre patrie, afin
de faire plaisir à la masse de tes concitoyens et d'avoir
une brillante réputation auprès des peuples qui sont bien
disposés pour vous. Ayant ainsi raisonné, tu as réfléchi
que, si tu consacrais tes développements à notre cité
seule[1], si tu racontais les récits légendaires qui la concernent, récits repris à satiété, ton exposé ressemblerait
à ceux qui ont été déjà écrits, — et de cela tu rougirais
et tu serais affecté plus que tout. **238**   Mais si, négligeant
cette méthode, tu racontes les actions d'éclat universel-
lement portées au compte de notre pays et sources de
tant de bienfaits pour les Grecs, si tu les mets en parallèle
avec celles des Lacédémoniens, si tu glorifies la conduite
de tes ancêtres et condamnes celle de ces gens-là, le
discours semblera plus probant à tes auditeurs, et tes
intentions n'auront pas été modifiées : ce double résultat sera
probablement plus apprécié que les discours que d'autres ont
écrits. **239**   A coup sûr, voilà ce qu'au début tu me parais
avoir aménagé et prévu. Mais, te souvenant que tu as
célébré le régime spartiate comme nul autre ne l'a fait, je
crois que tu redoutes de paraître à ton auditoire ressembler
à ces orateurs qui disent ce qui leur passe par l'esprit et
critiquer aujourd'hui ceux que tu as loués antérieurement plus que tous les autres. Dans cette préoccupation,
tu me parais examiner sous quels traits tu peindras peut-

---

1. Αὐτῆς = Ἀθηνῶν.

ποίηκας. 236 Τούτων μὲν οὖν οὐδέτερον ἀποδέχομαι
τῶν λόγων, δοκεῖς δέ μοι ποιήσασθαι τήν τε παράκλησιν
τὴν ἡμετέραν καὶ τὸν ἔπαινον τὸν τῆς πόλεως οὐχ ἁπλῶς,
οὐδ᾽ ὡς διείλεξαι πρὸς ἡμᾶς, ἀλλ᾽ ἡμῶν μὲν πεῖραν λαβεῖν
βουλόμενος, εἰ φιλοσοφοῦμεν καὶ μεμνήμεθα τῶν ἐν ταῖς
διατριβαῖς λεγομένων καὶ συνιδεῖν δυνηθεῖμεν ἂν ὃν τρόπον
ὁ λόγος τυγχάνει γεγραμμένος, 237 τὴν δὲ πόλιν ἐπαινεῖν προελέσθαι τὴν σαυτοῦ σωφρονῶν, ἵνα τῷ τε πλήθει
τῷ τῶν πολιτῶν χαρίσῃ καὶ παρὰ τοῖς εὐνοϊκῶς πρὸς ὑμᾶς
διακειμένοις εὐδοκιμήσῃς. Ταῦτα δὲ γνοὺς ὑπέλαβες ὡς,
εἰ μὲν περὶ μόνης αὐτῆς ποιήσει τοὺς λόγους καὶ τὰ
μυθώδη περὶ αὐτῆς ἐρεῖς ἃ πάντες θρυλοῦσιν, ὅμοια φα-
νεῖται τὰ λεγόμενα τοῖς ὑπὸ τῶν ἄλλων γεγραμμένοις, ἐφ᾽ ᾧ
σὺ μάλιστ᾽ ἂν αἰσχυνθείης καὶ λυπηθείης. 238 Ἐὰν δ᾽
ἐάσας ἐκεῖνα λέγῃς τὰς πράξεις τὰς ὁμολογουμένας καὶ
πολλῶν ἀγαθῶν αἰτίας τοῖς Ἕλλησιν γεγενημένας, καὶ
παραβάλλῃς αὐτὰς πρὸς τὰς Λακεδαιμονίων, καὶ τὰς μὲν
τῶν προγόνων ἐπαινῇς, τῶν δ᾽ ἐκείνοις πεπραγμένων
κατηγορῇς, ὅ τε λόγος ἐναργέστερος εἶναι δόξει τοῖς
ἀκούουσιν καὶ σὺ μενεῖς ἐν τοῖς αὐτοῖς, ἃ μᾶλλον ἄν τινες
θαυμάσειαν τῶν τοῖς ἄλλοις γεγραμμένων. 239 Ἐν
ἀρχῇ μὲν οὖν οὕτω μοι φαίνει τάξασθαι καὶ βουλεύσασθαι
περὶ αὐτῶν. Εἰδὼς δὲ σαυτὸν ἐπῃνεκότα τὴν Σπαρτιατῶν
διοίκησιν ὡς οὐδεὶς ἄλλος, φοβεῖσθαι τοὺς ἀκηκοότας, μὴ
δόξῃς ὅμοιος εἶναι τοῖς λέγουσιν ὅ τι ἂν τύχωσιν, καὶ
τούτους νῦν ψέγειν οὓς πρότερον ἐπῄνεις μᾶλλον τῶν
ἄλλων· ταῦτ᾽ ἐνθυμηθεὶς σκοπεῖσθαι ποίους τινὰς ἂν

236 2 παράκλησιν Γ : παράδοσιν cett. ‖ 6 δυνηθεῖμεν Γ¹ : -θείημεν
Γ² ‖ 237 2 προελέσθαι Γ² cett. : προσελ- Γ¹ ‖ 3 ὑμᾶς Γ : ἡμᾶς
Λ vulg. ‖ 5 ποιήσει Γ¹ : -σῃ Γ² ‖ 6 θρυλοῦσιν Γ¹Λ : θρυλλοῦσιν
Γ²Θ vulg. ‖ 238 4 παραβάλλῃς Bekker : -βάλῃς codd. ‖ 4 αὐτὰς
Γ : om. cett. ‖ 6 ἐναργέστερος Γ : ἐνεργ- Λ vulg. ‖ 6 τοῖς ἄλλοις Γ :
ἐν τοῖς ἄλλοις vulg. ‖ 239 2 οὕτω μοι φαίνει (νη Γ²) Γ : μοι δοκεῖς
οὕτω vulg. ‖ 2 τάξασθαι Γ : τάξαι cett. ‖ 4 διοίκησιν Γ : πόλιν
cett. ‖ 5 δόξῃς codd. : δ᾽ ἐξῆς Γ ‖ 8 εἶναι φήσας Γ : φήσας cett.

être les deux peuples, d'abord pour donner l'impression
de la vérité en ce qui les concerne, ensuite pour te
mettre en mesure d'une part de faire l'éloge des
anciennes générations, ce que tu désires effectivement, et
d'autre part de sembler accuser les Spartiates aux yeux
des gens qui sont mal disposés à leur égard, tout en ne
faisant d'ailleurs rien de tel et tout en les célébrant, au
contraire, à l'insu de ces gens. 240 Pour obtenir ce
résultat, il me semble que tu as découvert avec aisance
des développements ambigus qui ne penchent pas plus
du côté du blâme que de l'éloge, qui peuvent recevoir
une double interprétation et qui alimenteraient de
nombreuses controverses, dont l'emploi, quand on discute
sur des contrats ou sur des questions d'intérêts, serait
vil et témoignerait d'une singulière perversité, mais
qui, appliqués à la nature de l'homme et des choses,
dans un échange d'idées, prennent de la noblesse et
une vraie valeur philosophique. 241 Tel est le sens du
discours qui nous a été lu et dans lequel tu as représenté tes
ancêtres en amis de la paix, en amis des Grecs, en chefs
du mouvement de l'égalité politique, les Spartiates en gens
orgueilleux, en partisans de la guerre, en ambitieux,
portrait certes que tout le monde fait d'eux. Tels seraient
les caractères des deux peuples; les uns, par suite, sont
l'objet d'un éloge unanime et passent pour témoigner
des dispositions bienveillantes à l'égard de la masse, les
autres, au contraire, sont en butte à la jalousie de la foule
qui les supporte difficilement. Pourtant, nous as-tu dit, il
se trouve des hommes pour les louer, pour les admirer, 242
pour oser prétendre qu'ils possèdent des qualités plus pré-
cieuses que celles dont témoignaient tes ancêtres : l'orgueil,
à les entendre, participe de la majesté, attitude qui est
entourée de respect; tout le monde tient pour animés d'une
grandeur d'âme plus haute ceux qui manifestent ce sentiment que les défenseurs de l'égalité; quant aux partisans
de la guerre, ils l'emportent de beaucoup sur ceux qui
aiment la paix; ceux-ci ne peuvent ni acquérir les biens

ἑκατέρους εἶναι φήσας ἀληθῆ τε λέγειν δόξεις περὶ ἀμφο
τέρων, ἔχοις τ᾽ ἂν τοὺς μὲν προγόνους ἐπαινεῖν οὗσπερ
βούλει, Σπαρτιατῶν δὲ δοκεῖν μὲν κατηγορεῖν τοῖς ἀηδῶς
πρὸς αὐτοὺς διακειμένοις, μηδὲν δὲ ποιεῖν τοιοῦτον ἀλλὰ
λανθάνειν ἐπαινῶν αὐτούς· 240 ζητῶν δὲ τὰ τοιαῦτα
ῥᾳδίως εὑρεῖν λόγους ἀμφιβόλους καὶ μηδὲν μᾶλλον μετὰ
τῶν ἐπαινούντων ἢ τῶν ψεγόντων ὄντας,| ἀλλ᾽ ἐπαμφοτε
ρίζειν δυναμένους καὶ πολλὰς ἀμφισβητήσεις ἔχοντας,
οἷς χρῆσθαι περὶ μὲν συμβολαίων καὶ περὶ πλεονεξίας
ἀγωνιζόμενον αἰσχρὸν καὶ πονηρίας οὐ μικρὸν σημεῖον,
περὶ δὲ φύσεως ἀνθρώπων διαλεγόμενον καὶ πραγμάτων
καλὸν καὶ φιλόσοφον. 241 Οἷός περ ὁ λόγος ὁ διαναγνω
σθεὶς ἐστιν, ἐν ᾧ πεποίηκας τοὺς μὲν σοὺς προγόνους
εἰρηνικοὺς καὶ φιλέλληνας καὶ τῆς ἰσότητος τῆς ἐν ταῖς
πολιτείαις ἡγεμόνας, Σπαρτιάτας δ᾽ ὑπεροπτικοὺς καὶ
πολεμικοὺς καὶ πλεονέκτας, οἵους περ αὐτοὺς εἶναι πάντες
ὑπειλήφασιν. Τοιαύτην δ᾽ ἑκατέρων ἐχόντων τὴν φύσιν
τοὺς μὲν ὑπὸ πάντων ἐπαινεῖσθαι καὶ δοκεῖν εὔνους εἶναι
τῷ πλήθει, τοῖς δὲ τοὺς μὲν πολλοὺς φθονεῖν καὶ δυσμενῶς
ἔχειν, ἔστιν δ᾽ οὓς ἐπαινεῖν αὐτοὺς καὶ θαυμάζειν, 242
καὶ τολμᾶν λέγειν ὡς ἀγαθὰ μείζω τυγχάνουσιν ἔχοντες
τῶν τοῖς προγόνοις τοῖς σοῖς προσόντων· τήν τε γὰρ
ὑπεροψίαν σεμνότητος μετέχειν, εὐδοκίμου πράγματος,
καὶ δοκεῖν ἅπασι μεγαλοφρονεστέρους εἶναι τοὺς τοιούτους
ἢ τοὺς τῆς ἰσότητος προεστῶτας, τούς τε πολεμικοὺς
πολὺ διαφέρειν τῶν εἰρηνικῶν· Τοὺς μὲν γὰρ οὔτε κτητικοὺς
εἶναι τῶν οὐκ ὄντων οὔτε φύλακας δεινοὺς τῶν ὑπαρχόντων,
τοὺς δ᾽ ἀμφότερα δύνασθαι, καὶ λαμβάνειν ὧν ἂν ἐπιθυ

239 8 δόξεις Γ : δόξειας ἂν vulg. ‖ 9 προγόνους Γ : σοὺς προγόνους
vulg. ‖ 240 8 καλὸν καὶ φιλόσοφον Γ : καλῶν καὶ φιλοσόφων cett. ‖
241 1-2 διαναγνωσθεὶς H. Wolf : διάγνωσθεὶς codd. ‖ 2 ἐν ᾧ Γ : ᾧ σὺ
vulg. ‖ 5 πλεονεκτὰς Γ : πλεονεκτικοὺς Λ vulg. ‖ 6 δ᾽ om. Γ ‖ 242
5 ἅπασι codd. : ἅπαντας Γ ‖ 5 μεγαλοφρονεστέρους Γ : -πρεπε
στέρους vulg. ‖ 7 οὔτε κτητικοὺς ΛΘ : ουτεκτιχους Γ¹ οὔθ᾽ ἑκτικοὺς Γ².

qui ne leur appartiennent pas, ni protéger efficacement ce
qui est à eux; les premiers au contraire peuvent à la fois
s'emparer de ce qu'ils désirent et sauvegarder ce qu'ils
ont obtenu une première fois; or c'est là ce dont sont
capables les hommes qui sont considérés comme complets.
243 Quant à l'ambition, ils estiment qu'ils ont mieux à
en dire que le commentaire qui en a été présenté. Ils ne
considèrent pas qu'il soit juste d'appeler ambitieux ceux
qui falsifient les contrats, qui fraudent ou trompent par
un raisonnement captieux, car de telles gens sont dans
toutes les circonstances mis en état d'infériorité par
leur mauvaise réputation. Les ambitions des Spartiates, au
contraire, celles des rois, celles des chefs, sont souhaitables;
244 en fait, tout le monde brûle de les ressentir, tout en
faisant insulte ou en maudissant ceux qui détiennent une
aussi grande autorité. Enfin, disent-ils, il n'est personne
qui ne soit porté par nature à demander aux dieux le
bénéfice aussi large que possible d'une semblable puissance, pour lui-même ou, à défaut, pour ses parents les plus
proches. Ce qui montre à l'évidence que tous nous considérons comme le plus grand des biens d'être plus largement
pourvus que les autres. Tel est le dessein général que tu
me sembles avoir donné à ton discours, en suivant le raisonnement que je viens d'esquisser. **245** Si je pensais que
tu dusses ne pas toucher à ce que j'ai dit et laisser mon
exposé en dehors de tes critiques, je ne chercherais pas,
pour ma part, à parler davantage. En fait, si je n'ai exprimé
mon sentiment sur aucune des questions pour lesquelles
tu sollicitais mon conseil, cela je pense t'est complètement
indifférent et, lorsque tu nous as réunis, tu ne me paraissais
pas en effet te préoccuper de ces problèmes. **246** Mais
quand tu as résolu de composer un discours qui ne
ressemble en rien aux autres, qui donnera à ceux qui le
parcourent superficiellement une impression de simplicité
et de facile intelligence, par contre, à ceux qui l'examinent
attentivement et s'efforcent de saisir ce qui a pu échapper au
vulgaire, l'impression d'être difficile et malaisé à pénétrer,

μῶσιν, καὶ σῴζειν ἅπερ ἂν ἅπαξ κατάσχωσιν· ἃ ποιοῦσιν
οἱ τέλειοι δοκοῦντες εἶναι τῶν ἀνδρῶν. 243 Ἀλλὰ μὴν
καὶ περὶ τῆς πλεονεξίας καλλίους ἔχειν οἴονται λόγους
τῶν εἰρημένων· τοὺς μὲν γὰρ ἀποστεροῦντας τὰ συμβόλαια
καὶ τοὺς παρακρουομένους καὶ παραλογιζομένους οὐχ
ἡγοῦνται δικαίως καλεῖσθαι πλεονεκτικούς, διὰ γὰρ τὸ
πονηρὰν ἔχειν τὴν δόξαν ἐν ἅπασιν αὐτοὺς ἐλαττοῦσθαι
τοῖς πράγμασιν, τὰς δὲ Σπαρτιατῶν πλεονεξίας καὶ τὰς
τῶν βασιλέων καὶ τὰς τῶν τυράννων εὐκτὰς μὲν εἶναι, καὶ
πάντας αὐτῶν ἐπιθυμεῖν, 244 οὐ μὴν ἀλλὰ λοιδορεῖσθαι
καὶ καταρᾶσθαι τοῖς τὰς τηλικαύτας ἔχουσιν δυναστείας·
οὐδένα δὲ τοιοῦτον εἶναι τὴν φύσιν ὅστις οὐκ ἂν εὔξαιτο
τοῖς θεοῖς μάλιστα μὲν αὐτὸς | τυχεῖν τῆς ἐξουσίας ταύτης,
εἰ δὲ μὴ, τοὺς οἰκειοτάτους· ᾧ καὶ φανερόν ἐστιν ὅτι
μέγιστον τῶν ἀγαθῶν ἅπαντες εἶναι νομίζομεν τὸ πλέον
ἔχειν τῶν ἄλλων. Τὴν μὲν οὖν περιβολὴν τοῦ λόγου δοκεῖς
μοι ποιήσασθαι μετὰ τοιαύτης διανοίας. 245 Εἰ μὲν
οὖν ἡγούμην ἀφέξεσθαί σε τῶν εἰρημένων καὶ παραλείψειν
ἀνεπιτίμητον τὸν λόγον τοῦτον, οὐδ' ἂν αὐτὸς ἔτι λέγειν
ἐπεχείρουν· νῦν δ' ὅτι μὲν οὐκ ἀπεφηνάμην περὶ ὧν
παρεκλήθην σύμβουλος, οὐδὲν οἶμαί σοι μελήσειν, οὐδὲ
γὰρ ὅτε συνῆγες ἡμᾶς, ἐδόκεις μοι σπουδάζειν περὶ
αὐτῶν, 246 ὅτι δὲ προελομένου σοῦ συνθεῖναι λόγον
μηδὲν ὅμοιον τοῖς ἄλλοις, ἀλλὰ τοῖς μὲν ῥαθύμως ἀνα-
γιγνώσκουσιν ἁπλοῦν εἶναι δόξοντα καὶ ῥάδιον καταμαθεῖν,
τοῖς δ' ἀκριβῶς διεξιοῦσιν αὐτὸν καὶ πειρωμένοις κατιδεῖν
ἃ τοὺς ἄλλους λέληθεν, χαλεπὸν φανούμενον καὶ δυσκατα-

---

243 3 ἀποστεροῦντας Γ² cett. : ἀποστέροντας Γ¹ ‖ 5 δικαίως
καλεῖσθαι Γ : δικαίους ἀλλὰ cett. ‖ 9 πάντας vulg. : ἅπαντας　Γ ‖ 244
3 τοιοῦτον Γ : om. cett. ‖ 5 ᾧ Γ : ὃ cett. ‖ 6 τὸ πλέον Γ : πλέον
cett. ‖ 245 5 μελήσειν Γ : -σει vulg. ‖ 6 συνῆγες Γ : συνήγαγες vulg. ‖
246 1 ὅτι codd. : ὅτε Γ ‖ 1 προελομένου σοῦ Blass : προελόμενος οὐ
Γ προελόμενος Λ vulg. ‖ 3 δόξοντα Γ²Ε : δόξαν Γ¹ δόξαντα cett. ‖
5 φανούμενον Γ : φαινόμενον cett.

chargé de multiples allusions historiques et philosophiques,
plein d'effets variés et d'artifices de style, — non pas
de ces roueries habituelles à qui veut nuire méchamment
à ses concitoyens, mais de ces habiletés capables par leur
pouvoir de séduction de rendre service ou de faire plaisir
à ceux qui les entendent. — 247[1] si je ne laisse de côté
aucune de ces nuances, tu diras que j'ai bien pénétré la
méthode qui s'adaptait à tes propres intentions, mais que,
en montrant la valeur exacte de tes paroles et en expliquant ta pensée, je ne me suis pas aperçu que je dépouillais
ton discours de son prestige dans la mesure où je le rendais
plus clair et plus accessible à ses lecteurs. Tu diras qu'en
en faisant pénétrer la connaissance exacte dans les esprits
qui ne la possédaient pas, j'appauvris ton discours et le
prive de la gloire que lui conférerait le labeur de ceux qui
s'appliquent à vaincre par eux-mêmes les difficultés. 248
Par ailleurs, je reconnais que mon intelligence demeure
aussi loin en arrière de la tienne qu'il est possible de l'ima-
giner; néanmoins, s'il est vrai que j'ai cette conviction, je
pense également ce qui suit. Lorsque votre cité délibère sur
les plus graves questions, il arrive parfois que les citoyens
qui passent pour les plus expérimentés se trompent sur l'intérêt vrai de leur patrie tandis qu'en certains cas le premier
venu parmi les esprits tenus pour médiocres et méprisés
a bien traité une affaire et a été reconnu pour le meilleur
conseiller. 249 Aussi n'y a-t-il rien d'étonnant si le
même phénomène s'est produit dans les circonstances
présentes : toi, tu penses recueillir le maximum de gloire
si tu laisses ignorer le plus longtemps possible l'intention
exacte avec laquelle tu as traité ton discours, tandis que,
moi, j'estime que le mieux que tu aies à faire, c'est de
rendre apparente le plus vite possible la pensée qui t'a
guidé pour le construire, pour tout le monde et pour les

---

1. Noter l'anacoluthe; la phrase grecque débute avec 245.
C'est ici qu'intervient l'anocoluthe.

μάθητον, καὶ πολλῆς μὲν ἱστορίας γέμοντα καὶ φιλοσοφίας,
παντοδαπῆς δὲ μεστὸν ποικιλίας καὶ ψευδολογίας, οὐ τῆς
εἰθισμένης μετὰ κακίας βλάπτειν τοὺς συμπολιτευομένους,
ἀλλὰ τῆς δυναμένης μετὰ παιδείας ὠφελεῖν ἢ τέρπειν
τοὺς ἀκούοντας· 247 ὧν οὐδὲν ἐάσαντά με φήσεις τὸν
τρόπον τοῦτον ἔχειν, ὡς ἐβουλεύσω σὺ περὶ αὐτῶν, ἀλλὰ
τήν τε δύναμιν τῶν λεγομένων διδάσκοντα καὶ τὴν σὴν
διάνοιαν ἐξηγούμενον οὐκ αἰσθάνεσθαι τοσούτῳ τὸν λόγον
ἀδοξότερον δι᾽ ἐμὲ γιγνόμενον, ὅσῳ περ αὐτὸν φανερώτερον ἐποίουν καὶ γνωριμώτερον τοῖς ἀναγιγνώσκουσιν·
ἐπιστήμην γὰρ τοῖς οὐκ εἰδόσιν ἐνεργαζόμενον ἔρημον τὸν
λόγον με ποιεῖν καὶ τῆς τιμῆς ἀποστερεῖν τῆς γιγνομένης
ἂν αὐτῷ διὰ τοὺς πονοῦντας καὶ πράγματα σφίσιν αὐτοῖς
παρέχοντας. 248 Ἐγὼ δ᾽ ὁμολογῶ μὲν ἀπολελεῖφθαι τὴν
ἐμὴν φρόνησιν τῆς σῆς ὡς δυνατὸν πλεῖστον, οὐ μὴν ἀλλ᾽
ὥσπερ τοῦτ᾽ οἶδα, κἀκεῖνο τυγχάνω γιγνώσκων ὅτι τῆς
πόλεως τῆς ὑμετέρας βουλευομένης περὶ τῶν μεγίστων οἱ
μὲν ἄριστα φρονεῖν δοκοῦντες ἐνίοτε διαμαρτάνουσιν τοῦ
συμφέροντος, τῶν δὲ φαύλων νομιζομένων εἶναι καὶ
καταφρονουμένων | ἔστιν ὅτε κατώρθωσεν ὁ τυχὼν καὶ
βέλτιστα λέγειν ἔδοξεν· 249 ὥστ᾽ οὐδὲν θαυμαστὸν εἰ
καὶ περὶ τοῦ νῦν ἐνεστῶτος τοιοῦτόν τι συμβέβηκεν,
ὅπου σὺ μὲν οἴει μάλιστ᾽ εὐδοκιμήσειν, ἢν ὡς πλεῖστον
χρόνον διαλάθῃς ἣν ἔχων γνώμην τὰ περὶ τὸν λόγον
ἐπραγματεύθης, ἐγὼ δ᾽ ἡγοῦμαι βέλτιστά σε πράξειν, ἢν
δυνηθῇς τὴν διάνοιαν, ᾗ χρώμενος αὐτὸν συνέθηκας, ὡς
τάχιστα φανερὰν ποιῆσαι τοῖς τ᾽ ἄλλοις ἅπασι καὶ Λακεδαιμονίοις περὶ ὧν πεποίησαι πολλοὺς λόγους, τοὺς μὲν

246 2 9 παιδείας Γ : παιδιᾶς cett. ‖ 247 1 ἐάσαντα Γ : ἐξετάσαντα
cett. ‖ 5 ἀδοξότερον ΓΛ¹ : ἐνδοξότερον ‖ 6 γνωριμώτερον Γ : -τατον
cett. ‖ 8 με Γ : ἐμὲ Λ¹ ἐμὲ μὴ cett. ‖ 9 ἂν αὐτῷ διὰ Γ : αὐτῶν cett. ‖
248 4 ὑμετέρας Sauppe : ἡμ- codd. ‖ 6 φρονεῖν Γ : om. cett. ‖
249 4 διαλάθῃς Γ : διαλεχθῇς cett. ‖ 6 αὐτὸν Γ : αὐτὸς cett. ‖
7 τάχιστα Γ¹ : τάχιστ᾽ ἂν Γ² cett.

Lacédémoniens en particulier à qui tu as consacré de
nombreux développements, les uns justes et nobles, les
autres injurieux et chargés de haine.   250   Si ces derniers
étaient tombés sous leurs yeux avant que je ne les aie commentés, il eût été impossible qu'ils ne prissent pas de la haine
pour ta personne et ne fussent pas offensés comme si tu les
avais mis en accusation. En fait, je pense que la plupart
des Spartiates demeureront fidèles à leur manière de faire
habituelle et qu'ils ne prêteront pas à ce qui est écrit ici
plus d'attention qu'ils n'en donneraient à ce qui se dit
par-delà les colonnes d'Hercule[1].   251   Les plus intelligents d'entre eux, ceux qui ont en mains quelques-unes
de tes œuvres et qui les admirent, ceux-là, pourvu qu'ils
prennent un lecteur et se donnent le temps de réfléchir,
ne laisseront rien échapper de tes paroles; ils seront sen-
sibles aux éloges que tu as décernés à leur pays avec preuves
à l'appui; ils mépriseront les insultes que tu lances au
hasard contre leurs entreprises et l'âpreté des expressions
dont tu les enveloppes; ils estimeront que les diffamations
contenues dans ton ouvrage trahissent la jalousie;   252
mais d'autre part ils retiendront que tu as conté leurs
actions mémorables, les batailles dont ils s'enorgueillissent
et qui leur valent leur renommée; que tu les a confiées
à la mémoire des hommes, en les rassemblant toutes et
en les rapprochant les unes des autres et qu'ainsi tu es
la cause que bien des gens désirent les connaître et les
étudier, non pas dans l'intention de savoir quels ont été
les exploits de ce peuple, mais plutôt dans la volonté
d'apprendre comment tu en as parlé.   253   Ces réflexions
et ces méditations les empêcheront également, je pense,
de perdre de vue les exploits de l'ancien temps que tu as
évoqués pour célébrer le mérite de leurs ancêtres; à
maintes reprises, ils se rediront à eux-mêmes tout d'abord

1. Rapprocher de par. 109; la réflexion ironique de l'élève
d'Isocrate, souligne l'adresse avec laquelle l'auteur sait tirer
parti du thème exploité par lui : l'indifférence générale des
Lacédémoniens pour la culture.

δικαίους καὶ σεμνούς, τοὺς δ' ἀσελγεῖς καὶ λίαν φιλα-
πεχθήμονας· 250 οὓς εἴ τις ἐπέδειξεν αὐτοῖς πρὶν ἐμὲ
διαλεχθῆναι περὶ αὐτῶν, οὐκ ἔστιν ὅπως οὐκ ἂν ἐμίσησαν
καὶ δυσκόλως πρὸς σὲ διετέθησαν ὡς κατηγορίαν γεγραφότα
καθ' αὑτῶν. Νῦν δ' οἶμαι τοὺς μὲν πλείστους Σπαρτιατῶν ἐμμενεῖν τοῖς ἤθεσιν οἷσπερ καὶ τὸν ἄλλον χρόνον,
τοῖς δὲ λόγοις τοῖς ἐνθάδε γραφομένοις οὐδὲν μᾶλλον
προσέξειν τὸν νοῦν ἢ τοῖς ἔξω τῶν Ἡρακλέους στηλῶν
λεγομένοις, 251 τοὺς δὲ φρονιμωτάτους αὐτῶν καὶ τῶν
λόγων τινὰς ἔχοντας τῶν σῶν καὶ θαυμάζοντας, τούτους,
ἢν λάβωσι τὸν ἀναγνωσόμενον καὶ χρόνον ὥστε συνδιατ-
ρῖψαι σφίσιν αὐτοῖς, οὐδὲν ἀγνοήσειν τῶν λεγομένων, ἀλλὰ
καὶ τῶν ἐπαίνων αἰσθήσεσθαι τῶν μετ' ἀποδείξεως εἰρημένων περὶ τῆς πόλεως τῆς αὑτῶν, καὶ τῶν λοιδοριῶν
καταφρονήσειν τῶν εἰκῇ μὲν τοῖς πράγμασιν λεγομένων,
πικρῶς δὲ τοῖς ὀνόμασι κεχρημένων, καὶ νομιεῖν τὰς μὲν
βλασφημίας τὰς ἐνούσας ἐν τῷ βιβλίῳ τὸν φθόνον ὑποβαλεῖν, 252 τὰς δὲ πράξεις καὶ τὰς μάχας, ἐφ' αἷς
αὐτοί τε μέγα φρονοῦσιν καὶ παρὰ τοῖς ἄλλοις εὐδοκι-
μοῦσιν, σὲ γεγραφέναι καὶ μνημονεύεσθαι πεποιηκέναι,
συναγαγόντα πάσας αὐτὰς καὶ θέντα παρ' ἀλλήλας, αἴτιον
δ' εἶναι καὶ τοῦ πολλοὺς ποθεῖν ἀναγνῶναι καὶ διελθεῖν
αὐτάς, οὐ τὰς ἐκείνων ἐπιθυμοῦντας ἀκοῦσαι πράξεις,
ἀλλὰ πῶς σὺ διείλεξαι περὶ αὐτῶν μαθεῖν βουλομένους.
253 Ταῦτ' ἐνθυμουμένους καὶ διεξιόντας οὐδὲ τῶν
παλαιῶν ἔργων ἀμνημονήσειν, δι' ὧν ἐγκεκωμίακας τοὺς |
προγόνους αὐτῶν, ἀλλὰ καὶ πολλάκις διαλέξεσθαι πρὸς

---

249 9 σεμνοὺς codd. τεχνικοὺς Γ ‖ 9 ἀσελγεῖς Γ¹ cett. : ἀπεχθεῖς Γ². ‖
250 3 γεγραφότα Γ² cett. : -φότι Γ¹ ‖ 4 καθ' αὑτῶν Γ : περὶ
αὐτῶν cett. ‖ 5 ἐμμενεῖν Coraï : ἐμμένειν codd. ‖ 251 6 τῆς αὑτῶν
Benseler : τῆς ἑαυτῶν Γ αὐτῶν cett. ‖ 9 τῷ βιβλίῳ Γ : τῇ βίβλῳ
vulg. ‖ 9-10 ὑποβαλεῖν Γ : -βάλλειν cett. ‖ 252 1 αἷς codd. : οἷς Γ ‖ 4
αὐτὰς Γ : αὐτὰς καθ' αὑτάς cett. ‖ 5 τοῦ πολλοὺς Γ : τοὺς πολλοὺς
Λ τοῦ τοὺς πολλοὺς vulg. ‖ 5 διελθεῖν Γ : διεξελθεῖν vulg. ‖ 7 ἀλλὰ
πῶς Γ¹ : ἀλλ' ὅπῶς Γ² cett.

que, du temps où ils s'appelaient Doriens, ils dédaignèrent
leurs villes qu'ils voyaient dépourvues de gloire, médiocres
d'importance et privées de multiples avantages, pour partir
en expédition contre les cités les plus puissantes du Péloponnèse, contre Argos, contre Lacédémone et Messène.
254 Vainqueurs, ils expulsèrent les vaincus de leurs
villes et de leurs territoires, ils s'emparèrent de tous leurs
biens qu'ils détiennent encore aujourd'hui. Comparée à
ces faits, personne ne pourrait présenter une entreprise
de la même période[1], qui fût plus grande ni plus digne d'être
admirée, une action qui fût plus heureuse ni plus favorisée
des dieux que celle qui délivre ses artisans de leur indigence
propre pour en faire les maîtres de la prospérité d'autrui.
255 Ces résultats, ils les obtinrent avec l'appui de tous
ceux qui avaient fait l'expédition avec eux. Lorsqu'ils
eurent partagé le territoire avec les Argiens et les Messéniens et qu'ils se furent installés pour leur compte dans
la ville de Sparte, tu nous dis qu'ils conçurent en ces
heureuses circonstances une si haute opinion d'eux-mêmes
que, malgré leur effectif ne dépassant pas deux mille
hommes, ils se tinrent pour indignes de vivre s'ils ne par-
venaient pas à devenir les maîtres de toutes les villes
du Péloponnèse. **256** Pénétrés de cette ambition, ils
entrèrent en guerre et n'interrompirent leur effort, en dépit
des nombreuses épreuves et des dangers auxquels ils
s'exposèrent, qu'ils n'eussent fait rentrer sous leur dépendance toutes ces cités, à l'exception de celle des Argiens.
Déjà maîtres d'un territoire très vaste et d'une puissance
considérable, détenteurs d'une gloire à la mesure de leurs
si grands exploits, ils ne tiraient pas moins d'honneur du
fait qu'un titre d'une particulière noblesse demeurait
attaché à leur nom, seul d'entre tous les noms grecs.
257 Il leur était permis de dire, en effet, qu'en dépit de
la faiblesse si accusée de leur nombre, ils n'avaient jamais
marché à la suite des villes puissamment peuplées, ni

1. Par ex. : les Thessaliens, passant de l'Épire dans le pays

σφᾶς αὐτούς, πρῶτον μὲν ὅτι Δωριεῖς ὄντες, ἐπειδὴ
κατεῖδον τὰς πόλεις τὰς αὑτῶν ἀδόξους καὶ μικρὰς καὶ
πολλῶν ἐνδεεῖς οὔσας, ὑπεριδόντες ταύτας ἐστράτευσαν
ἐπὶ τὰς ἐν Πελοποννήσῳ πρωτευούσας, ἐπ᾽ Ἄργος καὶ
Λακεδαίμονα καὶ Μεσσήνην, 254 μάχῃ δὲ νικήσαντες
τοὺς μὲν ἡττηθέντας ἔκ τε τῶν πόλεων καὶ τῆς χώρας
ἐξέβαλον, αὐτοὶ δὲ τὰς κτήσεις ἁπάσας τὰς ἐκείνων τότε
κατασχόντες ἔτι καὶ νῦν ἔχουσιν, οὗ μεῖζον ἔργον καὶ
θαυμαστότερον οὐδεὶς ἐπιδείξει κατ᾽ ἐκεῖνον τὸν χρόνον
γενόμενον, οὐδὲ πρᾶξιν εὐτυχεστέραν καὶ θεοφιλεστέραν
τῆς τοὺς χρησαμένους τῆς μὲν οἰκείας ἀπορίας ἀπαλ-
λαξάσης, τῆς δ᾽ ἀλλοτρίας εὐδαιμονίας κυρίους ποιησά-
σης. 255 Καὶ ταῦτα μὲν μετὰ πάντων τῶν συστρατευσαμένων ἔπραξαν. Ἐπειδὴ δὲ πρὸς Ἀργείους καὶ
Μεσσηνίους τὴν χώραν διείλοντο καὶ καθ᾽ αὑτοὺς ἐν
Σπάρτῃ κατῴκησαν, ἐν τούτοις τοῖς καιροῖς τοσοῦτον
φρονῆσαι φῂς αὐτοὺς ὥστ᾽ ὄντας οὐ πλείους τότε δισχιλίων
οὐχ ἡγήσασθαι σφᾶς αὐτοὺς ἀξίους εἶναι ζῆν εἰ μὴ
δεσπόται πασῶν τῶν ἐν Πελοποννήσῳ πόλεων γενέσθαι
δυνηθεῖεν, 256 ταῦτα δὲ διανοηθέντας καὶ πολεμεῖν
ἐπιχειρήσαντας οὐκ ἀπειπεῖν, ἐν πολλοῖς κακοῖς καὶ
κινδύνοις γιγνομένους, πρὶν ἁπάσας ταύτας ὑφ᾽ αὑτοῖς
ἐποιήσαντο πλὴν τῆς πόλεως τῆς Ἀργείων. Ἔχοντας δ᾽
ἤδη καὶ χώραν πλείστην καὶ δύναμιν μεγίστην καὶ δόξαν
τοσαύτην ὅσην προσήκει τοὺς τηλικαῦτα διαπεπραγμένους,
οὐχ ἧττον διακεῖσθαι φιλοτίμως, ὅτι λόγος ὑπῆρχεν αὐτοῖς
ἴδιος καὶ καλὸς μόνοις τῶν Ἑλλήνων· 257 ἐξεῖναι γὰρ
εἰπεῖν αὐτοῖς ὅτι σφεῖς μὲν ὄντες οὕτως ὀλίγοι τὸν
ἀριθμὸν οὐδεμιᾷ πώποτε τῶν μυριάνδρων πόλεων ἠκολού-

254 3 τότε Γ : om. cett. ‖ 4 καὶ θεοφιλεστέραν om. Γ¹ ins.
Γ² ‖ 255 1 πάντων τῶν codd.: πάντων Γ ‖ 256 1-2 διανοηθέντας ...
ἐπιχειρήσαντας ... ἀπειπεῖν Γ : διανοηθέντες ... ἐπιχειρήσαντες ...
ἀπεῖπον vulg. ‖ 3 γιγνομένους Γ : γενόμενοι cett. ‖ ταύτας codd. :
αὐτὰς Ε.

reçu des ordres; tout au contraire, ils n'avaient cessé
d'être autonomes et, dans la guerre contre les Barbares,
ils avaient été placés à la tête de tous les Grecs, honneur
dont ils avaient joui non sans raison, car, après avoir livré
plus de batailles que tous les autres peuples de ce temps
là, ils n'avaient jamais subi de défaite sous la conduite de
l'un de leurs rois, mais n'avaient connu que des victoires.
258 Il n'est pas de plus beau témoignage de leur courage,
de leur force d'âme, de leur communion de sentiments,
sauf toutefois celui-ci. En dépit du nombre considérable
des cités grecques, nul pourtant ne pourrait en désigner
ou en découvrir une qui ne soit pas tombée dans les
malheurs dont sont couramment frappés les États; **259** il
n'y a que chez les Spartiates que l'on ne peut montrer ni
dissension, ni massacres, ni exils arbitraires, ni spoliations,
ni violences sur les femmes et sur les enfants, mais ni
révolution non plus, ni abolitions de dettes[1], ni redistri-
butions de terres, ni aucune autre calamité irrémédiable.
Quand ils s'entretiendront de ces faits, il n'est pas possible
qu'ils n'évoquent pas le souvenir de ta personne, puisque
c'est toi qui les auras réunis et si brillamment commentés,
et qu'ils ne te manifestent pas une grande reconnaissance.
260 Je n'ai pas aujourd'hui à ton égard le même sentiment que précédemment. Dans le passé, j'admirais tes
qualités naturelles, l'ordonnance de ta vie, ton goût du
travail et plus encore la vérité de ta philosophie; aujour-
d'hui, je te porte envie et je te félicite de ton bonheur.
Actuellement où tu es en vie, tu me parais destiné à acquérir une gloire, non pas certes plus brillante que celle dont
tu es digne (ce serait difficile), mais plus étendue et mieux
admise que ta gloire présente; lorsque tu seras mort,
tu participeras à l'éternité, non pas l'éternité réservée aux
dieux, mais celle qui entretient dans les générations ulté-

---

qui porte leur nom ou les Béotiens quittant l'Éolide pour pénétrer en Grèce proprement dite.

1. Allusion, à la σεισάχθεια décidée par Solon (594).

θησαν οὐδ᾽ ἐποίησαν τὸ προσταττόμενον, ἀλλ᾽ αὐτόνομοι
διετέλεσαν ὄντες, αὐτοὶ δ᾽ ἐν τῷ πολέμῳ τῷ πρὸς τοὺς
βαρβάρους πάντων τῶν Ἑλλήνων ἡγεμόνες κατέστησαν,
καὶ τῆς τιμῆς ταύτης ἔτυχον οὐκ ἀλόγως, ἀλλὰ διὰ τὸ
μάχας ποιησάμενοι πλείστας ἀνθρώπων κατ᾽ ἐκεῖνον τὸν
χρόνον μηδεμίαν ἡττηθῆναι τούτων ἡγουμένου βασιλέως,
ἀλλὰ νενικηκέναι πάσας· 258 | οὗ τεκμήριον οὐδεὶς ἂν
δύναιτο μεῖζον εἰπεῖν ἀνδρείας καὶ καρτερίας καὶ τῆς πρὸς
ἀλλήλους ὁμονοίας πλὴν ἢ τὸ ῥηθήσεσθαι μέλλον· τοσούτων
γὰρ τὸ πλῆθος τῶν πόλεων τῶν Ἑλληνίδων οὐσῶν, τῶν
μὲν ἄλλων οὐδέν᾽ ἂν εἰπεῖν οὐδ᾽ εὑρεῖν ἥτις οὐ περιπέ-
πτωκεν ταῖς συμφοραῖς ταῖς εἰθισμέναις γίγνεσθαι ταῖς
πόλεσιν, 259 ἐν δὲ τῇ Σπαρτιατῶν οὐδεὶς ἂν ἐπιδείξειεν οὔτε στάσιν οὔτε σφαγὰς οὔτε φυγὰς ἀνόμους
γεγενημένας, οὐδ᾽ ἁρπαγὰς χρημάτων οὐδ᾽ αἰσχύνας
γυναικῶν καὶ παίδων, ἀλλ᾽ οὐδὲ πολιτείας μεταβολὴν οὐδὲ
χρεῶν ἀποκοπὰς οὐδὲ γῆς ἀναδασμὸν οὐδ᾽ ἄλλ᾽ οὐδὲν τῶν
ἀνηκέστων πακῶν. Περὶ ὧν διεξιόντας οὐκ ἔστιν ὅπως οὐ
καὶ σοῦ, τοῦ θ᾽ ἀθροίσαντος καὶ διαλεχθέντος οὕτω καλῶς
περὶ αὐτῶν, μεμνήσεσθαι καὶ πολλὴν χάριν ἕξειν. 260
Οὐ τὴν αὐτὴν δὲ γνώμην ἔχω περὶ σοῦ νῦν καὶ πρότερον.
Ἐν μὲν γὰρ τοῖς παρελθοῦσι χρόνοις ἐθαύμαζόν σου τήν
τε φύσιν καὶ τὴν τοῦ βίου τάξιν καὶ τὴν φιλοπονίαν καὶ
μάλιστα τὴν ἀλήθειαν τῆς φιλοσοφίας, νῦν δὲ ζηλῶ σε καὶ
μακαρίζω τῆς εὐδαιμονίας· δοκεῖς γάρ μοι ζῶν μὲν λήψεσθαι
δόξαν οὐ μείζω μὲν ἧς ἄξιος εἶ, — χαλεπὸν γάρ, —
παρὰ πλείοσιν δὲ καὶ μᾶλλον ὁμολογουμένην τῆς νῦν
ὑπαρχούσης, τελευτήσας δὲ τὸν βίον μεθέξειν ἀθανασίας,
οὐ τῆς τοῖς θεοῖς παρούσης, ἀλλὰ τῆς τοῖς ἐπιγιγνομένοις

---

258 2 ἢ codd.: εἰ ΓΕΛ ‖ 2 οὐδέν᾽ ἂν Dobree: οὐδεμίαν codd. ‖
3 ἥτις Γ²Θ: εἴ τις Γ¹Λ ‖ 259 1 τῇ codd.: ταῖς Γ ‖ 2 οὔτε στάσιν
Γ: om. cett. ‖ 260 2 τὴν (ante φιλοπονίαν) om Γ¹ ins. Γ² ‖ 8 παρὰ
πλείοσιν Γ: παραπλήσιον cett. ‖ 9 τελευτήσας Γ: -σαντα cett. ‖
9 μεθέξειν om. Γ.

rieures la mémoire des hommes éminents qui se sont distingués par quelque brillante action.   261   Et c'est à
juste titre que tu bénéficieras de cet honneur. Tu as écrit
l'éloge des deux cités en termes nobles et bien choisis,
pour l'une en te conformant à la réputation que lui a faite
la foule — opinion que les hommes célèbres n'ont jamais
méprisée, dont ils brûlent de bénéficier (et dans cet espoir
il n'est pas de risque qu'ils n'affrontent), pour l'autre en
suivant le raisonnement des esprits qui s'efforcent d'atteindre la vérité et dont l'estime est préférée par certains
à celle de tous les autres hommes, seraient-il deux fois
plus nombreux.

« 262   Bien qu'animé maintenant du désir violent de
parler, bien qu'ayant de nombreuses observations encore
à présenter, sur toi, sur les deux cités, sur ton discours,
je laisserai tout cela de côté, et c'est sur les questions pour
lesquelles tu déclares que tu m'as fait appeler [1] que je m'ex-
pliquerai. Je te donne le conseil de ne pas brûler ton discours et de ne pas le supprimer. S'il a besoin de quelque
retouche, corrige-le et ajoute lui les échanges de vues qui
ont eu lieu à ce propos, puis publie-le pour ceux qui veulent
le posséder.   263   Fais cela si tu veux être agréable aux
esprits les plus distingués de la Grèce, à ceux qui pratiquent
vraiment la philosophie et ne se contentent pas des appa-
rences, si tu veux, d'autre part, gêner ceux qui, tout en
admirant tes œuvres plus que celles des autres, les
critiqueent âprement devant les foules que rassemblent les
fêtes nationales où les dormeurs, à vrai dire, sont plus
nombreux que les auditeurs. Ils escomptent, s'ils induisent
en erreur un tel auditoire, que leurs discours seront placés
sur un pied d'égalité avec les tiens; ils ne comprennent
pas que leurs ouvrages demeurent plus loin en arrière des
tiens que les imitateurs de la poésie d'Homère ne le sont
de la gloire de ce poète. »

1. Cf. par. 233.

περὶ τῶν διενεγκόντων ἐπί τινι τῶν καλῶν ἔργων μνήμην
ἐμποιούσης. 261 Καὶ δικαίως τεύξει τούτων· ἐπῄνεκας
γὰρ τὰς πόλεις ἀμφοτέρας καλῶς καὶ προσηκόντως, τὴν
μὲν κατὰ τὴν δόξαν τὴν τῶν πολλῶν, ἧς οὐδεὶς τῶν ὀνο-
μαστῶν ἀνδρῶν καταπεφρόνηκεν, ἀλλ᾽ ἐπιθυμοῦντες τυχεῖν
αὐτῆς οὐκ ἔστιν ὅντινα κίνδυνον οὐχ ὑπομένουσιν, τὴν
δὲ κατὰ τὸν λογισμὸν τῶν πειρωμένων στοχάζεσθαι τῆς
ἀληθείας, παρ᾽ οἷς εὐδοκιμεῖν ἂν τινες ἔλοιντο μᾶλλον ἢ
παρὰ τοῖς ἄλλοις διπλασίοις γενομένοις ἢ νῦν εἰσιν.

262 « Ἀπλήστως δὲ διακείμενος ἐν τῷ παρόντι πρὸς
τὸ λέγειν καὶ πόλλ᾽ ἂν εἰπεῖν ἔχων ἔτι καὶ περὶ σοῦ καὶ
περὶ τοῖν πολέοιν καὶ περὶ τοῦ λόγου ταῦτα μὲν ἐάσω,
περὶ ὧν δὲ | παρακληθῆναί με σὺ φῇς, περὶ τούτων ἀποφα-
νοῦμαι. Συμβουλεύω γάρ σοι μήτε κατακάειν τὸν λόγον
μήτ᾽ ἀφανίζειν, ἀλλ᾽ εἴ τινος ἐνδεής ἐστιν, διορθώσαντα καὶ
προσγράψαντα πάσας τὰς διατριβὰς τὰς περὶ αὐτὸν γεγενημένας διαδιδόναι τοῖς βουλομένοις λαμβάνειν, 263
εἴπερ βούλει χαρίσασθαι μὲν τοῖς ἐπιεικεστάτοις τῶν Ἑλλήνων καὶ τοῖς ὡς ἀληθῶς φιλοσοφοῦσιν, ἀλλὰ μὴ προσποιουμένοις, λυπῆσαι δὲ τοὺς θαυμάζοντας μὲν τὰ σὰ μᾶλλον
τῶν ἄλλων, λοιδορουμένους δὲ τοῖς λόγοις τοῖς σοῖς ἐν τοῖς
ὄχλοις τοῖς πανηγυρικοῖς, ἐν οἷς πλείους εἰσὶν οἱ καθεύδοντες τῶν ἀκροωμένων, καὶ προσδοκῶντας, ἢν παρακρού-
σωνται τοὺς τοιούτους, ἐναμίλλους τοὺς αὐτῶν γενήσεσθαι
τοῖς ὑπὸ σοῦ γεγραμμένοις, κακῶς εἰδότες ὅτι πλέον ἀπολελειμμένοι τῶν σῶν εἰσιν ἢ τῆς Ὁμήρου δόξης οἱ περὶ τὴν
αὐτὴν ἐκείνῳ ποίησιν γεγονότες. »

261 1 τεύξει codd. : τεύξῃ Γ ‖ 8 ἄλλοις om. Γ¹ ins. Γ mg. ‖
262 1 παρόντι πρὸς τὸ λέγειν Γ : καιρῷ τῷ πρὸς τοὺς ἄλλους cett. ‖
2 ἔτι Γ : om. cett. ‖ 5 συμβουλεύω Γ : -λεύσω cett. ‖ 5 κατακάειν
Γ : -καίειν Λ vulg. ‖ 8 διαδιδόναι Sauppe : διδόναι codd. ‖ 263 2
χαρίσασθαι codd. : χαρίζεσθαι Γ ‖ 3 ὡς Γ²Ε : om. Γ¹ cett. ‖ 4 μὲν
τὰ σὰ Γ : σε cett. ‖ 5-6 εἰσὶν οἱ καθεύδοντες Γ : εἶναι τοὺς καθεύδονας
cett. ‖ 8 γενήσεσθαι Γ : γεγενῆσθαι cett. ‖ 9 εἰδότες ΓΕ vulg. : -τας Λ.

264 Voilà ce que dit mon élève; ensuite, il invita les
personnes présentes à faire connaître leur sentiment sur
les questions pour lesquelles elles avaient été conviées,
mais elles ne se contentèrent pas de montrer leur satisfaction par des applaudissements, comme on a coutume de
le faire devant des hommes qui parlent agréablement; elles
éclatèrent en acclamations comme pour souligner toute
la supériorité de sa parole; on faisait cercle autour de lui
pour le féliciter, on lui portait envie, on célébrait son
bonheur; il n'y avait rien à ajouter ni à enlever à ses propos;
enfin, ils affirmèrent leur accord avec lui et me donnèrent
le conseil de suivre ses suggestions. **265** Quant à moi,
loin de rester silencieux à ses côtés, je fis l'éloge de ses
qualités et de son zèle pour ma personne, mais je ne dis
pas un mot sur les problèmes qu'il avait abordés, ni sur la
façon dont par ses hypothèses il avait atteint ou manqué
ma pensée; je le laissai dans la situation où il s'était lui-
même placé.

266 Sur les questions que j'avais prises pour thème,
je pense avoir suffisamment parlé : le rappel de chacun
des points traités ne convient pas à ce genre oratoire.
Mais je veux m'expliquer sur ma situation particulière en
ce qui touche ce discours. J'entrepris d'écrire cet ouvrage
à l'âge que j'ai indiqué en débutant; **267** la moitié était
déjà composée lorsque je fus atteint d'une maladie qu'il est
superflu de nommer, mais qui était capable d'emporter
en trois ou quatre jours non seulement des vieillards,
mais bien des hommes dans la force de l'âge; j'ai passé trois
ans à lutter contre le mal, dépensant chaque jour une
telle énergie que je soulevais chez ceux qui en étaient les
témoins ou qui en entendaient parler plus d'admiration par
ma constance que par les mérites dont auparavant on me
félicitait. **268** Déjà la maladie et l'âge m'avaient
contraint de renoncer à mon projet lorsque quelques amis
qui me rendaient visite et qui à plusieurs reprises avaient
lu la partie du discours déjà écrite, m'adressèrent la prière
et le conseil de ne pas le laisser inachevé ni imparfait, mais

264 Ταῦτ' εἰπόντος αὐτοῦ καὶ τοὺς παρόντας ἀξιώ-
σαντος ἀποφήνασθαι περὶ ὧν παρεκλήθησαν, οὐκ ἐθορύβησαν,
ὃ ποιεῖν εἰώθασιν ἐπὶ τοῖς χαριέντως διειλεγμένοις, ἀλλ'
ἀνεβόησαν ὡς ὑπερβαλλόντως εἰρηκότος, καὶ περιστάντες
αὐτὸν ἐπῄνουν, ἐζήλουν, ἐμακάριζον, καὶ προσθεῖναι μὲν
οὐδὲν εἶχον τοῖς εἰρημένοις οὐδ' ἀφελεῖν, συναπεφαίνοντο
δὲ καὶ συνεβούλευόν μοι ποιεῖν, ἅπερ ἐκεῖνος παρῄνεσεν.
265 Οὐ μὴν οὐδ' ἐγὼ παρεστὼς ἐσιώπων, ἀλλ' ἐπῄνεσα
τήν τε φύσιν αὐτοῦ καὶ τὴν ἐπιμέλειαν, περὶ δὲ τῶν ἄλλων
οὐδὲν ἐφθεγξάμην ὧν εἶπεν, οὔθ' ὡς ἔτυχεν ταῖς ὑπονοίαις
τῆς ἐμῆς διανοίας, οὔθ' ὡς διήμαρτεν, ἀλλ' εἴων αὐτὸν
οὕτως ἔχειν ὥσπερ αὐτὸς αὐτὸν διέθηκεν.

266 Περὶ μὲν οὖν ὧν ὑπεθέμην, ἱκανῶς εἰρῆσθαι νομίζω.
τὸ γὰρ ἀναμιμνῄσκειν καθ' ἕκαστον τῶν εἰρημένων οὐ
πρέπει τοῖς λόγοις τοῖς τοιούτοις· βούλομαι δὲ διαλεχθῆναι
περὶ τῶν ἰδίᾳ μοι περὶ τὸν λόγον συμβεβηκότων. Ἐγὼ γὰρ
ἐνεστησάμην μὲν αὐτὸν ἔτη γεγονὼς ὅσα περ ἐν ἀρχῇ
προεῖπον· 267 ἤδη δὲ τῶν ἡμισέων γεγραμμένων, ἐπιγε-
νομένου μοι | νοσήματος ῥηθῆναι μὲν οὐκ εὐπρεποῦς, δυνα-
μένου δ' ἀναιρεῖν οὐ μόνον τοὺς πρεσβυτέρους ἐν τρισὶν ἢ
τέτταρσιν ἡμέραις, ἀλλὰ καὶ τῶν ἀκμαζόντων πολλούς,
τούτῳ διατελῶ τρί' ἔτη μαχόμενος, οὕτω φιλοπόνως ἑκάστην
τὴν ἡμέραν διάγων ὥστε τοὺς εἰδότας καὶ τοὺς παρὰ τούτων
πυνθανομένους μᾶλλόν με θαυμάζειν διὰ τὴν καρτερίαν
ταύτην ἢ δι' ἃ πρότερον ἐπῃνούμην. 268 Ἤδη δ' ἀπει-
ρηκότος καὶ διὰ τὴν νόσον καὶ διὰ τὸ γῆρας τῶν ἐπισκο-
πούντων τινές με καὶ πολλάκις ἀνεγνωκότων τὸ μέρος τοῦ
λόγου τὸ γεγραμμένον ἐδέοντό μου καὶ συνεβούλευον μὴ

---

264 3 ἐπὶ τοῖς Γ : πᾶσι τοῖς cett. ‖ 2 αὐτὸν Γ¹ cett. : αὐτὰ Γ² ‖
7 μοι Γ : om. cett. ‖ **265** 1 ἐπήνεσα Γ : ἐπήνουν vulg. ‖ **267** 1-2 ἐπίγε-
νομένου codd. : ἐγγεν- Γ ‖ 4 τέτταρσιν codd. : τέτρασιν ΓΕ ‖ 5 διατελῶ Γ¹ : διετέλουν Γ² vulg. ‖ 6 τούτων Γ : τῶν εἰδότων cett. ‖ 7 με
Γ : om. cett. ‖ **268** 3 με codd. : μὲν Γ.

de lui consacrer encore un peu de peine et de m'appliquer
à le terminer.   **269**   Ils parlaient, non pas en hommes
qui s'acquittent d'un devoir d'amitié, mais parce qu'ils
appréciaient hautement la partie déjà écrite, et ils s'ex-
primaient en des termes tels que, si quelques personnes
les avaient entendus qui ne fussent pas de mes intimes et
qui n'eussent pas pour moi quelque bienveillance, il leur
eût été impossible de ne pas admettre que ces visiteurs
me trompaient et que moi, j'avais l'esprit égaré et que j'étais
devenu complètement insensé de me fier à ce qu'ils me
disaient.   **270**   Placé dans cette situation en raison des
paroles qu'ils avaient osé m'adresser, je me laissai pourtant
persuader, et, — est-il besoin d'en dire plus long? — je m'at-
taquai à ce qui restait à écrire; trois années seulement me
manquaient pour être centenaire et j'étais dans un état
où tout autre non seulement n'eût pas entrepris d'écrire
un discours, mais n'eût même pas consenti à se faire l'auditeur d'une œuvre présentée et composée par un autre.

271   Pour quelle raison ai-je évoqué ces circonstances?
Ce n'était pas pour réclamer l'indulgence à l'occasion de
ce que j'avais dit, car je ne pensais pas que mes paroles
en eussent besoin. Mais je voulais montrer ce qui m'était
arrivé, remercier ceux de mes auditeurs qui ont bien
accueilli ce discours, ceux qui estiment qu'il y a plus de
sérieux et de philosophie dans les discours comportant
un enseignement ou traitant de l'art oratoire que dans les
autres, j'entends ceux qui sont écrits soit pour l'apparat,
soit pour les tribunaux, dans les discours qui se donnent
la vérité pour but que dans ceux qui cherchent à fausser
l'opinion de leurs auditeurs, dans les discours qui répri-
mandent et redressent les fautes que dans les paroles
prononcées pour la joie de les entendre et le plaisir qu'elles
apportent.   **272**   Je voulais aussi conseiller à ceux qui
ont un avis contraire au mien, d'abord de ne pas se fier
à leur propre jugement et de ne pas tenir pour vraies les
opinions des esprits superficiels, ensuite de ne pas s'exprimer
avec précipitation sur des questions qu'ils ne connaissent

καταλιπεῖν αὐτὸν ἡμιτελῆ μηδ᾽ ἀδιέργαστον, ἀλλὰ πονῆσαι
μικρὸν χρόνον καὶ προσέχειν τοῖς λοιποῖς τὸν νοῦν.　269
Οὐχ ὁμοίως δὲ διελέγοντο περὶ τούτων τοῖς ἀφοσιουμένοις,
ἀλλ᾽ ὑπερεπαινοῦντες μὲν τὰ γεγραμμένα, τοιαῦτα δὲ
λέγοντες ὧν εἴ τινες ἤκουον μήτε συνήθεις ἡμῖν ὄντες μήτ᾽
εὔνοιαν μηδεμίαν ἔχοντες, οὐκ ἔστιν ὅπως οὐκ ἂν ὑπέλαβον
τοὺς μὲν φενακίζειν, ἐμὲ δὲ διεφθάρθαι καὶ παντάπασιν
εἶναι μωρόν, εἰ πείσομαι τοῖς λεγομένοις.　270　Οὕτω δ᾽
ἔχων ἐφ᾽ οἷς εἰπεῖν ἐτόλμησαν, ἐπείσθην, — τί γὰρ δεῖ
μακρολογεῖν; — γενέσθαι πρὸς τῇ τῶν λοιπῶν πραγματείᾳ,
γεγονὼς μὲν ἔτη τρία μόνον ἀπολείποντα τῶν ἑκατὸν,
οὕτω δὲ διακείμενος, ὡς ἕτερος ἔχων οὐχ ὅπως γράφειν ἂν
λόγον ἐπεχείρησεν, ἀλλ᾽ οὐδ᾽ ἄλλου δεικνύοντος καὶ πονή-
σαντος ἠθέλησεν ἀκροατὴς γενέσθαι.

271　Τίνος οὖν ἕνεκα ταῦτα διῆλθον; Οὐ συγγνώμης
τυχεῖν ἀξιῶν ὑπὲρ τῶν εἰρημένων, — οὐ γὰρ οὕτως οἶμαι
διειλέχθαι περὶ αὐτῶν, — ἀλλὰ δηλῶσαι βουλόμενος τά τε
περὶ ἐμὲ γεγενημένα, καὶ τῶν ἀκροατῶν ἐπαινέσαι μὲν τοὺς
τόν τε λόγον ἀποδεχομένους τοῦτον καὶ τῶν ἄλλων σπου-
δαιοτέρους καὶ φιλοσοφωτέρους εἶναι νομίζοντας τοὺς
διδασκαλικοὺς καὶ τεχνικοὺς τῶν πρὸς τὰς ἐπιδείξεις καὶ
τοὺς ἀγῶνας γεγραμμένων, καὶ τοὺς τῆς ἀληθείας στοχα-
ζομένους τῶν τὰς δόξας τῶν ἀκροωμένων παρακρούεσθαι
ζητούντων, | καὶ τοὺς ἐπιπλήττοντας τοῖς ἁμαρτανομένοις
καὶ νουθετοῦντας τῶν πρὸς ἡδονὴν καὶ χάριν λεγομένων,
272　συμβουλεῦσαι δὲ τοῖς τἀναντία τούτων γιγνώσκουσιν
πρῶτον μὲν μὴ πιστεύειν ταῖς αὐτῶν γνώμαις, μηδὲ
νομίζειν ἀληθεῖς εἶναι τὰς κρίσεις τὰς ὑπὸ τῶν ῥαθυμούντων
γιγνομένας, ἔπειτα μὴ προπετῶς ἀποφαίνεσθαι περὶ ὧν οὐκ

---

269 2 τὰ (ante γεγραμμένα) om. Γ¹ ins. Γ² ‖ 270 2 ἐφ᾽ οἷς
εἰπεῖν Γ : ὡς ἴσως ἂν εἰπεῖν τινες cett. ‖ 3 μακρολογεῖν Γ : μακρὸν
λόγον cett. ‖ 2 πρὸς τῇ ... πραγματείᾳ Γ : πρὸς τὴν ... πραγματείαν
cett. ‖ 271 5 τοῦτον Γ² cett. : τούτων Γ¹.

pas, d'attendre au contraire jusqu'à ce qu'ils soient à même
d'affirmer leur accord avec les hommes qui possèdent une
profonde expérience des questions exposées : ceux qui
règlent ainsi leur façon de penser, il n'est personne qui
puisse les tenir pour de pauvres esprits.

———

ἴσασιν, ἀλλὰ περιμένειν ἕως ἂν ὁμονοῆσαι δυνηθῶσι τοῖς
τῶν ἐπιδεικνυμένων πολλὴν ἐμπειρίαν ἔχουσιν· τῶν γὰρ
οὕτω διοικούντων τὰς αὑτῶν διανοίας οὐκ ἔστιν ὅστις ἂν
τοὺς τοιούτους ἀνοήτους εἶναι νομίσειεν.

272 7 διοικούντων τὰς ἑαυτῶν διανοίας Γ : διηκόντων διανοίας Λ
vulg. ‖ 7 ὅστις ἂν Γ : ὅπως ἄν τις cett.

LETTRES

par Georges MATHIEU

NOTICE

Nous possédons neuf [1] lettres transmises sous le nom d'Isocrate. Ce ne sont évidemment pas toutes celles de l'orateur, et les anciens en connaissaient, au moins par oui-dire, quelques autres. Il est vrai que les *Lettres aux Athéniens* dont parle le pseudo-Plutarque [2], étaient des ouvrages de propagande qui, sous la fiction de rapports adressés par Timothée à l'Assemblée, étaient publiés pour agir à Athènes et en Grèce, y faciliter la tâche du fils de Conon et intéresser l'opinion publique à la seconde confédération athénienne; ces « lettres » fictives datent probablement de la période qui s'étend de 378 à 374 [3]; rien n'en a subsisté.

D'autre part Speusippe, écrivant à Philippe en 343 ou 342 [4], fait allusion à une lettre d'Isocrate à Agésilas et à une lettre à Alexandre de Phères [5]. L'existence de la première n'est pas certaine, car une confusion a pu se produire entre Agésilas et son fils Archidamos (à qui

---

1. A. Croiset (*Hist. de la litt. grecque*, 3e éd., IV, p. 485 et 513) parle de « huit » lettres, sans qu'on puisse voir la raison de ce chiffre, car la « neuvième lettre » qu'il exclut, est évidemment celle de Théophylacte Simocatta (anciennement X).

2. *Vies des dix Orateurs, Isocrate*, 9.

3. Cf. G. Mathieu, *Les idées politiques d'Isocrate*, p. 84-85. Münscher, art. *Isokrates* dans Pauly-Wissowa, IX, p. 2199, place ces « lettres » en 376/5.

4. Sur la date de le lettre de Speusippe, cf. Bickermann et Sykutris, *Speusipps Brief an König Philippes*, p. 29-30; Pohlenz, *Hermes*, 1929, p. 55, n° 1; *Suppl. crit. au Bull. de l'Ass. G. Budé*, 1929, p. 94.

5. *Lettres socratiques*, XXX, 13.

est adressée la *Lettre IX*), et même une faute de copiste
est possible : le meilleur manuscrit de la lettre de Speusippe [1] porte ἔγραφεν ἡγισιλάου; Ἡγησιλάῳ n'est qu'une
correction byzantine, et il se peut que l'archétype ait
porté Ἀρχιδάμῳ τῷ Ἀγησιλάου; de toute façon, si la lettre
à Agésilas a existé, nous ignorons tout de son contenu et
de sa date [2].

Nous pouvons un peu mieux connaître la Lettre à
Alexandre de Phères. Speusippe prétend que c'était la
Lettre à Denys (*I*) légèrement modifiée. En ce cas, la lettre
aurait été rédigée en 367 environ, peu après la mort de
Denys, alors qu'Alexandre s'était emparé du pouvoir
à Phères depuis un an à peu près : Alexandre se donnait
pour vengeur de Polydoros, lui-même frère et successeur
de Jason [3]. Il est fort possible qu'Isocrate, se faisant des
illusions sur le caractère du nouveau maître de la Thessalie, lui ait écrit pour l'engager à réaliser les plans panhelléniques de Jason; car Isocrate avait eu des relations
personnelles avec Jason [4], et les plans de ce dernier se
rapprochaient, sur plus d'un point, de l'idéal exprimé
dans le *Panégyrique* [5].

Les modernes ont tenté, mais en vain, de grossir le
nombre des lettres isocratiques. La première édition où
les lettres étaient réunies aux discours (Venise, 1542),
avait introduit dans le recueil épistolaire un texte qui
devait y figurer pendant plus de trois cents ans sous le
n⁰ X. C'était une prétendue lettre à Denys, mais en réalité
une composition fictive faite dans la première moitié du
vi⁰ s. par Théophylacte Simocatta [6]. Bien que l'erreur
eût été reconnue depuis longtemps et que, pour cette

1. *Vaticanus graecus* 64, V, de Bickermann-Sykutris, le
même qui contient aussi les lettres d'Isocrate et que les éditeurs de ces dernières désignent par Φ.
2. Speusippe semble la placer avant la *Lettre à Denys*, donc
antérieurement à 368/7 et il rapproche son contenu de celui
du *Philippe* (ce qui s'appliquerait bien à la *Lettre IX*).
3. Xénophon, *Helléniques*, VI, 4, 34.
4. *Lettre VI*, 1.
5. G. Mathieu, *Les idées politiques d'Isocrate*, p. 100-101.
6. Voir le texte dans Hercher, *Epistolographi graeci*, Theo-
phylacte Simocatta, n⁰ 79.

raison, Coraï se fût abstenu de commenter cette lettre,
ce sont seulement Baiter-Sauppe, puis Blass qui l'ont
définitivement exclue des éditions d'Isocrate. D'autre
part Drerup [1] signalait l'existence à Bergame (mss. |Δ
VI 29 de la Biblioteca Civica) d'une lettre d'Isocrate à
Alexandre. Vérification faite, ce prétendu inédit n'est
autre que la préface de la *Rhétorique à Alexandre*, faussement attribuée à Isocrate par l'humaniste pour qui avait
été copié le manuscrit [2]. Le recueil classique des lettres
d'Isocrate reste donc composé de neuf morceaux.

Tradition manuscrite. — Il s'en faut d'ailleurs que le
recueil se présente de façon identique dans tous les manuscrits. Douze contiennent toutes les lettres, mais, si l'on
tient compte de l'ordre dans lequel ils les rangent, ils se
répartissent en cinq groupes [3]. Un contient huit lettres
(la *Lettre IX* manque) [4]. Un n'a que sept lettres (manquent
les *Lettres VI et VII*) [5]. Enfin la *Lettre IX* |figure isolée
dans deux manuscrits [6].

Quelques manuscrits seulement, les principaux, ont été utilisés par les éditeurs : *Urbinas gr.* 111 (Γ, étudié par Bekker
et Hercher), *Vaticanus gr*, 936 (Δ, étudié par Bekker), *Am-
brosianus* |0-144-sup. (E, utilisé par Blass), *Vaticanus gr.* 64
(Φ, écrit en 1270, qui est, pour les lettres, à la base des
éditions dites « de la vulgate » et qu'Usener a examiné
à nouveau), *Helmstadiensis* 806 (xvᵉ s., maintenant à
Wolfenbüttel, utilisé par Matthaei, puis reproduit pho-
totypiquement par Heinemann) [7], *Parisinus gr.* 3054 (copié

1. Drerup, *Isocratis opera omnia*, I, p. xxvi-xxvii.
2. Cf. G. Mathieu, *Revue de Philologie*, 1923, p. 58-64.
3. ΓΔE, *Ottob.* 122 (I, IX, VI, VII, II, III, V, IV, VIII).
Φ, *Vatic. gr.* 1461, *Palat.* 134, *Helmstad.* 806, *Laurent.* LXX, 19
(IX, VI, I, II, III, V, IV, VII, VIII) *Vatic. gr.* 1448 (I, IX,
VI, VII, III, II, V, IV, VIII), *Paris. gr.* 3054 (IX, I, VI, II,
III, V, IV, VII, VIII), *Vatic. gr.* 1353, *Matrit.* N° 98 (I, III,
II, V, IV, VIII, IX, VI, VII).
4. *Vaticanus gr.*, 1336.
5. *Ottobonianus gr.*, 178.
6. *Parisinus gr.* 2994, *Vaticanus gr.* 1347.
7. *Die Handschriften der herzoglichen Bibliothek zu Wolfenbüttel*, I, 2, p. 232.

au xve s. par Jean Lascaris, étudié par Auger qui le désigne par Q), enfin *Parisinus gr.* 2944 (xve s., qu'Auger désigne par L).

Composition et authenticité du recueil. — La liberté avec laquelle les divers manuscrits rangent les lettres d'Isocrate, rend bien improbable toute tentative de reconstitution du recueil primitif. [1] Drerup s'y est néanmoins efforcé [2] : il y aurait trois exordes de discours (I, VI, IX), trois lettres de recommandation (VIII, VII, IV), trois lettres aux souverains de Macédoine (II, V, III). Ce classement ne laisse pas de paraître artificiel : il concorde, à une exception près (IV), avec l'ordre chronologique, et d'autre part deux, au moins, des lettres de recommandation (VII et IV) ne sont pas exemptes d'arrière-pensées politiques. Il vaut donc mieux renoncer à chercher l'état primitif du recueil et se contenter d'étudier les lettres dans le seul ordre que nous puissions retrouver, celui où elles ont été écrites.

Mais les neuf lettres attribuées à Isocrate sont-elles authentiques? Comme pour tous les recueils similaires, la discussion a été vive, et le problème a reçu des solutions nettement opposées : les uns ont rejeté comme apocryphe le recueil entier [3], les autres ont admis qu'il était dans son ensemble l'œuvre d'Isocrate [4]. Nous pensons que les neuf lettres sont authentiques, mais, vu la nature composite du recueil, c'est seulement par l'étude particulière de chacune d'elles que nous pouvons aboutir à cette conclusion [5].

1. Aucun manuscrit, à notre connaissance, ne donne les lettres dans l'ordre qui est devenu classique depuis J. Wolf, et qui repose sur l'hypothèse fausse que la *Lettre I* est adressée à Philippe.

2. *Isocratis opera omnia*, I, p. lxxxvi sqq., clviii-clxiii.

3. Bekker, E. Havet (éd. Cartelier-Havet du *Sur l'Echange*, p. XCIX), B. Keil (*Analecta Isocratea*, p. 145, no 1).

4. Blass, *Die attische Beredsamkeit*, 2e éd., II, p. 293 sqq.; Drerup, éd. I, p. clviii sqq.

5. Nous adoptons donc la méthode qu'ont employée Wilamowitz-Moellendorff (*Aristoteles und Athen*, II, p. 390-399)

Lettre I. — Le destinataire de la lettre est Denys de Syracuse, selon les meilleurs manuscrits (ΓΔE), Lycophron de Phères, selon d'autres (dont Φ), Philippe, selon les éditeurs du xvie s.[1]. Le *Philippe* (§ 81), citant textuellement une phrase (§ 9), confirme que la lettre était adressée à Denys, et, du même coup, garantit l'authenticité; car, dans le cas contraire, il faudrait supposer que le faussaire se serait inspiré du *Philippe* et l'on ne comprendrait pas pourquoi il se serait borné à un exorde.

Isocrate s'excuse d'abord auprès de Denys de ne pas aller le trouver en raison de son âge; tout en reconnaissant l'infériorité du discours écrit sur la parole vivante et sans se laisser décourager par les critiques dont Denys est l'objet, il se décide à lui écrire au sujet des grands intérêts de la Grèce propre, parce qu'il juge l'occasion favorable au moment où le souverain de Syracuse en a fini avec les Carthaginois, n'a plus à craindre la rivalité de Sparte et peut compter sur la sympathie d'Athènes. L'œuvre s'arrête après cet exorde et il ne semble pas qu'elle ait jamais été poussée plus loin; cependant, au témoignage d'Isocrate lui-même (*Phil.* 81), elle avait été publiée.

Isocrate avait commencé par être défavorable à Denys; en 380, il le regardait seulement comme un tyran dont l'alliance déshonorait les Lacédémoniens[2]. Mais, au cours des guerres thébaines, Denys s'était rapproché d'Athènes; il avait été mêlé aux négociations de 374 et 371; dans l'été de 368, il recevait des éloges de l'Assemblée athénienne[3], et, au début de 367, un traité d'alliance défensive était conclu entre lui et Athènes, au moment même

et Münscher (art. *Isokrates* dans Pauly-Wissowa, IX, p. 2199-2219), qui tous deux regardent quelques lettres seulement comme authentiques.

1. Wilamowitz, *Aristoteles und Athen*, II, p. 390; Münscher, dans Pauly-Wissowa, IX, p. 2199.

2. *Panégyrique*, 126.

3. I.G., II, 51. Il est vrai que l'un des motifs du décret est la collaboration que Denys apporte à l'application de la « Paix du Roi »; mais le *Plataïque* montre qu'aux environs de 370, Isocrate acceptait, lui, aussi, cette paix, au moins comme un moyen provisoire de rétablir l'ordre en Grèce.

où sa tragédie, *La rançon d'Hector*, obtenait un prix aux
Lénéennes [1].

C'est au début de cette année 367 qu'il convient de
placer la rédaction de la *Lettre I*. Celle-ci témoigne de
quelque hostilité à l'égard des Lacédémoniens [2]. Or, en
368, un conflit s'était élevé entre Sparte et Athènes, bien
que théoriquement elles fussent alliées [3]. D'autre part,
au commencement de 367, un agent du satrape Ariobar-
zane, Philiscos, convoquait les Grecs en congrès à Delphes
pour tenter de rétablir la paix; le Grand Roi ne cachait
pas sa sympathie pour Thèbes et son désir de limiter
l'expansion athénienne [4].

A ce moment, la tentation était forte pour Isocrate,
qui se flattait d'être un politique réaliste, d'utiliser la
puissance de Denys et ses bons rapports avec Athènes
pour faire échec à la fois à l'influence perse en Grèce et
aux visées de Thèbes. En outre, il n'est pas interdit de
penser qu'Isocrate, toujours soucieux de son rôle de chef
d'école, voyait là une occasion de rehausser son prestige
en conseillant le souverain auprès duquel Platon avait
échoué.

Denys mourut au printemps de 367 et, à l'annonce de
ce décès, Isocrate interrompit son œuvre [5]; cependant il
publia la préface qu'il avait rédigée. Sans doute voulait-il
par là attirer à nouveau l'attention des Grecs sur ses idées
et montrer qu'il n'avait négligé aucune occasion d'en
hâter la réalisation.

Lettre VI. — Tous les manuscrits s'accordent pour désigner comme destinataires de cette lettre les fils de Jason
de Phères, assassiné en 370. Isocrate s'excuse de ne pouvoir

---

1. I.G., II, 52; Diodore, XV, 74, 1.
2. *Lettre I*, 8.
3. Diodore, XV, 70, 1.
4. Xénophon, *Helléniques*, VII, 1, 22 et 27; Démosthène,
Sur l'Ambassade, 137; Diodore, XV, 70, 2.
5. Drerup, éd. I, p. clviii. — La nécessité d'expliquer
l'état inachevé de la lettre est une des raisons qui nous font
juger un peu prématurée la date de 369 que Wilamowitz (*Platon*, 2ᵉ éd. II, p. 107) propose pour la rédaction.

se rendre en Thessalie, non seulement à cause de son âge, mais aussi en raison de l'incertitude qui règne sur les rapports entre Athènes et les gouvernants thessaliens. Il n'en donne pas moins aux fils de Jason quelques conseils : il les invite à faire preuve de logique et d'esprit de suite dans leur conduite, à renoncer à la tyrannie et à obtenir seulement le pouvoir du libre choix de leurs concitoyens.

Le contenu de la lettre montre que les destinataires sont en réalité les *beaux-fils* de Jason, nés d'un premier mariage de sa première femme [1]. Le seul moment où elle puisse se placer, est la période qui suivit immédiatement le meurtre d'Alexandre de Phères ; celui-ci fut assassiné en 359 ou 358 [2] par ses beaux-frères, Teisiphonos, Lycophron et Peitholaos, qui étaient précisément les beaux-fils de Jason. Ceux-ci, d'ailleurs, ne tardèrent pas à se saisir de la tyrannie ; mais il semble qu'Isocrate ait espéré les décider à se faire nommer ταγοί (chefs militaires de la confédération thessalienne) par une élection régulière et à faire succéder une alliance avec Athènes (comme avait fait Jason) à l'hostilité ouverte d'Alexandre. Le caractère fragmentaire de la lettre tiendrait au fait qu'Isocrate en interrompit la rédaction dès qu'il apprit que les événements prenaient un autre cours que celui qu'il souhaitait.

Rien ne nous indique que la lettre ait été publiée du vivant d'Isocrate. Est-elle authentique ? Woyte [3] le conteste en s'appuyant surtout sur des arguments tirés du voca-

---

1. C'est elle qui semble désignée dans notre lettre (§ 1) par le génitif Πολυαλκοῦς (texte de l'*Urbinas*) ; elle se serait donc nommée Polyalko. Cependant Stähelin (*Jason* dans Pauly-Wissowa, 2e éd.), se référant à un article d'Harpocration (qui, d'ailleurs, ne parle pas de la lettre d'Isocrate, ni des affaires de Thessalie) veut voir dans ce passage la mention d'un Polyalkès, inconnu par ailleurs, qui aurait été le prédécesseur de Jason.

2. 359 selon E. Meyer, *Theopomps Hellenika*, p. 221, no 2, 358 d'après E. Cavaignac, *Hist. de l'antiquité*, II, p. 337 et Kahrstedt, art. *Lycophron* dans Pauly-Wissowa, p. 2316, Diodore, XVI, 14, donne la date de 357/6 qui semble inacceptable.

3. C. Woyte, *De Isocratis quae feruntur epistulis*, p. 41-52.

bulaire; mais, d'une part un certain nombre de faits qu'il
allègue, trouvent leurs analogues dans d'autres passages
d'Isocrate et perdent ainsi leur caractère insolite; d'autre
part, il est bien hardi de prétendre juger une lettre ina-
chevée d'après les principes de style appliqués dans les
discours d'apparat [1]. Münscher juge le morceau apocryphe
pour des raisons de fond [2] : son début imite celui de la
Lettre I; il suppose des rapports amicaux entre Isocrate
et Jason; il est plein d'obscurités. Mais ces obscurités
tiennent, pour une bonne part, à l'ignorance où nous
sommes de l'histoire thessalienne dans cette période; des
relations d'hospitalité peuvent s'être établies entre Isocrate et Jason lorsque ce dernier vint à Athènes, en
novembre 373, pour défendre Timothée, disciple favori
de l'orateur [3]; enfin, à l'argument tiré de son âge qui
figure dans la *Lettre I*, Isocrate en ajoute un autre tiré
de l'instabilité politique; les ressemblances entre les deux
lettres ne sont donc pas complètes. Aucun des arguments
donnés contre l'authenticité n'est décisif, et surtout l'hypothèse que le morceau est apocryphe, ne rend pas compte
de son caractère fragmentaire. Wilamowitz [4] se refuse à
se prononcer dans un sens ou dans l'autre. Pour nous,
nous croyons que la *Lettre VI*, pour obscure qu'elle soit,
peut néanmoins être l'œuvre d'Isocrate et que, jusqu'à
plus ample informé, on peut la maintenir dans le recueil.

Lettre IX. — Le lettre est adressée à Archidamos,
fils et successeur d'Agésilas, et, comme l'auteur déclare
lui-même [5] qu'il est âgé de quatre-vingts ans, elle a été

1. Notons une fois pour toutes qu'il nous semble arbitraire
d'estimer qu'Isocrate ne pouvait employer, dans ses lettres,
des termes qu'on trouve chez Platon, Xénophon et Aristote
(cf. tome I de notre édition, p. 112).

2. Art. *Isokrates* dans Pauly-Wissowa, IX, p. 2202.

3. Stähelin, art. *Jason* (Pauly-Wissowa, IX, p. 774). D'ailleurs des rapports sont visibles entre certains projets de Jason
et l'idéal d'Isocrate (cf. G. Mathieu, *Les idées politiques d'Isocrate*, p. 100-101).

4. *Aristoteles und Athen*, II, p. 395.

5. *Lettre IX*, 16.

composée en 356. Tout en célébrant les qualités d'Archidamos et de son père, Isocrate se refuse à composer un éloge en règle; il propose au roi de Sparte de remédier aux maux de la Grèce d'Europe et de la Grèce d'Asie dont il fait un tableau pathétique, il l'invite à éviter, en accomplissant cette tâche, les erreurs commises par Agésilas lors de son expédition en Asie; il justifie la légitimité de sa propagande oratoire et encourage Archidamos à prendre l'initiative de l'union entre les Grecs et de la lutte contre les barbares.

Un appel d'Isocrate à Archidamos n'est pas aussi surprenant qu'il peut paraître au premier abord. Certes, en 356, et depuis longtemps déjà (depuis Leuctres, devait dire Isocrate dix ans plus tard), Sparte était en proie à des difficultés qui lui rendaient difficile toute action importante à l'extérieur; mais il en était de même des autres États grecs [1]. D'autre part, Isocrate s'intéressait depuis longtemps à Archidamos, puisqu'il l'avait pris comme porte-parole fictif en 366 pour le discours qu'il avait consacré aux affaires spartiates. Or Archidamos, roi depuis 360, semble avoir voulu relever la puissance spartiate en cherchant à ses compatriotes un champ d'action extérieur, en Crète, à Cyrène, en Italie [2]. Au moment où Athènes était affaiblie par les difficultés de la guerre sociale [3], Isocrate a pu penser que le roi de Sparte était désigné pour reprendre la politique du *Panégyrique* et pour diriger l'expansion grecque en Asie. En 356, le moment pouvait paraître favorable, après qu'Athènes avait échoué dans sa tentative de tenir la mer Égée sous sa domination et alors que l'empire perse se ressentait encore des désordres qui avaient accompagné l'avènement d'Artaxerxès Okhos.

Les principales objections faites contre l'authenticité

1. *Philippe*, 40, 47-50.
2. Cf. E. Cavaignac, *Histoire de l'antiquité*, II, p. 338 et 393-394.
3. Il est, malgré tout, surprenant qu'Isocrate ne parle de cette guerre que par des allusions très générales; mais nous n'avons que le début de ce qui aurait dû être une œuvre développée.

de la lettre [1] reposent avant tout sur les ressemblances
qu'elle présente, au point de vue du fond, avec d'autres
œuvres d'Isocrate. Ces coïncidences sont indéniables et,
en particulier, le développement où sont critiquées les
erreurs d'Agésilas, se retrouve presque mot pour mot dans
le *Philippe* [2]. Mais nous savons qu'Isocrate ne s'interdisait
pas de se répéter, sans toujours en avertir le lecteur. En
outre, nous verrions une preuve d'authenticité dans le
passage [3] où l'auteur se défend contre les critiques qui
déniaient toute efficacité au discours « hellénique et
politique »; une telle argumentation est naturelle dans la
période où Isocrate se sent particulièrement menacé comme
chef d'école et où il prépare le *Sur l'Echange* [4].

Nous ne possédons que l'exorde de la *Lettre IX* et il
ne semble pas que l'œuvre ait jamais été poussée plus
loin. Il est improbable que le découragement seul ait
empêché Isocrate de terminer sa lettre, comme le supposent
E. Meyer et E. Cavaignac [5]; car, plus tard, il reprit certaines des idées exprimées ici. Isocrate, nous le savons,
travaillait lentement; sans doute fut-il devancé par l'intervention du Grand Roi dans la guerre sociale et la paix
qui suivit [6]; quand le roi de Perse redevenait l'arbitre
de la politique grecque, ce n'était plus le moment de compter
sur un mouvement panhellénique dirigé contre la Perse.
Mais Isocrate conserva son préambule et, dix ans plus
tard, il en introduisit les idées dans le *Philippe*. La *Lettre IX*

1. Wilamowitz, *Aristoteles und Athen*, II, p. 394-395; Woyte,
De *Isocratis epistulis*, p. 34 sqq.; Münscher, dans Pauly-
Wissowa, s. V. *Isokrates*, p. 2203.

2. *Lettre IX*, 11-14; *Philippe*, 86-88.

3. *Lettre IX*, 15.

4. Woyte (*De Isocratis epistulis*, p. 37-38) prétend montrer
que le vocabulaire de la lettre n'est ni isocratique ni même
attique; mais ses statistiques n'auraient pas une valeur décisive, même si elles étaient complètes, ce qui n'est pas le cas
(par exemple εὐλογίαι, contenu dans la *Lettre IX*, 2, se trouve
aussi dans Lycurgue, *Contre Léocrate*, 46).

5. E. Meyer, *Gesch. des Altertums*, V, p. 495, E. Cavaignac,
Histoire de l'antiquité, II, p. 338.

6. Drerup, édition, I, p. clix; G. Mathieu, *Les idées politiques d'Isocrate*, p. 109.

est intéressante en ce qu'elle semble marquer, dans les conceptions politiques d'Isocrate, la transition entre le plan « fédéraliste » de 380 et le plan « monarchique » de 346.

Lettre VIII. — Isocrate s'adresse aux magistrats (ἄρχοντες) de Mitylène en faveur d'un certain Agénor, maître de musique des enfants d'Aphareus qui était le fils adoptif de l'orateur. Profitant de ce que les Mityléniens ont laissé rentrer chez eux quelques exilés politiques et leur ont même rendu leurs biens, Isocrate demande que la même mesure soit prise pour Agénor, son père et ses frères, assurant qu'il n'en résultera aucun trouble.

La lettre est postérieure à la mort de Timothée (§ 8) qui se place en 354 et antérieure à 347 où un tyran gouvernait Mitylène [1]; d'autre part, l'Athénien Diophantos se trouve en Asie Mineure; or, vers 351, celui-ci commanda avec succès les troupes de Nectanébo d'Égypte contre Artaxerxès Okhos. La lettre d'Isocrate se placerait donc soit en 353 ou 352, soit en 349 ou 348. Seuls ceux qui déclarent apocryphes toutes les lettres d'Isocrate ont douté de l'authenticité de celle-ci; pour les autres [2], la précision et la cohérence des détails garantissent que nous n'avons pas affaire à une falsification. Nous possédons là une véritable lettre de recommandation, écrite d'ailleurs en un style travaillé parce qu'elle est adressée à des personnages officiels.

Lettre VII. — Le destinataire est Timothée d'Héraclée (du Pont); celui-ci était fils de Cléarkhos, qui, après avoir été disciple d'Isocrate et de Platon, avait occupé la tyrannie dans sa ville natale [3]. Après l'assassinat de Cléarkhos

1. Démosthène, XL, 37.
2. Cf. notamment Blass, *Die attische Beredsamkeit*, 2e éd., II, p. 331 Wilamowitz, *Aristoteles und Athen*, II, p. 392 : Münscher, art. *Isokrates* dans Pauly-Wissowa, p. 2212; Glotz, *Histgr.* III, p. 280, n⁰ 73 (qui place la lettre entre 350 et 347).
3. Sur Cléarkhos, Timothée et l'histoire d'Héraclée pendant cette période, les renseignements les plus précis sont donnés par Memnon (Jacoby, *Die Fragmente...*, III B, p. 336); cf. aussi Diodore, XVI, 36, 3; Justin, XVI, 5, 12-16.

vers 353/2, le pouvoir avait été aux mains de son frère
Satyros (peut-être régent), et Timothée régna par lui-même
à partir de 346/5. C'est vers cette date, ou très peu après,
qu'Isocrate lui écrit pour lui recommander un certain
Autocrator, inconnu par ailleurs [1]. Isocrate profite de la
circonstance pour féliciter Timothée de la façon juste et
prudente dont il use de son pouvoir et pour lui donner en
exemple la conduite de Cléommis de Méthymne; il termine sa lettre en demandant à Timothée d'entretenir
avec lui des relations plus étroites. Peut-être, en encou-
rageant le retour à un ordre normal dans les villes grecques
de la côte asiatique, Isocrate songeait-il à préparer des
points d'appui pour l'offensive panhellénique contre la
Perse, but principal de sa propagande [2].

Comme pour la *Lettre VIII*, et pour les mêmes raisons,
nous adoptons l'opinion de la majorité des érudits qui ne
doutent pas de l'authenticité de cette lettre.

Lettre II. — La publication du *Philippe* avait eu pour
effet d'établir des relations directes entre Isocrate et la
cour de Macédoine. En témoignage de ces rapports, il
nous reste quatre lettres conservées par le recueil isocratique; la *Lettre II* est la première en date. Isocrate, à la
nouvelle d'une blessure reçue par Philippe, lui donne des
conseils de prudence et l'engage à ne pas sacrifier à l'ambition d'une gloire personnelle les intérêts généraux dont
il est chargé (§ 1-10); il rappelle au roi que son principal
devoir est d'unir les Grecs et de les diriger contre les
Barbares (§ 11), mais surtout il insiste sur la nécessité
qu'il y a pour Philippe de pratiquer une politique amicale
à l'égard d'Athènes qui peut grandement aider à la réalisation des projets panhelléniques (§ 14-23).

Le commentaire de Didymos sur Démosthène [3], en fixant

1. Cet Autocrator, tout en s'occupant, comme Isocrate, de
rhétorique, exerçait un autre métier (11 : τέχνη); on a supposé
(Blass, *Die attische Bereds.*, 2e éd., II, p. 330; Münscher, dans
Pauly-Wissowa, p. 2213) qu'il était médecin ou devin.

2. Wilamowitz, *Aristoteles und Athen*, II, p. 391-392.

3. Publié par Diels et Schubart en 1904 et étudié en détail
par P. Foucart (*Mémoires de l'Académie des Inscriptions et
Belles Lettres*, XXXVIII, 1re partie).

les circonstances où Philippe fut blessé et en nous rensei-
gnant exactement sur la situation politique dans cette
période, a mis fin aux hésitations qui régnaient sur la
date de cette lettre et, du même coup, nous a rendus certains de son authenticité. D'ailleurs le *Panathénaïque*
renvoie formellement à un passage de cette lettre [1].

La blessure de Philippe, dont il s'agit, est celle qu'il
reçut lors de la campagne contre le roi illyrien Pleuratos [2]
dans un engagement où 150 de ses gardes à cheval (ἑταῖροι)
furent blessés. Cette campagne doit dater du printemps
de 344 [3] et la nouvelle que le roi était blessé, provoqua
une vive émotion en Grèce, et en particulier à Athènes
où les adversaires de la Macédoine espéraient en avoir
ainsi fini avec lui [4]. D'autre part la lettre est antérieure,
non seulement à l'ambassade macédonienne dont la venue
provoqua la *Deuxième Philippique* (avant l'hiver 344/3 [5]),
mais même aux réformes que Philippe apporta à l'organisation de la Thessalie durant l'automne de 344 [6]. La
Lettre II date donc de l'été de 344, au plus tard du mois
d'août ou du mois de septembre [7].

La lettre n'est pas seulement intéressante en ce qu'elle
montre l'intérêt qu'Isocrate porte à la personne même de
Philippe et l'espoir persistant qu'il a de lui faire adopter
ses plans panhelléniques. La situation générale s'est modifiée depuis 346; la réconciliation entre les Grecs est loin
d'être aussi facile qu'Isocrate le croyait dans le *Philippe*;

1. *Panathénaïque* 64, cf. *Lettre II*, 16.
2. Didymos, col. XII, 1, 63 et suiv. Le même roi est nommé
Pleurias par Diodore, XVI, 93, 6.
3. E. Meyer, *Sitzungsberichte der Berliner Akademie*, 1909,
p. 761-762.
4. Des espoirs analogues s'étaient déjà montrés en 351
(Démosthène, *Première Philippique*, 10-11) et devaient repa-
raître en 342 (Démosthène, *Sur les affaires de Chersonèse*,
35-36).
5. Denys d'Halicarnasse, *Première lettre à Ammée*, 10.
6. Les expressions de la *Lettre II* 20, rapprochées de celles
du *Philippe* 20, indiquent que le statut de la Thessalie n'avait
pas changé depuis 346.
7. E. Meyer, *Sitzungsber. der Berliner Ak.*, 1909, p. 762-
763; J. Beloch *Griechische Geschichte*, 2e éd. III, 2, p. 289.

Athènes et le roi de Macédoine se trouvent en plein conflit. Tout en attribuant aux hommes politiques athéniens la responsabilité de cet état de choses [1], Isocrate insiste sur les avantages que Philippe trouverait dans un rapprochement avec Athènes; il n'est plus question comme en 346 [2] d'unir la force à la persuasion, et Isocrate semble envisager, entre la Macédoine et sa patrie, une alliance sur un pied d'égalité.

Ces conseils ne furent pas absolument sans effet sur la politique macédonienne. Dans les mois qui suivirent, Philippe chercha à se rapprocher d'Athènes en inaugurant une politique de concessions (au moins verbales); vers la fin de 344, une ambassade macédonienne venait à Athènes se plaindre de la propagande des orateurs opposés à Philippe et laissait entendre que le roi allait se montrer plus favorable aux Phocidiens [3]; au printemps de 343, Python de Byzance était chargé d'offrir aux Athéniens une révision de la paix de 346 [4]. Si ces ouvertures échouaient, du moins réussissaient-elles à empêcher un rapprochement entre Athènes et la Perse; et, au printemps de 343, malgré les efforts du parti démosthénien, une ambassade du Grand Roi ne recevait qu'une réponse peu favorable [5].

Lettre V. — Dans un court billet adressé à Alexandre, Isocrate félicite le fils de Philippe de sa sympathie pour Athènes et, sous prétexte de faire son éloge, il l'exhorte à abandonner l'étude de l'éristique et de la dialectique pour se consacrer à l'éloquence politique.

Le billet accompagnait une lettre envoyée par Isocrate

1. *Lettre II*, 14-16.
2. *Philippe*, 15-16.
3. Démosthène, *Deuxième Philippique*, argument et 14-16.
4. (Démosthène), *Sur l'Halonnèse*, 21-22; cf. Wendland, *Nachrichten der Gesellschaft der Wissenschaften zu Göttingen*, 1910, p. 305.
5. Didymos, col. VIII, 1-8 et suiv. (cf. P. Foucart, *Étude sur Didymos* p. 160-163; P. Cloché, *Bulletin de Correspondance Hellénique*, 1920, p. 124-126); Démosthène, *Quatrième Philippique*, 33-34. C'est également le moment où Eschine, poursuivi par Démosthène, est acquitté, à trente voix de majorité seulement, il est vrai.

à Philippe et qui n'est aucune des deux que nous possédons ; au temps de la *Lettre II* (344), Alexandre, âgé de douze ans, ne pouvait s'intéresser aux questions dont parle Isocrate ; au temps de la *Lettre III* (octobre 338), son éducation était achevée.

Le contenu de la lettre montre que son envoi a été un épisode de la lutte qu'Isocrate n'a cessé de mener contre ses rivaux et, en particulier, de la polémique qui mit aux prises les diverses écoles philosophiques à propos de l'éducation qu'il convenait de donner au futur roi de Macédoine. Théopompe et Isocrate d'Apollonie, tous deux disciples d'Isocrate, essayèrent de se faire désigner comme précepteurs d'Alexandre ; Speusippe appuya la candidature d'Antipatros de Magnésie ; ce fut Aristote qui l'emporta [1]. La *Lettre V* est postérieure au début du préceptorat d'Aristote (343/2) ; mais elle est destinée à amoindrir l'autorité de celui-ci sur son élève et à proposer un autre programme d'éducation. D'autre part, la lettre est antérieure au début de la guerre entre Athènes et la Macédoine (octobre 340) et, comme Philippe et Alexandre sont réunis au moment où Isocrate écrit, elle se place probablement en hiver [2]. On peut hésiter entre l'hiver de 342/1 [3] et celui de 341/0 [4] ; peut-être devrait-on préférer la date la plus ancienne comme plus proche du début du préceptorat. En tout cas l'authenticité de la lettre ne fait plus aucun doute dès qu'on l'insère à sa place chronologique dans les conflits entre écoles philosophiques du IVe siècle.

1. Cf. dans le *Suppl. critique au Bull. de l'Ass. G. Budé*, 1929, p. 94-95, le compte-rendu de l'édition de la lettre de Speusippe à Philippe (*XXXe Lettre socratique*) donnée par Bickermann et Sykutris.

2. Wilamowitz, *Aristoteles und Athen*, II, p. 398.

3. Von Hagen, *Philologus*, 1908, p. 121 ; Münscher, dans Pauly-Wissowa, art. *Isokrates*, p. 2216.

4. Wilamowitz, *Aristoteles und Athen*, p. 398 ; Blass, *Die att. Bereds.*, 2e éd., II, p. 328 ; E. Meyer, *Sitzungsber. der Berliner Ak.* 1909, p. 763. — La date de 344, proposée par Cavaignac (*Hist. de l'antiq.* II, p. 402, n° 6) et Beloch (*Griech. Gesch*, 2e éd., III, 2, p. 32) est impossible pour les raisons indiquées plus haut.

Lettre IV. — La *Lettre IV* est celle qui a soulevé le de plus
discussions. Les manuscrits ne s'accordent pas sur le destinataire : Γ et Δ indiquent Antipatros (mais cette suscription
est plus récente que le texte) il en est de même de l'*Helmstadiensis 806* et de Priscien XVIII 206; les autres manuscrits
nomment Philippe. Il semble probable que cette dernière
indication est erronée (comme celle qui donne Philippe
pour destinataire de la *Lettre I*) et l'erreur s'explique plus
facilement que la faute inverse. Antipatros était venu
en mission à Athènes en 346 et devait y revenir après
Chéronée; il put faire partie des ambassades macédoniennes
de l'automne 344 et du printemps 342. Les occasions n'ont
donc pas manqué pour lui de se rencontrer avec Isocrate,
alors favorable au roi de Macédoine.

La *Lettre IV* est destinée à recommander à Antipatros
un certain Diodotos, inconnu par ailleurs [1], et son fils,
qui tous deux semblent vouloir s'occuper à la fois d'éloquence et d'action politique. Isocrate indique en passant [2]
que Diodotos a commencé sa carrière auprès de divers
souverains locaux d'Asie Mineure; peut-être faut-il voir là
une arrière-pensée politique de l'orateur qui indiquerait
ainsi que son protégé peut donner des renseignements
utiles pour une expédition dirigée contre la Perse.

L'authenticité de la *Lettre IV* a été fort combattue,
mais non point en raison de son contenu; celui-ci n'a
soulevé aucune suspicion [3]. Par contre, le langage employé
par l'auteur de la lettre, a été souvent regardé comme
incompatible avec les habitudes d'Isocrate. Ce sont là
les arguments qu'ont fait valoir notamment Keil et
Woyte, suivis l'un par Wilamowitz, l'autre par Münscher [4].
Ces critiques semblent avoir montré une défiance exagérée
en ce qui concerne beaucoup de termes qui figurent dans

---

1. Un Diodotos d'Erythrée collabora avec Eumène pour les
Éphémérides d'Alexandre; mais il n'y a peut-être là qu'une
homonymie fortuite.
2. *Lettre IV*, 7.
3. Münscher, art. *Isokrates* dans Pauly-Wissowa, p. 2216.
4. B. Keil, *Analecta Isocratea*, p. 144-145; C. Woyte, *De
Isocratis epistulis*, p. 17-25; Wilamowitz, *Aristoteles und Athen*,
II, p. 393-394; Münscher, dans Pauly-Wissowa, p. 2216.

la *Lettre IV*. Certains mots, néanmoins, ne peuvent être admis sans examen. On a jugés particulièrement suspects les mots ἄττα σίνη [1], le premier n'étant pas attesté ailleurs chez Isocrate et le second n'apparaissant pas en prose attique [2]. On pourrait cependant supposer qu'Isocrate a voulu relever par une expression rare ce que l'idée avait de vulgaire à ses yeux [3]; mais il est plus probable que nous avons ici le terme même qu'avait employé le fils de Diodotos [4], ce qui justifierait l'ionisme. Reste le mot λιγυρός, dont l'emploi semble unique dans toute la littérature grecque [5]. On peut, il est vrai, répondre, comme l'a fait Blass, que la lettre, adressée à Antipatros pendant la guerre, ne pouvait être destinée à la publication [6] et qu'il n'est pas légitime de prétendre retrouver dans une lettre particulière les mêmes procédés que dans les discours épidictiques; à notre avis, un faussaire aurait cherché à écarter les soupçons en prenant modèle sur les autres œuvres d'Isocrate. Enfin on ne voit pas bien quel aurait été le but de la falsification. Wilamowitz [7] suppose que la lettre aurait été forgée par Diodotos ou par son fils « longtemps après la mort d'Isocrate »; mais quel bénéfice auraient-ils pu en tirer?

La *Lettre IV* pose donc des questions embarrassantes; mais il nous semble que, jusqu'ici, les adversaires de l'authenticité n'ont pas encore fourni d'argument décisif et que nous pouvons laisser provisoirement la lettre dans le recueil isocratique.

---

1. *Lettre IV*, 11 : τὸ σωμάτιον οὐκ εὐκρινὲς ὄν, ἀλλ᾽ ἔχον ἄττα σίνη.

2. Keil, *Anal. Isocr.*, p. 142; Wilamowitz, *Arist. und Athen*, II, p. 393-394 et *Hermes*, 1898, p. 493; Woyte, *De Isocratis epist.*, p. 17-25.

3. Cf. un scrupule analogue dans le *Panathénaïque*, 267.

4. Et non pas Diodotos lui-même, comme le disait Blass, *Rhein. Museum*, 1899, p. 35.

5. *Lettre IV*, 4. Le rapprochement avec Xénophon, *Cynégétique*, 4, 1 fait par Blass (*Die att. Bereds.*, II, p. 329, note 9) est, avec raison, jugé inopérant par Wilamowitz (*Arist. und Athen*, II, p. 394) et par Woyte (*De Isocr. epist.*, p. 17 sqq.).

6. Blass, *Rhein. Museum*, 1899, p. 34.

7. Wilamowitz, *Aristoteles und Athen*, II, p. 394.

Lettre III. — La *Lettre III* a été adressée à Philippe
au début de l'automne de 338 après la bataille de Chéronée [1]. Isocrate s'empresse d'engager le roi de Macédoine
à pratiquer la politique panhellénique qui lui était conseillée
dans le *Philippe* et dont nulle opposition ne peut plus
contrarier la réalisation; et il croit pouvoir l'y entraîner en
lui annonçant que la gloire qu'il acquerra, aboutira à une
véritable apothéose.

L'authenticité de la lettre a souvent été mise en doute.
A la vérité, ce sont surtout des raisons sentimentales qui,
explicitement ou non, ont inspiré les critiques. Les idées
exprimées ici par Isocrate, choquent notre conception
moderne du patriotisme, et il nous paraît déplacé que
l'orateur, écrivant au vainqueur au lendemain de la défaite
d'Athènes, se félicite d'avoir pu vivre jusqu'à ce jour.
Mais Isocrate était plus Hellène qu'Athénien et, déjà
dans le *Philippe*, il avait sacrifié sa patrie à son idéal
panhellénique. *La Lettre III* n'est pas autre chose qu'un
rappel, dans des circonstances plus critiques, du programme
exposé en 346. Peut-être même, en rappelant à Philippe
la mission qu'il lui attribuait, Isocrate espérait-il le détour-
ner de traiter Athènes avec trop de rigueur. La hâte
qu'Isocrate met à intervenir, le regret qu'il exprime de ne
pouvoir se rendre auprès du roi de Macédoine, s'expliquent
par l'attachement obstiné d'un vieillard de quatre-vingt-
dix-huit ans à l'idée maîtresse de ses dernières années;
sans doute eût-il désiré assumer entre Athènes et Philippe
le rôle d'intermédiaire qui fut, moins glorieusement, celui
de Démade. On ne peut nier qu'il y ait dans cet appel
de la précipitation et de la maladresse; mais, en général,
les anciens étaient moins scrupuleux que nous en pareille
matière, et les sentiments modernes ne sont pas des
raisons suffisantes pour prêter à Isocrate une attitude de
silence patriotique. D'ailleurs une récente expérience

---

1. La date résulte de la mention d'une bataille décisive pour
le sort de la Grèce (*Lettre III*, 2 : διὰ γὰρ τὸν ἀγῶνα τὸν γεγενημένον). Koepp (*Preussische Jahrbücher*, 1892, p. 486-487) suppose que la lettre a été écrite en 346 après la soumission des
Phocidiens; mais celle-ci fut obtenue sans aucun engagement
sérieux.

nous a montré que, pour certaines gens, tout s'efface
devant la réalisation de leur « plan », ces doctrinaires
transformés en fanatiques, sont capables de tout sacrifier
à l'ombre d'une espérance illusoire et de supporter d'un
cœur léger la ruine de leur patrie. Isocrate, qui s'était
résigné en 355 à la ruine du second empire athénien, a
pu, devant la modération apparente du vainqueur de
Chéronée, se croire destiné à être le théoricien d'une
politique de collaboration.

Les critiques qui ont été adressées à la forme de la lettre,
ne me semblent pas d'un grand poids. Woyte[1] a prétendu
y relever des expressions qui ne seraient pas isocratiques,
mais lui-même doit reconnaître qu'il en est ailleurs d'analogues, s'il n'en est pas d'absolument identiques. Il a
surtout insisté sur l'argument inverse; la *Lettre III* pré-
senterait de trop fréquentes ressemblances avec le *Philippe*
et serait en quelque sorte un centon. Mais l'auteur lui-
même nous a avertis des analogies que, de par son sujet,
sa lettre devait présenter, non seulement avec le *Philippe*,
mais avec le *Panégyrique*[2].

Reste l'argument qui a paru décisif aux adversaires
de l'authenticité[3] parce qu'il s'appuierait sur un fait :

1. *De Isocratis epistulis*, p. 15; cf. aussi Münscher, dans
Pauly-Wissowa, art. *Isokrates*, p. 2219; P. Treves, *Rendic.
Istit. Lomb. di scienze e lettere*, 1933, p. 308-310.

2. *Lettre III*, 1 et 6.

3. Wilamowitz *Arist. und Athen*, II, p. 397; *Hermes*, 1899,
p. 494-495, Woyte, *De Isocr. epist.*, p. 12; Rostagni, *Entaphia in
memoria di K. Pozzi*, p. 156; Münscher, art. *Isokrates* dans
Pauly-Wissowa, col. 2219. P. Treves (*Rendic. Istit. lombardo
di scienze e lettere*, 1938, p. 308-313, *Athenaeum*, 1936, p. 172,
n° 1; 1958, p. 192), a mis sa subtilité au service de la thèse
de l'inauthenticité; la *Lettre III* serait une falsification de propagande en faveur de la ligue de Corinthe. Il ne me semble pas que
la démonstration soit probable. Que la *Lettre III* ait été
utilisée par la propagande macédonienne, cela est fort possible
(ainsi s'expliquerait qu'elle ait été conservée en même temps
que la *Lettre II*); mais il ne suit pas de là qu'elle soit apocryphe; nous savons combien les services de propagande sont
habiles à utiliser même des textes authentiques, avec ou sans
l'aveu de leurs auteurs.

Isocrate serait mort peu de jours après la bataille de Chéronée, donc bien avant la venue d'Antipatros à Athènes. Mais il ne semble pas que la mort d'Isocrate ait été aussi rapprochée de Chéronée qu'ils le prétendent, ni qu'elle ait pris la forme d'un suicide inspiré par le désespoir patriotique. A la vérité, cette dernière version remonte au moins à la période romaine [1], mais elle provient d'une interprétation erronée des renseignements transmis par Aphareus, fils adoptif d'Isocrate, et par son contemporain Démétrios de Phalère. Or, pour qui lit les textes sans idée préconçue, les contemporains de l'orateur disaient seulement que celui-ci était mort *postérieurement à la bataille de Chéronée* et qu'il était resté sans nourriture *pendant les neuf jours* (selon Démétrios) *ou les quatorze jours* (selon Aphareus) *qui précédèrent sa mort.* En outre, détail important, nous apprenons que le décès d'*Isocrate coïncida avec les funérailles des morts de Chéronée* [2]. Or celles-ci ne purent être célébrées que plusieurs semaines après la bataille (qui se place le 1 septembre 338); en effet les obsèques des Athéniens morts pour la patrie avaient lieu à la fin de l'automne [3], probablement au cours de la cérémonie des *Epitaphia*, rattachée elle-même aux *Theseia* (célébrées le 8 Pyanepsion, donc à la fin d'octobre). Il est ainsi certain, comme l'a démontré E. Havet [4], que la mort

---

1. On la trouve chez Denys d'Halicarnasse (*Jug. sur. Isocrate*, 1) en termes vagues, et (de façon plus précise) dans le Pseudo-Plutarque, *Vies des Dix Orateurs, Isocrate*, 14.

2. *Vies des Dix Orat., Isocr.*, 22 : Ἐξελθεῖν δὲ τοῦ βίου οἱ μὲν ἐναταῖόν φασι σίτων ἀποσχόμενον, οἱ δὲ τεσαρταῖον (peut-être par erreur, ιδ ayant été lu δ′), ἅμα ταῖς ταφαῖς τῶν ἐν Χαιρωνείᾳ πεσόντων. — *Vie anon.* (Voir tome I, p. xxxvii) : Ἀπέθανε δ᾽ ἐπὶ Χαιρώνδου ἄρχοντος μετὰ τὴν ἐν Χαιρωνείᾳ μάχην, λυπηθεὶς διὰ τὴν ἧτταν καὶ τὴν συμφορὰν τὴν γενομένην ἐκεῖσε τοῖς Ἀθηναίοις παρὰ Φιλίππου. Ἀποκαρτερήσας δὲ ἐτελεύτησεν, ὡς μὲν Δημήτριός φησιν ἐννέα ἡμέρας, ὡς δὲ Ἀφαρεὺς δεκατέσσαρας.

3. Ἐν τῷ χειμῶνι, dit Thucydide, II, 34, 1.

4. E. Havet, dans l'éd. Cartelier du *Sur l'Echange*, p. xcviii. Drerup, éd. I, p. clxii, et von Hagen (Philologus, 1908, p.115-120) ne font que reproduire la démonstration de Havet. Cf. aussi dans le même sens, Beloch (*Griech. Gesch.*, 2e éd., III, 1, p. 577 et n° 1); G. Glotz (*Hist. gr.*, III, p. 365).

d'Isocrate fut postérieure à la bataille de Chéronée de plusieurs semaines au moins, et de plus encore si les événements retardèrent la cérémonie des *Epitaphia*.

Or un suicide par désespoir patriotique, explicable au lendemain même de Chéronée, perd vraisemblance si on le place au moment où Athènes sait déjà que, parmi les vaincus de Chéronée, elle sera la puissance que Philippe ménagera le plus. Le décès d'Isocrate par inanition a pu être un suicide [1]; mais il eût été dicté par le désir de mettre fin à des souffrances physiques sans espoir. Il a pu être l'effet naturel de la maladie [2]. En tout cas, il n'a rien eu de commun avec une manifestation de patriotisme exacerbé. On peut le regretter pour l'idée que nous voudrions nous faire d'Isocrate (encore celui-ci ne nous montre-t-il nulle part l'âme d'un « résistant »... sauf dans l'*Archidamos*, qui n'est écrit ni en son nom ni pour Athènes). Isocrate n'était pas Démosthène et d'ailleurs ce dernier ne mit pas fin à sa vie à la seule annonce de la défaite de Crannon.

Enfin il est bien probable qu'Hermippos tenait la *Lettre III* pour authentique. En effet, selon l'*argument* du *Philippe*, il aurait placé la composition de ce dernier discours à une date peu éloignée de la mort d'Isocrate et de celle de Philippe. Il y a là une erreur grossière dont est responsable l'auteur de l'*argument* et non pas Hermippos : le premier a appliqué au « *discours à Philippe* » ce que le critique disait d'une « *lettre à Philippe* ». Or la seule lettre à laquelle la date donnée puisse convenir, est précisément la *Lettre III*, dont l'authenticité se trouve ainsi garantie par un nouvel argument.

Là encore il ne nous semble pas que les adversaires de l'authenticité à qui incombe la preuve de leurs doutes, aient abouti à des résultats qui nous forcent à nous écarter de la tradition manuscrite.

G. M.

---

1. K. Wenig, *Listy filologické*, 1921, p. 16 sqq.
2. E. Havet, p. xcviii; Beloch, *Griech. Gesch.*, III, 1, p. 577.

A DENYS

1 Si j'étais plus jeune[1], ce n'est pas une lettre que je t'enverrais, mais je serais parti moi-même pour m'entretenir là-bas avec toi. Mais, puisque le meilleur temps de ma vie et le meilleur temps de tes affaires ne coïncident pas, que j'ai déjà perdu ma force maintenant que ta politique est précisément sur le point de se réaliser, je m'efforcerai, dans la mesure où c'est possible dans les circonstances présentes, de t'exposer mes vues sur elle.

2 Je sais bien que, pour qui cherche à donner des conseils, bien mieux vaudrait entrer en relations, non pas par écrit, mais en se présentant soi-même : ce n'est pas seulement parce que, sur le même sujet, il est plus facile de s'expliquer face à face que de faire un exposé par lettre; ce n'est pas non plus parce que tout le monde accorde plus de créance aux paroles qu'aux écrits, qu'on écoute les unes comme une explication, les autres comme une œuvre littéraire. **3** En outre encore, quand on se trouve réuni, si quelque expression n'est pas comprise ou n'est pas admise, celui qui fait connaître le discours peut de vive voix défendre ces points; tandis que, dans les écrits que l'on envoie, s'il se produit quelque chose de semblable, il n'y a personne pour y remédier, car, en l'absence de l'écrivain, ces œuvres

---

1. Isocrate se plaint constamment de son âge. Ici, il n'a guère que 70 ans.

Ἐπιστολαὶ α΄.

ΔΙΟΝΥΣΙΩΙ

1 Εἰ μὲν νεώτερος ἦν, οὐκ ἂν ἐπιστολὴν ἔπεμπον, ἀλλ᾽ αὐτὸς ἄν σοι πλεύσας ἐνταῦθα διελέχθην· ἐπειδὴ δ᾽ οὐ κατὰ τοὺς αὐτοὺς χρόνους ὅ τε τῆς ἡλικίας τῆς ἐμῆς καιρὸς καὶ τῶν σῶν πραγμάτων συμβέβηκεν, ἀλλ᾽ ἐγὼ μὲν προαπείρηκα, τὰ δὲ πράττεσθαι νῦν ἀκμὴν εἴληφεν, ὡς οἷόν τ᾽ ἐστὶν ἐκ τῶν παρόντων, οὕτω σοι πειράσομαι δηλῶσαι περὶ αὐτῶν.

2 Οἶδα μὲν οὖν ὅτι τοῖς συμβουλεύειν ἐπιχειροῦσιν πολὺ διαφέρει μὴ διὰ γραμμάτων ποιεῖσθαι τὴν συνουσίαν ἀλλ᾽ αὐτοὺς πλησιάσαντας, οὐ μόνον ὅτι περὶ τῶν αὐτῶν πραγμάτων ῥᾷον ἄν τις παρὼν πρὸς παρόντα φράσειεν ἢ δι᾽ ἐπιστολῆς δηλώσειεν, οὐδ᾽ ὅτι πάντες τοῖς λεγομένοις μᾶλλον ἢ τοῖς γεγραμμένοις πιστεύουσιν, καὶ τῶν μὲν ὡς εἰσηγημάτων, τῶν δ᾽ ὡς ποιημάτων ποιοῦνται τὴν ἀκρόασιν· 3 ἔτι δὲ πρὸς τούτοις ἐν μὲν ταῖς συνουσίαις, ἢν ἀγνοηθῇ τι τῶν λεγομένων ἢ μὴ πιστευθῇ, παρὼν ὁ τὸν λόγον διεξιὼν ἀμφοτέροις τούτοις ἐπήμυνεν, ἐν δὲ τοῖς ἐπιστελλομένοις καὶ γεγραμμένοις, ἤν τι συμβῇ τοιοῦτον, οὐκ ἔστιν ὁ διορθώσων· ἀπόντος γὰρ τοῦ γράψαντος ἔρημα

Διονυσίῳ ΓΔΕ Matrit N 98 : Ἰσοκράτης Λυκόφρονι χαίρειν Φ Helmstad. 806 Vatic. gr. 1461; titulus deest in Palat. 134, Vatic. gr. 1336, Laurent. LXX 19.

1 4 σῶν Γ : om. cett. ‖ 2 4 πάροντα ΓΕ : πάροντας cett. ‖ 3 1 ἔτι δὲ Γ : ἀλλὰ vulg. ‖ 4 καὶ γεγραμμένοις Γ : om. cett.

sont privées de défenseur[1]. Néanmoins, puisque c'est toi
qui dois juger de ces idées, j'ai grand espoir qu'à tes yeux
nous paraîtrons dire à peu près ce qu'il faut ; car je crois
que, laissant de côté toutes les difficultés que je viens de
dire, tu appliqueras ta réflexion aux faits en eux-mêmes.

4 Et pourtant certaines gens qui t'ont déjà approché,
ont tenté de m'effrayer en disant que tu honores les flatteurs, mais que tu méprises les conseilleurs[2]. Pour ma part,
si j'accueillais ces propos qu'ils tiennent, je resterais en
repos ; mais, en fait, nul ne me persuaderait qu'on peut se
distinguer à tel point par la pensée et par l'action sans
avoir appris certaines choses par enseignement, entendu
parler d'autres, sans en avoir inventé certaines et sans
avoir de partout attiré et réuni les gens grâce auxquels
on peut exercer son intelligence.

5 C'est donc ce qui m'a poussé à t'adresser une lettre.
Je vais t'entretenir de grandes actions, dont c'est
à toi, plus qu'à aucun homme vivant, qu'il convient
d'entendre parler. Et ne va pas penser que je t'adresse
une invitation si pressante pour que tu écoutes une œuvre
littéraire : non certes, je n'ai nulle ambition de faire un
exposé d'apparat, et nous n'ignorons pas que de telles
œuvres tu as déjà satiété. **6** En outre, il est évident
pour tous qu'aux amateurs d'exposés d'apparat ce sont
les réunions solennelles qui conviennent (c'est là en effet
qu'on peut répandre son talent sur la foule la plus nombreuse), mais que les gens qui désirent obtenir quelque
résultat, doivent s'adresser à l'homme qui mènera à bonne
fin au plus vite les actions qu'expose le discours. **7** Si
donc je donnais mes explications à un État isolé, c'est

---

1. Souvenir probable du *Phèdre* de Platon (275 e), qui
sera de nouveau utilisé dans le *Philippe* (25-26).
2. Il est permis de voir, dans cette phase enveloppée, une
allusion au premier voyage de Platon en Sicile : reçu avec honneur à la cour de Denys, parlant philosophie avec Dion, Platon
n'en fut pas moins vite renvoyé sur un vaisseau en partance
pour Egine.

τοῦ βοηθήσοντός ἐστιν. Οὐ μὴν ἀλλ' ἐπειδὴ σὺ μέλλεις
αὐτῶν ἔσεσθαι κριτής, πολλὰς ἐλπίδας ἔχω φανήσεσθαι
λέγοντας ἡμᾶς τι τῶν δεόντων· ἡγοῦμαι γὰρ ἁπάσας
ἀφέντα ⟨σε⟩ τὰς δυσχερείας τὰς προειρημένας αὐταῖς
ταῖς πράξεσιν προσέξειν τὸν νοῦν.

4 Καίτοι τινὲς ἤδη με τῶν σοὶ πλησιασάντων ἐκφοβεῖν
ἐπεχείρησαν, λέγοντες ὡς σὺ τοὺς μὲν κολακεύοντας
τιμᾷς, τῶν δὲ συμβουλευόντων καταφρονεῖς. Ἐγὼ δ' εἰ μὲν
ἀπεδεχόμην τοὺς λόγους τούτους ἐκείνων, πολλὴν ἂν
ἡσυχίαν εἶχον· νῦν δ' οὐδεὶς ἄν με πείσειεν ὡς οἷόν τ'
ἐστὶν τοσοῦτον καὶ τῇ γνώμῃ καὶ ταῖς πράξεσιν διενεγκεῖν,
ἂν μή τις τῶν μὲν μαθητής, τῶν δ' ἀκροατής, τῶν δ'
εὑρετὴς γένηται, καὶ πανταχόθεν προσαγάγηται καὶ συλ-
λέξηται, δι' ὧν οἷόν τ' ἐστὶν ἀσκῆσαι τὴν αὑτοῦ διάνοιαν.

5 Ἐπήρθην μὲν οὖν ἐπιστέλλειν σοι διὰ ταῦτα. Λέγειν
δὲ μέλλω περὶ μεγάλων πραγμάτων καὶ περὶ ὧν οὐδενὶ τῶν
ζώντων ἀκοῦσαι μᾶλλον ἢ σοὶ προσήκει. Καὶ μὴ νόμιζέ με
προθύμως οὕτω σε παρακαλεῖν, ἵνα γένῃ συγγράμματος
ἀκροατής· οὐ γὰρ οὔτ' ἐγὼ τυγχάνω φιλοτίμως διακείμενος
πρὸς τὰς ἐπιδείξεις οὔτε σὺ λανθάνεις ἡμᾶς ἤδη πλήρης
ὢν τῶν τοιούτων. 6 Πρὸς δὲ τούτοις κἀκεῖνο πᾶσι
φανερόν, ὅτι τοῖς μὲν ἐπιδείξεως δεομένοις αἱ πανηγύρεις
ἁρμόττουσιν, — ἐκεῖ γὰρ ἄν τις ἐν πλείστοις τὴν αὑτοῦ
δύναμιν διασπείρειεν, — τοῖς δὲ διαπράξασθαί τι βουλομένοις πρὸς τοῦτον διαλεκτέον ὅστις τάχιστα μέλλει τὰς
πράξεις ἐπιτελεῖν τὰς ὑπὸ τοῦ λόγου δηλωθείσας. 7 Εἰ
μὲν οὖν μιᾷ τινι τῶν πόλεων εἰσηγούμην, πρὸς τοὺς ἐκείνης

---

3 9 ἀφέντα σε Bekker : ἀφέντα Ε ἀφέντες Γ ἀφελόντα σε vulg. ‖
9 δυσχερείας codd. : δυναμε·σχερειας Γ¹ ‖ 10 προσεξειν Γ : προσέχειν
cett. ‖ **4** 2 σὺ Γ *Helmstadiensis* 806 : δὴ cett. ‖ 4 τούτους Γ : τοὺς
cett. ‖ 5 ὡς οἷόν τ' codd. : ὥσοντ' Γ¹ ὅσοντ' Γ² ‖ 8 εὑρετὴς Γ :
εὑεργέτης cett. ‖ **5** 2 μέλλω ΓΕ : μέλλων vulg. ‖ 3 ζώντων Γ : ὄντων
cett. ‖ 3 καὶ μὴ νόμιζέ με ΓΕ : νομίζω δεῖν με vulg. ‖ 6 πρὸς τὰς
ἐπιδείξεις Γ : om. cett. ‖ 6 ἤδη Γ om. cett. ‖ **6** 3 ἐκεῖ Γ : ἐκεῖσε
cett. ‖ **7** 1-2 εἰ μὲν codd.: ἐὰν Γ².

à ses chefs que je parlerais; mais, puisque je me suis résolu à donner des conseils sur le salut de la Grèce, avec qui aurais-je plus de raisons de m'entretenir qu'avec l'homme qui est le premier de notre race et qui possède la plus grande puissance?

8   En outre on verra que les circonstances ne sont pas défavorables à l'exposé que nous faisons. Lorsque les Lacédémoniens possédaient l'empire, il ne t'était pas facile de t'occuper de notre région, ni d'agir en opposition avec eux tout en faisant la guerre aux Carthaginois. Mais, quand les Lacédémoniens sont en telle situation qu'ils seront satisfaits s'ils peuvent conserver leur propre territoire, quand notre cité te fournirait avec joie son appui si tu rends quelque service à la Grèce, comment pourrait-il se présenter un moment plus favorable que celui que tu as maintenant?

9   Et ne va pas t'étonner que, sans être ni orateur politique, ni chef d'armée, ni pourvu de quelque autre puissance, je me charge d'une affaire d'un tel poids et que j'entreprenne les deux choses les plus importantes : parler en faveur de la Grèce et te donner des conseils. Pour moi, si je me suis immédiatement mis à l'écart de l'action politique (en dire les raisons[1] serait pour moi une longue besogne), en ce qui concerne la culture qui dédaigne les petits détails et s'efforce d'atteindre les grandes idées, on peut voir que je n'en ai nullement été dépourvu. 10 Aussi n'y a-t-il rien de surprenant que je puisse mieux voir ce qui est utile que les gens qui font une politique de hasard, même si elle leur a valu une grande réputation. Ce n'est pas dans un délai éloigné que nous montrerons si nous avons quelque valeur, mais par ce que nous allons dire maintenant...

1. Cf. *Phil.*, 81.

προεστῶτας τοὺς λόγους ἂν ἐποιούμην· ἐπειδὴ δ᾽ ὑπὲρ τῆς
τῶν Ἑλλήνων σωτηρίας παρεσκεύασμαι συμβουλεύειν,
πρὸς τίν᾽ ἂν δικαιότερον διαλεχθείην ἢ πρὸς τὸν πρωτεύ-
οντα τοῦ γένους καὶ μεγίστην ἔχοντα | δύναμιν ;

8 Καὶ μὴν οὐδ᾽ ἀκαίρως φανησόμεθα μεμνημένοι περὶ
τούτων. Ὅτε μὲν γὰρ Λακεδαιμόνιοι τὴν ἀρχὴν εἶχον, οὐ
ῥᾴδιον ἦν ἐπιμεληθῆναί σοι τῶν περὶ τὸν τόπον τὸν ἡμέτερον, οὐδὲ τούτοις ἐναντία πράττειν ἅμα καὶ Καρχηδονίοις
πολεμεῖν· ἐπειδὴ δὲ Λακεδαιμόνιοι μὲν οὕτω πράττουσιν
ὥστ᾽ ἀγαπᾶν ἢν τὴν χώραν τὴν αὑτῶν ἔχωσιν, ἡ δ᾽ ἡμετέρα
πόλις ἡδέως ἂν αὑτήν σοι παράσχοι συναγωνιζομένην εἴ
τι πράττοις ὑπὲρ τῆς Ἑλλάδος ἀγαθόν, πῶς ἂν παραπέσοι
καλλίων καιρὸς τοῦ νῦν σοι παρόντος ;

9 Καὶ μὴ θαυμάσῃς, εἰ μήτε δημηγορῶν μήτε στρατηγῶν μήτ᾽ ἄλλως δυνάστης ὢν οὕτως ἐμβριθὲς αἴρομαι
πρᾶγμα καὶ δυοῖν ἐπιχειρῶ τοῖν μεγίστοιν, ὑπέρ τε τῆς
Ἑλλάδος λέγειν καὶ σοὶ συμβουλεύειν. Ἐγὼ γὰρ τοῦ μὲν
πράττειν τι τῶν κοινῶν εὐθὺς ἐξέστην, — δι᾽ ἃς δὲ
προφάσεις πολὺ ἂν ἔργον εἴη μοι λέγειν, — τῆς δὲ παι-
δεύσεως τῆς τῶν μὲν μικρῶν καταφρονούσης, τῶν δὲ
μεγάλων ἐφικνεῖσθαι πειρωμένης οὐκ ἂν φανείην ἄμοιρος
γεγενημένος. 10 Ὥστ᾽ οὐδὲν ἄτοπον, εἴ τι τῶν συμφερόντων ἰδεῖν ἂν μᾶλλον δυνηθείην τῶν εἰκῇ μὲν πολιτευ-
ομένων, μεγάλην δὲ δόξαν εἰληφότων. Δηλώσομεν δ᾽ οὐκ
εἰς ἀναβολάς, εἴ τινος ἄξιοι τυγχάνομεν ὄντες, ἀλλ᾽ ἐκ
τῶν ῥηθήσεσθαι μελλόντων. . . . .
. . . .

---

8 4 ἅμα ..... πράττουσιν ΓΕ : ἅμα καὶ νῦν Λακεδαιμονίοις μὲν οὕτω
πράττουσιν *Helmstad*. om. cett. ‖ 8 πράττοι; ΓΕ : πράττῃς vulg. ‖
πῶς ΓΕ : πῶς οὖν vulg. ‖ 9 2 αἴρομαι Γ : αἰροῦμαι cett. ‖ 6 μοι Γ :
om. cett. ‖ 8 ἄμοιρος Γ : ἄπειρος cett. ‖ 10 2 δυνηθείην codd. : -θείη
Γ ‖ 2 εἰκῇ Γ : ἐκεῖ cett. ‖ 3 εἰληφότων Γ : ἐσχηκότων cett. ‖ 4 τινος
codd. : τινὲς Γ.

Lettre VI

AUX FILS DE JASON

1 L'un des ambassadeurs envoyés chez vous m'a rapporté que vous l'aviez tiré à l'écart des autres et lui aviez demandé si je me laisserais persuader de quitter mon pays pour vivre auprès de vous. Pour ma part, en raison de mes relations d'hospitalité avec Jason et Polyalko, j'aurais plaisir à aller chez vous, car je crois que nos relations seraient profitables pour nous tous. 2 Mais bien des choses m'en empêchent[1] : principalement l'impossibilité de voyager et le peu de convenance qu'il y a pour les gens de mon âge à séjourner à l'étranger, puis le fait que tous ceux qui apprendraient mon départ, auraient le droit de me mépriser si, après m'être résolu à rester en place le reste de ma vie, je me mettais, pendant ma vieillesse, à quitter mon pays, quand il serait naturel (même si auparavant j'avais séjourné ailleurs) de hâter désormais mon retour dans mon pays, puisque ma fin est si proche. 3 En outre (car il faut dire la vérité) je crains ma patrie, car je vois que les alliances conclues avec elle sont vite rompues. Si donc il se produisait avec vous un fait de ce genre, en admettant même que je pusse échapper aux accusations et aux dangers, chose difficile,

1. Ce début, par les allusions à l'âge d'Isocrate, le refus de se déplacer, rappelle étrangement le début de la lettre à Denys. Mais il ne faut pas le suspecter pour cela : Isocrate revient tout naturellement aux expressions qu'il a une fois employées.

Ἐπιστολαὶ ς'

ΤΟΙΣ ΙΑΣΟΝΟΣ ΠΑΙΣΙΝ

1 Ἀπήγγειλέ τίς μοι τῶν πρεσβευσάντων ὡς ὑμᾶς ὅτι καλέσαντες αὐτὸν ἄνευ τῶν ἄλλων ἐρωτήσαιτ᾽ εἰ πεισθείην ἂν ἀποδημῆσαι καὶ διατρῖψαι παρ᾽ ὑμῖν. Ἐγὼ δ᾽ ἕνεκα μὲν τῆς Ἰάσονος καὶ Πολυαλκοῦς ξενίας ἡδέως ἂν ἀφικοίμην ὡς ὑμᾶς· οἶμαι γὰρ ἂν τὴν ὁμιλίαν τὴν γενομένην ἅπασιν ἡμῖν συνενεγκεῖν· 2 ἀλλὰ γὰρ ἐμποδίζει με πολλά, μάλιστα μὲν τὸ μὴ δύνασθαι πλανᾶσθαι καὶ τὸ μὴ πρέπειν ἐπιξενοῦσθαι τοῖς τηλικούτοις, ἔπειθ᾽ ὅτι πάντες οἱ πυθόμενοι τὴν ἀποδημίαν δικαίως ἄν μου καταφρονήσειαν, εἰ προῃρημένος τὸν ἄλλον χρόνον ἡσυχίαν ἄγειν ἐπὶ γήρως ἀποδημεῖν ἐπιχειροίην ὅτ᾽ εἰκὸς ἦν, εἰ καὶ πρότερον ἄλλοθί που διέτριβον, νῦν οἴκαδε σπεύδειν, οὕτως ὑπογυίου μοι τῆς τελευτῆς οὔσης. 3 Πρὸς δὲ τούτοις φοβοῦμαι καὶ τὴν πόλιν· χρὴ γὰρ τἀληθῆ λέγειν. Ὁρῶ γὰρ τὰς συμμαχίας τὰς πρὸς αὐτὴν γιγνομένας ταχέως διαλυομένας. Εἰ δή τι συμβαίη καὶ πρὸς ὑμᾶς τοιοῦτον, εἰ καὶ τὰς αἰτίας καὶ τοὺς κινδύνους διαφυγεῖν

Τοῖς Ἰάσονος παισὶν Γ : Ἰσοκράτης τοῖς Ἰάσονος παισὶ χαίρειν vulg.

1 1 ὡς om. Γ¹ ins. Γ² ‖ 3 ἂν Γ : om. cett. ‖ 4 Πολυαλκοῦς Γ : Πολυάκους cett. ‖ 5 ἀφικοίμην codd. : ἀφικόμην Helsmtadiensis 806 ‖ 6 ἡμῖν codd. : ὑμῖν Γ ‖ 2 6 ἦν Γ : om. cett. ‖ 7 ἄλλοθί που ΓΕ : ἄλλοσέ ποι vulg. ‖ 8 ὑπογυίου codd. : -γύου Γ. ‖ 3 5 εἰ καὶ Γ : καὶ Helmstad. πῶς ἂν καὶ cett.

du moins aurais-je honte[1] de passer aux yeux de certains
soit, à cause de ma patrie, pour peu soucieux de vous,
soit, à cause de vous, pour négligent à l'égard de ma patrie.
Si vos intérêts n'étaient pas les mêmes, je ne sais comment
je pourrais vous satisfaire tous deux à la fois. Telles sont
donc les raisons qui m'interdisent de faire ce que je veux.

4 Ce n'est pas qu'après vous avoir écrit seulement
sur ce qui me touche, je croie devoir négliger ce qui vous
intéresse. Sur les points mêmes dont je vous aurais parlé
si je m'étais présenté devant vous, je vais tenter maintenant
de vous entretenir dans la mesure du possible. Ne vous
figurez nullement que ce ne sont pas mes rapports d'hospitalité avec vous qui m'ont fait écrire cette lettre mais
le désir de produire une œuvre d'apparat. Je n'ai pas
encore atteint un point de folie suffisant pour ignorer que
je ne pourrais rien écrire de mieux que mes œuvres précédemment publiées, étant si loin au-delà de la force de
l'âge, et que, si j'en faisais connaître d'inférieures, ma
réputation tomberait bien au-dessous de ce qu'elle est
maintenant. 5 Ensuite, si je songeais à une œuvre
d'apparat au lieu de vous porter intérêt, je n'aurais pas
choisi entre tous ce sujet sur lequel il est difficile de parler
de façon convenable, mais j'en aurais trouvé d'autres
bien plus beaux et plus propres à faire preuve d'éloquence.
Ni autrefois, ni jamais je n'ai porté mon ambition sur ce
genre d'œuvres, mais plutôt sur d'autres qui n'ont pas
été remarquées de la plupart des gens; et maintenant
encore ce n'est pas avec cet état d'esprit que j'ai traité
mon sujet, 6 mais c'est parce que je vous vois plongés
dans beaucoup d'affaires importantes, et que je veux vous
exposer l'opinion que j'ai sur elles. Je pense être en situation de donner des conseils, car l'expérience instruit les
gens de mon âge et leur permet, plus qu'à d'autres, de
distinguer ce qui vaut le mieux; parler, il est vrai, sur un

1. Ces considérations tirées du moment donnent un accent

δυνηθείην, ὃ χαλεπόν ἐστιν, ἀλλ᾽ οὖν αἰσχυνθείην ἂν, εἴτε
διὰ τὴν πόλιν δόξαιμί τισιν ὑμῶν ἀμελεῖν, εἴτε δι᾽ ὑμᾶς
τῆς πόλεως ὀλιγωρεῖν. Μὴ κοινοῦ δὲ τοῦ συμφέροντος
ὄντος οὐκ οἶδ᾽ ὅπως ἂν ἀμφοτέροις ἀρέσκειν δυνηθείην. Αἱ
μὲν οὖν αἰτίαι, δι᾽ ἃς οὐκ ἔξεστί μοι ποιεῖν ἃ βούλομαι,
τοιαῦται συμβεβήκασιν.

4 Οὐ μὴν περὶ τῶν ἐμαυτοῦ μόνον ἐπιστείλας οἶμαι δεῖν
ἀμελῆσαι τῶν ὑμετέρων, ἀλλ᾽ ἅπερ ἂν παραγενόμενος πρὸς
ὑμᾶς διελέχθην, πειράσομαι καὶ νῦν περὶ τῶν αὐτῶν τούτων ὅπως ἂν δύνωμαι διεξελθεῖν. Μηδὲν δ᾽ ὑπολάβητε
τοιοῦτον, ὡς ἄρ᾽ ἐγὼ ταύτην ἔγραψα τὴν ἐπιστολὴν οὐχ
ἕνεκα τῆς ὑμετέρας ξενίας, ἀλλ᾽ ἐπίδειξιν ποιήσασθαι
βουλόμενος. Οὐ γὰρ εἰς τοῦθ᾽ ἥκω μανίας ὥστ᾽ ἀγνοεῖν
ὅτι κρείττω μὲν γράψαι τῶν πρότερον διαδεδομένων οὐκ
ἂν δυναίμην, τοσοῦτον τῆς ἀκμῆς ὑστερῶν, χείρω δ᾽
ἐξενεγκὼν πολὺ φαυλοτέραν ἂν λάβοιμι δόξαν τῆς νῦν
ἡμῖν ὑπαρχούσης. 5 Ἔπειτ᾽ εἴπερ ἐπιδείξει προσεῖχον τὸν
νοῦν, ἀλλὰ μὴ πρὸς ὑμᾶς ἐσπούδαζον, οὐκ ἂν ταύτην ἐξ
ἁπασῶν προειλόμην τὴν ὑπόθεσιν, περὶ ἧς χαλεπόν ἐστιν
ἐπιεικῶς εἰπεῖν, ἀλλὰ πολὺ καλλίους ἑτέρας ἂν εὗρον καὶ
μᾶλλον λόγον ἐχούσας. | Ἀλλὰ γὰρ οὔτε πρότερον οὐδὲ
πώποτ᾽ ἐφιλοτιμήθην ἐπὶ τούτοις, ἀλλ᾽ ἐφ᾽ ἑτέροις μᾶλλον,
ἃ τοὺς πολλοὺς διαλέληθεν, οὔτε νῦν ἔχων ταύτην τὴν διάνοιαν ἐπραγματευσάμην, 6 ἀλλ᾽ ὑμᾶς μὲν ὁρῶν ἐν πολλοῖς
καὶ μεγάλοις πράγμασιν ὄντας, αὐτὸς δ᾽ ἀποφήνασθαι
βουλόμενος ἣν ἔχω γνώμην περὶ αὐτῶν. Ἡγοῦμαι δὲ
συμβουλεύειν μὲν ἀκμὴν ἔχειν, — αἱ γὰρ ἐμπειρίαι
παιδεύουσι τοὺς τηλικούτους καὶ ποιοῦσι μᾶλλον τῶν
ἄλλων δύνασθαι καθορᾶν τὸ βέλτιστον, — εἰπεῖν δὲ περὶ

3 6 ὃ χαλεπόν ... αἰσχυνθείην om. Γ¹ ins. Γ mg. ‖ 9 ὅπως ἂν Γ:
ὅπως cett. ‖ 11 τοιαῦται Γ Helmstad.: τοσαῦται cett. ‖ 4 8-9 οὐκ
ἂν Coraïs : κἂν Γ οὐδ᾽ ἂν vulg. ‖ 9 ὑστερῶν codd.: ὕστερον Γ² ‖
5 7 ἃ om. Γ. ‖ 6 1 ὁρῶν ἐν codd.: ἑώρων Γ ‖ 5 ποιοῦσι Γ: δοκοῦσι
vulg.

sujet de façon agréable, artistique et travaillée n'est plus de mon âge, et je serais assez heureux si je ne le traitais pas de manière tout à fait négligée.

7 Ne soyez pas surpris en vous apercevant que je vous parle de choses que vous avez déjà entendues. Les unes se présenteront peut-être à moi involontairement, mais il se peut que j'en adopte d'autres après réflexion si elles conviennent à mon discours. En effet je ferais preuve d'illogisme si, voyant les autres se servir de mon bien[1], j'étais seul à m'abstenir d'utiliser ce que j'ai dit auparavant. La raison qui m'a inspiré cette déclaration préalable, c'est que la première idée exposée est une de celles que l'on répète partout. 8 J'ai l'habitude de dire à ceux qui consacrent leur temps à notre philosophie, qu'il faut examiner en premier lieu ce que l'on doit réaliser par le discours et ses différents éléments; et quand nous l'avons trouvé et précisé, il faut, dis-je, rechercher les formes grâce auxquelles sera exécuté et mené à bonne fin ce que nous nous sommes proposé. Si j'explique cela à propos des discours, c'est également un principe élémentaire en ce qui concerne tous les autres actes et aussi vos propres affaires. 9 En effet il est impossible de rien accomplir de façon raisonnable si tout d'abord vous ne calculez et n'examinez pas avec beaucoup de réflexion comment vous devez, dans le reste de votre vie[2], vous diriger vous-mêmes, quel genre d'existence il vous faut choisir, quelle réputation rechercher, quels honneurs apprécier, ceux que vos concitoyens donnent de leur plein gré ou ceux qu'on obtient malgré eux; puis, après avoir défini cela, il faut alors examiner vos actes quotidiens

---

d'authenticité à la lettre. Sur le déplacement des « intellectuels » en ce temps-là et leur séjour à l'étranger, cf. *Phil.*, 19.

1. Sur ce dépit d'Isocrate à voir les autres utiliser son bien, voir aussi le témoignage du *Philippe* (11 et 84).

2. Cette comparaison entre la vie individuelle et la vie publique de l'homme d'État se retrouve dans *A Nicoclès*, 11, l'*Evagoras*, 41.

τῶν προτεθέντων ἐπιχαρίτως καὶ μουσικῶς καὶ διαπε-
πονημένως οὐκέτι τῆς ἡμετέρας ἡλικίας ἐστὶν, ἀλλ᾽
ἀγαπῴην ἂν εἰ μὴ παντάπασιν ἐκλελυμένως διαλεχθείην περὶ
αὐτῶν.

7 Μὴ θαυμάζετε δ᾽ ἄν τι φαίνωμαι λέγων ὧν πρότερον
ἀκηκόατε· τῷ μὲν γὰρ ἴσως ἄκων ἂν ἐντύχοιμι, τὸ δὲ καὶ
προειδὼς, εἰ πρέπον εἰς τὸν λόγον εἴη, προσλάβοιμι· καὶ
γὰρ ἂν ἄτοπος εἴην, εἰ τοὺς ἄλλους ὁρῶν τοῖς ἐμοῖς
χρωμένους αὐτὸς μόνος ἀπεχοίμην τῶν ὑπ᾽ ἐμοῦ πρότερον
εἰρημένων. Τούτου δ᾽ ἕνεκα ταῦτα προεῖπον, ὅτι τὸ πρῶτον
ἐπιφερόμενον ἓν τῶν τεθρυλημένων ἐστίν. 8 Εἴθισμαι
γὰρ λέγειν πρὸς τοὺς περὶ τὴν φιλοσοφίαν τὴν ἡμετέραν
διατρίβοντας ὅτι τοῦτο πρῶτον δεῖ σκέψασθαι, τί τῷ λόγῳ
καὶ τοῖς τοῦ λόγου μέρεσι διαπρακτέον ἐστίν· ἐπειδὰν δὲ
τοῦθ᾽ εὕρωμεν καὶ διακριβωσώμεθα, ζητητέον εἶναί φημι τὰς
ἰδέας, δι᾽ ὧν ταῦτ᾽ ἐξεργασθήσεται καὶ λήψεται τέλος ὅπερ
ὑπεθέμεθα. Καὶ ταῦτα φράζω μὲν ἐπὶ τῶν λόγων, ἔστιν δὲ
τοῦτο στοιχεῖον καὶ κατὰ τῶν ἄλλων ἁπάντων καὶ κατὰ τῶν
ὑμετέρων πραγμάτων. 9 Οὐδὲν γὰρ οἷόν τ᾽ ἐστὶ πραχθῆ-
ναι νοῦν ἐχόντως, ἂν μὴ τοῦτο πρῶτον μετὰ πολλῆς προνοίας λογίσησθε καὶ βουλεύσησθε, πῶς χρὴ τὸν ἐπίλοιπον
χρόνον ὑμῶν αὐτῶν προστῆναι καὶ τίνα βίον προελέσθαι
καὶ ποίας δόξης ὀριγνηθῆναι καὶ ποτέρας τῶν τιμῶν ἀγα-
πῆσαι, τὰς παρ᾽ ἑκόντων γιγνομένας ἢ τὰς παρ᾽ ἀκόντων
τῶν πολιτῶν· ταῦτα δὲ διορισαμένους τότ᾽ ἤδη τὰς πράξεις
τὰς καθ᾽ ἑκάστην τὴν ἡμέραν σκεπτέον, | ὅπως συντενοῦσι

---

6 8 ἐστὶν ΓΕ: ἔργον ἐστὶν vulg. ‖ 9 παντάπασιν codd.: τὰ παντ-
Γ² ‖ 7 2 τῷ Γ: τῶν vulg. ‖ 2 ἐντύχοιμι Γ: τύχοιμι vulg. ‖ 3 εἰς τὸν
λόγον εἴη Γ: ἐστι λέγειν vulg. ‖ 3 προσλάβοιμι codd.: λάβοιμι ΓΕ ‖
7 ἐπιφερόμενον ΓΕ: ἐπιφαινόμ- vulg. ‖ τεθρυλημένων ΓΕ: θρυλ-
λουμ- vulg. ‖ 8 7 φράζω μὲν Ε: φράζωμεν Γ φράζομεν cett. ‖ 7 ἐπὶ
Γ Helmstad.: περὶ cett. ‖ 9 3 λογίσησθε Γ²: λογίσασθαι Γ¹ λογιῆσθε
cett. ‖ 3 βουλεύσησθε codd.: βουλήσησθε Γ ‖ 5 ὀριγνηθῆναι ΓΕ:
ὀρεγθῆναι vulg. ‖ 6 γιγνομένας ... ἀκόντων τῶν om. Γ¹ ins. Γ mg. ‖
7 ἤδη Γ: ἰδίᾳ cett.

afin qu'ils tendent tous vers les principes posés dès le début. **10** Et, par une recherche et une étude de cette sorte, vous viserez, pour ainsi dire, avec votre âme un but[1] qui vous sera proposé et vous atteindrez mieux ce qui vous est utile. Mais, si vous ne vous donnez aucun principe de cet ordre et que vous tentiez d'agir au hasard des rencontres, nécessairement vos pensées iront à l'aventure et vous échouerez dans bien des affaires.

11 Peut-être un homme décidé à vivre au hasard tenterait-il de persifler de tels raisonnements et me demanderait-il de donner dès maintenant mes conseils sur les points indiqués plus haut. Je ne dois donc plus tarder à exprimer ce que je pense à leur sujet. A mon avis, plus digne d'être choisie est la vie des particuliers que celle des tyrans, et plus agréables sont, à ce que je pense, les honneurs obtenus dans les républiques que ceux qu'on a dans les monarchies. C'est de cela que je vais essayer de parler. **12** Néanmoins il ne m'échappe pas que je trouverai bien des contradicteurs, principalement les gens de votre entourage. Je crois en effet que ce sont eux surtout qui vous poussent à la tyrannie; car ils n'en voient pas entièrement la nature et se trompent grandement dans leurs raisonnements. Ils voient la puissance, les profits, les plaisirs et s'attendent à en jouir; mais ils ne regardent pas les troubles, les craintes et les malheurs qui s'abattent sur les chefs et sur leurs amis, et ils sont dans l'état des gens qui entreprennent les actions les plus honteuses et les plus contraires à toutes les lois: **13** ceux-ci n'ignorent pas le caractère mauvais de leurs actes, mais ils espèrent, en recueillant ce qu'il y a d'avantageux en eux, échapper à tous les périls et à tous les maux attachés à l'action et régler leur conduite person-

---

1. L'obligation pour un prince d'organiser sa politique en considérant certains buts précis à atteindre, se retrouve avec quelques ressemblances d'expression dans *A Nicoclès*, 9. Cf. aussi *Philippe*, 29.

πρὸς τὰς ὑποθέσεις τὰς ἐξ ἀρχῆς γενομένας. 10 Καὶ τοῦτον μὲν τὸν τρόπον ζητοῦντες καὶ φιλοσοφοῦντες ὥσπερ σκοποῦ κειμένου στοχάσεσθε τῇ ψυχῇ καὶ μᾶλλον ἐπιτεύξεσθε τοῦ συμφέροντος· ἂν δὲ μηδεμίαν ποιήσησθε τοιαύτην ὑπόθεσιν, ἀλλὰ τὸ προσπῖπτον ἐπιχειρῆτε πράττειν, ἀναγκαῖόν ἐστιν ὑμᾶς ταῖς διανοίαις πλανᾶσθαι καὶ πολλῶν διαμαρτάνειν πραγμάτων.

11 Ἴσως ἂν οὖν τις τῶν εἰκῇ ζῆν προῃρημένων τοὺς μὲν τοιούτους λογισμοὺς διασύρειν ἐπιχειρήσειεν, ἀξιώσειε δ᾿ ἂν ἤδη με συμβουλεύειν περὶ τῶν προειρημένων. Ἔστιν οὖν οὐκ ὀκνητέον ἀποφήνασθαι περὶ αὐτῶν ἃ τυγχάνω γιγνώσκων. Ἐμοὶ γὰρ αἱρετώτερος ὁ βίος εἶναι δοκεῖ καὶ βελτίων ὁ τῶν ἰδιωτευόντων ἢ τῶν τυραννούντων, καὶ τὰς τιμὰς ἡδίους ἡγοῦμαι τὰς ἐν ταῖς πολιτείαις ἢ τὰς ἐν ταῖς μοναρχίαις· καὶ περὶ τούτων λέγειν ἐπιχειρήσω. 12 Καίτοι μ᾿ οὐ λέληθεν ὅτι πολλοὺς ἔξω τοὺς ἐναντιουμένους, καὶ μάλιστα τοὺς περὶ ὑμᾶς. Οἶμαι γὰρ οὐχ ἥκιστα τούτους ἐπὶ τὴν τυραννίδα παροξύνειν ὑμᾶς· σκοποῦσι γὰρ οὐ πανταχῇ τὴν φύσιν τοῦ πράγματος, ἀλλὰ πολλὰ παραλογίζονται σφᾶς αὐτούς. Τὰς μὲν γὰρ ἐξουσίας καὶ τὰ κέρδη καὶ τὰς ἡδονὰς ὁρῶσιν, καὶ τούτων ἀπολαύσεσθαι προσδοκῶσιν, τὰς δὲ ταραχὰς καὶ τοὺς φόβους καὶ τὰς συμφορὰς τὰς τοῖς ἄρχουσιν συμπιπτούσας καὶ τοῖς φίλοις αὐτῶν οὐ θεωροῦσιν, ἀλλὰ πεπόνθασιν ὅπερ οἱ τοῖς αἰσχίστοις καὶ παρανομωτάτοις τῶν ἔργων ἐπιχειροῦντες. 13 Καὶ γὰρ ἐκεῖνοι τὰς μὲν πονηρίας τὰς τῶν πραγμάτων οὐκ ἀγνοοῦσιν, ἐλπίζουσιν δ᾿ ὅσον μὲν ἀγαθόν ἐστιν ἐν αὐτοῖς, τοῦτο μὲν ἐκλήψεσθαι, τὰ δὲ δεινὰ πάντα τὰ προσόντα τῷ πράγματι καὶ τὰ κακὰ διαφεύξεσθαι, καὶ διοικήσειν τὰ περὶ

---

9 9 γενομένας Γ: γιγνομ- vulg. ‖ 10 2 καὶ φιλοσοφοῦντες om. Γ ‖ 3 τῇ ψυχῇ ... ἐπιτεύξεσθε om. Γ¹ ins. Γ mg. ‖ 11 1 προῃρημένων ΓΕ: ἡρημ- vulg. ‖ 5 αἱρετώτερος ὁ Γ: ἀσφαλέστερος vulg. ‖ 6 ἢ τῶν Helmstad.: ἢ ὁ τῶν cett. ‖ 7 ἡδίους ... μοναρχίαις Γ: om. cett. ‖ 12 5 πολλὰ Γ: om. cett. ‖ 8 καὶ τοὺς φόβους om. Γ.

nelle de façon à être loin des risques et près des profits.
14 J'envie la tranquillité d'esprit des gens qui raisonnent
ainsi; mais, pour ma part, j'aurais honte si, donnant des
conseils aux autres, je n'en tenais pas compte afin d'obtenir
mon avantage personnel, et si je ne m'éloignais pas absolument des profits et de tout le reste pour donner les
meilleures recommandations. Étant donné que telle est
ma pensée, accordez-moi votre attention...

σφᾶς αὐτοὺς οὕτως ὥστε τῶν μὲν κινδύνων εἶναι πόρρω,
τῶν δ' ὠφελειῶν ἐγγύς.   14   Τοὺς μὲν οὖν ταύτην ἔχοντας
τὴν διάνοιαν ζηλῶ τῆς ῥᾳθυμίας, αὐτὸς δ' αἰσχυνθείην ἄν,
εἰ συμβουλεύων ἑτέροις ἐκείνων ἀμελήσας τὸ ἐμαυτῷ
συμφέρον ποιοίην καὶ μὴ παντάπασιν ἔξω θεὶς ἐμαυτὸν
καὶ τῶν ὠφελειῶν | καὶ τῶν ἄλλων ἁπάντων τὰ βέλτιστα
παραινοίην. Ὡς οὖν ἐμοῦ ταύτην ἔχοντος τὴν γνώμην,
οὕτω μοι προσέχετε τὸν νοῦν . . . .
. . . .

13 6 αὐτοὺς ... τῶν μὲν Γ : om. vulg. ‖ 14 5 ὠφελειῶν καὶ τῶν om
Γ¹ ins. Γ mg.

A ARCHIDAMOS

1 Sachant, Archidamos, que bien des gens sont portés à faire ton éloge[1], celui de ton père et celui de votre famille, j'ai décidé de leur laisser ce genre de discours comme trop facile. Pour ma part, je songe à t'inviter à des commandements d'armées et à des expéditions fort dissemblables de ce qui est organisé maintenant et qui feront de toi l'auteur de grands bienfaits pour ta propre patrie et pour toute la Grèce. **2** Si j'ai fait un tel choix, ce n'est pas que j'ignore quel est entre les discours le plus facile à exécuter[2]; mais, ce que je sais exactement, c'est qu'inventer des actions belles, grandes et utiles, est chose peu aisée et rare, tandis que faire l'éloge de vos vertus serait pour moi tâche facile : je n'aurais pas (*en ce cas*) à tirer de moi-même ce que je devrais en dire, mais vos exploits m'auraient fourni tant de matériaux si importants que les éloges qui concernent d'autres personnes, n'auraient pu rivaliser, même au moindre degré, avec celui qu'on ferait de vous. **3** Comment a-t-on pu surpasser soit la noblesse des descendants d'Héraclès et de Zeus, noblesse qui, tout le

---

1. L'*Archidamos* ne donne pas trop dans l'éloge lui non plus, mais, pas plus que cette lettre (voir § 3), il ne s'interdit l'ornement mythologique emprunté à Héraclès (17).
2. Même remarque dans *Archidamos*, 15. D'ailleurs Isocrate (par exemple, dans le Panégyrique, 19) insiste sur l'intérêt pratique de ses ouvrages.

’Επιστολαί θ′

ΑΡΧΙΔΑΜΩΙ

1 Εἰδὼς, ὦ Ἀρχίδαμε, πολλοὺς ὡρμημένους ἐγκωμιάζειν
σὲ καὶ τὸν πατέρα καὶ τὸ γένος ὑμῶν, εἱλόμην τοῦτον μὲν
τὸν λόγον, ἐπειδὴ λίαν ῥάδιος ἦν, ἐκείνοις παραλιπεῖν·
αὐτὸς δέ σε διανοοῦμαι παρακαλεῖν ἐπὶ στρατηγίας καὶ
στρατείας οὐδὲν ὁμοίας ταῖς νῦν ἐνεστηκυίαις, ἀλλ’ ἐξ ὧν
μεγάλων ἀγαθῶν αἴτιος γενήσει καὶ τῇ πόλει τῇ σαυτοῦ καὶ
τοῖς Ἕλλησιν ἅπασιν. 2 Ταύτην δ’ ἐποιησάμην τὴν αἵρεσιν,
οὐκ ἀγνοῶν τῶν λόγων τὸν εὐμεταχειριστότερον, ἀλλ’
ἀκριβῶς εἰδὼς ὅτι πράξεις μὲν εὑρεῖν καλὰς καὶ μεγάλας
καὶ συμφερούσας χαλεπὸν καὶ σπάνιόν ἐστιν, ἐπαινέσαι δὲ
τὰς ἀρετὰς τὰς ὑμετέρας ῥαδίως οἷός τ’ ἂν ἐγενόμην. Οὐ
γὰρ ἔδει με παρ’ ἐμαυτοῦ πορίζεσθαι τὰ λεχθησόμενα περὶ
αὐτῶν, ἀλλ’ ἐκ τῶν ὑμῖν πεπραγμένων τοσαύτας ἂν καὶ
τοιαύτας ἀφορμὰς ἔλαβον ὥστε τὰς περὶ τῶν ἄλλων εὐλο-
γίας μηδὲ κατὰ μικρὸν ἐναμίλλους γενέσθαι τῇ περὶ ὑμᾶς
ῥηθείσῃ. 3 Πῶς γὰρ ἄν τις ἢ τὴν εὐγένειαν ὑπερεβάλετο
τῶν γεγονότων ἀφ’ Ἡρακλέους καὶ Διός, ἣν πάντες ἴσασιν

’Αρχιδάμῳ Γ Matrit. n. 98 : ’Αρχιδάμῳ Λακεδαιμονίων βασιλεῖ
Vatic. gr. 1347 ’Ισοκράτης ’Αρχιδάμῳ Λακεδαιμονίων βασιλεῖ vulg.
ἐγκώμιον ’Αρχιδάμου Palat. 134, Laurent. LXX 19 Paris. gr.
2944; initium deest in Φ, epistula deest in Vatic. gr. 1336.
1 5 ἐνεστηκυίαις codd. : ἐστήκ- Γ¹ ‖ 2 2 τῶν λόγων Γ Helmstad.
806 : τὸν λόγον Γ² vulg. ‖ 2 εὐμεταχειριστότερον codd. : μεταχει-
ριστότατον Helmstad. ‖ 3 μεγάλας codd. : μεγίστας Δ.

monde le sait, est reconnue pour n'appartenir qu'à vous
seuls, soit le mérite des hommes qui ont fondé dans le
Péloponnèse les cités doriennes et ont occupé ce pays,
soit le nombre des périls courus et des trophées qu'ont
fait élever votre hégémonie et votre royauté? 4 Qui
se serait trouvé embarrassé, s'il avait voulu exposer le
courage de tous vos concitoyens, leur sagesse et la constitution établie par vos ancêtres? Que de discours aurait-on
pu consacrer à l'intelligence de ton père, à sa conduite
dans les circonstances critiques et à la bataille qui eut lieu
dans votre ville[1], bataille où tu pris la direction, où tu
t'exposas au danger avec quelques hommes en face d'une
foule, où tu te distinguas entre tous, causant ainsi le salut
de la cité, exploit plus beau que tous ceux qu'on pourrait nommer? 5 Car prendre des villes et tuer beaucoup
d'ennemis n'est pas aussi grand et aussi noble que sauver
sa patrie de tels dangers, et non pas une patrie quelconque,
mais une patrie qui excelle tant par la vertu. Qui exposerait
ces faits, non pas élégamment, mais en toute simplicité,
sans les orner par le style, en les énumérant seulement et
en laissant courir sa plume, ne manquerait pas d'acquérir
de la réputation.

6 J'aurais pu en parler aussi de façon suffisante; je
reconnaissais tout d'abord qu'il est plus facile d'exposer
abondamment le passé que de parler raisonnablement de
l'avenir, et ensuite que tout le monde sait meilleur gré
aux auteurs d'éloges qu'aux donneurs de conseils (on
accueille en effet les premiers comme des gens dévoués,
tandis que les seconds, si leurs avis ne sont pas la conséquence d'un ordre, passent pour des importuns); 7
néanmoins, bien que sachant déjà tout cela, je me suis
abstenu de ce qu'on pourrait dire pour faire plaisir, mais
ce que je vais exposer, est d'un tel ordre que personne

---

1. Allusion à un épisode, douloureux pour Sparte, de la
campagne d'Epaminondas dans le Péloponnèse : la ville fut
en effet envahie (Xénophon *Hell.*, VII, V, 12).

μόνοις ὑμῖν ὁμολογουμένως ὑπάρχουσαν, ἢ τὴν ἀρετὴν τῶν
ἐν Πελοποννήσῳ τὰς Δωρικὰς πόλεις κτισάντων καὶ τὴν
χώραν ταύτην κατασχόντων, ἢ τὸ πλῆθος τῶν κινδύνων
καὶ τῶν τροπαίων τῶν διὰ τὴν ὑμετέραν ἡγεμονίαν καὶ
βασιλείαν σταθέντων; 4 Τίς δ᾽ ἂν ἠπόρησε, διεξιέναι
βουληθεὶς τὴν ἀνδρείαν ὅλης τῆς πόλεως καὶ σωφροσύνην
καὶ πολιτείαν τὴν ὑπὸ τῶν προγόνων τῶν ὑμετέρων συντα-
χθεῖσαν; Πόσοις δ᾽ ἂν λόγοις ἐξεγένετο χρήσασθαι περὶ
τὴν φρόνησιν τοῦ σοῦ πατρὸς καὶ τὴν ἐν ταῖς συμφοραῖς
διοίκησιν καὶ τὴν μάχην τὴν ἐν τῇ πόλει γενομένην, ἧς
ἡγεμὼν σὺ καταστὰς καὶ μετ᾽ ὀλίγων πρὸς πολλοὺς κινδυ-
νεύσας καὶ πάντων διενεγκὼν αἴτιος ἐγένου τῇ πόλει τῆς
σωτηρίας, οὗ κάλλιον ἔργον οὐδεὶς ἂν ἐπιδείξειεν; 5 Οὔτε
γὰρ πόλεις ἑλεῖν οὔτε πολλοὺς ἀποκτεῖναι τῶν πολεμίων οὕτω
μέγα καὶ σεμνόν ἐστιν, ὡς ἐκ τῶν τοιούτων κινδύνων
σῶσαι τὴν πατρίδα, μὴ τὴν τυχοῦσαν, ἀλλὰ τὴν τοσοῦτον
ἐπ᾽ ἀρετῇ διενεγκοῦσαν. Περὶ ὧν μὴ κομψῶς ἀλλ᾽ ἁπλῶς
διελθών, μηδὲ τῇ λέξει κοσμήσας, ἀλλ᾽ ἐξαριθμήσας μόνον
καὶ χύδην εἰπὼν οὐδεὶς ὅστις οὐκ ἂν εὐδοκιμήσειεν.

6 Ἐγὼ τοίνυν δυνηθεὶς ἂν καὶ περὶ τούτων ἐξαρκούντως
διαλεχθῆναι, κἀκεῖνο γιγνώσκων, πρῶτον μὲν ὅτι ῥᾷον ἐστι
περὶ τῶν γεγενημένων εὐπόρως ἐπιδραμεῖν ἢ περὶ τῶν
μελλόντων νοῦν ἐχόντως εἰπεῖν, ἔπειθ᾽ ὅτι πάντες ἄνθρωποι
πλείω χάριν ἔχουσιν τοῖς ἐπαινοῦσιν ἢ τοῖς συμβουλεύουσιν,
— τοὺς μὲν γὰρ ὡς εὔνους ὄντας ἀποδέχονται, τοὺς δ᾽ ἂν
μὴ κελευσθέντες παραινῶσιν, ἐνοχλεῖν νομίζουσιν — 7
ἀλλ᾽ ὅμως ἅπαντα ταῦτα προειδώς, τῶν μὲν πρὸς χάριν
ἂν ῥηθησομένων ἀπεσχόμην, περὶ δὲ τοιούτων μέλλω λέγειν,

4 4 πόσοις Helmstad. Parisini gr. 2944 et 3054: πρὸς οἷς cett. ‖
5 3 τῶν τοιούτων ΓΔ vulg. τοιούτων Helmstad. Paris gr.: 2944 ‖ 6
ἀλλ᾽ ἐξαριθμήσας om. Γ¹ ins. Γ mg. ‖ 7 εὐδοκιμήσειεν codd.: -μησεν
Helmstad. ‖ 6 6 ὄντας ΓΔ: om. cett. ‖ 6 ἀποδέχονται codd.: ἀπο-
λαμβάνουσι Helmstad. Paris. gr. 2944. ‖ 7 3 ῥηθησομένων Γ vulg.:
ῥηθέντων Helmstad. Paris gr. 2944.

d'autre n'en oserait parler; car, à mon avis, ceux qui
prétendent posséder des qualités morales et de l'intelligence, doivent choisir, non pas les discours les plus
faciles, mais les plus difficultueux, non pas les plus agréables
aux auditeurs, mais ceux par lesquels ils rendront service
à leur patrie et au reste de la Grèce. Or ce sont ceux-là
dont je prends maintenant l'initiative.

8   Je m'étonne que les autres hommes capables d'agir
ou de parler ne se soient pas avisés de réfléchir aux affaires
de toute la Grèce et n'aient point éprouvé de pitié pour
ses infortunes, quand elle est dans un état si honteux et
si cruel, quand il ne reste aucun lieu qui ne regorge de
guerres, de luttes intestines, de massacres et de maux
innombrables. La plupart de ces maux sont le partage
des habitants des rivages asiatiques, que, dans les traités [1],
nous avons livrés en bloc, non seulement aux Barbares,
mais à des Grecs qui, s'ils ont la même langue que nous,
ont les façons d'agir des Barbares.   9   Si nous avions
quelque raison, nous ne laisserions pas ces gens se rassembler
ni se faire commander par les premiers venus, ni des armées
se réunir plus nombreuses et plus fortes parmi les vaga-
bonds que parmi les citoyens. Ces gens ravagent une faible
partie de la terre du Grand Roi, mais, s'ils entrent dans
quelque ville grecque, ils la détruisent, tuent les uns,
exilent les autres, pillent la fortune des autres;   10   et
en outre ils outragent les enfants et les femmes, font violence aux plus jolies et arrachent aux autres ce qu'elles
portent sur elles, si bien que la foule peut voir nues celles
que les étrangers à leur famille ne pouvaient autrefois
même apercevoir en grande toilette, et que certaines
dépérissent en haillons faute du nécessaire.

11   A propos de ces faits qui se produisent depuis

---

1. Isocrate fait ici allusion au traité d'Antalcidas (387);
mais il ne dit pas, par diplomatie, la responsabilité des Lacédémoniens dans ce traité. Déjà dans le *Panégyrique* (122), comme

περὶ ὧν οὐδεὶς ἂν ἄλλος τολμήσειεν, ἡγούμενος δεῖν τοὺς
ἐπιεικείας καὶ φρονήσεως ἀμφισβητοῦντας μὴ τοὺς ῥᾴστους
προαιρεῖσθαι τῶν λόγων, ἀλλὰ τοὺς ἐργωδεστάτους, μηδὲ
τοὺς ἡδίστους τοῖς ἀκούουσιν, ἀλλ᾽ ἐξ ὧν ὠφελήσουσιν καὶ
τὰς πόλεις τὰς αὐτῶν καὶ τοὺς ἄλλους Ἕλληνας· ἐφ᾽
οἷσπερ ἐγὼ τυγχάνω νῦν ἐφεστηκώς.

8 Θαυμάζω δὲ καὶ τῶν ἄλλων τῶν πράττειν ἢ λέγειν
δυναμένων, εἰ μηδὲ πώποτ᾽ αὐτοῖς ἐπῆλθεν ἐνθυμηθῆναι
περὶ τῶν κοινῶν πραγμάτων, μηδ᾽ ἐλεῆσαι τὰς τῆς Ἑλλάδος
δυσπραξίας οὕτως αἰσχρῶς καὶ δεινῶς διατιθεμένης, ἧς
οὐδεὶς παραλέλειπται τόπος ὃς οὐ γέμει καὶ μεστός ἐστι
πολέμου καὶ στάσεως καὶ σφαγῶν καὶ κακῶν ἀναριθμήτων·
ὧν πλεῖστον μέρος μετειλήφασιν οἱ τῆς Ἀσίας τὴν παραλίαν
οἰκοῦντες, οὓς ἐν ταῖς συνθήκαις ἅπαντας ἐκδεδώκαμεν οὐ
μόνον τοῖς βαρβάροις, ἀλλὰ καὶ τῶν Ἑλλήνων τοῖς τῆς
μὲν φωνῆς τῆς ἡμετέρας κοινωνοῦσιν, τῷ δὲ τρόπῳ τῷ
τῶν βαρβάρων χρωμένοις· 9 οὕς, εἰ νοῦν εἴχομεν, οὐκ
ἂν περιεωρῶμεν ἀθροιζομένους οὐδ᾽ ὑπὸ τῶν τυχόντων
στρατηγουμένους, οὐδὲ μείζους καὶ κρείττους συντάξεις
στρατοπέδων γιγνομένας ἐκ τῶν πλανωμένων ἢ τῶν πολι-
τευομένων· οἳ τῆς μὲν βασιλέως χώρας μικρὸν μέρος λυμαίνονται, τὰς δὲ πόλεις τὰς Ἑλληνίδας, εἰς ἣν ἂν εἰσέλθωσιν,
ἀναστάτους ποιοῦσιν, τοὺς μὲν ἀποκτείνοντες, τοὺς δὲ
φυγαδεύοντες, τῶν δὲ τὰς οὐσίας διαρπάζοντες, 10 ἔτι
δὲ παῖδας καὶ γυναῖκας ὑβρίζοντες, καὶ τὰς μὲν εὐπρεπε-
στάτας καταισχύνοντες, τῶν δ᾽ ἄλλων ἃ περὶ τοῖς σώμασιν
ἔχουσι περισπῶντες, ὥσθ᾽ ἃς πρότερον οὐδὲ κεκοσμημένας
ἦν ἰδεῖν τοῖς ἀλλοτρίοις, ταύτας ὑπὸ πολλῶν ὁρᾶσθαι
γυμνάς, ἐνίας δ᾽ αὐτῶν ἐν ῥάκεσιν περιφθειρομένας δι᾽
ἔνδειαν τῶν ἀναγκαίων.

11 Ὑπὲρ ὧν πολὺν ἤδη χρόνον γιγνομένων οὔτε πόλις

7 5 ῥᾴστους codd.: ἀχρήστους Parisini ‖ 9 6 ἣν codd.: ἃς
Helmstd. om. Γ¹ ins. Γ².

longtemps déjà, nulle des cités qui prétendent être à la
tête de la Grèce, ne s'est indignée, nul de ces premiers
personnages n'en a été accablé, à l'exception de ton père [1] :
en effet Agésilas a été le seul de tous ceux que nous connaissons à ne pas cesser un jour de désirer délivrer les
Grecs et porter la guerre contre les Barbares. Cependant
d'ailleurs lui aussi commit une erreur sur un point. 12
Ne va pas t'étonner qu'en te parlant je rappelle ses décisions peu raisonnables; mon habitude est de toujours user
de franchise dans mes discours, et j'aimerais mieux me
faire détester pour des critiques justifiées que faire plaisir
avec des éloges hors de propos; 13 tel est mon état
d'esprit. Pour Agésilas qui excellait en toute autre chose
et fut l'homme le plus énergique, le plus juste et le meilleur politique, il eut deux ambitions, dont chacune isolément paraissait belle, mais contradictoires et impossibles
à réaliser en même temps : il voulait faire la guerre au
Grand Roi et ramener dans leur patrie ses amis exilés,
en les rendant maîtres des affaires publiques. 14 Il
arrivait donc que son activité en faveur de ses compagnons
mettait les Grecs dans le malheur et le danger, et que le
trouble provoqué chez nous lui enlevait le loisir et le
pouvoir de faire la guerre aux Barbares. Aussi d'après
les erreurs commises à ce moment là, est-il facile de
reconnaître que ceux qui ont un plan raisonné, ne doivent
pas porter la guerre contre le Grand Roi avant que l'on
n'ait réconcilié les Grecs et fait cesser notre folie et nos
rivalités. C'est ce dont j'ai déjà parlé autrefois et sur quoi
portera maintenant mon discours. 15 Cependant certaines gens qui, tout en n'ayant reçu aucune culture,
promettent de pouvoir cultiver les autres, qui osent cri-

---

plus tard dans le *Panathénaïque* (106), ce traité à été l'occasion
d'une charge d'Isocrate contre Sparte.

1. Isocrate est ici plus précis sur ce chapitre que dans le
Panégyrique (153), car il s'adresse maintenant au fils (Cf.
Phil., 87-8).

οὐδεμία τῶν προεστάναι τῶν Ἑλλήνων ἀξιουσῶν ἠγανά-
κτησεν, οὔτ᾽ ἀνὴρ τῶν πρωτευόντων οὐδεὶς βαρέως ἤνεγκε,
πλὴν ὁ σὸς πατήρ· μόνος γὰρ Ἀγησίλαος ὢν ἡμεῖς ἴσμεν
ἐπιθυμῶν ἅπαντα τὸν χρόνον διετέλεσεν τοὺς μὲν Ἕλληνας
ἐλευθερῶσαι, πρὸς δὲ τοὺς βαρβάρους πόλεμον ἐξενεγκεῖν.
Οὐ μὴν ἀλλὰ κἀκεῖνος ἑνὸς πράγματος διήμαρτεν. 12 Καὶ
μὴ θαυμάσῃς εἰ πρὸς σὲ διαλεγόμενος μνησθήσομαι τῶν
οὐκ ὀρθῶς ὑπ᾽ αὐτοῦ γνωσθέντων· εἴθισμαί τε γὰρ μετὰ
παρρησίας ἀεὶ ποιεῖσθαι τοὺς λόγους, καὶ δεξαίμην ἂν
δικαίως ἐπιτιμήσας ἀπεχθέσθαι μᾶλλον ἢ παρὰ τὸ προσῆκον
ἐπαινέσας χαρίσασθαι. 13 Τὸ μὲν οὖν ἐμὸν οὕτως ἔχον
ἐστίν. Ἐκεῖνος δ᾽ ἐν πᾶσι τοῖς ἄλλοις διενεγκὼν καὶ
γενόμενος ἐγκρατέστατος καὶ δικαιότατος καὶ πολιτικώτατος
διττὰς ἔσχεν ἐπιθυμίας, χωρὶς μὲν ἑκατέραν καλὴν εἶναι
δοκοῦσαν, οὐ συμφωνούσας δ᾽ ἀλλήλαις οὐδ᾽ ἅμα πράττεσθαι
δυναμένας· ἠβούλετο γὰρ βασιλεῖ τε πολεμεῖν καὶ τῶν φίλων
τοὺς φεύγοντας εἰς τὰς πόλεις καταγαγεῖν καὶ κυρίους
καταστῆσαι τῶν πραγμάτων. 14 Συνέβαινεν οὖν ἐκ μὲν
τῆς πραγματείας τῆς ὑπὲρ τῶν ἑταίρων ἐν κακοῖς καὶ
κινδύνοις εἶναι τοὺς Ἕλληνας, διὰ δὲ τὴν ταραχὴν τὴν
ἐνθάδε γιγνομένην μὴ σχολὴν ἄγειν μηδὲ δύνασθαι
πολεμεῖν τοῖς βαρβάροις. Ὥστ᾽ ἐκ τῶν ἀγνοηθέντων
κατ᾽ ἐκεῖνον τὸν χρόνον ῥᾴδιον καταμαθεῖν ὅτι δεῖ
τοὺς ὀρθῶς βουλευομένους μὴ πρότερον ἐκφέρειν πρὸς
βασιλέα πόλεμον πρὶν ἂν διαλλάξῃ τις τοὺς Ἕλληνας καὶ
παύσῃ τῆς μανίας καὶ τῆς φιλονικίας ἡμᾶς. Περὶ ὧν ἐγὼ
καὶ πρότερον εἴρηκα καὶ νῦν ποιήσομαι τοὺς λόγους.

15 Καίτοι τινὲς τῶν οὐδεμιᾶς μὲν παιδείας μετεσ-
χηκότων, δύνασθαι δὲ παιδεύειν τοὺς ἄλλους ὑπισχνουμένων,

---

12 3 τε γὰρ ... ποιεῖσθαι om. Γ¹ ins. Γ mg. ‖ 13 2 ἐκεῖνος
codd.: εἰκόνος Γ ‖ 14 2 ἑταίρων codd.: ἑτέρων Γ ‖ 8 πόλεμον ΓΕ:
τὸν πόλεμον cett. (cf. *Philippum*, 88) ‖ 8 τις om. *Helmstad.*
Paris. gr. ‖ 9 φιλονικία; Γ¹Ε: -νεικίας Γ²Δ vulg. ‖ 9 περὶ ὧν
Helmstad. Paris. gr.: περὶ ἧς Γ vulg.

tiquer ce que je fais[1], tout en désirant vivement l'imiter,
traiteraient peut-être de folie l'intérêt que m'inspirent
les malheurs de la Grèce, comme si c'était de mes discours
que dépendît son bonheur ou son infortune. Tout le monde
pourrait à juste titre les taxer de lâcheté et de bassesse
d'âme, puisque, se donnant pour philosophes, ils mettent
leur orgueil dans de petites choses et jalousent sans cesse
les gens capables de donner des conseils sur les plus grandes.
16 C'est pour défendre leur propre faiblesse et leur paresse
qu'ils s'exprimeront peut-être ainsi. Pour moi j'ai une
telle confiance en moi-même, malgré mes quatre-vingts
ans et mon complet déclin, qu'à mon avis, c'est moi surtout
qui dois parler de ces questions, et que j'ai eu raison de
t'adresser ces discours qui peut-être produiront le résultat
nécessaire. 17 Je pense que, si les autres Grecs devaient
choisir entre tous l'orateur qui serait le plus capable
d'inciter la Grèce à une expédition contre les Barbares
et l'homme qui mènera le plus rapidement à bonne fin
les entreprises reconnues pour utiles, ils ne désigneraient
point d'autres que nous deux[2]. Or notre conduite ne serait-
elle pas honteuse si nous négligions cette tâche si glorieuse,
dont tout le monde nous jugerait dignes? 18 Mon rôle
est le moins important; car exprimer ce que l'on pense,
n'est pas chose bien difficile. C'est à toi qu'il convient de
prêter attention à mes discours et de te demander si l'on
doit laisser de côté les affaires de la Grèce quand on a
une naissance[3] telle que je l'ai exposée un peu plus haut,
quand on est le chef des Lacédémoniens, quand on porte

---

1. Sans doute est-il permis de voir dans ces lignes un des
premiers signes de ces préoccupations d'Isocrate qui le condui-
ront dans peu de temps à se défendre systématiquement dans
le discours *Sur l'Echange*.

2. Un ton de semblable collaboration entre le théoricien
et l'homme d'action se retrouvera dans le *Philippe* (113-114;
150-151).

3. On voit que la fin de cet exorde, malgré les protestations
d'Isocrate au début de la lettre, sonne comme un éloge.

καὶ ψέγειν μὲν τἀμὰ τολμώντων, μιμεῖσθαι δὲ γλιχομένων,
τάχ᾽ ἂν μανίαν εἶναι φήσειαν τὸ μέλειν ἐμοὶ τῶν τῆς
Ἑλλάδος συμφορῶν, ὥσπερ παρὰ τοὺς ἐμοὺς λόγους ἢ
βέλτιον ἢ χεῖρον αὐτὴν πράξουσαν. Ὧν δικαίως ἂν
ἅπαντες πολλὴν ἀνανδρίαν καὶ μικροψυχίαν καταγνοῖεν,
ὅτι προσποιούμενοι φιλοσοφεῖν αὐτοὶ μὲν ἐπὶ μικροῖς
φιλοτιμοῦνται, τοῖς δὲ δυναμένοις περὶ τῶν μεγίστων
συμβουλεύειν φθονοῦντες διατελοῦσιν. 16 Οὗτοι μὲν
οὖν βοηθοῦντες ταῖς αὐτῶν ἀσθενείαις καὶ ῥαθυμίαις ἴσως
τοιαῦτ᾽ ἐροῦσιν· ἐγὼ δ᾽ οὕτως ἐπ᾽ ἐμαυτῷ μέγα φρονῶ,
καίπερ ἔτη γεγονὼς ὀγδοήκοντα καὶ παντάπασιν ἀπειρηκώς,
ὥστ᾽ οἶμαι καὶ λέγειν ἐμοὶ προσήκειν μάλιστα περὶ τούτων
καὶ καλῶς βεβουλεῦσθαι πρὸς σὲ ποιούμενον τοὺς λόγους,
καὶ τυχὸν ἀπ᾽ αὐτῶν γενήσεσθαί τι τῶν δεόντων. 17
Ἡγοῦμαι δὲ καὶ τοὺς ἄλλους Ἕλληνας, εἰ δεήσειεν αὐτοὺς
ἐξ ἁπάντων ἐκλέξασθαι τόν τε τῷ λόγῳ κάλλιστ᾽ ἂν δυνηθέντα
παρακαλέσαι τοὺς Ἕλληνας ἐπὶ τὴν τῶν βαρβάρων στρατείαν
καὶ τὸν τάχιστα μέλλοντα τὰς πράξεις ἐπιτελεῖν τὰς συμφέρειν δοξάσας, οὐκ ἂν ἄλλους ἀνθ᾽ ἡμῶν προκριθῆναι.
Καίτοι πῶς οὐκ ἂν αἰσχρὸν ποιήσαιμεν, εἰ τούτων ἀμελήσαιμεν οὕτως ἐντίμων ὄντων, ὧν ἅπαντες ἂν ἡμᾶς
ἀξιώσαιεν; 18 Τὸ μὲν οὖν ἐμὸν ἔλαττόν ἐστιν· ἀποφήνασθαι γὰρ ἃ γιγνώσκει τις, οὐ πάνυ τῶν χαλεπῶν πέφυκεν·
σοὶ δὲ προσήκει προσέχοντι τὸν νοῦν τοῖς ὑπ᾽ ἐμοῦ λεγομένοις βουλεύσασθαι πότερον ὀλιγωρητέον ἐστὶν τῶν Ἑλληνικῶν πραγμάτων γεγονότι μὲν, ὥσπερ ὀλίγῳ πρότερον ἐγὼ
διῆλθον, ἡγεμόνι δὲ Λακεδαιμονίων ὄντι, βασιλεῖ δὲ

---

15 4 φήσειαν codd. : φήσαιεν Γ ‖ 7 ἀνανδρίαν codd. : ἀνδρείαν Γ¹
ἀνανδρείαν Γ². ‖ 16 4 καίπερ ἔτη codd. : καὶ περὶ τη Γ¹ καὶ περὶ ἔτη
Γ² ‖ 6 ποιούμενον codd. : ποιούμενος Helmstad. Par. gr. 2944 ‖ 7 ἀπ᾽
αὐτῶν Γ¹ Helmstad. Paris. gr. : ὑπ᾽ αὐτῶν Γ² vulg. ‖ 17 2 ἄλλους
Ἕλληνας ΓΔΕ : Ἕλληνας cett. ‖ 3 ἁπάντων codd. : αὐτῶν Helmstad. Paris. gr. ‖ 3 κάλλιστ᾽ ἂν Helmstad. Paris. gr. 3054 : κάλλιστα Γ vulg. ‖ 7 εἰ .., ἀμελήσαιμεν Helmstad. Paris. gr. : om. cett.

le nom de roi, quand on a la réputation la plus grande de toute la Grèce, ou bien si l'on doit dédaigner les affaires présentes pour en entreprendre de plus importantes.

19 Pour ma part, j'affirme qu'il te faut abandonner tout le reste pour fixer ton attention sur ces deux buts : délivrer les Grecs des guerres et des autres maux qu'ils subissent maintenant et empêcher les Barbares de montrer leur insolence et de posséder plus qu'ils ne méritent. Que ce soit possible et utile pour toi, pour ta patrie et pour tous les autres, c'est maintenant ma tâche de le montrer...

προσαγορευομένῳ, μεγίστην δὲ τῶν Ἑλλήνων ἔχοντι δόξαν,
ἢ τῶν μὲν ἐνεστώτων πραγμάτων ὑπεροπτέον, μείζοσιν δ᾽
ἐπιχειρητέον.

19 Ἐγὼ μὲν γάρ φημι χρῆναί σε πάντων ἀφέμενον τῶν
ἄλλων δυοῖν τούτοιν προσέχειν τὸν νοῦν, ὅπως τοὺς μὲν
Ἕλληνας ἀπαλλάξεις τῶν πολέμων καὶ τῶν ἄλλων κακῶν
τῶν νῦν αὐτοῖς παρόντων, τοὺς δὲ βαρβάρους παύσεις
ὑβρίζοντας καὶ πλείω κεκτημένους ἀγαθὰ τοῦ προσήκοντος.
Ὡς δ᾽ ἐστὶ ταῦτα δυνατὰ καὶ συμφέροντα καὶ σοὶ καὶ τῇ
πόλει καὶ τοῖς ἄλλοις ἅπασιν, ἐμὸν ἔργον ἤδη διδάξαι περὶ
αὐτῶν ἐστιν. . . . .

. . . .

19 7 ἤδη ΓΔ : om. cett.

AUX MAGISTRATS DE MYTILÈNE

1 Les enfants d'Aphareus [1], mes petits-fils, élèves
d'Agénor pour la musique, m'ont prié de vous envoyer une
lettre afin que, ayant rappelé déjà quelques autres bannis,
vous laissiez revenir ce dernier également avec son père et
ses frères. Comme je leur disais ma crainte de passer pour
importun et indiscret en cherchant à obtenir une si grande
faveur d'hommes avec lesquels je n'ai eu auparavant ni
entretiens ni rapports familiers, en entendant cela ils
insistaient bien plus. 2 Comme ils n'obtenaient rien
de ce qu'ils espéraient, tout le monde remarquait leur
déplaisir et leur chagrin. Les voyant peinés plus qu'il ne
convenait, j'ai fini par promettre d'écrire la lettre et de
vous l'envoyer. Pour ne point passer à juste titre pour
sot ou ennuyeux, voilà donc ce que je puis dire.

3 Je pense que vous avez pris une heureuse décision
en vous réconciliant avec vos concitoyens, en cherchant
à diminuer le nombre des bannis [2] et à augmenter celui
de votre population civique et en imitant notre cité pour
les différends politiques. Ce dont on peut surtout vous

1. Le ton de la requête polie est un de ceux dont s'accom-
mode le génie d'Isocrate : voir par ex. *G. Plataïque.*
    Cet Aphareus est le fils adoptif d'Isocrate (voir pseudo-
Plutarque, *Vies...* (23, 24). Le même biographe nous apprend
qu'il composa des discours.
2. Isocrate peut faire allusion à l'amnistie consécutive à la
guerre du Péloponnèse (cf. Aristote, *Const. d'Ath.*, XXXIX).

Ἐπιστολαὶ η′

ΤΟΙΣ ΜΥΤΙΛΗΝΑΙΩΝ ΑΡΧΟΥΣΙΝ

1 Οἱ παῖδες οἱ Ἀφαρέως, υἱεῖς δ᾽ ἐμοί, παιδευθέντες ὑπ᾽ Ἀγήνορος τὰ περὶ τὴν μουσικήν, ἐδεήθησάν μου γράμματα πέμψαι πρὸς ὑμᾶς, ὅπως ἄν, ἐπειδὴ καὶ τῶν ἄλλων τινὰς κατηγάγετε φυγάδων, καὶ τοῦτον καταδέξησθε καὶ τὸν πατέρα καὶ τοὺς ἀδελφούς. Λέγοντος δέ μου πρὸς αὐτοὺς ὅτι δέδοικα μὴ λίαν ἄτοπος εἶναι δόξω καὶ περίεργος, ζητῶν εὑρίσκεσθαι τηλικαῦτα τὸ μέγεθος παρ᾽ ἀνδρῶν οἷς οὐδὲ πώποτε πρότερον οὔτε διελέχθην οὔτε συνήθης ἐγενόμην, ἀκούσαντες ταῦτα πολὺ μᾶλλον ἐλιπάρουν. 2 Ὡς δ᾽ οὐδὲν αὐτοῖς ἀπέβαινεν ὧν ἤλπιζον, ἅπασιν ἦσαν καταφανεῖς ἀηδῶς διακείμενοι καὶ χαλεπῶς φέροντες. Ὁρῶν δ᾽ αὐτοὺς λυπουμένους μᾶλλον τοῦ προσήκοντος, τελευτῶν ὑπεσχόμην γράψειν τὴν ἐπιστολὴν καὶ πέμψειν ὑμῖν. Ὑπὲρ μὲν οὖν τοῦ μὴ δικαίως ἂν δοκεῖν μωρὸς εἶναι μηδ᾽ ὀχληρὸς ταῦτ᾽ ἔχω λέγειν.

3 Ἡγοῦμαι δὲ καλῶς ὑμᾶς βεβουλεῦσθαι καὶ διαλλαττομένους τοῖς πολίταις τοῖς ὑμετέροις καὶ πειρωμένους τοὺς μὲν φεύγοντας ὀλίγους ποιεῖν, τοὺς δὲ συμπολιτευομένους πολλούς, καὶ μιμουμένους τὰ περὶ τὴν στάσιν τὴν πόλιν τὴν ἡμετέραν. Μάλιστα δ᾽ ἄν τις ὑμᾶς ἐπαινέσειεν ὅτι τοῖς

Μυτιληναίων Γ : Μιτυλ- cett.
1 3 ἐπειδὴ ... κατηγάγετε vulg. : ἐπειδὰν ... καταγάγητε Γ ‖ 4 τοῦτον codd.: τούτων Γ ‖ 4 καταδέξησθε codd. : -σθαι Γ¹ ‖ 2 6 ὑπὲρ Γ: περὶ vulg.

louer, c'est d'avoir rendu leur fortune aux citoyens rappelés ; car vous avez montré par vos actes et rendu évident
à tous que ce n'était pas par convoitise du bien d'autrui,
mais par crainte pour l'État que vous aviez procédé à ces
expulsions. 4 Quoi qu'il en soit, même en admettant
que vous n'ayez pas pris cette décision et que nous n'ayez
laissé revenir aucun des bannis, je pense qu'il vous est
avantageux de rappeler du moins ceux-là. En effet il est
honteux, alors que votre cité est reconnue par tous comme
la mieux douée pour la musique [1] et que les gens les plus
renommés pour cet art sont nés chez vous, que le premier
de nos contemporains dans les recherches sur cette discipline soit banni d'une telle cité ; et, alors que les autres
Grecs naturalisent, même s'ils ne les touchent en rien, les
gens qui se distinguent par quelque activité artistique,
que vous laissiez vivre en métèques chez les autres ceux
qui sont célèbres à l'extérieur et ont la même origine que
vous. 5 Je m'étonne que des villes accordent de plus
grandes récompenses aux gens qui réussissent dans les
concours de gymnastique qu'à ceux qui, par leur intelligence et leur travail, ont inventé quelque chose d'utile,
sans se rendre compte que naturellement le pouvoir dû
à la force et à la vitesse meurt avec le corps, mais que la
science subsiste pendant l'éternité en rendant service
à qui l'utilise [2]. 6 C'est avec cette pensée que les gens
raisonnables doivent placer au premier rang ceux qui
dirigent leur cité avec vertu et justice, et au second ceux
qui peuvent lui apporter honneur et belle réputation ;
car tout le monde regarde ces hommes comme des échan-
tillons et jugent que leurs concitoyens leur ressemblent.
7 Peut-être dirait-on que celui qui veut inventer

1. La poésie « mélique », qui est essentiellement musicale,
a fleuri principalement dans l'île de Lesbos, dont Mitylène
était la ville principale.
2. Pareilles idées se retrouvent au début du Panégyrique
et seront reprises presque littéralement par Salluste (*Cat.* I,
4).

κατιοῦσιν ἀποδίδοτε τὴν οὐσίαν· ἐπιδείκνυσθε γὰρ καὶ
ποιεῖτε πᾶσιν φανερὸν ὡς οὐ τῶν κτημάτων ἐπιθυμήσαντες
τῶν ἀλλοτρίων, ἀλλ' ὑπὲρ τῆς πόλεως δείσαντες ἐποιήσασθε
τὴν ἐκβολὴν αὐτῶν. 4 Οὐ μὴν ἀλλ' εἰ καὶ μηδὲν ὑμῖν
ἔδοξεν τούτων μηδὲ προσεδέχεσθε μηδένα τῶν φυγάδων,
τούτους γε νομίζω συμφέρειν ὑμῖν κατάγειν. Αἰσχρὸν γὰρ
τὴν μὲν πόλιν ὑμῶν ὑπὸ πάντων ὁμολογεῖσθαι μουσικωτάτην
εἶναι καὶ τοὺς ὀνομαστοτάτους ἐν αὐτῇ παρ' ὑμῖν τυγχάνειν γεγονότας, τὸν δὲ προέχοντα τῶν νῦν ὄντων περὶ τὴν
ἱστορίαν τῆς παιδείας ταύτης φεύγειν ἐκ τῆς τοιαύτης
πόλεως, καὶ τοὺς μὲν ἄλλους Ἕλληνας τοὺς διαφέροντας
περί ⟨τι⟩ τῶν καλῶν ἐπιτηδευμάτων, κἂν μηδὲν προσήκωσιν,
ποιεῖσθαι πολίτας, ὑμᾶς δὲ τοὺς εὐδοκιμοῦντάς τε παρὰ
τοῖς ἄλλοις καὶ μετασχόντας τῆς αὐτῆς φύσεως περιορᾶν παρ'
ἑτέροις μετοικοῦντας. 5 Θαυμάζω δ' ὅσαι τῶν πόλεων
μειζόνων δωρεῶν ἀξιοῦσιν τοὺς ἐν τοῖς γυμνικοῖς ἀγῶσιν
κατορθοῦντας μᾶλλον ἢ τοὺς τῇ φρονήσει καὶ τῇ φιλοπονίᾳ
τι τῶν χρησίμων εὑρίσκοντας, καὶ μὴ συνορῶσιν ὅτι πεφύκασιν αἱ μὲν περὶ τὴν ῥώμην καὶ τὸ τάχος δυνάμεις
συναποθνῄσκειν τοῖς σώμασιν, αἱ δ' ἐπιστῆμαι παραμένειν
ἅπαντα τὸν χρόνον ὠφελοῦσαι τοὺς χρωμένους αὐταῖς.
6 Ὧν ἐνθυμουμένους χρὴ τοὺς νοῦν ἔχοντας περὶ πλείστου
μὲν ποιεῖσθαι τοὺς καλῶς καὶ δικαίως τῆς αὐτῶν πόλεως
ἐπιστατοῦντας, δευτέρους δὲ τοὺς τιμὴν καὶ δόξαν αὐτῇ
καλὴν συμβαλέσθαι δυναμένους· ἅπαντες γὰρ ὥσπερ δείγματι
τοῖς τοιούτοις χρώμενοι καὶ τοὺς ἄλλους τοὺς συμπολιτευομένους ὁμοίους εἶναι τούτοις νομίζουσιν.
7 Ἴσως οὖν εἴποι τις ἂν, ὅτι προσήκει τοὺς εὑρέσθαι

3 6 ἐπιδείκνυσθε Γ² : -δείκνυσθαι Γ¹ -δείκνυτε vulg. ‖ 7 κτημάτων
Γ : χρημ- vulg. ‖ 4 5 ὀνομαστοτάτους om. Γ¹ ins. Γ mg. ‖ 9 περί
τι Coraïs : περί Γ περί γε (vel τε) cett. ‖ 9 κἂν μηδὲν προσήκωσιν
(-χουσιν Γ) ΓΕ καὶ μηδὲν προσήκοντας vulg. ‖ 6 3 αὐτῇ ΓΕ : αὐταῖς
vulg. ‖ 4 δείγματι Helmstad. 806 : δεῖγμα τί Γ δείγμασι vulg. ‖ 6 τούτοις Γ : τοῖς τοιούτοις vulg. ‖ 7 1 ὅτι προσήκει Γ : προσήκειν vulg.

quelque chose, doit, non pas seulement faire l'éloge de
l'action, mais montrer que lui-même aurait des titres
pour réaliser ce dont parlent ses discours. Mais voici ce
qui se produit : pour ma part, je me suis tenu à l'écart
de la politique[1] et de l'éloquence professionnelle ; je n'avais
ni la voix ni la hardiesse suffisantes ; néanmoins je ne suis
pas absolument inutile et sans valeur, et l'on peut voir
que j'ai été un conseiller et un collaborateur pour ceux
dont le but a été de dire quelque chose de bien à votre
sujet et à celui des autres alliés, et que, de moi-même, j'ai
composé pour la liberté et l'indépendance des Grecs plus
de discours que tous ceux qui ont usé la tribune sous leurs
pieds.   8   C'est ce dont à bon droit vous pourriez me savoir
le plus grand gré, car vous ne cessez d'aspirer vivement
à une organisation de cette sorte. Je crois que, si Conon[2]
et Timothée vivaient encore et si Diophantos était revenu
d'Asie, ils feraient tous leurs efforts pour que j'obtienne
ce que je désire. D'eux je ne vois pas de raison pour parler
plus longuement ; car il n'est parmi vous personne d'assez
jeune ou d'assez oublieux pour ne pas connaître leurs
bienfaits.

9   Il me semble que vous examineriez au mieux la
question présente si vous regardiez qui vous fait la demande
et en faveur de qui elle est faite. Vous trouverez que, pour
ma part, j'ai eu les meilleurs rapports avec les hommes
qui ont fait le plus grand bien à vous et aux autres, et
que ceux pour qui je vous prie, sont tels qu'ils ne peuvent
gêner les vieillards ni les hommes politiques et qu'ils
peuvent fournir aux jeunes gens un passe-temps agréable,
utile et convenable à leur âge.

1. Isocrate revient souvent sur ses faiblesses et ses incapa-
cités ; on trouvera dans la *Notice* du *Panégyrique* (t. II, p. 4,
n. 1) les principales références groupées.
2. Conon et Timothée étaient les plus chers disciples
d'Isocrate. Sur Diophantos, voir la *Notice* p. 173 : on sait que
vers 351 il commanda avec succès les troupes de Nectanébo
d'Égypte contre Artaxerxès Okhos.

τι βουλομένους μὴ τὸ πρᾶγμα μόνον ἐπαινεῖν, ἀλλὰ καὶ
σφᾶς αὐτοὺς ἐπιδεικνύναι δικαίως ἂν τυγχάνοντας περὶ ὧν
ποιοῦνται τοὺς λόγους. Ἔχει δ' οὕτως. Ἐγὼ τοῦ μὲν
πολιτεύεσθαι καὶ ῥητορεύειν ἀπέστην· οὔτε γὰρ φωνὴν
ἔσχον ἱκανὴν οὔτε τόλμαν· οὐ μὴν παντάπασιν ἄχρηστος
ἔφυν οὐδ' ἀδόκιμος, ἀλλὰ τοῖς τε λέγειν προῃρημένοις
ἀγαθόν τι περὶ ὑμῶν καὶ τῶν ἄλλων συμμάχων φανείην ἂν
καὶ σύμβουλος καὶ συναγωνιστὴς γεγενημένος, αὐτός τε
πλείους λόγους πεποιημένος | ὑπὲρ τῆς ἐλευθερίας καὶ τῆς
αὐτονομίας τῶν Ἑλλήνων ἢ σύμπαντες οἱ τὰ βήματα κατα-
τετριφότες. 8 Ὑπὲρ ὧν ὑμεῖς ἄν μοι δικαίως πλείστην
ἔχοιτε χάριν· μάλιστα γὰρ ἐπιθυμοῦντες διατελεῖτε τῆς
τοιαύτης καταστάσεως. Οἶμαι δ' ἂν, εἰ Κόνων μὲν καὶ
Τιμόθεος ἐτύγχανον ζῶντες, Διόφαντος δ' ἧκεν ἐκ τῆς
Ἀσίας, πολλὴν ἂν αὐτοὺς ποιήσασθαι σπουδήν, εὑρέσθαι
με βουλομένους ὧν τυγχάνω δεόμενος. Περὶ ὧν οὐκ οἶδα τί
δεῖ πλείω λέγειν· οὐδεὶς γὰρ ὑμῶν οὕτως ἐστὶ νέος οὐδ'
ἐπιλήσμων, ὅστις οὐκ οἶδε τὰς ἐκείνων εὐεργεσίας.

9 Οὕτω δ' ἄν μοι δοκεῖτε κάλλιστα βουλεύσεσθαι περὶ
τούτων, εἰ σκέψεσθε τίς ἐστιν ὁ δεόμενος καὶ ὑπὲρ ποίων
τινῶν ἀνθρώπων. Εὑρήσετε γὰρ ἐμὲ μὲν οἰκειότατα
κεχρημένον τοῖς μεγίστων ἀγαθῶν αἰτίοις γεγενημένοις
ὑμῖν τε καὶ τοῖς ἄλλοις, ὑπὲρ ὧν δὲ δέομαι τοιούτους
ὄντας, οἵους τοὺς μὲν πρεσβυτέρους καὶ τοὺς περὶ τὴν
πολιτείαν ὄντας μὴ λυπεῖν, τοῖς δὲ νεωτέροις διατριβὴν
παρέχειν ἡδεῖαν καὶ χρησίμην καὶ πρέπουσαν τοῖς τηλικούτοις.

---

7 4 ποιοῦνται Γ : ἂν ποιῶνται vulg. ‖ 6 ἔσχον *Helmstad.* : εἶχον
cett. (excepto Γ in quo verbum evanuit) ‖ 7 προῃρημένοις ΓΕ :
προχιρουμένοις vulg. ‖ 11 τῶν Ἑλλήνων codd. : τῆς τῶν Ἑλλ- Ε ‖
8 4 ἐκ τῆς Ἀσίας excipit Γ ‖ 6 τυγχάνω δεόμενος Δ : ἐτύγχανον
χρείαν ἔχοντες vulg. ‖ 6 οἶδα τί ΔΕ : οἶδ' ὅτι vulg. ‖ 9 1 δοκεῖτε
ΔΕ : δοκοιῆτε vulg. ‖ βουλεύσεσθαι ΔΕ : βεβουλεῦσθαι vulg. ‖ 3 γὰρ
codd. : τοίνυν Δ.

10 Ne vous étonnez pas que je vous écrive avec plus d'ardeur et plus longuement que les autres. C'est que je veux à la fois faire plaisir à mes petits-enfants et leur montrer que, même s'ils ne sont ni orateurs politiques, ni généraux et s'ils ne font qu'imiter mon genre de vie, ils ne passeront pas inaperçus parmi les Grecs. Un mot encore : si vous décidez de faire quelque chose de ce que je dis, laissez voir à Agénor et à ses frères que c'est en partie grâce à moi qu'ils obtiennent ce qu'ils désirent.

10   Μὴ θαυμάζετε δ᾽ εἰ προθυμότερον καὶ διὰ μακροτέρων
τῶν ἄλλων γέγραφα τὴν ἐπιστολήν· βούλομαι γὰρ ἀμφότερα,
τοῖς τε παισὶν ἡμῶν χαρίσασθαι καὶ ποιῆσαι φανερὸν αὐτοῖς
ὅτι, κἂν μὴ δημηγορῶσιν μηδὲ στρατηγῶσιν, ἀλλὰ μόνον
μιμῶνται τὸν τρόπον τὸν ἐμόν, οὐκ ἠμελημένως διάξουσιν
ἐν τοῖς Ἕλλησιν. Ἓν ἔτι λοιπόν· ἂν ἄρα δόξῃ τι τούτων
ὑμῖν πράττειν, Ἀγήνορί τε δηλώσατε καὶ τοῖς ἀδελφοῖς
ὅτι μέρος τι καὶ δι᾽ ἐμὲ τυγχάνουσιν ὧν ἐπεθύμουν.

10 1 θαυμάζετε Ε : -ζητε cett. ‖ 1 προθυμότερον ... ἐπιστολὴν Δ :
ῥᾳδίως οὕτω γράφω καὶ περὶ μὲν τῶν ἄλλων ἁπάντων καὶ τῶν φιλτάτων
τὴν ἐπιστολὴν πέπομφα vulg. ‖ 3 αὐτοῖς Δ om. cett. ‖ 4 μηδὲ στρατηγῶσιν Δ : om. cett. ‖ 5 διάξουσιν Δ : ἕξουσιν vulg. ‖ 6 Ἕλλησιν
Δ : ἄλλοις vulg. ‖ 7 Ἀγήνορί τε δηλώσατε Δ : δηλοῦν Ἀγήνορί τε
vulg. ‖ 8 ἐπεθύμουν Δ : αὐτοὶ λίαν ἐπιθυμοῦσι τυγχάνειν vulg.

A TIMOTHÉE

1 Des relations qui existaient entre nous, je crois
que tu as entendu parler par bien des gens. D'autre part
je suis heureux pour toi d'apprendre, tout d'abord que tu
exerces ton pouvoir actuel avec plus de vertu et de réflexion
que ton père[1], ensuite que tu es plus décidé à acquérir une
belle réputation qu'à réunir une grande richesse. En effet,
en ayant cet état d'esprit, ce n'est pas une faible preuve,
mais la plus grande possible, que tu donnes de ta vertu.
Aussi, si tu restes fidèle à ce qu'on dit de toi, tu ne man-
queras pas de gens pour faire l'éloge de ta sagesse et de
tes résolutions présentes. **2** Je pense d'ailleurs que ce
que l'on t'a rapporté de ton père, t'a fourni un fort argument pour te montrer raisonnable et supérieur aux autres;
en effet l'habitude de la plupart des hommes, est de
moins louer et honorer les fils de pères illustres[2] que ceux
de pères farouches et cruels, si du moins ceux-ci montrent
qu'ils ne ressemblent nullement à leurs parents. Car en
toute occasion on trouve plus agréable le bien survenu
contre toute attente que celui qui arrive conformément
à la logique et aux règles naturelles.

3 Avec ces pensées, il te faut rechercher et étudier
les moyens, les alliés et les conseillers grâce auxquels tu

1. Sur ces faits, on se reportera à la *Notice*, p. 173.
2. On trouve ici un lointain écho du débat du *Protagoras*

Ἐπιστολαὶ ζ'

ΤΙΜΟΘΕΩΙ

1 Περὶ μὲν τῆς οἰκειότητος τῆς ὑπαρχούσης ἡμῖν πρὸς ἀλλήλους οἶμαί σε πολλῶν ἀκηκοέναι, συγχαίρω δέ σοι πυνθανόμενος, πρῶτον μὲν ὅτι τῇ δυναστείᾳ τῇ παρούσῃ κάλλιον χρῇ τοῦ πατρὸς καὶ φρονιμώτερον, ἔπειθ᾽ ὅτι προαιρεῖ δόξαν καλὴν κτήσασθαι μᾶλλον ἢ πλοῦτον μέγαν συναγαγεῖν. Σημεῖον γὰρ οὐ μικρὸν ἐκφέρεις ἀρετῆς, ἀλλ᾽ ὡς δυνατὸν μέγιστον, ταύτην ἔχων τὴν γνώμην· ὥστ᾽ ἢν ἐμμείνῃς τοῖς περὶ σοῦ νῦν λεγομένοις, οὐκ ἀπορήσεις τῶν ἐγκωμιασομένων τήν τε φρόνησιν τὴν σὴν καὶ τὴν προαίρεσιν ταύτην. 2 Ἡγοῦμαι δὲ καὶ τὰ διηγγελμένα περὶ τοῦ πατρός σου συμβαλέσθαι μεγάλην πίστιν πρὸς τὸ δοκεῖν εὖ φρονεῖν σε καὶ διαφέρειν τῶν ἄλλων· εἰώθασι γὰρ οἱ πλεῖστοι τῶν ἀνθρώπων οὐχ οὕτως ἐπαινεῖν καὶ τιμᾶν τοὺς ἐκ τῶν πατέρων τῶν εὐδοκιμούντων γεγονότας ὡς τοὺς ἐκ τῶν δυσκόλων καὶ χαλεπῶν, ἤν περ φαίνωνται μηδὲν ὅμοιοι τοῖς γονεῦσιν ὄντες. Μᾶλλον γὰρ ἐπὶ πάντων κεχαρισμένον αὐτοῖς ἐστιν τὸ παρὰ λόγον συμβαῖνον ἀγαθὸν τῶν εἰκότως καὶ προσηκόντως γιγνομένων.

3 Ὧν ἐνθυμούμενον χρὴ ζητεῖν καὶ φιλοσοφεῖν ἐξ ὅτου τρόπου καὶ μετὰ τίνων καὶ τίσι συμβούλοις χρώμενος

Τιμοθέῳ Γ : Ἰσοκράτης Τιμοθέῳ χαίρειν vulg.

1 2 συγχαίρω codd. : συγχωρῶ Γ¹ ‖ 4 προαιρεῖ codd. : προαιρῇ Γ ‖ 2 2 διηγγελμένα ΓΕ : διηγούμενα vulg. ‖ 3 συμβαλέσθαι Γ : -βάλλεσθαι vulg. ‖ 9 συμβαῖνον ΓΕ : συμβὰν vulg.

pourras remédier aux infortunes de ta cité, diriger tes
concitoyens vers le travail et la sagesse et les faire vivre
avec plus d'agrément et de sécurité que par le passé;
car c'est là le rôle des tyrans légitimes et raisonnables.
4 Certains[1], qui dédaignent cette tâche, ne songent à
rien qu'à passer eux-mêmes leur vie dans le plus grand
désordre et à tourmenter et pressurer les plus honnêtes,
les plus riches et les plus sages de leurs concitoyens; ils
méconnaissent que les gens sensés qui possèdent cette
dignité, doivent, au lieu de se procurer du plaisir par le
malheur des autres, mettre leurs propres soins à rendre
plus heureux leurs concitoyens, 5 et, au lieu d'être
durs et cruels envers tous et de négliger leur propre salut,
diriger l'État avec tant de douceur et de respect des lois
que personne n'ose comploter contre eux, tout en veil-
lant à la garde de leur personne avec autant d'exactitude
que si tout le monde voulait les faire périr. Avec cet état
d'esprit, ils seraient à l'abri de tout danger et garderaient
leur bonne réputation auprès d'autrui; or trouver des biens
plus grands que ceux-là serait difficile. 6 Tout en
écrivant, j'ai pensé à la chance avec laquelle tout est
arrivé pour toi. En effet, pour la richesse qu'on devait
nécessairement acquérir par la violence et la tyrannie et
en s'attirant beaucoup de haine, c'est ton père qui te l'a
laissée; et tu as eu la possibilité d'en user avec noblesse
et humanité, ce à quoi tu dois apporter tous tes
soins.

7 Voilà donc quels sont mes sentiments; mais voici
la situation réelle. Si tu aimes l'argent, le pouvoir plus
étendu et les dangers qui en permettent l'acquisition,

sur l'hérédité des vertus dans les familles des grands hommes.
(Cf. Plat., *Prot.*, 319e; 324d.)

1. Il serait facile d'établir une correspondance entre les
conseils qui vont suivre et ceux que développe Isocrate dans
A Nicoclès. En particulier on trouvera dans les par. 15-16
du *A Nicoclès* une défense du « despotisme éclairé ».

τάς τε τῆς πόλεως ἀτυχίας ἐπανορθώσεις καὶ τοὺς πολίτας
ἐπί τε τὰς ἐργασίας καὶ τὴν σωφροσύνην προτρέψεις καὶ
ποιήσεις αὐτοὺς ἥδιον ζῆν καὶ θαρραλεώτερον ἢ τὸν παρ-
ελθόντα χρόνον· ταῦτα γάρ ἐστιν ἔργα τῶν ὀρθῶς καὶ
φρονίμως τυραννευόντων. 4 Ὧν ἔνιοι καταφρονήσαντες
οὐδὲν ἄλλο σκοποῦσιν, πλὴν ὅπως αὐτοί θ᾽ ὡς μετὰ πλείστης
ἀσελγείας τὸν βίον διάξουσιν, τῶν τε πολιτῶν τοὺς βελτίστους καὶ πλουσιωτάτους καὶ φρονιμωτάτους λυμανοῦνται
καὶ δασμολογήσουσιν, κακῶς εἰδότες ὅτι προσήκει τοὺς εὖ
φρονοῦντας καὶ τὴν τιμὴν ταύτην ἔχοντας μὴ τοῖς τῶν
ἄλλων κακοῖς αὐτοῖς ἡδονάς παρασκευάζειν, ἀλλὰ ταῖς
αὐτῶν ἐπιμελείαις τοὺς πολίτας εὐδαιμονεστέρους ποιεῖν,
5 μηδὲ πικρῶς μὲν καὶ χαλεπῶς διακεῖσθαι πρὸς
ἅπαντας, ἀμελεῖν δὲ τῆς αὐτῶν σωτηρίας, ἀλλ᾽ οὕτω
μὲν πράως καὶ νομίμως ἐπιστατεῖν τῶν πραγμάτων ὥστε
μηδένα τολμᾶν αὐτοῖς ἐπιβουλεύειν, μετὰ τοσαύτης δ᾽
ἀκριβείας τὴν τοῦ σώματος ποιεῖσθαι φυλακὴν ὡς ἁπάντων
αὐτοὺς ἀνελεῖν βουλομένων. Ταύτην γὰρ τὴν διάνοιαν
ἔχοντες αὐτοί τ᾽ ἂν ἔξω τῶν κινδύνων εἶεν καὶ παρὰ τοῖς
ἄλλοις εὐδοκιμοῖεν· ὧν ἀγαθὰ μείζω χαλεπὸν εὑρεῖν ἐστίν.
6 Ἐνεθυμήθην δὲ μεταξὺ γράφων, ὡς εὐτυχῶς ἅπαντά
σοι συμβέβηκεν. Τὴν μὲν γὰρ εὐπορίαν, ἣν ἀναγκαῖον ἦν
κτήσασθαι μετὰ βίας καὶ τυραννικῶς καὶ μετὰ πολλῆς
ἀπεχθείας, ὁ πατήρ σοι καταλέλοιπεν, τὸ δὲ χρῆσθαι τούτοις καλῶς καὶ φιλανθρώπως ἐπὶ σοὶ γέγονεν· ὧν χρή σε
πολλὴν ποιεῖσθαι τὴν ἐπιμέλειαν.
7 Ἃ μὲν οὖν ἐγὼ γιγνώσκω, ταῦτ᾽ ἐστίν· ἔχει δ᾽ οὕτως.
Εἰ μὲν ἐρᾷς χρημάτων καὶ μείζονος δυναστείας καὶ κινδύνων, δι᾽ ὧν αἱ κτήσεις τούτων εἰσίν, ἑτέρους σοι συμβού-

3 7 τυραννευόντων ΓΕ: δυναστευόντων vulg. ‖ 4 3 τὸν βίον Γ: om.
cett. ‖ 4 καὶ πλουσιωτάτους Γ: om. cett. ‖ 4 λυμανοῦνται Γ:
ἀμυνοῦνται cett. ‖ 5 4 τοσαύτης ΓΕ Helmstadiensis 806: τοιαύτης
vulg. ‖ 8 ἄλλοις Turicenses: ἄλλοις Ἕλλησιν vulg. Ἕλλησιν ΓΕ ‖
6 2 ἀναγκαῖον ἦν Γ: ἀναγκαίως cett. ‖ 7 2 μείζονος Γ: πολλῆς cett.

c'est d'autres conseillers qu'il te faut appeler. Mais si tu
te contentes de ce que tu as et si tu aspires à la vertu, à
une belle réputation et à jouir du dévouement de la foule[1],
c'est à mes paroles qu'il faut accorder ton attention;
c'est avec ceux qui administrent bien leur cité qu'il te
faut rivaliser, et c'est eux que tu dois t'efforcer de surpasser.

8 J'entends dire que Cléommis, qui possède à Méthymne
ce genre de pouvoir, montre dans tous ses actes de la vertu
et de la sagesse, et que bien loin de faire périr, d'exiler certains citoyens, de confisquer leurs biens ou de leur faire
quelque autre mal, il accorde toute sécurité à ses compatriotes, rappelle les bannis, 9 rend à ceux qui rentrent les
biens dont ils avaient été dépossédés et en rembourse
la valeur aux gens qui les avaient achetés; et qu'en outre
il donne des armes à tous les citoyens, en pensant que
personne n'essaiera de se révolter contre lui et que, si
quelques-uns l'osaient, mieux vaudrait pour lui mourir
après avoir donné aux citoyens l'exemple d'une telle
vertu que vivre plus longtemps en causant à la cité les
maux les plus grands.

10 Je t'entretiendrais plus longuement de ce sujet,
et peut-être avec plus d'élégance, si je n'étais pas absolument forcé d'écrire rapidement cette lettre. Mais nous
te donnerons encore plus tard des conseils si la vieillesse
ne m'en empêche pas. Pour le présent, nous te parlerons
d'une affaire particulière.

Autocrator, qui te porte cette lettre, est un de mes
amis : 11 nous avons les mêmes occupations, j'ai souvent recours à son art, et, enfin, je lui ai donné des conseils
pour son voyage vers ton pays. Pour tous ces motifs, je
voudrais que tu l'accueilles bien et de façon avantageuse

---

1. Au contraire de son père, Cléarkhos. Memnon (*loc. cit.*
p. 173, n° 3) qui a moins de raisons de voiler la vérité, dit de
lui qu'il était cruel et sanguinaire à l'égard de ses sujets :
ὠμὸν τοῖς ὑπηκόοις καὶ μιαιφόνον.

λους παρακλητέον· εἰ δὲ ταῦτα μὲν ἱκανῶς ἔχεις, ἀρετῆς
δὲ καὶ δόξης καλῆς καὶ τῆς παρὰ τῶν πολλῶν εὐνοίας
ἐπιθυμεῖς, τοῖς τε λόγοις τοῖς ἐμοῖς προσεκτέον τὸν νοῦν
ἐστιν καὶ τοῖς καλῶς τὰς πόλεις τὰς αὐτῶν διοικοῦσιν
ἁμιλλητέον καὶ πειρατέον αὐτῶν διενεγκεῖν. 8 Ἀκούω
δὲ Κλέομμιν τὸν ἐν Μηθύμνῃ ταύτην ἔχοντα τὴν δυναστείαν περί τε τὰς ἄλλας πράξεις καλὸν κἀγαθὸν εἶναι καὶ
φρόνιμον, καὶ τοσοῦτον ἀπέχειν τοῦ τῶν πολιτῶν τινας
ἀποκτείνειν ἢ φυγαδεύειν ἢ δημεύειν τὰς οὐσίας | ἢ ποιεῖν
ἄλλο τι κακὸν ὥστε πολλὴν μὲν ἀσφάλειαν παρέχειν τοῖς
συμπολιτευομένοις, κατάγειν δὲ τοὺς φεύγοντας, 9 ἀπο-
διδόναι δὲ τοῖς μὲν κατιοῦσιν τὰς κτήσεις, ἐξ ὧν ἐξέπεσον,
τοῖς δὲ πριαμένοις τὰς τιμὰς τὰς ἑκάστοις γιγνομένας,
πρὸς δὲ τούτοις καθοπλίζειν ἅπαντας τοὺς πολίτας ὡς
οὐδενὸς μὲν ἐπιχειρήσοντος περὶ αὐτὸν νεωτερίζειν, ἢν δ᾽
ἄρα τινὲς τολμήσωσιν, ἡγούμενον λυσιτελεῖν αὐτῷ τεθνάναι
τοιαύτην ἀρετὴν ἐνδειξαμένῳ τοῖς πολίταις μᾶλλον ἢ ζῆν
πλείω χρόνον τῇ πόλει τῶν μεγίστων κακῶν αἴτιον γενόμενον.

10 Ἔτι δ᾽ ἂν πλείω σοι περὶ τούτων διελέχθην, ἴσως
δ᾽ ἂν καὶ χαριέστερον, εἰ μὴ παντάπασιν ἔδει με διὰ
ταχέων γράψαι σοι τὴν ἐπιστολήν. Νῦν δὲ σοὶ μὲν αὖθις
συμβουλεύσομεν, ἂν μὴ κωλύσῃ με τὸ γῆρας, ἐν δὲ τῷ
παρόντι περὶ τῶν ἰδίων δηλώσομεν. Αὐτοκράτωρ γὰρ ὁ τὰ
γράμματα φέρων οἰκείως ἡμῖν ἔχει· 11 περί τε γὰρ τὰς
διατριβὰς τὰς αὐτὰς γεγόναμεν καὶ τῇ τέχνῃ πολλάκις
αὐτοῦ κέχρημαι καὶ τὸ τελευταῖον περὶ τῆς ἀποδημίας τῆς
ὡς σὲ σύμβουλος ἐγενόμην αὐτῷ. Διὰ δὴ ταῦτα πάντα
βουλοίμην ἂν σε καλῶς αὐτῷ χρήσασθαι καὶ συμφερόντως

---

8 4 τῶν πολιτῶν Γ: om. cett. ‖ 5 ἢ φυγαδεύειν codd. καὶ φυγ-
Γ ‖ 7 φεύγοντας Γ Helmst.: φυγόντας vulg. ‖ 9 8 χρόνον ΓΕ:
χρόνον τῶν ἄλλων vulg. ‖ 10 2 ἔδει ΓΕ: ἐδεήσε vulg. ‖ 3 γράψαι
σοι Γ: γράψαι cett. ‖ 11 2 γεγόναμεν ΓΕ: γέγονα vulg.

pour vous deux, et que l'on voie que c'est en partie grâce
à moi qu'il obtient ce dont il a besoin.

12 Ne sois d'ailleurs pas surpris que je t'écrive avec
tant de zèle, alors que je n'ai jamais rien demandé à
Cléarchos. A peu près tous les navigateurs arrivant de votre
pays disent que tu ressembles aux meilleurs de mes disciples. Pour Cléarchos, au temps où il était près de nous,
ceux qui le rencontraient, reconnaissaient tous que c'était
le plus libéral, le plus doux et le plus humain de ceux qui
participaient à mon enseignement; mais, quand il eut
pris le pouvoir, il parut tellement changé en mal qu'il fit
l'étonnement de tous ceux qui le connaissaient auparavant.
13 C'est pour ces raisons que je me brouillai avec lui.
Mais pour toi j'ai de la sympathie et j'attacherais une
grande importance à ce que tu eusses des rapports amicaux
avec nous. Tu montreras vite si tu penses comme nous :
tu prendras soin d'Autocrator et tu nous enverras une
lettre pour renouveler notre amitié et nos relations antérieures d'hospitalité. Porte-toi bien, et, s'il est chez nous
quelque chose dont tu aies besoin, écris-le.

ἀμφοτέροις ὑμῖν, καὶ γενέσθαι φανερὸν ὅτι μέρος τι καὶ δι᾽ ἐμὲ γίγνεταί τι τῶν δεόντων αὐτῷ.

12 Καὶ μὴ θαυμάσῃς εἰ σοὶ μὲν οὕτως ἐπιστέλλω προθύμως, Κλεάρχου δὲ μηδὲν πώποτ᾽ ἐδεήθην. Σχεδὸν γὰρ ἅπαντες οἱ παρ᾽ ὑμῶν καταπλέοντες σὲ μὲν ὅμοιόν φασιν εἶναι τοῖς βελτίστοις τῶν ἐμοὶ πεπλησιακότων, Κλέαρχον δὲ κατὰ μὲν ἐκεῖνον τὸν χρόνον ὅτ᾽ ἦν παρ᾽ ἡμῖν, ὡμολόγουν, ὅσοι περ ἐνέτυχον, ἐλευθεριώτατον εἶναι καὶ πρᾳότατον καὶ φιλανθρωπότατον τῶν μετεχόντων τῆς διατριβῆς· ἐπειδὴ δὲ τὴν δύναμιν ἔλαβεν, τοσοῦτον ἔδοξε μεταπεσεῖν ὥστε πάντας θαυμάζειν τοὺς πρότερον αὐτὸν γιγνώσκοντας. 13 Πρὸς μὲν οὖν ἐκεῖνον διὰ ταύτας τὰς αἰτίας ἀπηλλοτριώθην· σὲ δ᾽ ἀποδέχομαι καὶ πρὸ πολλοῦ ποιησαίμην ἂν οἰκείως διατεθῆναι πρὸς ἡμᾶς. Δηλώσεις δὲ καὶ σὺ διὰ ταχέων εἰ τὴν αὐτὴν γνώμην ἔχεις ἡμῖν. | Αὐτοκράτορός τε γὰρ ἐπιμελήσει καὶ πέμψεις ἐπιστολὴν ὡς ἡμᾶς, ἀνανεούμενος τὴν φιλίαν καὶ ξενίαν τὴν πρότερον ὑπάρχουσαν. Ἔρρωσο, κἂν του δέῃ τῶν παρ᾽ ἡμῖν, ἐπίστελλε.

6 ὑμῖν Γ¹Ε : ἡμῖν Γ² vulg. ‖ 7 τι Γ : om. cett. ‖ 12 4 βελτίστοις ΓΕ : κρατίστοις vulg. ‖ 13 7 κἂν του ΓΕ : καὶ εἴ του ἄλλου vulg. ‖ 7 τῶν παρ᾽ vulg. : παρ᾽ Γ ‖ 7 ἡμῖν Γ : ἡμῶν cett.

A PHILIPPE

1   Je sais bien que tous les hommes sont d'ordinaire plus reconnaissants à ceux qui leur adressent des éloges qu'à ceux qui leur donnent des conseils, surtout si l'on veut le faire sans qu'ils le demandent. Pour moi, si déjà auparavant[1] je ne t'avais pas donné, et avec beaucoup de dévouement, des conseils qui, à mon avis, devaient te pousser aux exploits les plus dignes de toi, peut-être maintenant même n'entreprendrais-je pas d'exposer mon sentiment sur ce qui t'est arrivé. 2   Mais puisque j'ai résolu de m'intéresser à tes affaires dans l'intérêt à la fois de ma patrie et du reste de la Grèce, j'aurais honte si l'on voyait que je t'ai donné des conseils sur ce qui était peu nécessaire et si je ne parlais nullement de ce qui est le plus urgent, et cela quand je sais que mes premiers conseils intéressent ta gloire et les seconds ton salut, que tu négliges trop selon tous ceux qui ont entendu les reproches qui te sont faits. 3   En effet il n'est personne qui ne t'ait accusé de t'être offert au danger plutôt en téméraire qu'en roi et de te soucier plus des éloges accordés au courage que des nécessités de la situation générale. Or la honte est égale à ne pas surpasser les autres quand les ennemis vous entourent et à se jeter sans aucune nécessité dans des combats où, en cas de succès, tu n'aurais rien

---

1. Isocrate renvoie au *Philippe* dès le début en laissant entendre qu'il reprend des idées antérieurement exprimées.

ΦΙΛΙΠΠΩΙ

1 Οἶδα μὲν ὅτι πάντες εἰώθασιν πλείω χάριν ἔχειν τοῖς ἐπαινοῦσιν ἢ τοῖς συμβουλεύουσιν, ἄλλως τε κἂν μὴ κελευσθεὶς ἐπιχειρῇ τις τοῦτο ποιεῖν. Ἐγὼ δ' εἰ μὲν μὴ καὶ πρότερον ἐτύγχανον σοι παρηνεκὼς μετὰ πολλῆς εὐνοίας ἐξ ὧν ἐδόκεις μοι τὰ πρέποντα μάλιστ' ἂν σαυτῷ πράττειν, ἴσως οὐδ' ἂν νῦν ἐπεχείρουν ἀποφαίνεσθαι περὶ τῶν σοὶ συμβεβηκότων· 2 ἐπειδὴ δὲ προειλόμην φροντίζειν τῶν σῶν πραγμάτων καὶ τῆς πόλεως ἕνεκα τῆς ἐμαυτοῦ καὶ τῶν ἄλλων Ἑλλήνων, αἰσχυνθείην ἂν, εἰ περὶ μὲν τῶν ἧττον ἀναγκαίων φαινοίμην σοι συμβεβουλευκὼς, ὑπὲρ δὲ τῶν μᾶλλον κατεπειγόντων μηδένα λόγον ποιοίμην, καὶ ταῦτ' εἰδὼς ἐκεῖνα μὲν ὑπὲρ δόξης ὄντα, ταῦτα δ' ὑπὲρ τῆς σωτηρίας, ἧς ὀλιγωρεῖν ἅπασιν ἔδοξας τοῖς ἀκούσασιν τὰς περὶ σοῦ ῥηθείσας βλασφημίας. 3 Οὐδεὶς γὰρ ἔστιν ὅστις οὐ κατέγνω προπετέστερόν σε διακινδυνεύειν ἢ βασιλικώτερον καὶ μᾶλλόν σοι μέλειν τῶν περὶ τὴν ἀνδρείαν ἐπαίνων ἢ τῶν ὅλων πραγμάτων. Ἔστιν δ' ὁμοίως αἰσχρὸν περιστάντων τε τῶν πολεμίων μὴ διαφέροντα γενέσθαι τῶν ἄλλων, μηδεμιᾶς τε συμπεσούσης ἀνάγκης αὐτὸν ἐμβαλεῖν εἰς τοιούτους ἀγῶνας, ἐν οἷς

Φιλίππῳ Γ : Ἰσοκράτης Φιλίππῳ χαίρειν vulg.
1 5 μάλιστ' ἂν ΓΕ : μάλιστα vulg. ‖ 2 6 ταῦτ' εἰδὼς Γ : ταυτί πως cett. ‖ 8 περὶ σοῦ codd. : παρὰ σοῦ Γ. ‖ 3 7 αὑτὸν codd. : αὑτῷ Γ¹ ‖ 7 ἐμβαλεῖν ΓΕ : -βάλλειν vulg.

accompli de grand et où, en perdant la vie[1], tu aurais
détruit en même temps tous les avantages que tu possèdes.
4 Il ne faut pas juger belles toutes les morts dans les
guerres : il faut considérer comme digne d'éloges celle
que l'on reçoit pour sa patrie, ses parents, ses enfants[2] ;
mais pour celles qui leur nuisent et avilissent les exploits
passés, il faut les juger honteuses et les fuir comme des
causes de grand déshonneur.

5 Je crois qu'il t'est utile d'imiter les États dans leur
façon de mener la guerre[3]. Tous en effet, lorsqu'ils envoient
une armée, ont coutume de mettre en sûreté le pouvoir
central[4] qui doit délibérer sur les événements. Ainsi, loin
qu'un échec suffise à détruire leur puissance, ils peuvent
supporter bien des malheurs et s'en relever. 6 C'est
à quoi tu dois réfléchir, et tu dois aussi ne juger aucun
bien supérieur à ton salut, pour te permettre de profiter
de tes victoires comme il convient [et de remédier aux
échecs]. Tu peux voir aussi que les Lacédémoniens se
préoccupent fort du salut de leurs rois et qu'ils leur ont
donné comme gardes les plus renommés des citoyens[5], pour
qui c'est un plus grand déshonneur de les laisser tuer que
d'abandonner leurs boucliers. 7 En outre tu n'ignores
pas non plus ce qui est arrivé à Xerxès, celui qui a voulu
asservir les Grecs, et à Cyrus, celui qui a cherché à obtenir
la royauté. Le premier, bien qu'accablé par des défaites

---

1. Les blessures de Philippe avaient vivement frappé l'esprit des Grecs. Cf. Dém., *Sur la Couronne*, 67.

2. L'expression est classique dans la littérature patriotique ; cf. Callinos, 7 ; Tyrtée, fgt. 10 (Bergk), 13-14 ; fgt. 12, 33-34.

3. Isocrate rappelle ici Platon qui étudie l'État pour y trouver plus facilement le fondement de la morale *individuelle* (*Rép.*, 368 d).

4. Isocrate (comme Polybe X, 32, 7 et surtout 33, 3-5 à propos de Marcellus et d'Hannibal) à déjà la conception moderne du chef d'État que n'acceptent ni Philippe, ni Alexandre. (Cf. E. Meyer, *Sitzungsberichte* de l'Acad. de Berlin 1909, p. 704).

5. 300 ἱππεῖς (qui servent à pied). Cf. Thuc., V, 72.

κατορθώσας μὲν οὐδὲν ἂν ἦσθα μέγα διαπεπραγμένος,
τελευτήσας δὲ τὸν βίον ἅπασαν ἂν τὴν ὑπάρχουσαν εὐδαιμονίαν συνανεῖλες. 4 Χρὴ δὲ μὴ καλὰς ἁπάσας ὑπολαμβάνειν τὰς ἐν τοῖς πολέμοις τελευτὰς ἀλλὰ τὰς μὲν ὑπὲρ
τῆς πατρίδος καὶ τῶν γονέων καὶ τῶν παίδων ἐπαίνων
ἀξίας, τὰς δὲ ταῦτά τε πάντα βλαπτούσας καὶ τὰς πράξεις
τὰς πρότερον κατωρθωμένας καταρρυπαινούσας αἰσχρὰς
νομίζειν καὶ φεύγειν ὡς αἰτίας πολλῆς ἀδοξίας γιγνομένας.

5 Ἡγοῦμαι δέ σοι συμφέρειν μιμεῖσθαι τὰς πόλεις, ὃν
τρόπον διοικοῦσιν τὰ περὶ τοὺς πολέμους. Ἅπασαι γάρ,
ὅταν στρατόπεδον ἐκπέμπωσιν, εἰώθασι τὸ κοινὸν καὶ τὸ βουλευσόμενον ὑπὲρ τῶν ἐνεστώτων εἰς ἀσφάλειαν καθιστάναι·
διὸ δὴ συμβαίνει μὴ μιᾶς ἀτυχίας συμπεσούσης ἀνῃρῆσθαι
καὶ τὴν δύναμιν αὐτῶν, ἀλλὰ πολλὰς ὑποφέρειν δύνασθαι
συμφορὰς καὶ πάλιν αὐτὰς ἐκ τούτων ἀναλαμβάνειν. 6
Ὃ καὶ σὲ δεῖ σκοπεῖν, καὶ μηδὲν μεῖζον ἀγαθὸν τῆς
σωτηρίας ὑπολαμβάνειν, ἵνα καὶ τὰς νίκας τὰς συμβαι-
νούσας κατὰ τρόπον | διοικῇς [καὶ τὰς ἀτυχίας τὰς συμ-
πιπτούσας ἐπανορθοῦν δύνῃ]. Ἴδοις δ' ἂν καὶ Λακεδαιμονίους περὶ τῆς τῶν βασιλέων σωτηρίας πολλὴν ἐπιμέλειαν ποιουμένους καὶ τοὺς ἐνδοξοτάτους τῶν πολιτῶν φύλακας αὐτῶν καθιστάντας, οἷς αἴσχιόν ἐστιν
ἐκείνους τελευτήσαντας περιιδεῖν ἢ τὰς ἀσπίδας ἀποβα-
λεῖν. 7 Ἀλλὰ μὴν οὐδ' ἐκεῖνά σε λέληθεν, ἃ Ξέρξῃ
τε τῷ καταδουλώσασθαι τοὺς Ἕλληνας βουληθέντι καὶ
Κύρῳ τῷ ⟨τῆς⟩ βασιλείας ἀμφισβητήσαντι συνέπεσεν.
Ὁ μὲν γὰρ τηλικαύταις ἥτταις καὶ συμφοραῖς περιπεσὼν

3 9 ἅπασαν ἂν Γ : ἅπασαν cett. ‖ 4 5 καταρρυπαινούσας *Turicenses* : καταρυπ- codd. ‖ 6 αἰτίας πολλῆς Γ : αἰτίους vulg. ‖
5 3-4 βουλευσόμενον ΓΕ : συμβουλ- vulg. ‖ 6 μὴ μιᾶς Blass :
μηδεμιᾶς codd. ‖ 5 ἀνῃρῆσθαι om. Γ ‖ 7 αὑτὰς codd. : ἑαυτὰς Γ. ‖
6 3 καὶ τὰς ... δύνῃ Γ : om. cett. del. Benseler. propter hiatum ‖
7 3 τῷ τῆς Coraïs : τῷ Γ τῆς vulg.

et des malheurs [1] tels que nul n'en connaît qui soient
arrivés à d'autres, pour avoir sauvé sa vie, maintint son
pouvoir royal, le transmit à ses enfants et gouverna de
telle façon l'Asie qu'elle n'est pas moins redoutable pour
les Grecs qu'auparavant. 8 Cyrus, qui avait vaincu
toute l'armée du Grand Roi et aurait été le maître de la
situation sans sa témérité [2], non seulement se priva d'une
telle puissance, mais provoqua les plus grands malheurs
pour ceux qui l'avaient accompagné. Je pourrais te citer
une foule de gens qui, mis à la tête de grandes armées, par
leur mort prématurée firent périr avec eux bien des
milliers d'hommes.

9 Il te faut réfléchir à cela et ne pas estimer le courage
qu'accompagnent une folle irréflexion et une ambition
inopportune; ni, alors que les monarchies comportent
bien des dangers qui leur sont propres, en inventer d'autres
moins glorieux et dignes de simples soldats, ni rivaliser
avec les gens qui ou bien veulent se débarrasser d'une vie
malheureuse ou bien s'offrent aveuglément aux dangers
pour obtenir une solde plus forte; 10 ni même désirer
une gloire qu'obtiennent bien des Grecs et bien des Barbares, mais au contraire une si grande que seul de tous
ceux qui vivent maintenant tu sois capable de l'obtenir.
Il ne te faut pas non plus aimer trop les qualités que possèdent même les gens de peu de valeur, mais seulement
celles qu'aucun homme vicieux ne peut avoir en partage [3].
11 Et il ne te faut pas faire des guerres obscures et difficiles quand tu en peux faire de glorieuses et de faciles,
ni des guerres qui procureront à tes meilleurs amis des
chagrins et des soucis, à tes ennemis de grandes espérances
comme celles que tu viens de leur donner. Pour les Bar-

---

1. Isocrate précise l'identité de Xerxès et de Cyrus, parce
que pour lui Xerxès est un nom générique (cf. *Phil.*, 42) et parce
qu'il veut éviter toute confusion entre les deux Cyrus.
2. Cf. *Phil.*, 90-2; Xénophon, *Anab.*, 1, 8, 21-29.
3. Cf. *A Nicoclès*, 30, et *Nicoclès*, 43.

ἡλίκας οὐδεὶς οἶδεν ἄλλοις γενομένας, διὰ τὸ περιποιῆσαι
τὴν αὐτοῦ ψυχὴν τήν τε βασιλείαν κατέσχεν καὶ τοῖς
παισὶν τοῖς αὐτοῦ παρέδωκεν καὶ τὴν Ἀσίαν οὕτω διῴκησεν
ὥστε μηδὲν ἧττον αὐτὴν εἶναι φοβερὰν τοῖς Ἕλλησιν ἢ
πρότερον· 8 Κῦρος δὲ νικήσας ἅπασαν τὴν βασιλέως
δύναμιν καὶ κρατήσας ⟨ἂν⟩ τῶν πραγμάτων εἰ μὴ διὰ τὴν
αὐτοῦ προπέτειαν, οὐ μόνον αὐτὸν ἀπεστέρησεν τηλικαύτης δυναστείας, ἀλλὰ καὶ τοὺς συνακολουθήσαντας εἰς
τὰς ἐσχάτας συμφορὰς κατέστησεν. Ἔχοιμι δ᾽ ἂν παμπληθεῖς εἰπεῖν οἳ μεγάλων στρατοπέδων ἡγεμόνες γενόμενοι
διὰ τὸ προδιαφθαρῆναι πολλὰς μυριάδας αὐτοῖς συναπώ-
λεσαν.

9 Ὧν ἐνθυμούμενον χρὴ μὴ τιμᾶν τὴν ἀνδρείαν τὴν
μετ᾽ ἀνοίας ἀλογίστου καὶ φιλοτιμίας ἀκαίρου γιγνομένην,
μηδὲ πολλῶν κινδύνων ἰδίων ὑπαρχόντων ταῖς μοναρχίαις
ἑτέρους ἀδόξους καὶ στρατιωτικοὺς αὐτῷ προσεξευρίσκειν,
μηδ᾽ ἁμιλλᾶσθαι τοῖς ἢ βίου δυστυχοῦς ἀπαλλαγῆναι
βουλομένοις ἢ μισθοφορᾶς ἕνεκα μείζονος εἰκῇ τοὺς
κινδύνους προαιρουμένοις, 10 μηδ᾽ ἐπιθυμεῖν τοιαύτης
δόξης, ἧς πολλοὶ καὶ τῶν Ἑλλήνων καὶ τῶν βαρβάρων
τυγχάνουσιν, ἀλλὰ τῆς τηλικαύτης τὸ μέγεθος, ἣν μόνος
ἂν τῶν νῦν ὄντων κτήσασθαι δυνηθείης· μηδ᾽ ἀγαπᾶν λίαν
τὰς τοιαύτας ἀρετὰς ὧν καὶ τοῖς φαύλοις μέτεστιν, ἀλλ᾽
ἐκείνας ὧν οὐδεὶς ἂν πονηρὸς κοινωνήσειεν· 11 μηδὲ
ποιεῖσθαι πολέμους ἀδόξους καὶ χαλεποὺς, ἐξὸν ἐντίμους
καὶ ῥᾳδίους, μηδ᾽ ἐξ ὧν τοὺς μὲν οἰκειοτάτους εἰς λύπας
καὶ φροντίδας καταστήσεις, τοὺς δ᾽ ἐχθροὺς ἐν ἐλπίσιν
μεγάλαις ποιήσεις, οἵας καὶ νῦν αὐτοῖς παρέσχες | ἀλλὰ τῶν

---

7 5 οἶδεν ἄλλοις Bekker : οὐδ᾽ ἐνάλλαις ΓΕ ἄλλος οἶδε vulg. ||
8 2 ἂν add. Sauppe || 2 εἰ μὴ Γ : om. cett. || 3 αὐτὸν codd. : ἑαυτὸν
Γ || 4 συνακολουθήσαντας ΓΕ : -θοῦντας vulg. || 9 1 ὧν codd. : ὂν
Γ² || 2 ἀλογίστου Γ : om. cett. || ἰδίων Γ : om. cett. || 10 2 τῶν
Ἑλλήνων ΓΕ : τῶν ἄλλων Ἑλλήνων vulg. || 11 2 ἐξὸν Ε vulg. : ἐξ
ὧν Γ || 3 ῥᾳδίους Γ : ἡδίους Ε vulg. || 5 ποιήσεις Γ : om. cett.

bares que tu combats maintenant, il te suffira de les vaincre
assez pour assurer la sécurité de ton pays ; puis tu entre-
prendras[1] d'abattre celui qu'on appelle maintenant le
Grand Roi, afin de rehausser ta gloire et d'indiquer aux
Grecs contre qui il faut porter la guerre.

12 Je préférerais de beaucoup t'avoir envoyé cette
lettre avant ton expédition ; de la sorte, si tu avais été
convaincu, tu ne serais pas tombé dans un tel péril ; et
si tu ne t'étais pas fié à mes conseils, je n'aurais pas semblé
te donner les mêmes avis que ceux que tous adoptent
maintenant par suite de ta blessure ; l'événement aurait
témoigné que c'était mon discours à ce sujet qui était
raisonnable.

13 Quoique ayant encore beaucoup à dire vu la nature
du sujet, je vais cesser de parler ; je crois en effet que toi
et les plus zélés de tes compagnons[2] compléterez facilement
et à votre gré ce que j'ai dit. En outre je crains d'être
importun, car maintenant, en progressant peu à peu,
j'ai atteint sans m'en apercevoir, non pas les proportions
d'une lettre, mais la longueur d'un discours.

14 Néanmoins je ne dois pas laisser de côté ce qui
concerne ma patrie et je dois tenter de t'exhorter à avoir
de bonnes relations avec elle et à avoir recours à elle. Je
crois qu'il y a beaucoup de gens pour te faire des rapports[3]
et non seulement te dire les plus désagréables des propos
que l'on tient chez nous à ton sujet, mais encore y ajouter
d'eux-mêmes. Il ne te faut pas accorder d'attention à ces
gens. 15 En effet ta conduite serait étrange si, blâmant
notre peuple d'écouter facilement[4] les calomnies, tu
montrais toi-même de la confiance envers ceux qui pratiquent cet art, et si tu ne voyais pas que, plus on te montre

---

1. Les Illyriens ne semblent pas à Isocrate dangereux ; mais
en 359 leur roi Bardylis avait envahi la Macédoine.
2. Même expression dans le *Philippe*, 80.
3. Sur ces Athéniens qui renseignaient la cour de Macédoine,
cf. [Démosthène], *sur l'Halonnèse*, 23 ; Hyp., *Pour Eux.*, 21.
4. Peu de semaines sans doute après cette lettre, Philippe

μὲν βαρβάρων, πρός οὓς νῦν πολεμεῖς, ἐπὶ τοσοῦτον
ἐξαρκέσει σοι κρατεῖν, ὅσον ἐν ἀσφαλείᾳ καταστῆσαι τὴν
σαυτοῦ χώραν, τὸν δὲ ⟨βασιλέα τὸν⟩ νῦν μέγαν προσαγορευόμενον καταλύειν ἐπιχειρήσεις, ἵνα τήν τε σαυτοῦ
δόξαν μείζω ποιήσῃς καὶ τοῖς Ἕλλησιν ὑποδείξῃς πρὸς
ὃν χρὴ πολεμεῖν.

12 Πρὸ πολλοῦ δ᾽ ἂν ἐποιησάμην ἐπιστεῖλαί σοι ταῦτα
πρὸ τῆς στρατείας, ἵν᾽ εἰ μὲν ἐπείσθης, μὴ τηλικούτῳ
κινδύνῳ περιέπεσες, εἰ δ᾽ ἠπίστησας, μὴ συμβουλεύειν
ἐδόκουν ταὐτὰ τοῖς ἤδη διὰ τὸ πάθος ὑπὸ πάντων ἐγνω-
σμένοις, ἀλλὰ τὸ συμβεβηκὸς ἐμαρτύρει τοὺς λόγους ὀρθῶς
ἔχειν τοὺς ὑπ᾽ ἐμοῦ περὶ αὐτῶν εἰρημένους.

13 Πολλὰ δ᾽ ἔχων εἰπεῖν διὰ τὴν τοῦ πράγματος φύσιν
παύσομαι λέγων· οἶμαι γὰρ καὶ σὲ καὶ τῶν ἑταίρων τοὺς
σπουδαιοτάτους ῥᾳδίως ὁπόσ᾽ ἂν βούλησθε προσθήσειν τοῖς
εἰρημένοις. Πρὸς δὲ τούτοις φοβοῦμαι τὴν ἀκαιρίαν· καὶ
γὰρ νῦν κατὰ μικρὸν προϊὼν ἔλαθον ἐμαυτὸν οὐκ εἰς
ἐπιστολῆς συμμετρίαν, ἀλλ᾽ εἰς λόγου μῆκος ἐξοκείλας.

14 Οὐ μὴν ἀλλὰ καίπερ τούτων οὕτως ἐχόντων οὐ
παραλειπτέον ἐστὶν τὰ περὶ τῆς πόλεως, ἀλλὰ πειρατέον
παρακαλέσαι σε πρὸς τὴν οἰκειότητα καὶ τὴν χρῆσιν
αὐτῆς. Οἶμαι γὰρ πολλοὺς εἶναι τοὺς ἀπαγγέλλοντας καὶ
λέγοντας οὐ μόνον τὰ δυσχερέστατα τῶν περὶ σοῦ παρ᾽
ἡμῖν εἰρημένων, ἀλλὰ καὶ παρ᾽ αὐτῶν προστιθέντας· οἷς
οὐκ εἰκὸς προσέχειν τὸν νοῦν. 15 Καὶ γὰρ ἂν ἄτοπον
ποιοίης, εἰ τὸν μὲν δῆμον τὸν ἡμέτερον ψέγοις ὅτι ῥᾳδίως
πείθεται τοῖς διαβάλλουσιν, αὐτὸς δὲ φαίνοιο πιστεύων
τοῖς τὴν τέχνην ταύτην ἔχουσιν, καὶ μὴ γιγνώσκοις ὡς

11 8 ἐξαρκέσει σοι Ε vulg. : ἐξαρκέσοι Γ ‖ 8 βασιλέα τὸν add.
Blass collata *Ep. III*,5 ‖ 7 τε om. Γ ‖ 10 ὑποδείξῃς πρὸς ὃν Γ :
ἐπιδείξῃς πρὸς οὓς vulg. ‖ 12 3 περιέπεσες Γ : περιπεσεῖν Ε vulg. ‖
3 ἠπίστησας Γ : ἠπείθησας vulg. ‖ 3 μὴ Benseler : μὴ ἐγὼ codd. ‖
13 4 ἀκαιρίαν Γ : ἀκριβείαν Ε vulg. ‖ 14 6 προστιθέντας vulg. :
προστεθ- Γ ‖ 7 προσέχειν Γ : προσέχειν σε vulg.

que notre ville se laisse facilement entraîner par le premier
venu, plus on te prouve qu'elle doit t'intéresser. Si en
effet ceux qui ne peuvent rien faire de bon, arrivent par
leur paroles à tout ce qu'ils veulent, à plus forte raison
est-il naturel que toi, qui pourrais par tes actes faire le
plus grand bien, tu n'échoues en rien auprès de nous.

16 Je pense qu'il faut, en présence de ceux qui accusent
amèrement notre ville, opposer les uns aux autres ceux
qui attestent la réalité de ces faits et ceux qui affirment
qu'Athènes n'a commis aucune injustice grande ou petite.
Je ne dirai pourtant rien de tel; car je rougirais, quand les
autres ne jugent pas même les dieux irréprochables, d'oser
dire que notre cité n'a jamais commis aucune erreur.
17 Cependant je puis dire d'elle que tu ne trouveras pas
d'État qui puisse mieux servir les intérêts des Grecs ou
les tiens. C'est à quoi il te faut accorder la plus grande
attention. Car ce n'est pas seulement en combattant avec
toi qu'elle te rendrait les plus grands services, mais même
seulement en semblant bien disposée à ton égard. 18
En effet tu maintiendrais plus facilement ceux qui te
sont maintenant soumis s'ils ne savaient plus vers qui
se tourner [1], et tu soumettrais plus rapidement tous les
Barbares que tu voudrais. Or ne doit-on pas désirer vivement une bienveillance qui te fera non seulement conserver
en toute sûreté ton empire actuel, mais encore en gagner
sans risque un autre aussi important? 19 Je regarde
avec étonnement les gens puissants qui paient des armées
de mercenaires et dépensent pour cela beaucoup d'argent,
tout en sachant bien que ces armées ont fait plus souvent
du tort à ceux qui s'y sont fiés qu'elles ne les ont sauvés,

se plaint encore auprès des Athéniens des calomnies des orateurs :
cf. Dém., *Deux. Phil.*, arg. de Libanios.

1. Isocrate rappelle discrètement l'asile et l'appui qu'Athènes
donnait depuis longtemps aux ennemis de Philippe : en 356,
elle avait signé un traité d'alliance avec les rois de Thrace,
de Péonie, d'Illyrie; en 348, elle accueillait des réfugiés olyn-
thiens; en 346, des réfugiés phocidiens (Dém., *Sur la Paix*, 19).

ὅσφπερ ἂν τὴν πόλιν εὐαγωγοτέραν ὑπὸ τῶν τυχόντων
οὖσαν ἀποφαίνωσιν, τοσούτῳ μᾶλλον σοι συμφερόντως
ἔχουσαν αὐτὴν ἐπιδεικνύουσιν. Εἰ γὰρ οἱ μηδὲν ἀγαθὸν
οἷοί τ᾽ ὄντες ποιῆσαι διαπράττονται τοῖς λόγοις ὅτι ἂν
βουληθῶσιν, ἦ πού σέ γε προσήκει τὸν πλεῖστ᾽ ἂν ἔργῳ
δυνάμενον εὐεργετῆσαι μηδενὸς ἀποτυχεῖν παρ᾽ ἡμῶν.

16 Ἡγοῦμαι δὲ δεῖν πρὸς μὲν τοὺς πικρῶς τῆς πόλεως
ἡμῶν κατηγοροῦντας ἐκείνους ἀντιτάττεσθαι | τοὺς πάντα
τε ταῦτ᾽ εἶναι λέγοντας καὶ τοὺς μήτε μεῖζον μήτ᾽ ἔλαττον
αὐτὴν ἠδικηκέναι φάσκοντας· ἐγὼ δ᾽ οὐδὲν ἂν εἴποιμι
τοιοῦτον· αἰσχυνθείην γὰρ ἄν, εἰ τῶν ἄλλων μηδὲ τοὺς
θεοὺς ἀναμαρτήτους εἶναι νομιζόντων αὐτὸς τολμῴην
λέγειν ὡς οὐδὲν πώποθ᾽ ἡ πόλις ἡμῶν πεπλημμέληκεν.

17 Οὐ μὴν ἀλλ᾽ ἐκεῖν᾽ ἔχω περὶ αὐτῆς εἰπεῖν, ὅτι χρησιμωτέραν οὐκ ἂν εὕροις ταύτης οὔτε τοῖς Ἕλλησιν οὔτε
τοῖς σοῖς πράγμασιν· ᾧ μάλιστα προσεκτέον τὸν νοῦν ἐστιν.
Οὐ γὰρ μόνον συναγωνιζομένη γίγνοιτ᾽ ἂν αἰτία σοι πολλῶν
ἀγαθῶν, ἀλλὰ καὶ φιλικῶς ἔχειν δοκοῦσα μόνον· 18 τούς
τε γὰρ ὑπὸ σοὶ νῦν ὄντας ῥᾷον ἂν κατέχοις εἰ μηδεμίαν
ἔχοιεν ἀποστροφήν, τῶν τε βαρβάρων οὓς βουληθείης
θᾶττον ἂν καταστρέψαιο. Καίτοι πῶς οὐ χρὴ προθύμως
ὀρέγεσθαι τῆς τοιαύτης εὐνοίας, δι᾽ ἣν οὐ μόνον τὴν
ὑπάρχουσαν ἀρχὴν ἀσφαλῶς καθέξεις, ἀλλὰ καὶ πολλὴν
ἑτέραν ἀκινδύνως προσκτήσει; 19 Θαυμάζω δ᾽ ὅσοι τῶν
τὰς δυνάμεις ἐχόντων τὰ μὲν τῶν ξενιτευομένων στρατόπεδα μισθοῦνται καὶ χρήματα πολλὰ δαπανῶσιν, συνειδότες
ὅτι πλείους ἠδίκηκε τῶν πιστευσάντων αὐτοῖς ἢ σέσωκεν,

15 10 ἀποτυχεῖν Γ : τυχεῖν Ε vulg. ‖ 16 2 ἡμῶν Γ : om. cett. ‖
2 ἀντιτάττεσθαι ΓΕ : τάττειν vulg. ‖ 3 τε ταῦτ᾽ εἶναι ΓΕ : γε ταύτης
εἶναι vulg. ‖ 7 ἡ πόλις ἡμῶν (om. Γ¹ ins. Γ mg.) πεπλημμέληκεν
Γ : πεπλημμελήκαμεν vulg. ‖ 17 3 σοῖς Γ : om. cett. ‖ 5 καὶ φιλικῶς
Ε vulg. : καιλικως Γ ‖ 5 δοκοῦσα (-σαν Γ) μόνον ΓΕ : μόνον δοκοῦσα
vulg. ‖ 18 2 σοὶ νῦν ὄντας Γ : σοῦ (vel σοὶ) σύνοντας vulg. ‖ 5 δι᾽ ἣν
ΓΕ : δι᾽ ἧς vulg. ‖ 6 ἀρχὴν Γ : ἰσχὺν vulg.

et qui ne cherchent [1] pas à se concilier notre cité dont la
puissance a déjà sauvé bien des fois chacune des villes
et la Grèce toute entière [2]. 20 Songe que, de l'avis de
beaucoup, tu as pris une résolution sage quand tu as traité
avec justice et de façon utile pour eux les Thessaliens [3],
gens difficiles d'humeur, pleins d'orgueil et d'esprit de
discorde. Or il te faut aussi tenter d'avoir la même attitude à notre égard, en sachant bien que, si les Thessaliens
sont proches de toi par leur territoire, nous le sommes par
la puissance [4]. Cherche par tous les moyens à te concilier
cette force. 21 Il est bien plus beau de conquérir l'affection des villes que leurs murailles [5], action qui non seulement
provoque des reproches, mais dont on attribue le mérite
aux armées : au contraire si tu peux gagner la bienveillance et l'affection, les qualités de ton caractère seront
louées de tous.

22 Tu peux à bon droit te fier à moi pour ce que je
viens de te dire sur Athènes. Car on verra bien que je
n'ai jamais eu l'habitude de la flatter dans mes discours
et que je lui ai adressé les plus vifs reproches [6]; que d'autre
part la foule et ceux qui décident au hasard, n'ont pas
bonne opinion de moi, mais me méconnaissent et me
jalousent autant que toi. Cependant il y a une différence
entre nous : c'est qu'ils ont ces sentiments à ton égard à
cause de ta puissance et de ton bonheur, à mon égard
parce que je m'efforce de penser mieux qu'eux et parce
qu'ils voient plus de gens désirer s'entretenir avec moi
qu'avec eux. 23 Je voudrais qu'il nous fût également
aisé d'échapper à notre réputation. Mais il ne te sera pas

1. Le même mépris pour les mercenaires se montre dans le
Philippe 120-121; cf. aussi plus haut § 9.
2. Isocrate (dans le *Philippe*, 129) indique trois victoires qui
ont sauvé les Grecs : Marathon, Salamine, Cnide.
3. Cf. *Phil.*, 20.
4. Le ton est différent de celui de l'année 346 (*Phil.*, 40).
5. Cf. sur l'*Ech.*, 122; *Phil.*, 68, 140.
6. Allusion à l'*Aréopagitique* et au discours *Sur la Paix*.

τὴν δὲ πόλιν τὴν τηλικαύτην δύναμιν κεκτημένην μὴ
πειρῶνται θεραπεύειν, ἣ καὶ μίαν ἑκάστην τῶν πόλεων καὶ
σύμπασαν τὴν Ἑλλάδα πολλάκις ἤδη σέσωκεν. 20 Ἐνθυμοῦ δ' ὅτι πολλοῖς καλῶς βεβουλεῦσθαι δοκεῖς ὅτι δικαίως
κέχρησαι Θετταλοῖς καὶ συμφερόντως ἐκείνοις, ἀνδράσιν
οὐκ εὐμεταχειρίστοις, ἀλλὰ μεγαλοψύχοις καὶ στάσεως
μεστοῖς. Χρὴ τοίνυν καὶ περὶ ἡμᾶς πειρᾶσθαι γίγνεσθαί σε
τοιοῦτον, ἐπιστάμενον ὅτι τὴν μὲν χώραν Θετταλοί, τὴν
δὲ δύναμιν ἡμεῖς ὅμορόν σοι τυγχάνομεν ἔχοντες, ἣν ἐκ
παντὸς τρόπου ζήτει προσαγαγέσθαι. 21 Πολὺ γὰρ
κάλλιόν ἐστιν τὰς εὐνοίας τὰς τῶν πόλεων αἱρεῖν ἢ τὰ
τείχη. Τὰ μὲν γὰρ τοιαῦτα τῶν ἔργων οὐ μόνον ἔχει φθόνον,
ἀλλὰ καὶ τῶν τοιούτων τὴν αἰτίαν τοῖς στρατοπέδοις
ἀνατιθέασιν· ἢν δὲ τὰς οἰκειότητας καὶ τὰς εὐνοίας κτήσασθαι δυνηθῇς, ἅπαντες τὴν σὴν διάνοιαν ἐπαινέσονται.

22 Δικαίως δ' ἄν μοι πιστεύοις οἷς εἴρηκα περὶ τῆς
πόλεως· | φανήσομαι γὰρ οὔτε κολακεύειν αὐτὴν ἐν τοῖς
λόγοις εἰθισμένος, ἀλλὰ πλεῖστα πάντων ἐπιτετιμηκώς,
οὔτ' εὖ παρὰ τοῖς πολλοῖς καὶ τοῖς εἰκῆ δοκιμάζουσιν
φερόμενος, ἀλλ' ἀγνοούμενος ὑπ' αὐτῶν καὶ φθονούμενος
ὥσπερ σύ. Πλὴν τοσοῦτον διαφέρομεν ὅτι πρὸς σὲ μὲν
διὰ τὴν δύναμιν καὶ τὴν εὐδαιμονίαν οὕτως ἔχουσιν, πρὸς
δ' ἐμὲ διότι προσποιοῦμαι τὸ βέλτιον αὐτῶν φρονεῖν καὶ
πλείους ὁρῶσιν ἐμοὶ διαλέγεσθαι βουλομένους ἢ σφίσιν
αὐτοῖς. 23 Ἠβουλόμην δ' ἄν ἡμῖν ὁμοίως ῥᾴδιον εἶναι
τὴν δόξαν ἣν ἔχομεν παρ' αὐτοῖς διαφεύγειν. Νῦν δὲ σὺ

19 6 μίαν ἑκάστην τῶν πόλεων Γ: πόλιν μίαν ἑκάστην vulg. ‖
20 5 σε Γ: om. cett. ‖ 8 προσαγαγέσθαι ΓΕ: προσάγεσθαι vulg. ‖
21 3 τοιαῦτα τῶν ἔργων Γ: om. cett. ‖ 3 τὴν ante αἰτίαν om.
Γ. ‖ 22 1 πιστεύοις vulg.: -σοις ΓΕ ‖ 3 ἐπιτετιμηκώς Ε vulg.:
ἐπετετιμηκώς Γ ‖ 4 εὖ Γ Parisinus gr. 3054: αὖ cett. ‖ 6 σὺ Ε
vulg.: σοὶ Γ ‖ 6 τοσοῦτον Γ: τοῦτο vulg. ‖ 8 αὐτῶν Ε vulg.:
αὐτὸν Γ ‖ 9 ἐμοὶ Γ: μοι vulg. ‖ 23 1 ἠβουλόμην Ε vulg.: -λοίμην
Γ ‖ 1 ὁμοίως Γ: ὁμογνωμόνως vulg.

difficile de la faire disparaître si tu le veux; pour moi, ma vieillesse et bien d'autres raisons me forcent à me résigner à mon état présent.

24 Je ne crois devoir ajouter rien d'autre que ceci : il est beau de confier votre royauté et votre bonheur présent à l'affection des Grecs.

μὲν οὐ χαλεπῶς, ἢν βουληθῇς, αὐτὴν διαλύσεις, ἐμοὶ δ᾽ ἀνάγκη καὶ διὰ τὸ γῆρας καὶ δι᾽ ἄλλα πολλὰ στέργειν τοῖς παροῦσιν.

24 Οὐκ οἶδ᾽ ὅτι δεῖ πλείω λέγειν, πλὴν τοσοῦτον ὅτι καλόν ἐστιν τὴν βασιλείαν καὶ τὴν εὐδαιμονίαν τὴν ὑπάρχουσαν ὑμῖν παρακαταθέσθαι τῇ τῶν Ἑλλήνων εὐνοίᾳ.

24 1 οὐκ Γ; ὥστ᾽ οὐκ vulg. ‖ 1 δεῖ πλείω Turicenses: δὴ πλείω ΓΕ πλείω δεῖ vulg. ‖ 3 παρακαταθέσθαι ΓΕ -τίθεσθαι vulg. ‖ 3 εὐνοίᾳ ΓΕ : εὐδαιμονίᾳ καὶ εὐνοίᾳ vulg.

A ALEXANDRE

1 Écrivant une lettre à ton père, j'ai cru que j'agirais de façon bizarre si, quand tu étais au même endroit, je ne t'adressais rien, je ne te saluais pas et je ne t'écrivais pas quelque chose qui empêche ceux qui me liront de croire que la vieillesse m'ôte déjà le sens et me fait parler au hasard, et qui leur montre que la part d'intelligence qui me reste, n'est pas indigne du talent que j'avais étant plus jeune.

2 J'entends dire par tout le monde que tu aimes l'humanité, les Athéniens et la philosophie, non aveuglément, mais de façon sensée. Tu reçois, de nos concitoyens, non pas ceux[1] qui se négligent eux-mêmes et qui aspirent à des actions blâmables, mais ceux dont la fréquentation ne peut te causer aucun tort et avec lesquels tu peux te rencontrer et t'associer sans subir de dommage ou d'injustice; or ce sont ces gens-là que les hommes sages doivent fréquenter. **3** Dans la philosophie, tu n'écartes pas même l'éristique[2], mais tu penses que, si elle donne la supériorité dans les occupations privées, elle ne convient ni à ceux qui dirigent la foule, ni à ceux qui possèdent le pouvoir

---

1. A en croire une scholie d'Eschine (III, 160), Alexandre fit lui-même cette distinction dans une lettre au peuple athénien : 'Αλέξανδρος τῷ μὲν δήμῳ χαίρειν, τῇ δὲ βουλῇ οὐδέν.
2. Isocrate ne faisant pas de distinction nette entre l'éristique et la dialectique, peut songer ici à l'école platonicienne.

Ἐπιστολαὶ ε΄.

ΑΛΕΞΑΝΔΡΩΙ

1 Πρὸς τὸν πατέρα σου γράφων ἐπιστολὴν ἄτοπον
ᾤμην ποιήσειν, εἰ περὶ τὸν αὐτὸν ὄντα σὲ τόπον ἐκείνῳ
μήτε προσερῶ μήτ' ἀσπάσομαι μήτε γράψω τι τοιοῦτον ὃ
ποιήσει τοὺς ἀναγνόντας μὴ νομίζειν ἤδη με παραφρονεῖν
διὰ τὸ γῆρας μηδὲ παντάπασι ληρεῖν, ἀλλ' ἔτι τὸ καταλε-
λειμμένον μου μέρος καὶ λοιπὸν ὂν οὐκ ἀνάξιον εἶναι
τῆς δυνάμεως ἣν ἔσχον νεώτερος ὤν.

2 Ἀκούω δέ σε πάντων λεγόντων ὡς φιλάνθρωπος εἶ καὶ
φιλαθήναιος καὶ φιλόσοφος, οὐκ ἀφρόνως ἀλλὰ νοῦν ἐχόντως. Τῶν τε γὰρ πολιτῶν ἀποδέχεσθαί σε τῶν ἡμετέρων οὐ
τοὺς ἠμεληκότας αὐτῶν καὶ πονηρῶν πραγμάτων ἐπιθυμοῦντας, ἀλλ' οἷς συνδιατρίβων τ' οὐκ ἂν λυπηθείης συμβάλλων τε καὶ κοινωνῶν πραγμάτων οὐδὲν ἂν βλαβείης οὐδ'
ἀδικηθείης, οἵοις περ χρὴ πλησιάζειν τοὺς εὖ φρονοῦντας·
3 τῶν τε φιλοσοφιῶν οὐκ ἀποδοκιμάζειν μὲν οὐδὲ τὴν
περὶ τὰς ἔριδας, ἀλλὰ νομίζειν εἶναι πλεονεκτικὴν ἐν
ταῖς ἰδίαις διατριβαῖς, οὐ μὴν ἁρμόττειν οὔτε τοῖς τοῦ
πλήθους προεστῶσιν οὔτε τοῖς τὰς μοναρχίας ἔχουσιν·

Ἀλεξάνδρῳ Γ : Ἰσοκράτης Ἀλεξάνδρῳ χαίρειν Ε vulg.
1 3 μήτε Ε vulg. : ὦτε Γ ‖ 3 τι ante τοιοῦτον om. Γ ‖ 4 ἀναγνόντας Γ : ἀγνοοῦντας Ε vulg. ‖ 6 μου ΓΕ : μοι vulg. ‖ 2 2 ἀφρόνως
ΓΕ : ἀφρόνως ποιῶν vulg. ‖ 5 τ' οὐκ Γ : οὐκ cett. ‖ 5-6 συμβάλλων
Γ¹ Ε vulg. : συμβούλων Γ².

absolu; car il n'est ni utile ni décent pour les gens qui ont
des qualités supérieures aux autres, de discuter avec leurs
concitoyens ni de leur permettre de les contredire. 4
Cette occupation ne te contente donc pas et tu préfères
l'enseignement qui porte sur les discours dont nous nous
servons pour les actes quotidiens et avec lesquels nous
délibérons sur les affaires de l'État. Grâce à cet enseigne
ment, tu prévois maintenant de façon convenable ce qui
doit arriver, tu sauras ordonner, non sans jugement, à
ceux que tu commandes, ce que chacun d'eux doit faire;
tu sauras apprécier exactement les hommes honnêtes et
justes et les autres; en outre tu sauras les récompenser et
les punir selon leur mérite. 5 Tu as donc raison de te
livrer maintenant à cette étude; car tu donnes à ton père
et aux autres l'espoir que, si devenu plus âgé tu restes
attaché à ces principes, tu dépasseras les autres en sagesse
autant que ton père a dépassé tous les hommes.

οὐδὲ γὰρ συμφέρον οὐδὲ πρέπον ἐστὶν τοῖς μεῖζον τῶν
ἄλλων φρονοῦσιν οὔτ᾽ αὐτοῖς ἐρίζειν πρὸς τοὺς συμπολιτευομένους οὔτε τοῖς ἄλλοις ἐπιτρέπειν πρὸς αὐτοὺς
ἀντιλέγειν. 4 Ταύτην μὲν οὖν οὐκ ἀγαπᾶν σε τὴν διατριβὴν, προαιρεῖσθαι δὲ τὴν παιδείαν τὴν περὶ τοὺς λόγους
οἷς χρώμεθα περὶ τὰς πράξεις τὰς προσπιπτούσας καθ᾽
ἑκάστην τὴν ἡμέραν καὶ μεθ᾽ ὧν βουλευόμεθα περὶ τῶν
κοινῶν· δι᾽ ἣν νῦν τε δοξάζειν περὶ τῶν μελλόντων ἐπιεικῶς,
τοῖς τ᾽ ἀρχομένοις προστάττειν οὐκ ἀνοήτως ἃ δεῖ
πράττειν ἑκάστους ἐπιστήσει, περὶ δὲ τῶν καλῶν καὶ
δικαίων καὶ τῶν τούτοις ἐναντίων ὀρθῶς κρίνειν, πρός δὲ
τούτοις τιμᾶν τε καὶ κολάζειν ὡς προσῆκόν ἐστιν ἑκατέροις. 5 Σωφρονεῖς οὖν νῦν ταῦτα μελετῶν· ἐλπίδας
γὰρ τῷ τε πατρὶ καὶ τοῖς ἄλλοις παρέχεις ὡς, ἂν πρεσβύτερος γενόμενος ἐμμείνῃς τούτοις, τοσοῦτον προέξεις τῇ
φρονήσει τῶν ἄλλων ὅσον περ ὁ πατήρ σου διενήνοχεν
ἁπάντων.

3 5 συμφέρον ... πρέπον ἐστιν Γ : συμφέρειν ... πρέπειν E vulg. Inter
οὐδὲ (quod in versu extremo situm est) et πρέπον lacunam tres
litteras longam Γ exhibere videtur || μεῖζον E vulg. : μᾶλλον Γ ||
4 5 δοξάζειν Blass : -ζεις Γ δοκεῖς vulg. || 6 τ᾽ om. vulg. || 7 πράττειν
Γ : ποιεῖν vulg. || 7 ἐπιστήσει Γ : om. cett. || 7 δὲ Γ : τε E vulg. ||
7-8 καὶ δικαίων codd. : καιων Γ¹ || 9 τιμᾶν τε καὶ Γ : τιμᾶν καὶ *Paris. gr.*
3054 τιμᾶν vulg. || 5 1 νῦν Γ : om. cett. || 1 ἐλπίδας ΓE : ἐλπίδα
vulg. || 2 τῷ E vulg. : τὸ Γ || 2 ἄν vulg. : ἐὰν Γ.

A ANTIPATROS

1 Bien qu'il y ait du danger chez nous à envoyer une lettre en Macédoine, non seulement maintenant que nous sommes en guerre avec vous[1], mais même en temps de paix, j'ai cependant décidé de t'écrire au sujet de Diodotos[2], trouvant juste de faire cas de tous ceux qui ont suivi mon enseignement et sont devenus dignes de nous, et surtout de celui-ci à cause de son dévouement à notre endroit et de ses autres qualités 2 J'aurais vivement désiré qu'il te fût présenté par nous; mais puisque d'autres l'ont fait se rencontrer avec toi, il me reste à porter témoignage à son sujet et à rendre plus sûres ses relations avec toi. Beaucoup d'hommes de tous pays[3], et certains ayant une grande réputation, ont été en rapports avec moi : les uns se sont fait remarquer par la parole seulement, d'autres par la pensée et l'action; d'autres, sages et estimables pour la conduite de leur vie, étaient tout à fait mal doués pour les autres genres d'activité. 3 Diodotos au contraire

1. La guerre entre Athènes et la Macédoine avait repris en octobre 340. Mais, même en temps de paix, les Athéniens qui étaient en bons rapports avec la cour de Philippe ou d'Alexandre étaient en butte aux attaques du parti démosthénien : cf. Dém., *Hal.*, 23; *Cour.*, 51-52; 82, 136-137, 287, 296.
2. Pas autrement connu.
3. Isocrate cite un certain nombre de ses disciples dans le discours *Sur l'Echange*, 39-40, 93-94. Voir aussi le pseudo-Plutarque et la *Vie* anonyme. Parmi les disciples qui

Ἐπιστολαὶ δ'.

ΑΝΤΙΠΑΤΡΩΙ

1 Ἐγώ, καίπερ ἐπικινδύνου παρ' ἡμῖν ὄντος εἰς Μακε-
δονίαν πέμπειν ἐπιστολήν, οὐ μόνον νῦν ὅτε πολεμοῦμεν
πρὸς ὑμᾶς, ἀλλὰ καὶ τῆς εἰρήνης οὔσης, ὅμως γράψαι
πρὸς σὲ προειλόμην περὶ Διοδότου, δίκαιον εἶναι νομίζων
ἅπαντας μὲν περὶ πολλοῦ ποιεῖσθαι τοὺς ἐμαυτῷ πεπλη-
σιακότας καὶ γεγενημένους ἀξίους ἡμῶν, οὐχ ἥκιστα δὲ
τοῦτον καὶ διὰ τὴν εὔνοιαν τὴν εἰς ἡμᾶς καὶ διὰ τὴν ἄλλην
ἐπιείκειαν. 2 Μάλιστα μὲν οὖν ἐβουλόμην ἂν αὐτὸν
συσταθῆναί σοι δι' ἡμῶν· ἐπειδὴ δὲ δι' ἑτέρων ἐντετύχηκέ
σοι, λοιπόν ἐστί μοι μαρτυρῆσαι περὶ αὐτοῦ καὶ βεβαιῶσαι
τὴν γεγενημένην αὐτῷ πρὸς σὲ γνῶσιν. Ἐμοὶ γὰρ πολλῶν
καὶ παντοδαπῶν συγγεγενημένων ἀνδρῶν καὶ δόξας ἐνίων
μεγάλας ἐχόντων, τῶν μὲν ἄλλων ἁπάντων οἱ μέν τινες
περὶ αὐτὸν τὸν λόγον, οἱ δὲ περὶ τὸ διανοηθῆναι καὶ πρᾶξαι
δεινοὶ γεγόνασιν, οἱ δ' ἐπὶ μὲν τοῦ βίου σώφρονες καὶ
χαρίεντες, πρὸς δὲ τὰς ἄλλας χρήσεις καὶ διαγωγὰς
ἀφυεῖς παντάπασιν· 3 οὗτος δ' οὕτως εὐάρμοστον τὴν

Ἀντιπάτρῳ Δ (manus recentior) *Helmstadiensis* 806 : Ἰσοκράτης Ἀντιπάτρῳ in E dispicere contendit A. Mai πρὸς Ἀντίπατρον Γ mg. Priscianus XVIII 206 ἀσήμως περὶ Διοδότου ΓΔΕ
Ἰσοκράτης Φιλίππῳ χαίρειν vulg.
1 1 ἐπικινδύνου vulg. : κινδύνου Γ ‖ 7 ἡμᾶς Ε vulg. : ὑμᾶς Γ ‖
2 5 συγγεγενημένων ΓΕ : συγγενομένων vulg. ‖ 7 αὐτὸν ante τὸν
λόγον om. vulg.

possède une nature si bien constituée qu'il est parfait
pour tout ce que je viens de nommer. Et je n'oserais pas
te le dire si je n'avais de lui la plus exacte connaissance
et si je ne m'attendais à te la voir acquérir, partie en le
fréquentant, partie en t'informant auprès de ceux qui le
connaissent. 4 Il n'en est pas un pour ne pas reconnaître (à moins d'être trop jaloux) que Diodotos est supérieur à tous pour la parole et la pensée, très juste et très
modeste, inaccessible à l'argent, très agréable et très souple
dans les relations et le commerce de la vie, qu'il joint à cela
une très grande franchise[1], non pas celle qu'il ne convient
pas d'avoir, mais celle où l'on verrait à juste titre la plus
grande preuve de dévouement envers ses amis. 5 C'est
elle que les souverains qui ont une âme suffisamment
sérieuse honorent et jugent utile, mais dont ceux qui ont
un caractère inférieur à leur puissance, s'irritent comme
si elle les forçait à faire ce qu'ils ne veulent pas ; ils ignorent
que ceux qui osent le plus les contredire dans leur intérêt,
leur donnent le plus grand pouvoir de faire ce qu'ils veulent.
6 En effet il est naturel que ceux qui parlent toujours
pour faire plaisir, ne fassent durer ni les monarchies qui
comportent nécessairement de nombreux dangers[2], ni
même les républiques qui ont plus de sécurité ; et que ceux
qui parlent avec franchise pour faire du bien, sauvent même
bien des choses qui semblaient vouées à la destruction.
C'est pourquoi il conviendrait qu'auprès des monarques
ceux qui disent toute la vérité l'emportent sur ceux
qui parlent toujours avec agrément, mais sans aucun

se sont distingués par la pensée et l'action, il faut comprendre
les orateurs politiques, mais bien plus sûrement Timothée
(cf. *Sur l'Ech.*, 101-139) et les citoyens honorés de couronnes par
les Athéniens et cités par Isocrate (*Sur l'Ech.*, 93-94).

1. La franchise dont parle Isocrate consiste à dire *tout ce
que l'on pense*.

2. Sans doute parce que tout dans l'État dépend de la valeur
d'un seul homme ; c'est du moins l'idée sur laquelle Isocrate
insiste au début de la *Lettre II* (3-8).

φύσιν ἔσχηκεν ὥστ' ἐν ἅπασι τοῖς εἰρημένοις τελειότατος
εἶναι. Καὶ ταῦτ' οὐκ ἂν ἐτόλμων λέγειν εἰ μὴ τὴν ἀκρι-
βεστάτην πεῖραν αὐτὸς τ' εἶχον αὐτοῦ καὶ σὲ λήψεσθαι
προσεδόκων, τὰ μὲν αὐτὸν χρώμενον αὐτῷ, τὰ δὲ καὶ παρὰ
τῶν ἄλλων τῶν ἐμπείρων αὐτοῦ πυνθανόμενον· 4 ὧν
οὐδεὶς ὅστις οὐκ ἂν ὁμολογήσειεν, εἰ μὴ λίαν εἴη φθονερός,
καὶ εἰπεῖν καὶ βουλεύσασθαι μηδενὸς ἧττον αὐτὸν δύνασθαι
καὶ δικαιότατον καὶ σωφρονέστατον εἶναι καὶ χρημάτων
ἐγκρατέστατον, ἔτι δὲ συνημερεῦσαι καὶ συμβιῶναι πάντων
ἥδιστον καὶ λιγυρώτατον, πρὸς δὲ τούτοις πλείστην ἔχειν
παρρησίαν, οὐχ ἣν οὐ προσῆκεν, ἀλλὰ τὴν εἰκότως ἂν
μέγιστον γιγνομένην σημεῖον τῆς εὐνοίας τῆς πρὸς τοὺς
φίλους· 5 ἣν τῶν δυναστῶν οἱ μὲν ἀξιόχρεων τὸν ὄγκον
τὸν τῆς ψυχῆς ἔχοντες τιμῶσιν ὡς χρησίμην οὖσαν, οἱ δ'
ἀσθενέστεροι τὰς φύσεις ὄντες ἢ κατὰ τὰς ὑπαρχούσας
ἐξουσίας δυσχεραίνουσιν, ὡς ἂν οὐ προαιροῦνται τι ποιεῖν
βιαζομένην αὐτούς, οὐκ εἰδότες ὡς οἱ μάλιστα περὶ τοῦ
συμφέροντος ἀντιλέγειν τολμῶντες, οὗτοι πλείστην ἐξουσίαν αὐτοῖς τοῦ πράττειν ἃ βούλονται παρασκευάζουσιν.
6 Εἰκὸς γὰρ διὰ μὲν τοὺς ἀεὶ πρὸς ἡδονὴν λέγειν προαιρουμένους οὐχ ὅπως τὰς μοναρχίας δύνασθαι διαμένειν
αἳ πολλοὺς τοὺς ἀναγκαίους ἐφέλκονται κινδύνους, ἀλλ'
οὐδὲ τὰς πολιτείας αἳ μετὰ πλείονος ἀσφαλείας εἰσίν,
διὰ δὲ τοὺς ἐπὶ τῷ βελτίστῳ παρρησιαζομένους πολλὰ
σῴζεσθαι καὶ τῶν ἐπιδόξων διαφθαρήσεσθαι πραγμάτων.
Ὧν ἕνεκα προσῆκε μὲν παρὰ πᾶσι τοῖς μονάρχοις πλέον
φέρεσθαι τοὺς τὴν ἀλήθειαν ἀποφαινομένους τῶν ἅπαντα

---

3 2 ἔσχηκεν Γ : ἔσχεν E vulg. ǁ 4 2 εἴη codd. : ειν ... Γ ǁ 4 σωφρονέστατον E vulg. : σωφρονέστατον αὐτὸν Γ ǁ 5 συνημερεῦσαι καὶ συμβιῶναι Γ : καὶ σύμβιον vulg. ǁ 5 πάντων E : ἁπάντων Γ vulg. ǁ 7 οὐχ
ἣν codd. : ενουχην Γ ǁ 6 2-3 διαμένειν αἳ Benseler : διαμεῖναι Γ
ποιεῖν διαμένειν (δυνάμεις vulg.) αἳ Helmstad. vulg. ǁ 5 διὰ δὲ ΓE :
δεῖ δὲ vulg. ǁ 6 σῴζεσθαι Γ : σῴζειν δύνασθαι vulg. ǁ 7 προσῆκε ΓE :
προσήκει vulg.

résultat agréable[1]; or il arrive que certains les traitent
moins bien. 7 C'est ce qui s'est produit pour Diodotos
chez certains souverains d'Asie[2] auxquels il s'était rendu
souvent utile, non seulement par ses conseils, mais aussi
par ses actions et les risques qu'il avait courus : par sa
franchise à leur égard dans les questions qui les intéres-
saient, il s'est vu priver des honneurs qu'il possédait dans
sa patrie, et aussi de bien des espérances; et les flatteries
des premiers venus ont été plus fortes que ses services.
8   Aussi, chaque fois qu'il pensait à se présenter à vous,
hésitait-il, non qu'il crût tous pareils ceux qui étaient
au-dessus de lui, mais les difficultés qu'il avait eues avec
ces souverains le rendaient plus timide dans les espérances qu'il mettait en vous : à ce qu'il me semble, son
état d'esprit était analogue à celui de certains voyageurs
sur mer qui, lorsqu'une fois ils ont subi une tempête, n'ont
plus de courage pour s'embarquer, tout en sachant que
l'on peut souvent avoir une bonne traversée. Quoi qu'il
en soit, il a raison de s'être fait présenter à toi.   9   Je
juge en effet que cela lui servira : je compte surtout sur
l'amabilité que les étrangers t'attribuent; ensuite je crois
que vous n'ignorez pas qu'il est à la fois très agréable et
très avantageux de gagner par ses bienfaits des amis
fidèles et utiles, et de rendre des services aux gens pour
qui beaucoup d'autres aussi vous témoigneront de la
reconnaissance. En effet tous les honnêtes gens louent
ceux qui ont de bons rapports avec les hommes sérieux
et ils les honorent comme s'ils profitaient eux-mêmes des
services rendus.

---

1. Il y a une pointe antithétique dans l'expression.
2. Ces souverains sont des satrapes à demi indépendants
comme Mausole et son frère Idrieus, Orontès, Hermias d'Atarnes.
L'indication est utile aux Macédoniens qui avaient eu des
rapports suivis avec ce dernier (appelé à Suse et exécuté en
341); en 346, Isocrate avait envisagé la possibilité d'une alliance
entre Philippe et Idrieus (*Phil.*, 103-104). Plus loin, l'écrivain
précise le profit qu'Antipatros pourra tirer de Diodotos.

μὲν πρὸς χάριν, μηδὲν δὲ χάριτος ἄξιον λεγόντων· συμβαίνει δ᾽ ἔλαττον ἔχειν αὐτοὺς παρ᾽ ἐνίοις αὐτῶν. 7 Ὁ
δὴ καὶ Διοδότῳ παθεῖν συνέπεσεν παρά τισι τῶν περὶ τὴν
Ἀσίαν δυναστῶν, οἷς περὶ πολλὰ χρήσιμος γενόμενος οὐ
μόνον τῷ συμβουλεύειν, ἀλλὰ καὶ τῷ πράττειν καὶ κινδυνεύειν, διὰ τὸ παρρησιάζεσθαι πρὸς αὐτοὺς περὶ ὧν
ἐκείνοις συνέφερεν καὶ τῶν οἴκοι τιμῶν ἀπεστέρηται
καὶ πολλῶν ἄλλων ἐλπίδων, καὶ μεῖζον ἴσχυσαν αἱ τῶν
τυχόντων ἀνθρώπων κολακεῖαι τῶν εὐεργεσιῶν τῶν
τούτου. 8 Διὸ δὴ καὶ πρὸς ὑμᾶς ἀεὶ προσιέναι διανοού-
μενος ὀκνηρῶς εἶχεν, οὐχ ὡς ἅπαντας | ὁμοίους εἶναι
νομίζων τοὺς ὑπὲρ αὐτὸν ὄντας, ἀλλὰ διὰ τὰς πρὸς ἐκείνους γεγενημένας δυσχερείας καὶ πρὸς τὰς παρ᾽ ὑμῶν
ἐλπίδας ἀθυμότερος ἦν, παραπλήσιον ὡς ἐμοὶ δοκεῖ
πεπονθὼς τῶν πεπλευκότων τισὶν οἳ, τὸ πρῶτον ὅταν
χρήσωνται χειμῶσιν, οὐκέτι θαρροῦντες εἰσβαίνουσιν εἰς
θάλατταν, καίπερ εἰδότες ὅτι καὶ καλοῦ πλοῦ πολλάκις
ἐπιτυχεῖν ἔστιν. Οὐ μὴν ἀλλ᾽ ἐπειδὴ συνέστηκέ σοι, καλῶς
ποιεῖ. 9 Λογίζομαι γὰρ αὐτῷ συνοίσειν, μάλιστα μὲν τῇ
φιλανθρωπίᾳ τῇ σῇ στοχαζόμενος, ἣν ἔχειν ὑπείληψαι
παρὰ τοῖς ἔξωθεν ἀνθρώποις, ἔπειτα νομίζων οὐκ ἀγνοεῖν
ὑμᾶς ὅτι πάντων ἥδιστόν ἐστι καὶ λυσιτελέστατον πιστοὺς
ἅμα καὶ χρησίμους φίλους κτᾶσθαι ταῖς εὐεργεσίαις καὶ
τοὺς τοιούτους εὖ ποιεῖν ὑπὲρ ὧν πολλοὶ καὶ τῶν ἄλλων
ὑμῖν χάριν ἕξουσιν. Ἅπαντες γὰρ οἱ χαρίεντες τοὺς
τοῖς σπουδαίοις τῶν ἀνδρῶν καλῶς ὁμιλοῦντας ὁμοίως ἐπαινοῦσι καὶ τιμῶσιν ὥσπερ αὐτοὶ τῶν ὠφελειῶν ἀπολαύοντες.

---

6 9-10 συμβαίνει ΓΕ : συνέβη vulg. ‖ 7 1-2 ὃ δὴ Γ¹ : ὃ cett. ‖
2 περὶ τὴν Ἀσίαν δυναστῶν ΓΕ : τὴν Ἀσίαν δυναστευόντων vulg. ‖
3 περὶ πολλὰ ΓΕ : πολλὰ μὲν vulg. ‖ 8 τυχόντων Ε : ἄλλων cett. ‖
8 3 ὑπὲρ αὐτὸν Ε vulg. : ὑπὲρ αὐτῶν Γ ‖ 3-4 πρὸς ἐκείνους ΓΕ : παρ᾽
ἐκείνων vulg. ‖ 5 ἀθυμότερος Γ : οὐ προθυμότερος vulg. ‖ 6 τὸ ante
πρῶτον om. vulg. ‖ 7 εἰσβαίνουσιν om. Γ ‖ 9 4 πιστοὺς ΓΕ : τὸ
πιστοὺς vulg. ‖ 6 πολλοὶ om. Γ ‖ 8 ἀνδρῶν Γ : ἀνθρώπων Ε vulg.

10 Mais je crois que Diodotos lui-même t'incitera à t'intéresser à lui. J'ai conseillé aussi à son fils de s'attacher à votre fortune et de devenir pour ainsi dire votre disciple [1] pour tenter de s'avancer. Quand je lui parlais ainsi, il me disait désirer votre amitié, mais avoir pour elle le même état d'esprit que pour les concours où l'on décerne des couronnes : 11 il voudrait bien y être vainqueur, mais n'oserait s'y présenter parce que sa force n'est pas en rapport avec les couronnes [2]; de même il souhaiterait obtenir les honneurs que vous donnez, mais il ne s'attend pas à y arriver, car il est effrayé par son inexpérience et par votre éclat; et en outre il croit que son corps qui n'est pas en bon état et souffre de quelques incommodités [3], le gênera dans bien des actions.

12 Quoi qu'il en soit, il fera ce qui lui paraîtra utile. Mais s'il se trouve dans votre pays, soit dans votre entourage [4], soit sans rien faire, intéresse-toi à tout ce qu'il pourra te demander et surtout à sa sécurité et à celle de son père; pense que c'est pour ainsi dire un dépôt que te confient ma vieillesse (qui mérite bien quelque égard), ma réputation (si elle a quelque valeur) et le dévouement que je n'ai cessé d'avoir pour vous. 13 Ne sois pas surpris si je t'écris une lettre un peu longue et si j'y ai dit

---

1. Dans son désir d'attirer sur Diodotos et sur son fils les bonnes grâces d'Antipatros, Isocrate affecte de voir en ce dernier un chef d'école, et, vu son orgueil, c'est une preuve de grande estime que d'être traité d'égal par lui.

2. Les concours où l'on décernait des couronnes (ἀγῶνες στεφανῖται) étaient plus estimés que ceux qui comportaient des prix d'argent (ἀγῶνες χρηματῖται). Les quatre grands jeux panhelléniques appartenaient à cette catégorie (les jeux Pythiques seulement depuis 582). La couronne était faite d'olivier à Olympie, de laurier à Delphes, d'olivier, puis d'ache à Némée, d'ache puis de pin à l'Isthme.

3. Voir la *Notice*, p. 179.

4. Sans doute à titre de secrétaire. Le dernier paragraphe de la lettre contient une redondance proche de la tautologie : voir l'apparat critique.

10 Ἀλλὰ γὰρ Διόδοτον αὐτὸν οἶμαι μάλιστά σε προτρέψεσθαι πρὸς τὸ φροντίζειν αὐτοῦ. Συνέπειθον δὲ καὶ
τὸν υἱὸν αὐτοῦ τῶν ὑμετέρων ἀντέχεσθαι πραγμάτων καὶ
παραδόνθ᾽ ὑμῖν αὐτὸν ὥσπερ μαθητὴν εἰς τοὔμπροσθεν
πειραθῆναι προελθεῖν. Ὁ δὲ ταῦτά μου λέγοντος ἐπιθυμεῖν μὲν ἔφασκεν τῆς ὑμετέρας φιλίας, οὐ μὴν ἀλλὰ παρα-
πλήσιόν τι πεπονθέναι πρὸς αὐτὴν καὶ πρὸς τοὺς στεφα-
νίτας ἀγῶνας. 11 Ἐκείνους τε γὰρ νικᾶν μὲν ἂν βούλεσθαι, καταβῆναι δ᾽ εἰς αὐτοὺς οὐκ ἂν τολμῆσαι διὰ τὸ
μὴ μετεσχηκέναι ῥώμης ἀξίας τῶν στεφάνων, τῶν τε παρ᾽
ὑμῶν τιμῶν εὔξασθαι μὲν ἂν τυχεῖν, ἐφίξεσθαι δ᾽ αὐτῶν
οὐ προσδοκᾶν· τήν τε γὰρ ἀπειρίαν τὴν αὑτοῦ κατα-
πεπλῆχθαι καὶ τὴν λαμπρότητα τὴν ὑμετέραν, ἔτι δὲ καὶ
τὸ σωμάτιον οὐκ εὐκρινὲς ὄν, ἀλλ᾽ ἔχον ἄττα σίνη, νομίζειν
ἐμποδιεῖν αὐτὸν πρὸς πολλὰ τῶν πραγμάτων.

12 Οὗτος μὲν οὖν, ὅτι ἂν αὐτῷ δοκῇ συμφέρειν, τοῦτο
πράξει· σὺ δ᾽ ἄν τε περὶ ὑμᾶς ἄν θ᾽ ἡσυχίαν ἔχων διατ-
ρίβῃ περὶ | τούτους τοὺς τόπους, ἐπιμελοῦ καὶ τῶν ἄλλων
μὲν ἁπάντων ὧν ἂν τυγχάνῃ δεόμενος, μάλιστα δὲ τῆς
ἀσφαλείας καὶ τῆς τούτου καὶ τῆς τοῦ πατρὸς αὐτοῦ,
νομίσας ὥσπερ παρακαταθήκην ἔχειν τούτους παρά τε
τοῦ γήρως ἡμῶν, ὃ προσηκόντως ἂν πολλῆς τυγχάνοι
προνοίας, καὶ τῆς δόξης τῆς ὑπαρχούσης, εἴ τινος ἄρα
σπουδῆς ἐστιν ἀξία, καὶ τῆς εὐνοίας τῆς πρὸς ὑμᾶς ἣν
ἔχων ἅπαντα τὸν χρόνον διατετέλεκα. 13 Καὶ μὴ θαυμάσῃς μήτ᾽ εἰ μακροτέραν γέγραφα τὴν ἐπιστολὴν μήτ᾽ εἰ

10 1-2 προτρέψεσθαι Auger : -ψασθαι codd. ‖ τοὔμπροσθεν vulg. :
-σθε ΓΕ ‖ 5 προελθεῖν vulg. : προσ- Γ ‖ 11 1 τε γὰρ vulg. Γ : γὰρ
cett. ‖ 4 ἐφίξεσθαι δ᾽ αὐτῶν οὐ ΓΕ : οὐκ ἐφίξεσθαι δ᾽ αὐτὸν ‖ 7 ἄττα
σίνη ΓΕ : πρόφασιν ἣν vulg. ‖ 7-8 νομίζειν ἐμποδιεῖν αὐτὸν codd.
praeter Γ in quo haec perierunt ‖ 8 πολλὰ ΓΕ : τὰ πολλὰ vulg. ‖
12 2 περὶ ὑμᾶς ΓΕ : ἢ περὶ ὑμᾶς vulg. ‖ 2 ἄν θ᾽ codd. : ἐὰν θ᾽
Γ ‖ 4 ὧν ἂν ΓΕ : ἂν om. vulg. ‖ 6 τούτους Auger : τοῦτον codd.
‖ 8 ὑπαρχούσης Γ : ὑπερεχούσης Ε vulg. ‖ 9 τῆς εὐνοίας Γ : εὐνοίας
cett. ‖ 9 πρὸς H. Wolf : περὶ codd.

quelque chose de superflu ou qui sente la vieillesse. J'ai tout négligé pour ne m'occuper que d'une chose : montrer mon zèle pour des hommes qui sont pour moi des amis bien chers.

τι περιεργότερον καὶ πρεσβυτικώτερον εἰρήκαμεν ἐν αὐτῇ·
πάντων γὰρ τῶν ἄλλων ἀμελήσας ἑνὸς μόνον ἐφρόντισα,
τοῦ φανῆναι σπουδάζων ὑπὲρ ἀνδρῶν φίλων καὶ προσφιλεστάτων μοι γεγενημένων.

13 5-6 φίλων καὶ προσφιλεστάτων codd.; propter similitudinem
suspecta arbitratur Blass; unum ex verbis corruptum esse
credi potest; forsitan προσκηδεστάτων vel simile quid legendum
sit.

A PHILIPPE

1 J'ai entretenu Antipatros[1] de ce qui intéressait notre ville et toi-même, de façon suffisante à ce que je crois. Mais j'ai voulu aussi, sur ce qu'à mon avis il faut faire après la paix, t'écrire des idées semblables à celles de mon discours[2], mais sous une forme bien plus brève.

2 A ce moment-là je te conseillais de réconcilier entre elles notre ville, celles des Lacédémoniens, des Thébains et des Argiens, afin d'établir la concorde en Grèce[3]; je pensais que, si tu inspirais ces dispositions aux principales puissances, les autres suivraient rapidement[4]. Les circonstances étaient alors différentes : maintenant il n'est plus nécessaire de persuader; la bataille qui a été livrée fait que tous sont forcés d'être raisonnables, de désirer ce qu'ils pensent que tu veux faire et de dire qu'il faut mettre fin à leur folie et à la domination qu'ils cherchaient à exercer les uns sur les autres, afin de porter la guerre

1. Antipatros, qui devait plus tard gouverner la Macédoine et la Grèce au nom d'Alexandre, avait été envoyé à Athènes pour traiter des préliminaires de paix. Il avait déjà joué le même rôle lors de la paix de Philocrate (Eschine, contre *Ctés.*, 72; Dinarque, *Contre Dém.*, 28). Son autorité était très grande auprès de Philippe (cf. Carystios de Pergame, *Fragmenta historicorum graecorum*, IV, p. 357).
2. Le *Philippe*, publié dans l'été de 346.
3. Cf. *Philippe*, 30.
4. Dans le *Philippe*, 31, Isocrate est plus explicite.

Ἐπιστολαὶ γʹ

ΦΙΛΙΠΠΩΙ

1 Ἐγὼ διελέχθην μὲν καὶ πρὸς Ἀντίπατρον περί τε τῶν τῇ πόλει ⟨καὶ τῶν⟩ σοὶ συμφερόντων, ἐξαρκούντως ὡς ἐμαυτὸν ἔπειθον, ἠβουλήθην δὲ καὶ πρὸς σὲ γράψαι, περὶ ὧν μοι δοκεῖ πρακτέον εἶναι μετὰ τὴν εἰρήνην, παραπλήσια μὲν τοῖς ἐν τῷ λόγῳ γεγραμμένοις, πολὺ δ᾽ ἐκείνων συντομώτερα.

2 Κατ᾽ ἐκεῖνον μὲν γὰρ τὸν χρόνον συνεβούλευον ὡς χρὴ διαλλάξαντά σε τὴν πόλιν τὴν ἡμετέραν καὶ τὴν Λακεδαι-μονίων καὶ τὴν Θηβαίων καὶ τὴν Ἀργείων εἰς ὁμόνοιαν καταστῆσαι τοὺς Ἕλληνας, ἡγούμενος, ἂν τὰς προεστώσας πόλεις πείσῃς οὕτω φρονεῖν, ταχέως καὶ τὰς ἄλλας ἐπακολουθήσειν. Τότε μὲν οὖν ἄλλος ἦν καιρός, νῦν δὲ συμβέβηκεν μηκέτι δεῖν πείθειν· διὰ γὰρ τὸν ἀγῶνα τὸν γεγενημένον ἠναγκασμένοι πάντες εἰσὶν εὖ φρονεῖν καὶ τούτων ἐπιθυμεῖν ὧν ὑπονοοῦσίν σε βούλεσθαι πράττειν καὶ λέγειν, ὡς δεῖ παυσαμένους τῆς μανίας καὶ τῆς πλεονεξίας ἣν ἐποιοῦντο πρὸς ἀλλήλους, εἰς τὴν Ἀσίαν

Φιλίππῳ Γ : Ἰσοκράτης Φιλίππῳ χαίρειν Ε vulg.
1 2 καὶ τῶν σοὶ συμφερόντων Bekker : σοὶ συμφερόντων Γ συμφε-ρόντων καὶ σοὶ vulg. ‖ 3 συντομώτερα Ε vulg. : -τέρων Γ¹ -τέρον Γ² ‖ 2 2 τὴν ἡμετέραν Γ mg. : ἡμετέραν cett. ‖ 4 προεστώσας Γ : προεχού-σας vulg. ‖ 9 ὑπονοοῦσιν ΓΕ : ἐπινοοῦσι Helmstadiensis 806 ἐπε-νοούμην vulg.

en Asie. 3 Et bien des gens me demandent[1] si c'est moi qui t'ai conseillé l'expédition contre les Barbares ou si je t'ai encouragé après que tu y eus pensé. Je leur dis que je ne sais pas la vérité, car je ne me suis jamais rencontré avec toi, mais qu'à ce que je crois, tu as pris ta décision et j'ai parlé dans le sens de tes désirs[2]. En apprenant cela, tous m'ont prié de t'encourager et de t'inciter à garder la même résolution, pensant qu'on n'accomplira jamais rien de plus beau, de plus utile à la Grèce et de plus opportun.

4 Si j'avais la même force qu'autrefois et si je n'étais pas complètement abattu, ce n'est pas par lettre que je m'entretiendrais avec toi; je me présenterais à toi pour t'exciter et t'encourager à ces actions. Maintenant je te pousse comme je le puis à ne pas y renoncer avant de les avoir menées à bonne fin. S'il n'est pas beau d'être insatiable[3] en général de quelque chose (car l'opinion générale approuve la modération), désirer une grande et noble gloire et ne jamais s'en rassasier[4] est ce qui convient à ceux qui surpassent de beaucoup les autres, ce qui est ton cas. 5 Pense donc que tu auras une gloire que nul ne pourra surpasser et qui sera digne de tes exploits, lorsque tu auras forcé les Barbares (à l'exception de ceux qui auront combattu à tes côtés) à être les serfs[5] des Grecs et quand tu auras imposé ta volonté à celui qu'on appelle maintenant le Grand Roi. Il ne te restera plus qu'à devenir dieu[6]. Or il est bien plus facile d'y arriver en partant

1. Cf. le même procédé dans le *Philippe*, 18 et 23.
2. Cf. *Philippe*, 150-151 où cette rencontre des desseins d'Isocrate et de Philippe est présentée comme due à l'inspiration d'un dieu.
3. La même expression se retrouve dans le *Philippe*, 135.
4. Cf. *Philippe*, 136.
5. Textuellement « *les Hilotes* », Isocrate empruntant à l'état social de Lacédémone le terme qui rend le mieux l'idée d'exploitation du vaincu par le vainqueur. L'idée est plus précise que dans le *Philippe*, 154 où il est question seulement d'ἀρχή et d'ἐπιμέλεια.
6. Cf. *Phil.*, 113. Isocrate qui ne va pas jusqu'à songer vrai-

τὸν πόλεμον ἐξενεγκεῖν. 3 Καὶ πολλοὶ πυνθάνονται
παρ᾽ ἐμοῦ πότερον ἐγώ σοι παρήνεσα ποιεῖσθαι τὴν
στρατείαν τὴν ἐπὶ τοὺς βαρβάρους ἢ σοῦ διανοηθέντος
συνεῖπον· ἐγὼ δ᾽ οὐκ εἰδέναι μέν φημι τὸ σαφές, οὐ γὰρ
συγγεγενῆσθαί σοι πρότερον, οὐ μὴν ἀλλ᾽ οἴεσθαι σὲ μὲν
ἐγνωκέναι περὶ τούτων, ἐμὲ δὲ συνειρηκέναι ταῖς σαῖς
ἐπιθυμίαις. Ταῦτα δ᾽ ἀκούοντες ἐδέοντό μου πάντες παρα-
κελεύεσθαί σοι καὶ προτρέπειν ἐπὶ τῶν αὐτῶν τούτων μένειν,
ὡς οὐδέποτ᾽ ἂν γενομένων οὔτε καλλιόνων ἔργων οὔτ᾽
ὠφελιμωτέρων τοῖς Ἕλλησιν οὔτ᾽ ἐν καιρῷ μᾶλλον πραχθη-
σομένων.

4 Εἰ μὲν οὖν εἶχον τὴν αὐτὴν δύναμιν ἥνπερ πρότερον
καὶ μὴ παντάπασιν ἦν ἀπειρηκὼς, οὐκ ἂν δι᾽ ἐπιστολῆς
διελεγόμην, ἀλλὰ παρὼν αὐτὸς παρώξυνον ἄν σε καὶ
παρεκάλουν ἐπὶ τὰς πράξεις ταύτας. Νῦν δ᾽ ὡς δύναμαι
παρακελεύομαί σοι μὴ καταμελῆσαι τούτων, πρὶν ἂν
τέλος ἐπιθῇς αὐτοῖς. Ἔστι δὲ πρὸς μὲν ἄλλο τι τῶν
ὄντων ἀπλήστως ἔχειν οὐ καλόν· αἱ γὰρ μετριότητες παρὰ
τοῖς πολλοῖς εὐδοκιμοῦσιν· δόξης δὲ μεγάλης καὶ καλῆς
ἐπιθυμεῖν καὶ μηδέποτ᾽ ἐμπίπλασθαι προσήκει τοῖς πόλυ
τῶν ἄλλων διενεγκοῦσιν· ὅπερ σοὶ συμβέβηκεν. 5 Ἡγοῦ
δὲ τόθ᾽ ἕξειν ἀνυπέρβλητον αὐτὴν καὶ τῶν σοὶ πεπραγμένων
ἀξίαν, ὅταν τοὺς μὲν βαρβάρους ἀναγκάσῃς εἱλωτεύειν τοῖς
Ἕλλησιν πλὴν τῶν σοὶ συναγωνισαμένων, τὸν δὲ βασιλέα
τὸν νῦν μέγαν προσαγορευόμενον ποιήσῃς τοῦτο πράττειν
ὅτι ἂν σὺ προστάττῃς. Οὐδὲν γὰρ ἔσται λοιπὸν ἔτι πλὴν
θεὸν γενέσθαι. Ταῦτα δὲ κατεργάσασθαι πολὺ ῥᾷόν ἐστιν ἐκ

3 1-2 καὶ πολλοὶ πυνθάνονται παρ᾽ ἐμοῦ Γ: πρὸς δὲ τούτοις
κἀκεῖνο πολλοὶ παρ᾽ ἐμοῦ πυνθάνονται vulg. ‖ 2 ποιεῖσθαι ΓΕ: ποιῆσαι
vulg. ‖ 7 πάντες Γ: om. cett. ‖ 4 3 παρὼν Γ Helmstad.: παρὼν νῦν
Ε vulg. ‖ 5 καταμελῆσαι Γ: μεταμ- cett. ‖ 6 ἔστι δὲ H. Wolf: ἔσται
δὲ Γ ἔτι δὲ vulg. ‖ 7 ὄντων vulg.: δεόντων ΓΕ ‖ 5 4 συναγωνισαμένων ΓΕ: -ζομένων vulg. ‖ 6 οὐδὲν γὰρ ... γενέσθαι huc dispo-
suit Dobree; codices haec verba post ὑπαρξάσης exhibent ‖ οὐδὲν
Γ: οὐδὲ cett.

de ton état présent que de s'élever, de la puissance royale
qui était primitivement la vôtre, à la puissance et à la
gloire que tu possèdes maintenant. **6** La seule chose
dont je sois reconnaissant à ma vieillesse, c'est d'avoir assez
prolongé ma vie pour que, parmi les pensées que j'ai eues
dans ma jeunesse et que j'ai tenté d'exposer dans le *Discours Panégyrique* et dans celui que je t'ai adressé, je voie
les unes réalisées maintenant par tes actions et j'espère
que les autres se réaliseront.

ment à un culte de Philippe vivant, est néanmoins prédisposé
à la chose.

τῶν νῦν παρόντων ἢ προελθεῖν ἐπὶ τὴν δύναμιν καὶ τὴν
δόξαν ἣν νῦν ἔχεις ἐκ τῆς βασιλείας τῆς ἐξ ἀρχῆς ὑμῖν
ὑπαρξάσης. | 6   Χάριν δ᾽ ἔχω τῷ γήρᾳ ταύτην μόνην, ὅτι
προήγαγεν εἰς τοῦτό μου τὸν βίον ὥσθ᾽ ἃ νέος ὢν διενοούμην
καὶ γράφειν ἐπεχείρουν ἔν τε τῷ πανηγυρικῷ λόγῳ καὶ τῷ
πρὸς σὲ πεμφθέντι ταῦτα νῦν τὰ μὲν ἤδη γιγνόμενα διὰ τῶν
σῶν ἐφορῶ πράξεων, τὰ δ᾽ ἐλπίζω γενήσεσθαι.

5 8 προελθεῖν vulg.: προσ- ΓΕ ‖ 9 ἐκ ΓΕ: παρὰ vulg. ἐπὶ Par.
gr. 3054. ‖ 6 4 ταῦτα νῦν τὰ μὲν ΓΕ: τούτων μὲν τὰ νῦν vulg.

FRAGMENTS

par Georges MATHIEU

ŒUVRES PERDUES OU APOCRYPHES
APOPHTEGMES DIVERS

———

Comme l'œuvre de tout orateur grec, celle d'Isocrate
s'était enrichie, pendant la période alexandrine et romaine,
de compositions assez nombreuses, dont beaucoup étaient
apocryphes et qui toutes étaient suspectes. Il n'en subsiste
guère qu'une longue liste, reproduite dans la *Vie anonyme*[1];
aucun des discours qu'elle mentionne, n'est l'œuvre d'Isocrate, et l'origine de la fausse attribution est claire pour
deux d'entre eux au moins : l'*Amphictyonique* et le *Discours
d'encouragement* sont donnés par Suidas comme écrits par
Isocrate d'Apollonie, homonyme et disciple de l'orateur
athénien; et peut-être le discours Περὶ τοῦ μετοικισθῆναι,
que Suidas attribue à l'Apolloniate, est-il identique au
Περὶ τοῦ κατοικισμοῦ de la *Vie anonyme*[2]. L'homonymie
des deux Isocrate a favorisé la confusion au profit du
plus célèbre, dont la collection s'est sans doute également
enrichie de morceaux dus à des disciples ou à des imitateurs.

Aulu-Gelle attribue aussi à Isocrate, mais avec hésitation[3] un *Éloge funèbre de Mausole*; il semble bien que, là
encore, il s'agisse d'une œuvre de l'Apolloniate.

---

1. Cf. tome I, p. xxxvi-xxxvii.
2. Suidas, éd. Bernhardy, I, 2, p. 1078; cf. Sauppe, *Oratores
attici*, II; p. 226. Il y a lieu de noter qu'Harpocration, s.v.
ἐπακτὸς ὅρκος, semble voir dans le *A Démonicos* une œuvre
d'Isocrate d'Apollonie.
3. Aulu-Gelle, X, 18 : *Sunt etiam qui Isocratem ipsum cum*

Éloge de Gryllos. Par contre, il est très probable que l'orateur athénien se trouva parmi ceux qui célèbrèrent la mémoire de Gryllos, fils de Xénophon, quand ce jeune homme eut péri, avec d'autres cavaliers athéniens, dans un engagement qui précéda la bataille de Mantinée (juin 362). A la vérité, Diogène Laerce [1] est seul à nous donner ce renseignement, et le nom d'Isocrate ne figure dans le texte que par suite d'une correction moderne, d'ailleurs à peu près certaine [2]. D'autre part, Sauppe a supposé qu'il pouvait s'agir encore d'une œuvre de l'Apolloniate. Mais Hermippos, source de Diogène Laerce, est un garant qu'il n'y a pas lieu de négliger et un discours d'Isocrate en l'honneur du fils de Xénophon n'a rien d'invraisemblable : Isocrate et Xénophon étaient tous deux originaires du dème d'Erchia; leurs tendances politiques se sont trouvées plus d'une fois voisines, surtout à partir de 371 [3], et l'hostilité d'Isocrate contre Thèbes est assez connue pour qu'on ne s'étonne pas qu'il ait célébré un Athénien tombé en luttant contre les troupes d'Epaminondas (cependant cf. Cloché, *Rev. hist.*, 1943, p. 277 et suiv.).

Le prétendu Traité de rhétorique Les anciens, et plus encore les rhéteurs byzantins, nous ont transmis un certain nombre de formules portant sur l'art oratoire et attribuées à Isocrate. Il n'est pas inutile, croyons-nous, de transcrire ces témoignages et de

---

iis (Théopompe, Théodectès et Naucritès) *certavisse memoriæ mandaverunt*; cf. aussi *Vies des Dix Orateurs, Isocrate*, 20.

1. Diogène Laerce, II, 55 : Φησὶ δὲ 'Αριστοτέλης ὅτι ἐγκώμια καὶ ἐπιτάφιον Γρύλλου μυρίοι ὅσοι συνέγραψαν, τὸ μέρος καὶ τῷ πατρὶ χαριζόμενοι· ἀλλὰ καὶ ῞Ερμιππος ἐν τῷ περὶ Θεοφράστου καὶ 'Ισοκράτην φησὶ Γρύλλου ἐγκώμιον γεγραφέναι.

2. Les manuscrits portent Σωκράτην, par une confusion fréquente et ici évidente.

3. Cf. G. Mathieu, *Les idées pol. d'Is.*, pp. 181-185; et F. Ollier, *La renommée posthume de Gryllos*, B. A. G. B., 1958, p. 431.

les examiner [1]. Quelques-uns donnent une définition générale de l'éloquence et de son rôle :

1. Ἰσοκράτης φησὶ μηδὲν ἄλλο ἐπιτηδεύειν τοὺς ῥητόρας ἢ
ἐπιστήμην πειθοῦς. (Sextus Empiricus, *Adversus mathe-
maticos*, II, 62, p. 301 F.)

On peut rapprocher de ce texte une phrase de Quintilien (*De inst. orat.* II, 15, 4) : *haec opinio (rhetoricen esse
vim persuadendi) originem ab Isocrate, — si tamen re vera
Ars, quae circumfertur, ejus est, duxit; qui, cum longe sit
a voluntate infamantium oratoris officia, finem artis temere
comprehendit, dicens esse rhetoricen persuadendi opificem,
id est* πειθοῦς δημιουργόν.

D'ailleurs la formule citée par Quintilien est attribuée
également à Gorgias (Platon, *Gorgias* 453 a), à Corax,
à Teisias et à Xénocrate.

2. Καὶ γὰρ Ἰσοκράτης ἔργον ἔφασκεν εἶναι ῥητορικῆς τὰ
μὲν σμικρὰ μεγάλως εἰπεῖν, τὰ δὲ μεγάλα σμικρῶς; καὶ τὰ μὲν
καινὰ παλαιῶς, τὰ δὲ παλαιὰ καινῶς. (Maxime Planude,
V, p. 455, 1 dans les *Rhetores graeci* de Walz, et Joannes
Siceliota, VI, p. 133, 13 Walz.)

La même idée, sous des formes un peu différentes, se
retrouve dans Joannes Siceliota, VI, p. 459, 12 (= Hermogène, p. 363, 15 Walz) et p. 132, 17. La formule a été sans
doute inspirée par un détail de l'exorde du *Panégyrique* [2]
auquel font aussi allusion d'autres auteurs [3].

3. *Isocrates in omni genere inesse laudem ac vitupera-
tionem existimavit.* (Quintilien, *De inst. orat.* III, 4, 11.)

1. Nous jugeons inutile de répéter les phrases qui figurent
dans la *Vie* du Pseudo-Plutarque et dans la *Vie anonyme*,
qui sont reproduites en tête du tome I de notre édition. Ces
textes se trouvent également dans les *Oratores attici* de la collection Didot (II, pp. 319 et suiv.), dans l'édition Blass (II,
p. 275) et dans la dissertation de Sheehan (*De fide artis rhetoricæ
Isocrati tributæ*, pp. 8-11).
2. *Panégyrique* 8.
3. Speusippe, *Lettres socratiques*, XXX, 9; Harpocration,
p. 36, 3 (s.v. ἀρχαίως) et 105, 3; *Traité du Sublime*, 38,2.

D'autres témoignages portent sur la conception isocra
tique du plan et des divisions oratoires :

4. Διαιρήσομαι δὲ αὐτὰς (τὰς τοῦ λόγου ἰδέας), ὡς Ἰσοκράτει
τε καὶ τοῖς κατ᾽ ἐκεῖνον τὸν ἄνδρα κοσμουμένοις ἤρεσεν, ἀρξάμενος
ἀπὸ τῶν προοιμίων. (Denys d'Halicarnasse, *Sur Lysias*,
p. 489.)

5. Ἐν γὰρ ταῖς καταστάσεσι [1] τά τε οἰκεῖα συνιστῶμεν καὶ
τὰ τῶν ἐναντίων διαβάλλομεν πρὸς τὸ οἰκεῖον συμφέρον ἐργαζό-
μενοι τὰς καταστάσεις, ὡς Ἰσοκράτης ἐδίδαξεν. (Maxime Planude et un anonyme dans Walz, *Rhetores graeci*, V,
p. 552 en note; Syrianus *in* Hermog. I, p. 93, 22 sqq. Rabe.)

6. Καὶ γὰρ Ἰσοκράτης ἐν τῇ τέχνῃ φησίν ὡς ἐν τῇ διηγήσει
λεκτέον τό τε πρᾶγμα καὶ τὰ πρὸ τοῦ πράγματος καὶ τὰ μετὰ
τὸ πρᾶγμα καὶ τὰς διανοίας, αἷς ἑκάτερος τῶν ἀγωνιζομένων
χρώμενος τόδε τι πέπραχεν ἢ μέλλει πράττειν, καὶ τούτων τοῖς
συμβαλλομένοις ἡμῖν χρηστέον. (Syrianus et Sopater; IV,
p. 302 Walz [texte du *Venetus* [2]]; deux textes anonymes,
VII, p. 721, 17 et 917, 16 Walz [3].)

7. *Eam (narrationem) plerique scriptores, maxime qui
sunt ab Isocrate, volunt esse lucidam, brevem, verisimilem.*
(Quintilien, *De inst. orat.* IV, 2, 31.)

Fait surprenant, un seul texte nous parle de ce qui, pour
nous, caractérise le mieux le style isocratique, c'est-à-dire
de la période :

1. Sauppe a fait observer que le terme κατάστασις dans ce
texte correspond à celui de πρόθεσις dans le vocabulaire de
Denys d'Halicarnasse (*constitutio causæ*, partie du discours
consacrée à la « position de la question »).

2. Walz, *Rhet. græci*, IV, p. 712, 23 sqq., donne un texte
un peu différent de Sopater : μάλιστα δὲ τὸ παρ᾽ Ἰσοκράτους εὖ
ἐχόντως εἰρημένον ἐν τῇ τέχνῃ μνημονευτέον ἐν τῇ καταστάσει τό τε
πρᾶγμα καὶ.....χρηστέον.

3. *Apparat critique :* διηγήσει : καταστάσει Sopater ‖ λεκτέον :
σκοπητέον Sopater διηγητέον Anon. ‖ καὶ τὰ πρὸ τοῦ πράγματος om.
Anon. 721 ‖ χρώμενος om. Sopater et Anon. 917 ‖ τόδε τι πέπραχεν :
ἔπραξε τόδε τι Anon. 917 ‖ ἢ μέλλει... χρηστέον Sopater : om. Syrianus et Anon.

8.   'Αλλὰ πρῶτον μὲν ἐοίκασι τῶν ὀνομάτων τούτων (κῶλον,
κόμμα) ἐλθεῖν εἰς ἔννοιαν ἐν ἐξετάσει λόγων οὐ κατὰ μέτρα προεν-
ηνεγμένων, φιλοσόφων μὲν 'Αριστοτέλης ἐν ταῖς ῥητορικαῖς
λεγομέναις τέχναις, σοφιστῶν δὲ 'Ισοκράτης· τί δὲ τούτων
ἕκαστος λέγει καὶ ὅπως μὲν 'Αριστοτέλης τὴν περίοδον ὡρίσατο,
ὡς συμπληροῖ τὰ κῶλα καὶ τὰ κόμματα, ὅπως δὲ πάλιν 'Ισοκράτης, τῷ Λαχάρῃ [1] δεόντως ἐν τῷ περὶ αὐτῶν εἴρηται λόγῳ·
πολλοὺς γὰρ ὁρισμοὺς τῶν ἀρχαίων παρατίθησι· λέγει γὰρ καὶ
'Ισοκράτους ὁρισμὸν, ὃν οὐ παραδέχεται. (Anonyme *ad Hermog.*,
VII, p. 930, 12 Walz.)

Enfin (et ceci est naturel, vu l'intérêt qu'Isocrate portait
au choix des mots, en quoi il se rencontrait avec les Atticistes de la période romaine) deux textes nous renseignent
sur les règles isocratiques touchant le vocabulaire et la
place des mots (le second est le seul qui fasse allusion à
l'interdiction de l'hiatus) :

9.   Οἱ 'Αττικισταὶ παντελῶς ἀποτρέπουσι τοῦ ὀνοματοποιεῖν
καὶ μόνοις προστάττουσι κεχρῆσθαι ταῖς εἰρημέναις λέξεσι καὶ
τοῖς τεταγμένοις ὀνόμασιν, ὥς φησιν 'Ισοκράτης. (Maxime Planude, V, p. 497, 26 Walz [2].)

Il semble bien d'ailleurs que seuls les derniers mots
soient empruntés à Isocrate qui les a employés quand,
dans l'*Evagoras* [3], il voulait démontrer que les prosateurs
avaient moins de liberté que les poètes dans leurs moyens
d'expression.

10.   'Εκ τῆς 'Ισοκράτους τέχνης διδασκόμεθα ποῖαι τῶν λέξεων
λέγονται καθαραί· τοσοῦτον γὰρ πεφρόντικε τῆς καθαρότητος τῶν
λέξεων ὁ ἀνήρ, ὡς καὶ ἐν τῇ οἰκείᾳ τέχνῃ τοιάδε παραγγέλλειν
περὶ λέξεως· δεῖ δὲ ⟨ἐν⟩ τῇ μὲν λέξει τὰ φωνήεντα μὴ συμπίπτειν
(χωλὸν γὰρ τὸ τοιόνδε), μηδὲ τελευτᾶν καὶ ἄρχεσθαι ἀπὸ τῆς

---

1. Lacharès d'Athènes, rhéteur de la fin du ve s. après J.-C.,
dont l'enseignement se reflète dans le pseudo-Castor (*Rhetores
græci*, III, pp. 712-733 Walz).

2. Un texte analogue est donné par Planude *ad Hermog.*,
V, p. 469.

3. *Evagoras*, 9.

αὐτῆς συλλαβῆς, οἷον εἰποῦσα σαφῆ, ἡλίκα καλὰ, ἔνθα
Θαλῆς· καὶ τοὺς συνδέσμους τοὺς αὐτοὺς μὴ σύνεγγυς τιθέναι
καὶ τὸν ἑπόμενον τῷ ἡγουμένῳ εὐθὺς ἀνταποδιδόναι· ὀνόματι δὲ
χρῆσθαι ἢ μεταφορᾷ μὴ σκληρᾷ, ⟨ἀλλ'⟩ ἢ τῷ καλλίστῳ ἢ τῷ
ἥκιστα πεποιημένῳ ἢ τῷ γνωριμωτάτῳ· ὅλως δὲ ὁ λόγος μὴ λόγος
ἔστω (ξηρὸν γάρ) μηδὲ ἔμμετρος (καταφανὲς γάρ), ἀλλὰ μεμίχθω
παντὶ ῥυθμῷ, μάλιστα ἰαμβικῷ ἢ τροχαϊκῷ... Διηγητέον ¹ δὲ
τὸ πρῶτον καὶ τὸ δεύτερον καὶ τὰ λοιπὰ ἑπομένως· καὶ μὴ πρὶν
ἀποτελέσαι τὸ πρῶτον ἐπ᾽ ἄλλο ἰέναι, εἶτα ἐπὶ τὸ πρῶτον ἐπα-
νιέναι ἀπὸ τοῦ τέλους· καὶ αἱ ἐπὶ μέρος δὲ διάνοιαι τελειούσθωσαν
ἐφ᾽ ἑαυτὰς περιγραφόμεναι. (Maxime Planude, V, p. 469
Walz; Joannes Siceliota, VI, p. 156, 19 ².)

Ces divers préceptes sont-ils les débris d'un *Traité de
rhétorique* (Τέχνη) qu'aurait composé Isocrate? Spengel
(Συναγωγὴ τεχνῶν, p. 154-172) et Sauppe (*Oratores attici*,
II, p. 224) l'ont pensé; A. Croiset et Sheehan ³, tout en
jugeant que les renseignements ci-dessus proviennent tous
probablement de la συναγωγὴ τεχνῶν d'Aristote, ne sont pas
loin de croire que ce dernier disposait d'un ouvrage d'Isocrate sur l'éloquence rédigé par l'orateur lui-même ou par
un de ses disciples immédiats ⁴. La majorité des historiens

1. Ici commence un nouveau développement qui porte sur
l'ordre du discours et n'a qu'un lien très vague avec ce qui
précède.
2. En outre la phrase ὅλως δὲ..... τροχαικῷ figure dans Joannes
Siceliota, VI, p. 165, 30 et chez deux anonymes (*Rhetores
græci*, de Walz, VII, p. 933, 21 et 1046, 20). — *Apparat critique :*
συμπίπτειν Joannes : συνεμπίπτειν Planudes ‖ post ἀνταποδιδόναι,
Joannes addit τοὺς μὲν, ὡς τό, ταῦτα μὲν τοιαῦτα, ἐκεῖνα μέντοι ἑτέρως,
τοὺς δὲ, ὡς τὸν μὲν καὶ τὸν δὲ καὶ τὸ ὡς καὶ τὸ οὕτως ‖ μὴ σκληρᾷ om.
Planudes ‖ post πεποιημένῳ, Joannes addit : ὡς τὸ σίζειν καὶ
δοῦπος· ταῦτα γὰρ πεποιημένα ἰαμβικῷ ‖ ἢ τροχαικῷ om. Planudes,
Joannes, VI, 156, Anon. 1046 ‖ καὶ αἱ...περιγραφόμεναι om.
Planudes.
3. A. Croiset, *Histoire de la litt. grecque*, IV, p. 471 ; Sheehan,
De fide artis rhetoricæ Isocrati tributæ, p. 48.
4. A. Croiset pense à Speusippe; mais le texte de Diogène
Laerce (IV, 1, 2 : Σπεύσιππος.....πρῶτος παρὰ Ἰσοχράτους τὰ
καλούμενα ἀπόρρητα ἐξήνεγκεν, ὥς φησι Καινεύς) s'applique plus

de la littérature est d'un avis contraire [1], et il est probable
que c'est de ce côté que se trouve la vérité.

Certes ces préceptes sont d'accord avec la pratique suivie
par Isocrate dans ses discours; néanmoins celui-ci semble
avoir toléré quelques exceptions aux règles strictes qui
lui sont attribuées. Mais surtout bien des faits nous
empêchent de croire qu'Isocrate avait rédigé, et, à plus
forte raison, publié un traité de rhétorique. Remarquons
tout d'abord que deux textes seulement nous parlent
formellement d'une τέχνη isocratique (*Fragm.* 6 et 10);
encore le dernier, en répétant le mot τέχνη, semble-t-il
lui donner le sens large d'*œuvre d'art*. En revanche, deux
autres fragments (7 et 8) montrent bien que, pour leurs
auteurs, il s'agit de traditions d'école et non pas de textes
isocratiques qu'ils auraient eus sous les yeux. En outre,
les témoignages les plus anciens, ceux de Cicéron, de
Quintilien, de Cécilius de Calè-Actè (ce dernier représenté
par le pseudo-Plutarque) [2] montrent que, dès le début
de la période romaine, le traité de rhétorique attribué
à Isocrate paraissait fort suspect. La *Vie anonyme* (qui
représente sans doute l'enseignement de Zosimos d'As-
calon) dit, il est vrai, qu'Aristote mentionnait un traité
d'Isocrate [3]; mais nous ignorons en quels termes exactement s'exprimait le philosophe, en sorte que la valeur de
ce témoignage doublement indirect est bien faible. Enfin,
et c'est là l'argument décisif, Isocrate, dans le *Contre les*

probablement aux attaques lancées contre Isocrate dans la
30e *Lettre socratique*, 4, 9-10.

1. Blass, *Die attische Beredsamkeit*, II, p. 105 (avec la biblio-
graphie pour la période antérieure); Christ-Schmid, *Gesch.
der griech. Litt.*, 6e éd. IV, 2, 1, p. 569; Münscher, s.v. *Isokrates*
dans Pauly-Wissowa, p. 2224.

2. Cicéron, *De inventione*, II, 2, 7 (*fuit tempore eodem quo
Aristoteles, magnus et nobilis rhetor Isocrates; cujus ipsius quam
constet esse artem, non invenimus.*); Quintilien, *De inst. orat.*,
II, 15, 4; *Vies des Dix orateurs, Isocrate*, 32.

3. *Vie anonyme*, tome I de notre édition, p. XXXVII.

Sophistes et dans le *Sur l'Echange* [1], critique vivement
les auteurs de τέχναι et insiste sur l'importance des qualités naturelles et de l'exercice oral. L'existence d'un traité
de rhétorique dû à Isocrate serait, semble-t-il, contradictoire avec ces affirmations répétées. Il paraît donc établi
qu'il n'a pas existé de *Rhétorique* isocratique et que
nos fragments représentent une tradition orale, qui d'ail-
leur n'en est pas moins intéressante pour connaître la
théorie de l'orateur.

Cette tradition orale avait-elle été recueillie dans la
Συναγωγὴ τεχνῶν d'Aristote? Ce n'est pas impossible; mais
le texte de la *Vie anonyme* est trop vague pour que nous
puissions faire à ce sujet autre chose que des hypothèses.

*Anecdotes
et apophtegmes.*

Comme à propos des autres hommes
célèbres, les anciens avaient conservé,
touchant Isocrate, un grand nombre
d'historiettes et de « dits mémorables ». Plus d'un figure
soit dans le pseudo-Plutarque, soit dans la *Vie anonyme*.
D'autres, principalement des préceptes de morale individuelle ou politique, nous ont été conservés par divers
compilateurs, en particulier par Maxime dit le *Confesseur*,
qui, vers 650, réunit une foule de pensées sacrées ou pro-
fanes en vue d'en nourrir ses sermons, et par Antonius
surnommé *Melissa*, qui rédigea son recueil au cours du
xie siècle.

L'authenticité d'une bonne part de ces « apophtegmes »
est loin d'être sûre, comme le prouvent des divergences
d'attribution. Certains ont pour origine bien évidente un
détail d'un discours d'Isocrate.

11. Ἰσοκράτης ὁ ῥήτωρ ἔλεγεν ὑπὲρ τῆς Ἀθηναίων πόλεως
ὁμοίαν εἶναι ταῖς ἑταίραις· καὶ γὰρ τοὺς ἁλισκομένους ὑπὸ τῆς
ὥρας αὐτῶν βούλεσθαι συνεῖναι αὐταῖς· ὅμως δὲ μηδένα ἐντελῶς
οὕτως παραφρονεῖν, ὡς ὑπομεῖναι ἂν συνοικῆσαί τινι αὐτῶν·

1. *Contre les Sophistes*, 19-20; *Sur l'Échange*, 180 et suiv.

καὶ οὖν καὶ τὴν Ἀθηναίων πόλιν ἐνεπιδημῆσαι μὲν εἶναι
ἡδίστην καὶ κατά γε τοῦτο πασῶν τῶν κατὰ τὴν Ἑλλάδα
διαφέρειν, ἐνοικῆσαι δὲ ἀσφαλῆ μηκέτι εἶναι. Ἠινίττετο δὲ διὰ
τούτων τοὺς ἐπιχωριάζοντας αὐτῇ συκοφάντας καὶ τὰς ἐκ τῶν
δημαγωγούντων ἐπιβουλάς. (Elien, *Histoires variées*, XII, 52.)

Nous avons ici le développement à contre-sens d'une
comparaison qui, dans Isocrate (*Sur la paix*, 103), vise les
partisans de l'hégémonie maritime, à quelque pays qu'ils
appartiennent.

12. Πεφύκασιν αἱ πονηραὶ φύσεις καὶ φιλόνεικοι μὴ πρότερον
λήγειν τῆς διαμάχης καὶ ἔριδος πρὶν ἢ καιρίαν δέξασθαι τὴν
πληγὴν καὶ ἀνεπιλήστου τιμωρίας πεῖραν λαβεῖν. Ἰσοχράτους.
(Antonius Melissa, II, 68, dans Migne, *Patrol. grecque*,
vol. 136, p. 1164.)

La pensée est une généralisation de la comparaison
employée dans le *Philippe*, 38.

Quelques anecdotes, d'origine inconnue, présentent tout
au plus un intérêt biographique.

13. Ἰσοχράτης, ...ὥς φασιν, ἤδη γέρων γεγονὼς, πρὸς τὸν
πυθόμενον πῶς διάγει. « Οὕτως, εἶπεν, ὡς ἄνθρωπος ὑπὲρ
ἐνενήκοντα ἔτη γεγονὼς καὶ μέγιστον ἡγούμενος τῶν κακῶν τὸν
θάνατον. » (Plutarque, *Sur la gloire des Athéniens*, 8.)

14. Κατὰ ἀμφιβολίαν δὲ, οἷον Ἰσοχράτης ὁ ῥήτωρ, συνιστα-
μένου αὐτῷ παιδίου καὶ ἐρωτῶντος τίνος αὐτῷ δεῖ, εἶπε· « Πινακιδίου καὶ νοῦ, καὶ γραφειδίου καὶ νοῦ. » Ἀμφιβαλλόμενον γὰρ
πότερον νοῦ καὶ πινακιδίου λέγει ἢ πινακίδος καινῆς καὶ καινοῦ
γραφειδίου. (Théon, I, p. 209, 1 Walz.) Le même jeu de
mots est d'ailleurs attribué à Antisthène par Diogène
Laerce, VI, 3.

15. Ἰσοχράτης, εἰπόντος αὐτῷ τινος ὅτι ὁ δῆμος ὑπὸ τῶν
ῥητόρων ἁρπάζεται· « Τί θαυμαστὸν εἰ Κόραχος ἐφευρόντος τὴν
ῥητορικὴν οἱ ἀπ' ἐκείνου χόραχές εἰσιν; » (Arsenius, p. 506,
Walz.)

16. Ἰσοχράτης ὁ ῥήτωρ, ... Κρέωνος ὄντος λάλου καὶ σχο-
λάζειν παρ' αὐτῷ βουλομένου, διττοὺς ᾔτησε μισθούς. Τοῦ δὲ τὴν

αἰτίαν πυθομένου· « Ἕνα μὲν, ἔφη, ἵνα λέγειν μάθῃς· τὸν δὲ ἕτερον
ἵνα σιγᾷν. » (Maxime le Confesseur, dans Migne, *Patrol.
grecque*, vol. 91, p. 940; Antonius Melissa, II, 70, vol. 136,
p. 1168 Migne ¹; Arsenius, p. 307.)

Quelques apophtegmes peuvent se rattacher aux idées
d'Isocrate sur la rhétorique.

17. Ἰσοκράτης ὁ σοφιστὴς τοὺς εὐφυεῖς τῶν μαθητῶν θεῶν
παῖδας ἔλεγεν εἶναι. (Théon, I, p. 203 et 210, 15 Walz;
le mot est encore discuté à I, p. 215, 5.)

18. Ἰσοκράτης ὁ ῥήτωρ παρῄνει τοῖς γνωρίμοις προτιμᾶν τῶν
γονέων τοὺς διδασκάλους, ὅτι οἱ μὲν τοῦ ζῆν μόνον, οἱ δὲ διδάσκαλοι καὶ τοῦ καλῶς ζῆν αἴτιοι γεγόνασιν. (Théon, I, p. 207,
2; le mot est discuté à I, p. 213, 4 ².)

19. Ὁ Ἰσοκράτης ἔφησε τῆς παιδείας τὴν μὲν ῥίζαν εἶναι
πικρὰν, τὸν δὲ καρπὸν γλυκύν ³. (Libanios, *Progymnasmata*,
χρεία γ᾽, Hermogène, I, p. 22, 1 Walz; Aphtonios, I, 63,
14 ⁴.)

20. Ἐρωτηθεὶς ὑπό τινος, τίνι οἱ φιλόπονοι τῶν ῥαθύμων
διαφέρουσιν, εἶπεν· « Ὡς οἱ εὐσεβεῖς τῶν ἀσεβῶν, ἐλπίσιν ἀγαθαῖς. »
(Maxime le Confesseur, vol. 91, p. 892 Migne ⁵; Arsenius,
p. 307.)

21. Ἰδὼν νεανίαν φιλοπονοῦντα, ἔφη· « Κάλλιστον ὄψον τῷ
γήρατι ἀρτύεις. » (Maxime le Confesseur, vol. 91, p. 892
Migne ⁶; Arsenius, p. 307.)

22. Ἰσοκράτης τοῖς μαθηταῖς παρεκελεύετο μὴ πράγματα

---

1. Chez tous deux, cette anecdote suit une citation du *A
Démonicos*.

2. Une pensée analogue est attribuée à Alexandre par Antonius Melissa, II, 11 (vol. 136, p. 1048 Migne).

3. Σωκράτης, dans un manuscrit de Vienne; τοὺς δὲ καρποὺς
γλυκεῖς, dans Libanios.

4. Pour tous ces rhéteurs, la phrase est un thème de χρεία
λογική.

5. Cette phrase suit une citation libre du *A Démonicos*, 21,
et fait partie d'une section intitulée Ἐκ τῶν Δημοκρίτου, καὶ
Ἰσοκράτους.

6. Suit l'apophtegme précédent et termine la section.

λέγειν, ἀλλὰ πράγματα πκρέχειν τοῖς ἀκροωμένοις. (Jean de Damas, dans Stobée, *Floril.*, XVI, 104.)

Beaucoup plus nombreux enfin sont les apophtegmes qui donnent des préceptes de morale ou de politique et qui se rapprochent ainsi de certaines parties du *A Démonicos*, du *A Nicoclès* ou du *Nicoclès*.

23. Ἰσοκράτης εἶπεν ὅτι τὸν χρηστὸν καὶ ἀγαθὸν ἄνδρα δεῖ τῶν μὲν προγεγενημένων μεμνῆσθαι, τὰ δὲ ἐνεστῶτα πράττειν, περὶ δὲ τῶν μελλόντων φυλάττεσθαι. (Stobée, *Floril.*, I, 45.)

24. Ὁ μεμνημένος τί ἐστιν ἄνθρωπος, ἐπ᾽ οὐδενὶ τῶν συμβάντων δυσχερανεῖ. (Maxime le Confesseur, vol. 91, p. 833 Migne; Antonius Melissa, I, 70, vol. 136, p. 984 [1].)

25. Εἰς μὲν τὸ εὐπλοῆσαι κυβερνήτου καὶ πνεύματος, εἰς δὲ τὸ εὐδαιμονῆσαι λογισμοῦ δεῖ καὶ τέχνης. (Maxime le Confesseur, vol. 91, p. 833 [2].)

26. Καὶ κυβερνήτης ἀγαθὸς ἐνίοτε ναυαγεῖ καὶ ἀνὴρ σπουδαῖος ἀτυχεῖ. (Maxime le Confesseur, vol. 91, p. 832 [3].)

27. Εὐτυχίας ὥσπερ μέθης ἄφρων ἐπὶ πλεῖον ἀπολαύσας ἀνοητότερος γίνεται. (Maxime le Confesseur, vol. 91, p. 833 [4]; Antonius Melissa, I, 70, vol. 136, p. 984.)

28. Τῆς εὐτυχίας ὥσπερ ὀπώρας παρούσης ἀπολαύειν δεῖ. (Maxime le Confesseur, vol. 91, p. 836 [5].)

29. Ἀλόγιστός ἐστιν ὁ ἐν τοῖς συμβαίνουσι κατὰ φυσικὴν ἀνάγκην ἀχθόμενος. (Maxime le Confesseur, vol. 91, p. 836 [6].)

30. Τὸν λογισμὸν ὥσπερ ἰατρὸν ἀγαθὸν ἐπικαλεῖσθαι δεῖ ἐν

1. Fait partie, chez Maxime, d'une section intitulée Ἐκ τοῦ Ἐπικτήτου καὶ Ἰσοκράτους. Précède, chez Antonius Melissa, un mot attribué à Hiéron.
2. Dans la même section que le mot précédent; est attribué à Kypsémos par Antonius Melissa, I, 70 (vol. 136, p. 984 Migne).
3. Se trouve entre deux citations du *A Démonicos*, 29 et 41.
4. Fait partie de la section Ἐκ τοῦ Ἐπικτήτου καὶ Ἰσοκράτους.
5. Dans la même section que le mot précédent.
6. Dans la même section que les précédents; ici la tendance stoïcienne est très nette.

ἀτυχία βοηθόν. Ἰσοκράτους. (Maxime le Confesseur, vol. 91, p. 590; Antonius Melissa, I, 71, vol. 136, p. 984 [1].)

31. Δεῖ, ὥσπερ ἐξ εὐνομουμένης πόλεως φυγαδεύειν στασιαστὴν ἄνθρωπον, οὕτως ἐκ τῆς ψυχῆς τὸν πρὸς τὰ φαῦλα κεκλικότα λογισμόν. (Maxime le Confesseur, vol. 91, p. 981; Antonius Melissa, I, 44, vol. 136, p. 972 [1].)

32. Τῷ γὰρ πάθει τοῦ σώματος καί τὸ νοερὸν τῆς ψυχῆς συνομολογεῖν ἀνέχεται. (Maxime le Confesseur, vol. 91, p. 981.)

33. Ἡ ἀληθινὴ φιλία τρία ζητεῖ μάλιστα· τὴν ἀρετὴν ὡς καλὸν, καὶ τὴν συνήθειαν ὡς ἡδὺ καὶ τὴν χρείαν ὡς ἀναγκαῖον. Δεῖ γὰρ ἀποδέξασθαι κρίναντα καὶ χαίρειν συνόντα καὶ χρῆσθαι δεόμενον. (Maxime le Confesseur, vol. 91, p. 760 [2].)

34. Οἱ ἄνθρωποι τότε γίνονται βελτίους ὅταν θεῷ προσέρχωνται· ὅμοιον δὲ ἔχουσιν θεῷ τὸ εὐεργετεῖν καὶ ἀληθεύειν. Ἰσοκράτους. (Maxime le Confesseur, vol. 91, p. 812; Antonius Melissa, I, 46, vol. 136, p. 925.)

35. Οὗτος ἀκούσας παρά τινος ὅτι ὁ δεῖνα ἐπ᾽ ἐμοῦ τάδε κατὰ σοῦ ἐλοιδόρει· « Εἰ μὴ σὺ, εἶπεν, ἡδέως ἤκουσας, οὐκ ἂν ἐκεῖνος ἐλοιδόρει· » (Maxime le Confesseur, vol. 91, p. 785 [3].)

36. Εὖ σοι τὸ μέλλον ἕξει ἂν τὸ παρὸν εὖ τιθῇς. Ἰσοκράτους. (Antonius Melissa, I, 7 vol., 136, p. 793 [4].)

37. Ἐὰν καλὸν ἔχῃς σῶμα καὶ ψυχὴν κακήν, καλὴν ἔχεις ναῦν, καὶ κακὸν κυβερνήτην. Ἰσοκράτους (Antonius Melissa, I, 61, vol. 136, p. 961 [5].)

---

1. Suit, dans Antonius Melissa, une citation libre du *A Démonicos* 15.

2. Suivent trois extraits, l'un du *A Nicoclès*, 27, les autres du *A Démonicos*, 24. Est attribué à Plutarque par Antonius Melissa, vol. 136, p. 849 Migne.

3. Suit une citation du *A Démonicos* 17.

4. Entre un mot de Plutarque et un mot de Démonax. Sauppe fait remarquer qu'en lisant τὸ παρὸν εὖ τιθείς, on obtient un trimètre iambique.

5. Sauppe reconstitue deux trimètres iambiques en écrivant κυβερνήτην κακόν.

38. Ἰσοκράτους. Ὕδωρ θολερὸν καὶ ἀπαίδευτον ψυχὴν οὐ δεῖ ταράττειν. (Georgides, dans les *Anecdota de Boissonade*, II, p. 93.)

39. Νόμῳ καὶ ἄρχοντι καὶ τῷ σοφωτέρῳ εἴκειν κόσμιον. (Maxime le Confesseur, vol. 91, p. 945.)

40. Ἰσοκράτης κάκιστον ἔλεγεν ἄρχοντα εἶναι τὸν ἄρχειν ἑαυτοῦ μὴ δυνάμενον. (Maxime le Confesseur, vol. 91, p. 780; Antonius Melissa, II, 1, vol. 136, p. 1008; Arsenius, p. 307 Walz [1].)

41. Οἴδασι γὰρ τὸ ἐφ᾽ ἑκάτερα τρεπτὸν καὶ ἀβέβαιον τῶν ἀνθρωπίνων πραγμάτων. (Extrait par Sauppe d'un florilège anonyme contenu dans le *codex Baroccianus* 143, fol. 61 [2].)

---

1. Suit, dans Maxime, une citation de *A Nicoclès*, 26 ; précèdent, dans Antonius Melissa, des extraits de *A Nicoclès*, 15, 19 et 24.

2. [Le *Parisinus suppl. gr.* 134 présente une série anépigraphe de « dits mémorables », dans lesquels on retrouve les apophtegmes d'Isocrate 16, 19, 35, ainsi que le § 38 de la *Vie* de l'orateur. On y lit en outre l'apophtegme suivant : Ἰσοκράτης ἐρωτηθεὶς διὰ ποίαν αἰτίαν τοὺς ἄλλους διδάσκων λέγειν αὐτὸς σιωπᾷ, ἔφη· «καὶ γὰρ ἡ ἀκόνη αὕτη μὲν οὐ τέμνει, τὰ δὲ ξίφη ὀξέα ποιεῖ». L'apophtegme coté ici 19 est attribué dans ce recueil à Socrate et non à Isocrate. A. Dain].

INDEX (¹)

I

NOMS PROPRES

ABROCOMAS : satrape perse, combat en Égypte (*Panég.* 140).

ACHAÏE : conquise par les Doriens (*Panath.* 42).

ACHILLE : *Ev.* 17, 18; H 52.

ACROPOLE : *a*) (à Athènes) *Or.* 42, 48; T 18, 20; occupée par les Lacédémoniens (*Éch.* 319; *Aréop.* 65; *Paix* 92); trésor de l'A. (*Éch.* 234, 307; *Paix* 47, 126; *Ph.* 146); urnes déposées à l'A. (T 34). — *b*) (en Thessalie) *Paix* 118. — *c*) (ailleurs en Grèce) *Panég.* 123, 137.

ADRASTOS : roi d'Argos (H 31; *Panath.* 168; *Panég.* 54).

ADRIATIQUE : *Ph.* 21.

AGAMEMNON : son éloge (*Panath.* 72-89).

AGÉNOR : professeur de musique (L VIII, 1).

AGÉSILAS : père d'Archidamos (*Arch. arg.*); projette de libérer la Grèce (L IX, 11); occupe une partie de l'Asie (*Panég.* 144, 153; *Ph.* 62); contradictions de sa politique (*Ph.* 86, 87).

AGIS : père d'Agésilas (*Arch. arg.*).

AGYRRHIOS : homme politique athénien (T 31, 32).

AJAX : fils de Télamon (*Ev.* 17, 18).

ALCIBIADE : *a*) l'ancien (*Att.* 26). — *b*) fils de Cleinias (*Att. passim*, *Ph.* 58-61, 67), n'a pas été disciple de Socrate (B5). — *c*) fils du précédent (*Att.* 1, 45 et suiv.).

(¹) Les œuvres d'Isocrate (ou se rapportant à celui-ci) sont désignées par les abréviations suivantes : A N (A. Nicoclès), *Arch.* (Archidamos), *Aréop.* (Aréopagitique), *Att.* (sur l'Attelage), B (Busiris), C (Contre Callimakhos), D (A Démonicos), *Éch.* (Sur l'Échange). *Ég.* (Eginétique), *Euth.* (contre Euthynous), *Ev.* (Evagoras), F (Fragments), H (Éloge d'Hélène), L (Lettres), *Loch.* (Contre Lokhitès), N (Nicoclès), *Or.* (Vies des Dix Orateurs), *Paix* (Sur la Paix), *Panath.* (Panathénaïque), *Panég.* (Panégyrique), *Ph.* (Philippe), *Plat.* (Plataïque), S (Contre les Sophistes), T (Trapézitique), *Vie* (Vie anonyme), *Arg.* (arguments). Un index complet des *noms communs*, préparé par Baiter, a été publié par S. Preuss (*Index Isocrateus*, dans le *Programm* du gymnase de Fürth, 1903/4 et 1904/5).

ATALANTE : comédie de Strattis (*Vie*).

ATARNEUS : prise par Dracon de Pellène (*Panég.* 144).

ATHÉNA : *Éch.* 2 (statue); H 41 (jugement de Pâris); *Panath.* 193 (rivalité avec Poseidon).

ATHÈNES, ATHÉNIENS : *Vie*; *Or.* 2, 9, 11; *Arch. arg.*, 30, 41, 62, 83, 104; *Aréop. arg.*; *Att.* 29; B *arg.*; D *arg.*; *Év.* 68; *Paix arg.*; *Panég.* 185; *Ph. arg.*, 43; *Plat. arg.*, 1, 6, 15; F 11 (voir aussi ἄστυ et πόλις).

ATHÉNODOROS : Athénien établi en Thrace (*Paix* 24).

ATHOS : *Panath.* 89 (canal de Xerxès).

ATTHIDE : œuvre d'Androtion (*Vie*).

ATTIQUE : H 19; *Paix arg.*; *Panég.* 86, 93, 108.

ATTICISTES : F 9.

AUTOCRATOR : recommandé par Isocrate à Timothéos (L VII, 10).

BARBARES : *Vie*; *Att.* 27; *Arch.* 27, 43, 46, 100; *Aréop.* 6, 10, 51, 75, 79, 80; C 27; *Éch.* 306; *Év.* 17, 37, 59, 66; H 49, 52, 67, 68; L II, 10, 11; III, 5; IX, 8, 11, 14, 17, 19; N 50; *Paix* 38, 42, 43; *Panath.* 42, 44, 45, 59, 60, 69, 80, 83, 97, 102, 105, 159, 162, 163, 167, 189, 213, 220, 257; *Panég.* 3, 15, 17, 19, 34, 35, 37, 66, 67, 73, 75, 85, 87, 93, 94, 99, 106, 108, 117, 119, 122, 125, 126, 128, 131, 136, 138, 143, 156, 157, 158, 159, 163, 164, 169, 170, 173, 174, 175, 177, 178, 181, 185; *Ph.* 9, 16, 56, 66, 80, 83, 87, 107, 112, 121, 124, 125, 128, 130, 137, 140, 141, 152; *Plat.* 61.

BATÉ : dême de Nicomakhos (C 10).

BÉOTIE, BÉOTIENS : alliée d'Athènes (*Plat.* 33; *Ph.* 43; *Panath.* 93 [Platées seule]) soumise à Thèbes (*Paix* 115; *Plat.* 35);

séjour de Callimakhos en B. (C 49).

BOTON : auteur d'un traité de rhétorique (?) (*Or.* 3).

BRASIDAS : s'empare d'Amphipolis (*Arch.* 53).

BUSIRIS : *a*) roi d'Égypte (B *arg.*, *passim*; H *arg.*); — *b*) ville d'Égypte (B *arg.*).

BYZANCE, BYZANTINS : T 8; menacés par Thèbes (*Ph.* 53); alliés d'Athènes (*Plat.* 28); paix entre Athènes et Byzance (*Éch.* 63; *Paix* 16).

CADMÉE : citadelle de Thèbes (H 31; *Panég.* 55; *Plat.* 53), occupée par les Lacédémoniens (*Panég.* 126; *Plat.* 19, 28).

CADMOS : vient s'établir à Thèbes (*Or.* 14; *Vie*; H 68; *Panath.* 80).

CALLIMAKHOS : défendeur dans un procès par παραγραφή (C 4, 5, 6, 13, 19, 21, 35, 47, 58, 65).

CALLIPPOS : disciple d'Isocrate (*Éch.* 93).

CALLISTRATOS : Athénien établi en Thrace (*Paix* 24).

CARANOS : fondateur de la dynastie macédonienne (*Ph.* 107-108, allusion).

CARÉON : disciple d'Isocrate (F 16).

CARIE : gouvernée par Hécatomnos (*Panég.* 162).

CARIENS : ont occupé autrefois les Cyclades (H 68; *Panath.* 43).

CARTHAGE, CARTHAGINOIS : en lutte avec Denys (*Arch.* 44, 45; L I, 8); projets des Athéniens contre C. (*Paix* 85); son gouvernement (N 24).

CASTOR : frère d'Hélène (*Arch.* 18; H 19, 61 *allusion*).

CÉCILIUS (de Calé-Acté) : admet l'anthenticité de vingt-huit discours d'Isocrate (*Or.* 28).

CÉCROPS : remet la royauté à Erichthonios (*Panath.* 126).

CENTAURES : combattus par Pelée (*Év.* 16) et Thésée (H 26).

DANAE : B 37; H 59.

DANAOS : s'établit à Argos (*Or.* 14; *Vie*; H 68; *Panath.* 80).

DARIUS : *a*) le Grand (*Panath.* 195; *Panég.* 71, 86); — *b*) Codoman, confondu avec Artaxerxès Okhos (*Ph. arg.*).

DATON, localité de Thrace; désastre athénien (*Paix* 86).

DÉCÉLIE : occupée par les Lacédémoniens (*Att.* 10, 17; *Paix* 84); guerre décélique (*Paix* 37; *Plat.* 31).

DÉLIEN : en conflit avec Athènes (T 42).

DELPHES : oracle (*Arch.* 17, 31); trésors (*Ph.* 54); maxime (*Panath.* 230).

DÉMÉTER : mère de Coré (H 20); accorde des faveurs à Athènes (*Panég.* 28).

DÉMÉTRIOS : de Phalère (*Vie*).

DÉMONICOS : de Chypre (*Vie*; D arg. 1).

DÉMOPHILOS : père d'Ephore (*Or.* 39).

DÉMOSTHÈNE : *Or.* 12, 13; *Vie*, *Ph. arg.*

DERKYLIDAS : occupe l'Eolide, (*Panég.* 144).

DIODOTOS : recommandé à Antipatros (L, IV, 1, 7, 10).

DIOMNESTOS : frère d'Isocrate (*Or.* 1).

DIONYSIES : fêtes à Athènes (*Paix* 82; *Panath.* 168).

DIONYSIOS : (Denys) *a*) De Syracuse (*l'Ancien*) (*Arch.* 44, 46, 63, L 1; N 23; *Panég.* 126; *Ph.* 65, 81). — *b*) acteur (*Or.* 47). — *c*) d'Halicarnasse, tient pour authentiques vingt-cinq discours d'Isocrate (*Or.* 28).

DIOPHANTOS : séjourne en Asie (L VIII, 8).

DIPAIA : victoire des Spartiates sur les Arcadiens (*Arch.* 99).

DIPHOROS : surnom d'Ephore (*Vie*).

DIX (*les*) : successeurs des trente (C 5, 6).

DORIENS : *Arch.* 16, 17; *Panath.* 177, 190, 253.

DRACON de Pellène : occupe Atarneus (*Panég.* 144).

ÉACIDES : ancêtres d'Evagoras et de Nicoclès (*Ev.* 13; N 42).

ÉAQUE : *Ev* 14; *Panath.* 205.

ÉGÉE : père de Thésée (H 18).

ÉGINE : *Eg.* 24, 31; temple (Panhellénion) à Eg. (*Ev* 15); EGINETES (*Eg.* 1, 12, 13, 14, 34).

ÉGYPTE, ÉGYPTIENS : *Vie*; B arg., 11; mœurs des *Eg* (B 17, 28); lois des Eg. (B 20, 30); Danaos quitte l'Eg. (H 28); désordre athénien en Eg. (*Paix* 86); révolte de l'Eg. (*Panath.* 159; *Panég.* 140, 161; *Ph.* 101); rois d'Eg. alliés possibles de Sparte (*Arch.* 63).

ÉLÉENS : attaqués par les Lacédémoniens (*Paix* 100).

ÉLEUSIS : *Or.* 10, 27.

EMPÉDOCLE : philosophe d'Agrigende (*Éch.* 268).

ENNÉACROUNOS : fontaine d'Athènes (*Éch.* 287).

ÉOLE : B 7.

ÉOLIDE : occupée par Derkylidas (*Panég.* 144).

ÉOS : *mère de Memnon* (H 52).

ÉPAPHOS : fils de Zeus (B 10).

ÉPHIALTÈS : homme politique athénien (*Aréop. arg.*)

ÉPHORE : de Kymé, historien, disciple d'Isocrate (*Or.* 10, 39; *Vie*).

ÉPIDAURE : *Arch.* 91.

ÉRCHIA : dème d'Isocrate (*Or.* 1).

ÉRECHTHÉE : roi d'Athènes, combat contre Eumolpos et les Thraces (*Panath.* 193).

ÉRICHTHONIOS : fils d'Héphaistos et de Gê, succède à Cécrops (*Panath.* 126).

ÉRYTHEIA : île mythique, séjour de Géryon (*Arch.* 19; H. 24).

ESCHINE : orateur athénien (*Ph. arg.*).

EUANDROS : auteur d'un *Contre les Sophistes* (AN arg.).

EUBÉE : *Panég.* 108; *Ph.* 53.

EUMOLPIDES : famille sacerdotale d'Eleusis (*Panég.* 157).

nition : *Éch.* 46; *Panath.* 246).

HELLESPONT : traversé par Xerxès (*Panég.* 89); bataille d'Aigos-Potamoi (*Aréop.* 64; C 59; *Paix* 86; *Panath.* 99; *Panég.* 119; *Ph.* 62).

HÉPHAISTEION : à Athènes (T 15).

HÉPHAISTOS : père d'Erichthonios (*Panath.* 126).

HÉRA : H 41.

HÉRACLÈS : fils de Zeus (D 50); chronologie (B 36, 37); exploits (*Arch.* 18-19; D 8; H 16; *Ph.* 109-114, 144); mort (*Arch.* 17); Télamon compagnon d'H. (*Év.* 16); Thésée rival d'H. (H 23; *Panath.* 205); colonnes d'Héraclès (*Panath.* 250; *Ph.* 112, 144).

HÉRACLIDES : *Arch.* 8, 17, 22, 24, 32; H 31; L IX, 3; *Panath.* 194; *Panég.* 54-58, 61-65; *Ph. arg.*, 33, 34, 76, 115, 132.

HERMIPPOS : AN *arg.* (référence à son *Isocrate*; *Ph. arg.* (*id.*).

HÉSIODE : *Vie* (citation); AN 43; D *arg.* (citation); *Panath.* 18, 33.

HESPÉRIDES (pommes des) : H 24.

HILOTES : *Panath.* 104; *Arch.* 28,87 (= Messéniens); *Panég.* 111.

HIPPIAS : rhéteur (*Or.* 16, 41; (*Vie*).

HIPPOCRATÈS (palestre d') *Or.* 14.

HIPPOLAIDAS : contracte un emprunt auprès de Pasion (T 38).

HIPPOLYTÈ : reine des Amazones (*Panath.* 193).

HIPPONICOS : a) beau-père d'Alcibiade (*Att.* 31); — b) père de Démonicos (D *arg.*, 2, 11).

HOMÈRE : AN 48; H 65; *Panath.* 18, 33, 263; *Panég.* 159; S 2; statue d'H. (*Or.* 10).

HOMÉRIDES : poètes cycliques (H 65).

HYGIE (sanctuaire d') : *Or.* 49.

HYPERBOLOS : homme politique athénien (*Paix* 75).

HYPÉRIDE : aurait été disciple d'Isocrate (*Or.* 11; *Vie*).

IDRIEUS : dynaste de Carie (*Ph.* 103).

ILOS : adversaire de Pélops (*Vie*).

ILLYRIENS : soumis à Philippe (*Ph.* 21).

ION : philosophe (*Éch.* 268).

IONIE : fournit la majorité de la flotte perse (*Panég.* 135); plan d'occupation (*Panég.* 165) conquise par Timothée (*Éch.* 108).

IONIENS : livrés au roi de Perse (*Panég.* 122); serment des I. (*Panég.* 156).

ISÉE : aurait été disciple d'Isocrate (*Or.* 11; *Vie*).

ISOCRATE : *Or.* (*passim*); *Vie*; *Arg.* (*Passim*); F 1-19, 22, 23, 30, 34, 36-38, 40; N 11 (allusion à *A Nicoclès*).

ISTHME (de Corinthe) : *Éch.* 110; fortifié en 480 (*Panég.* 93).

ITALIE : visée par les Athéniens (*Paix* 85), par les Lacédémoniens (*Paix* 99); son état en 380 (*Panég.* 169).

JASON (de Phères) : L VI, 1; *Ph.* 119, 120.

KARKINOS : père de Xénotimos (T 52).

KÉOS : patrie de Prodicos (*Or.* 2; *Vie*); lois de K. en vigueur à Séphnos (*Ég.* 13).

KERKYON : tué par Thésée (H 29).

KERSOBLEPTÈS : roi de Thrace (*Paix* 22).

KÉRYKES : famille sacerdotale d'Eleusis (*Panég.* 157).

KHARIKLÈS : l'un des Trente, parent de Teisias (*Att.* 42).

KHARMANTIDÈS : disciple d'Isocrate (*Éch.* 93).

KISTHÉNÉ : sur le golfe d'Adramyttion, prise vers 400 (*Panég.* 153).

KITTOS : caissier de la banque de Pasion (T 11, 21, 27, 51).

KOILÉ : dème de Philon (C 22).

KOINOS : oncle par alliance d'Isocrate (*Or.* 50).

KYAMITIS (Marché aux Fèves) : où est le tombeau de Théodectès (*Or.* 10).

Kyknos : fils de Poseidon (H 52).

Kymé : patrie d'Ephore (Or. 10, 39).

Kynosarge : gymnase, près duquel était le tombeau d'Isocrate (Or. 24).

Lacédémone, Lacédémoniens (Sparte, Spartiates), Laconie : Arch. 12, 25, 90, 108, 110; Aréop. 6; Éch. 307, 318; H 19, 39, 63; L IX, 18; Panath. 24, 62, 65, 72, 90, 96, 112, 114, 134, 155, 175, 178, 184, 188, 201, 209, 216, 225, 228, 230, 232, 239, 241, 243, 249, 253; Panég. 64, 129, 135, 137, 178, 185, 188; Ph. 5, 33, 42, 43, 99; arrivée des Spartiates en Laconie (Arch. 16, 18; Aréop. 7; Panath. 166, 177, 204, 205, 255); qualités des Spartiates (Arch. 91; Aréop. 61; Att. 11; B 17; N 24; Éch. 298; Paix 95; Panath. 41, 106, 109, 110, 111, 200, 259); institutions de Lacéd. (B. 20; L II, 6; Paix 142; Panath. 54, 55, 152; Ph. 80); rôle des Lac. dans les guerres médiques (Panath. 50, 161, 187, 189; Panég. 73, 85, 90, 91; Ph. 147, 148), dans la guerre du Péloponnèse (Or. 4; Arch. 52; Aréop. 68; Att. 15, 17-20, 40; C 29, 47, 49; Ech. 161; Paix 78, 84, 105, 107; Panath. 93, 158; Panég. 119; Ph. 43, 59; Plat. arg., 30, 32, 40, 62); hégémonie lacédémonienne (Aréop. 65; Ev. 54-56, 64, 68, 69; L I, 8; Paix 67, 68, 100, 104, 106, 107, 116; Panath. 45, 52, 56, 57, 59, 66-68, 98, 100, 103, 117, 207, 220; Panég. 16, 18, 122, 125, 142, 154, 175; Ph. 40, 63, 86-88, 95, 104, 129; Plat. 27, 41; Éch. 57, 64, 77; T 36); rôle dans les guerres thébaines (Arch. arg.; Aréop. 69; Paix 58, 105; Ph. 44; Plat. 11, 12, 15-19, 26, 29, 33, 34, 38, 44, 45); situation au milieu du ive s. (L III, 2; Paix arg.; Panath. 58, 100; Ph. 30, 39, 47-51, 60, 74); Alcibiade à Lac.

(Att. 9 et suiv.); culte d'Hélène en Laconie (H 63).

Lachès : archonte en 399 (B arg.).

Lacritos : disciple d'Isocrate (Or. 11).

Lagiské : maîtresse d'Isocrate (Or. 40; Vie).

Lampsaque : patrie d'Anaximène (H arg.).

Laomédon : roi de Troie (Ev. 16).

Lapithes : secourus par Thésée (H 26).

Léda : mère d'Hélène (H 16, 59).

Léocharès : auteur d'une statue D'Isocrate (Or. 27).

Léodamos : disciple d'Isocrate (Or. 11).

Léontinoi : patrie de Gorgias (Or. 2, 15; Vie; Éch. 155).

Leuctres : défaite des Lacédémoniens (Arch. arg., 10; Éch. 110; Paix arg., 100; Ph. 47; Plat. arg.)

Libye : a) région (B arg.). — b) mère de Busiris (B arg., 10).

Lokhitès : accusé de violences et voies de fait (Loch. 1, 5, 22).

Lucaniens : méprisés par Isocrate (Paix 50).

Lycée : gymnase fréquenté par les sophistes (Vie; Panath. 18, 33).

Lycie : indépendante de fait (Panég. 161); Sopolis voyage en L. (Ég. 40).

Lycurgue : a) législateur de Sparte (Panath. 152, 153); — b) orateur athénien(Vie).

Lysandre : général lacédémonien (Att. 40; C 61, Éch. 128); intervient dans la politique athénienne (C 16; Euth. 2).

Lysias : a) orateur attique (Or. 2, 15; Vie). — b) beau-frère d'Isocrate (Or. 50).

Lysimakhos : a) archonte en 436 (Or. 2). — b) Athénien en conflit avec Callimakhos (C 7). — c) prétendu accusateur dans l'affaire de l'Echange (Éch. 14, 16, 25, 102, 154, 164, 224).

Lysistratos : archonte (Or. 47).

Macédoine, Macédoniens : fondation de la royauté en M. (*Ph.* 107); — Amyntas roi de M. (*Arch.* 46), allié des Lacédémoniens (*Panég.* 126); Philippe roi de M. (*Ph.* 19-20, 67, 154); envoi d'une lettre en M. (L IV, 1).

MACHAON : son interprétation de l'*Éloge d'Hélène* (H *arg.*).

MAGNÈTES : soumis par Philippe (*Ph.* 21).

MALÉE (cap) : limite des eaux accessibles aux flottes lacédémoniennes (*Éch.* 110).

MANTINÉE : victoire des Thébains à M. (*Arch. arg.*).

MANTINÉENS : dispersés par les Lacédémoniens (*Paix* 100; *Panég.* 126).

MARATHON : victoire remportée par les Athéniens sur les Perses (*Éch.* 306; *Paix* 38; *Panath.* 195; *Panég.* 91; *Ph.* 147).

MASSALIA (Marseille) : fondée par les Phocéens (*Arch.* 84).

MAUSOLOS : satrape de Carie (*Or.* 20).

MÈDES : vaincus par Cyrus (*Ev.* 37).

MÉGACLÉIDÈS : en procès avec Isocrate pour *antidose* (*Or.* 43).

MÉGALOPOLITAINS : favorables à Philippe (*Ph.* 74).

MÉGARE : prospère (*Paix* 117); en conflit avec Thèbes (*Ph.* 53).

MÉLÉTOS : accusateur de Socrate (B *arg.*).

MÉLISSOS : ses théories philosophiques (*Éch.* 268; H 3).

MÉLOS, MÉLIENS : réduits en esclavage par les Athéniens (*Panath.* 63, 89; *Panég.* 100, 110); séjour de Thrasylokhos à M (*Eg.* 21).

MEMNON : fils d'Eôs (H 52).

MÉNÉCRATÈS : titre d'un discours d'Isocrate (*Vie*).

MÉNÉLAS : époux d'Hélène (H 51, *Panath.* 72, 80, 89); rendu immortel (H 62).

MÉNESTHEUS : stratège, fils

d'Iphicrate et gendre de Timothée (*Éch.* 129).

MÉNÉXÉNOS : ami du plaideur qui prononce le *Trapézitique* (T 9, 12, 13, 14, 21, 22, 31, 45, 49).

MESSÉNE, MESSÉNIENS : patrie de Nestor (*Panath.* 72); les M. tuent Cresphonte (*Arch.* 22), sont soumis par Sparte (*Arch.* 16, 19, 23, 26, 29, 33, 57, 70; *Panath.* 91, 177, 253; *Panég.* 61), en sont une possession indiscutée (*Arch.* 30, 31); des M. s'établissent à Naupacte (*Panath.* 94); l'indépendance de M. est demandée par Thèbes (*Arch. arg.*, 11, 13, 25, 27, 38, 58, 75, 86); les M. traités d'Hilotes (*Arch.* 28); M. favorable à Philippe (*Ph.* 74).

MÉTHYMNA : ville de Lesbos, gouvernée par Cléommis (L VII, 8).

MILÉSIENS : discours d'Isocrate pour les M. (*Vie*); Kittos se prétend Milésien (T 51).

MILTIADE : stratège athénien (*Éch.* 306; *Paix* 75).

MINOS : roi de Crète (*Panath.* 43, 205).

MYSIE : ravagée par Dracon de Pellène (*Panég.* 144).

MYTILÈNE : alliée d'Athènes (*Plat.* 28); lettre aux magistrats de M. (L VIII).

NAUPACTE : établissement de Messéniens à N. (*Panath.* 4).

NÉLÉE : tué par Héraclès (*Arch.* 19).

NÉMÉSIS : aimée par Zeus (H 59).

NÉOPTOLÉMOS : prétendu discours d'Isocrate (*Vie*).

NÉRÉE : père de Thétis (*Ev.* 16).

NÉSIOTIQUE (pour les habitants des Iles) : discours attribué à Isocrate (*Vie*).

NESTOR : roi de Messène (*Arch.* 19; *Panath.* 72), célèbre par sa vertu (*Panath.* 89).

NICIAS : adversaire d'Euthynous (*Euth. passim*).

Evagoras (*Ev.* 62); faiblesse de la Perse au ive s. (*Panég.* 140-157, 161; *Ph.* 100-104, 125). Cf. aussi Barbares; βασιλεύς.

Persès : frère d'Hésiode (*Vie*).

Pharnabaze : satrape, attaque l'Egypte (*Panég.* 140).

Phasélis : limite entre la Grèce et l'empire perse (*Aréop.* 80; *Panath.* 59; *Panég.* 118); patrie de Théodectès (*Or.* 10).

Phédon : traité de Platon (N *arg.*).

Phédre : traité de Platon (citation de 279 A dans *Vie*).

Phénicie, Phéniciens : flotte phénicienne en 412 (*Att.* 18, 20); domination phénicienne à Chypre (*Ev.* 19, 47; N 28); la Ph. ravagée par la guerre (*Ev.* 62; *Panég.* 161), révoltée contre la Perse (*Ph.* 102); patrie de Pythodoros (T 4).

Phéres : patrie de Pyron (T 20).

Phidias : sculpteur (*Éch.* 2).

Philippos : *a*) Athénien, se dérobe à ses obligations de garant (T 43). — *b*) roi de Macédoine (*Aréop., arg.*; *Or.* 15; *Vie*); lettres d'Isocrate à Ph. (L II, III, V, 1); discours dédié par Isocrate à Ph. (*Ph., Plat. arg.*); Ph. reconstruit Platées (*Plat. arg.*).

Philiscos : disciple d'Isocrate (*Vie*).

Philomélos : *a*) Athénien en rapports avec Pasion (T 9, 45); — *b*) disciple d'Isocrate (*Éch.* 93).

Philon : de Koilé, accusé à propos d'une ambassade (C 22).

Philonidès : disciple d'Isocrate (*Éch.* 93).

Philourgos : a volé le Gorgoneion (C 57).

Phlionte : *Arch.* 91; assiégée par les Lacédémoniens (*Paix* 100; *Panég.* 126).

Phocéens : émigrent à Marseille (*Arch.* 84).

Phocidiens : en guerre avec les Thébains (*Ph.* 50, 54, 55, 74).

Phocylide : poète gnomique (AN 43).

Pindare : récompensé par les Athéniens (*Éch.* 166).

Pirée : port d'Athènes (C 59, 61; *Éch.* 307; *Panég.* 42); occupé par les démocrates en 403 (*Aréop.* 67, 68; *Att.* 13, 46; C 2, 5, 7, 17, 38, 45, 49, 50).

Pirithoos : ami de Thésée (H 20).

Pisa : Pélope s'établit à P. (*Or.* 14; *Vie*).

Pisistrate : tyran d'Athènes (*Panath.* 148), combattu par les Alcméonides (*Att.* 25).

Platées, Platéens : alliés d'Athènes (*Panath.* 92-94); soumis aux Lacédémoniens (*Plat.* 12); expulsés par les Thébains (*Arch.* 27; *Paix* 17; *Plat. arg.* 8); demandent secours aux Athéniens (*Plat. passim*).

Plathané : femme d'Isocrate (*Or.* 16, 24, 41, *Vie*).

Platon : *Or.* 2; *Vie*; S *arg.*

Pluton : accueille Eaque (*Ev.* 15).

Pnythagoras : fils d'Evagoras (*Ev.* 62).

Polémainétos : devin (*Ég.* 5, 45).

Pollux : frère d'Hélène (*Arch.* 18, H 19, 61 *allusion*).

Polyalcô : femme de Jason de Phères (L VI, 1).

Polycratès : sophiste athénien (B *arg.*, 1; H *arg.*).

Pompéion : portrait d'Isocrate au P. (*Or.* 45).

Pont : royaume hellénisé (Crimée); *Éch.* 224, T 3, 5, 19, 21, 23, 35, 40, 45, 56; disciples d'Isocrate venant du Pont (*Éch.* 224).

Poseidon : père de Busiris (B *arg.*, 10, 35), de Thésée (H 18, 23), de Kycnos (H 52), d'Eumolpos (*Panath.* 193; *Panég.* 68); lâche un taureau en Attique (H 25).

Potidée : prise par Timothée (*Éch.* 108, 113).

Poulytion : accusé d'avoir parodié les Mystères (*Att.* 6).

Syrie : dévastée par la guerre (*Panég.* 161).

Talaos : père d'Adrastos (*Panég.* 54).

Tanagra : doit unir ses finances à celles de Thèbes (*Plat.* 9).

Tantale : fils de Zeus (D 50), père de Pélops (*Or.* 14; *Vie*; H 68), célèbre par sa richesse (*Ph.* 144).

Teisias : *a*) rhéteur syracusain (*Or.* 2; *Vie*). — *b*) Athénien, en procès avec Alcibiade (*Att.* 1, 3, 45, 50).

Télamon : père d'Ajax et de Teucros (AN *arg.*; *Év.* 16, 17).

Télésippos : frère d'Isocrate (*Or.* 1).

Teucrides : descendants d'Eaque par Teucros (*Év.* 14).

Teucros : fils de Télamon (*Év.* 17) ancêtre de Nicoclès (AN *arg.*; N 28); fonde Salamine de Chypre (*Év.* 18, 19).

Thalès : F. 10 (simple exemple stylistique).

Thèbes, Thébains : *Vie*; L III, 2; *Paix* 118; *Panég.* 64; *Ph.* 30; Cadmos à Th. (H 68; *Panath.* 80); culte d'Héraclès à Th. (*Ph.* 32); intervention d'Athènes contre Th en faveur d'Adrastos (H 31; *Panath.* 168-174; *Panég.* 55, 58, 64; *Plat.* 53); alliés de la Perse (*Panath.* 159; *Plat.* 30, 59-62); en guerre contre Athènes (*Ph.* 43; *Plat.* 32); attaqués par Sparte qui occupe la Cadmée (*Paix* 98; *Panég.* 126); ennemis acharnés des Platéens (*Panath.* 93; *Plat. arg.*, 1, 3, 4, 8, 14, 15, 17, 21, 26, 59, 62); vainqueurs à Leuctres (*Arch.* 10; *Panath.* 57; *Plat. arg.*); envahissent le Péloponnèse (*Arch. arg.*, 9; *Ph.* 44, 48, 50); exigent la restauration de Messène (*Arch.* 8); obtiennent l'hégémonie en Grèce (*Arch.* 47; *Aréop.* 10; *Paix* 17, 58, 59, 115; *Plat.* 9, 34, 39, 42-44); sont en situation difficile en 346 (*Ph.* 53-55); favorables à Philippe

(*Ph.* 74); passent pour ignorants (*Éch.* 248).

Thémistocle : son rôle dans la seconde guerre médique (*Éch.* 233, 307; *Paix* 75; *Panath.* 51; *Panég.* 154) et dans la réforme de l'Aréopage (*Aréop.*, *arg.*).

Théodectès : de Phasélis, poète tragique, disciple d'Isocrate (*Or.* 10; *Vie*; S *arg.*).

Théodoros : père d'Isocrate (*Or.* 1, 24, 48; *Vie*).

Théognis : poète gnomique (AN 43).

Théopompe : de Chios, historien, disciple d'Isocrate (*Or.* 10; *Vie*).

Théramène : homme politique athénien, prétendu maitre d'Iscrate (*Or.* 2-3; *Vie*).

Therapnai : en Laconie; culte d'Hélène à Th. (H 63).

Thermopyles : héroïsme des Spartiates aux Th. (*Arch.* 99; *Panath.* 187; *Panég.* 90; *Ph.* 148).

Thésée : roi d'Athènes (*Panath.* 126, 127); enlève Hélène (H 18), protège Adrastos (*Panath.* 169); sa gloire (D 8; *Panath.* 128, 193, 205; *Ph.* 144); son éloge (H 21-39).

Thibron : Spartiate, fait campagne en Lydie (*Panég.* 144).

Thrace : guerres mythiques des Thr. contre Athènes (*Arch.* 42; *Aréop.* 75; *Panath.* 193; *Panég.* 67-70); expédition de Phormion en Thrace (*Att.* 29), expédition de Timothée (*Éch.* 108, 113); projets de colonisation en Thr. (*Paix* 24); la Thr. perdue par Athènes (*Aréop.* 9); conquise par Philippe (*Ph.* 21).

Thrasybule : homme politique athénien, respecte l'amnistie (C 23).

Thrasyllos : de Siphnos, devin (*Ég.* 5, 6, 9, 42, 43, 45).

Thrasylokhos : fils de Thrasyllos (*Ég.* 1, 3, 9, 10, 13, 15-17, 23, 24, 34, 36, 37, 42-44, 47).

Thyréai : victoire des Spartiates à Th. (*Arch.* 99); prétendu discours d'Isocrate à ce sujet (*Vie*).

TIMODÈMOS : en procès avec Nikias (*Euth.* 14).

TIMOTHÉE : *a)* fils de Conon; L VIII, 8; disciple d'Isocrate (*Or.* 9) qui aurait composé un plaidoyer pour lui (*Vie*) et à qui il éleva une statue (*Or.* 27); stratège (*Aréop.* 12), frappé d'une amende (*Éch.* 129, 130); éloge de Timothée (*Éch.* 101-139); — *b)* fils de Cléarkhos d'Héraclée (L VII).

TIRIBAZE : satrape perse (*Panég.* 135).

TISSAPHERNE : satrape perse, en relations avec Alcibiade (*Att.* 20), tend des pièges aux Dix-Mille (*Panég.* 148).

TITHRAUSTÈS : satrape perse, tente une expédition contre l'Égypte (*Panég.* 140).

TRENTE (les) : gouvernent Athènes en 404-403 (*Or.* 3; *Vie*; *Aréop.* 62, 65, 66, 73; *Att.* 12, 40, 43, 46, 50; C 5, 17, 18, 48; *Euth.* 12). *Paix* 108.

TRÉZÈNE : séjour de Thrasylokhos à Tr. (*Ég.* 21-25, 31).

TRIBALLES : pris pour type des barbares méprisables (*Paix* 50; *Panath.* 227).

TROIE : légendes concernant Tr.

(*Panég.* 158); expédition d'Héraclès contre Troie (*Ph.* 111-112); guerre de Tr. (*Ev.* 6, 18, 65; H 52, 65, 67; *Panath.* 71, 142, 189, 205; *Panég.* 54, 81, 83, *Ph.* 144).

TYNDARE : roi de Lacédémone (*Arch.* 18, H 19).

TYR : prise par Evagoras (*Ev.* 62; *Panég.* 161).

XÉNOTIMOS : *a)* fils de Karkinos, apporte une lettre de Satyros (T 52). *b)* complice de Callimakhos (C 11).

XERXÈS : *a)* fils de Darios (L II, 7; *Panath.* 49, 156, 161, 189; *Panég.* 71, 88); *b)* puis comme nom générique des rois de Perse (*Ph.* 42).

ZÉNON : d'Elée (H 3).

ZEUXIDAMOS : père d'Archidamos l'Ancien (*Arch.* arg.).

ZEUXIS : peintre (*Éch.* 2).

ZEUS : roi des dieux (N 26; *Panég.* 179); dieu des phénomènes naturels (B 13); ses amours (H 59;) ses descendants (B 10, 35, 37; D 50; *Ev.* 13, 14, 81; H 16, 20, 23, 38, 42, 43, 52, 53; L IX, 3; N 42; *Panath.* 72, 205; *Panég.* 60); statue de Zeus sauveur d'Athènes (*Ev.* 57).

II

TERMES DE RHÉTORIQUE, DE PHILOSOPHIE, DE POLITIQUE

ἅγιος : *Aréop.* 29; H 63. — ἁγίως B 25.

ἀγίστεια : B 28.

ἁγνεία : B 21.

ἀγορά : *Aréop.* 48.

ἀγχίστεια : *Arch.* 18.

ἀγών : *a)* procès : *Or.* 43; *Aréop.* 34; *Att.* 3; C 33; *Éch.* 1, 4, 8, 10, 20, 25, 26, 30, 33, 48, 163, 228, 238; *Eg.* 2; *Loch.* 21; *Panath.* 1, 66, 271; *Panég.* 11; T 1, 29, 47. — *b)* concours : AN 48, 49; *Arch.*

95; *Att.* 33; *Éch.* 252, 301;
Ev. 1, 22, 79; *Panath.* 39;
Panég. 1, 45; L IV, 10; VIII,
5.

ἀγωνιστής : AN 13; *Éch.* 201,
204; S 15.

ἀζήμιος : C 26; *Loch.* 4.

αἴσθησις : D 47; *Ég.* 42; *Ev.* 2.

ἀκολασία : *Aréop.* 4, 20, 50, 55;
Éch. 286; *Paix* 77, 102, 119;
Panég. 131.

ἀκροατής : *Or.* 9; AN 13; *Paix*
11; *Panath.* 86, 136, 270, 271;
Panég. 13, 188; L I, 4, 5.

ἀλήθεια : AN 20, 22, 46; B 33,
38; D 17; *Éch.* 11, 13, 18,
37, 43, 44, 50, 53, 134, 167, 170,
173, 178, 216, 260, 272, 283;
Ev. 5, 39, 66; H 4; L IV, 6;
N 33; *Paix* 29, 38; *Panath.*
9, 40, 46, 78, 150, 260, 261,
271; *Panég.* 162; *Ph.* 4, 78;
S *arg.* 1, 9.

ἀλογία : *Éch.* 165.

ἀλόγιστος : L II 9. — ἀλογίστως,
AN 29; *Paix* 30, 52; *Panath.*
15.

ἄλογος : B 41; C 39; *Éch.* 250;
Paix 35; *Panath.* 149; *Plat.* 6;
S 6; T 48; — ἀλόγως :
Éch. 10, 130, 169, 257; *Ev.*
58; N 9; *Panath.* 21, 257;
Panég. 150; *Ph.* 26, 65.

ἀμφιβολία : F 14; — ἀμφίβολος :
Panath. 240.

ἀναγράφειν : *Aréop.* 41; *Att.*
9; C 49; *Panath.* 107, 144;
Panég. 115, 120, 180.

ἀναδασμός : *Panath.* 259.

ἄναξ, ἄνασσα : *Ev.* 72.

ἀναρχία : *Panég.* 39.

ἀνδραποδίζειν : T 14, 49.

ἀνδραποδισμός : *Éch.* 319; *Paix*
37, 105, 116; *Panég.* 100.

ἀνδραποδιστής : *Éch.* 90.

ἀνομία : *Arch.* 64; B 38; *Paix* 96;
Panath. 55; *Panég.* 114.

ἄνομος : H 27, 28; *Panath.*
259; *Panég.* 111; *Plat.* 8; —
ἀνόμως : *Att.* 10; *Panég.* 39,
113, 168; *Plat.* 52.

ἀντίδικος : *Ég.* 1, 28, 50; *Éch.*
5; *Panath.* 1; T 2.

ἀντίδοσις : *Or.* 4, 15, 43, 44;
Éch. 4, 8, 144; *Paix* 128.

ἀντίθεσις : *Panath.* 2.

ἀντιλογικός : *Éch.* 45.

ἀντίφρασις : S *arg.*

ἀντομνύναι : *Att.* 2; C 37.

ἀπαιδευσία : D 33.

ἀπαίδευτος : F 38; — ἀπαιδεύτως, *Panath.* 218.

ἀπαρχή : *Arch.* 96; H 66; *Panég.*
31.

ἀπογράφεσθαι : *Aréop.* 15; C
23; T 49.

ἀπόδειξις : B 30; *Éch.* 89, 118,
273; *Ég.* 17; H 3; *Panath.*
251.

ἀποικία : *Panath.* 14, 167, 190;
Phil. 5.

ἀποικίζειν : *Panég.* 36; *Phil.* 5.

ἄπολις : *Paix* 44; *Plat.* 55.

ἀρετή : *Or.* 41; AN 8, 12, 21,
30, 36; *Arch.* 7, 36, 60, 76,
91, 95, 100, 102; *Aréop.* 11,
37, 38, 40, 73, 74, 76, 82; *Att.*
29, 34; B 8, 10, 14, 23, 41, 42;
D 5, 7, 8, 9, 11, 12, 45, 46,
48, 50; *Éch.* 60, 67, 76, 84,
95, 96, 144, 274, 278, 284; *Ég.*
45; *Ev. arg.*, 4, 5, 6, 8, 17,
23, 31, 33, 38, 52, 62, 65, 70,
76, 81; F 33; H 12, 21, 31,
35, 38, 54, 60; L II, 10,
VII 1, 7, 9; IX 2, 3, 5; N 1, 2,
29, 30, 39, 43, 44, 47, 50, 56,
57, 59; *Paix* 32, 36, 63, 90,
94, 95, 120, 123, 141, 145;
Panath. 5, 32, 71, 72, 74,
84, 86, 89, 106, 120, 123,
126, 127, 130, 136, 138, 158,
183, 205, 214, 228; *Panég.*
71, 73, 75, 82, 84, 91, 97,
108, 119, 150, 159, 186; *Ph.*
112, 132, 144, 148; *Plat.*
58; S *arg.*, 4, 6, 20, 21.

ἀριστεῖον : *Aréop.* 75; *Att.* 30,
31; *Ev.* 16; *Paix* 76; *Panég.*
72, 99.

ἀριστίνδην : *Panég.* 146.

ἀριστοκρατία : *Panath.* 131, 153.

ἁρμοστής : *Panég.* 117; *Plat.*
13, 18.

ἀρρηφόροι : *Or.* 42.

ἀρχεῖον : *Aréop.* 24; *Ph.* 48.

ἀρχή : (*pouvoir, magistrature*) *Or.*
8; AN 4, 8, 20, 26, 32; *Arch*;
45, 55; *Aréop.* 7, 22, 23, 24,
26, 65; *Att.* 16; C 11; D 37.

βασιλικός : AN 29; L II, 3; N
10, 56; *Panath.* 11, 79, 125;
Panég. 143; — βασιλικῶς :
AN 19; *Ph.* 154.
βῆμα : *Éch.* 231; L VIII 7;
Paix 13, 54, 121; *Panath.* 11,
143; *Ph.* 81, 129.
βιβλίον : C 19; *Ég.* 14; *Panath.*
251; *Ph.* 21.
βίβλος : *Ég.* 5.
βουλαία (ἑστία) : *Or.* 3.
βουλευτής : C 8.
βουλεύειν (sens officiel, à Athènes) : *Att.* 43.
βουλή (à Athènes) : *Aréop.* 37,
46, 51, 55; *Att.* 6, 7; C 6;
Éch. 314; T 33, 42.

γενεαλογεῖν : *Éch.* 180.
γενεαλογία : B 8.
γεωμετρία : B 23; *Éch.* 261, 264;
Panath. 26.
γράμματα : *Aréop.* 39, 41; L I, 2,
VII, 10, VIII, 1; *Panath.* 149,
209; S 10, 12, 13.
γραμματεῖδιον : T 34.
γραμματεῖον : *Paix* 88; T 20, 22,
23, 24, 25, 26, 28, 30, 31, 32, 33.
γραμματεύς : *Ég.* 38.
γραμματική : *Éch.* 267.
γραφεῖδιον : F 14.
γραφή : C 51; *Éch.* 29, 30, 91,
96, 101, 103, 104, 106, 141,
176, 314; *Loch.* 2; *Paix* 130;
Panath. 29; *Panég.* 113.
γυμνασία : *Aréop.* 43; *Éch.* 183,
266.
γυμνασιαρχία : *Att.* 35.
γυμνάσιον : AN 13, 51; *Aréop.*
45; D 14; *Éch.* 188, 295;
Panath. 217.
γυμναστική : *Éch.* 181.

δανείζειν : *Aréop.* 35, 68; *Éch.*
232; *Euth.* 7; T 35, 38.
δασμολογεῖν : L VII, 4; *Paix*
46, 125; *Panég.* 123, 132.
δεινότης : AN 43; D 4; *Éch.*
16, 33, 230; *Panath.* 121.
δεκάζειν : C 11; *Paix* 50.
δεκαρχίαι : *Panath.* 68; *Panég.*
110; *Ph.* 95.
δημαγωγεῖν : AN 16; F 11;
H 37.

δημαγωγός : *Éch.* 234; *Paix*
122, 126, 129; *Panath.* 148.
δημεύσις : C 19.
δημεύειν : *Att.* 46; L VII, 8.
δημηγορεῖν : L I, 9, VIII, 10;
Paix 9, 27, 75, 108; *Panath.*
12, 29.
δημόκοινος : T 15.
δημοκρατεῖσθαι : *Aréop.* 61; *Att.*
37; *Loch.* 20; *Paix* 95.
δημοκρατία : *Vie*; *Aréop.* 15,
16, 20, 27, 60, 62, 66, 67, 69,
70, 71; *Att.* 4, 6, 27, 50; C 35;
D 36; *Éch.* 27, 70, 232, 306,
309, 317, 319; H 36; *Loch.*
1, 4, 10; N 15, 18; *Paix* 14,
51, 64, 123; *Panath.* 68, 119,
131, 132, 139, 147, 153, 178.
δῆμος : a) (sens local) *Aréop.* 46;
Panath. 179. — b) (gouvernement ou parti démocratique)
Aréop. 16, 58, 63, 68; *Att.*
5, 7, 16, 20, 26, 28, 36, 37,
41, 46; C 17, 49, 62; *Éch.*
70, 232, 306, 314; H 36;
Paix 75, 108, 121, 125; *Panath.* 139, 141, 148, 178; *Plat.*
15. — c) (sens général) *Arch.*
64; *Aréop.* 23, 26, 27, 68;
F 15; L II, 15; *Panath.* 147,
170.
δημοσίᾳ : *Vie*; C 24; *Panég.*
74, 181.
δημόσιος : *Aréop.* 24; C 5, 6;
Paix 88; *Panath.* 10; T 54.
δημότης : *Panath.* 145.
δημοτικός : *Aréop.* 16, 17, 23,
59, 64; *Att.* 36, 37; C 48, 62;
Éch. 303; *Ev.* 46; *Paix* 13,
108, 133.
διάδοχος : *Ég.* 43.
διαθήκη : *Ég.* 1, 3, 5, 12, 15,
34, 44, 47, 50.
δίαιτα : C 4, 10, 11, 13, 14, 15,
16; T 19.
διαιτητής : C 14; *Éch.* 27, 38.
διάλογος : *Panath.* 26.
διανόημα : *Éch.* 257; N 9.
διάνοια : AN 7, 14, 24, 41,
53; *Arch.* 10, 92, 110; *Aréop.*
15, 60, 69; B 27, 43; D 1, 7,
19, 32, 34, 41, 42, 50; *Éch.*
7, 28, 43, 52, 69, 72, 82, 159,
185, 196, 207, 212, 244, 253,
265, 272, 290; *Ev.* 11, 42,

51, 56, 73, 87; *Plat.* 1, 5,
14, 23, 41.

εἰρηνικός : AN 24; *Paix* 136;
Panath. 241, 242; *Ph.* 3; —
εἰρηνικῶς : *Ph.* 46.

εἰσαγγελία : *Éch.* 314; *Paix*
130.

εἰσαγγέλλειν : *Att.* 6.

εἰσφορά : *Aréop.* 51; *Éch.* 108,
156; *Paix* 12, 20; T 41.

ἐκκλησία : *Or.* 34; *Aréop.* 68;
Att. 7; *Paix* 25, 52, 59, 130;
Panath. 13.

ἐκκλησιάζειν : *Aréop.* 10; *Paix*
2, 13.

ἔκσπονδος : *Plat.* 37.

ἐκτυποῦν : S 18.

ἐλευθερία : *Arch.* 7, 43, 64, 83;
Aréop. 20, 65; L VIII, 7;
Loch. 1, 10; *Paix* 141; *Panath.*
68, 97, 131; *Panég.* 52, 95,
117, 140, 185; *Ph.* 104, 139;
Plat. 5, 6, 17, 18, 24, 43, 61;
T 14.

ἐλευθέριος : L VII 12; —
ἐλευθερίως : *Aréop.* 43; *Panég.*
49.

ἐλεύθερος : *Arch.* 51, 97; *Loch.*
6; *Panath.* 180; *Panég.* 104,
106, 123, 124; T 14, 17,
49, 51, 55; — ἐλευθέρως :
Éch. 70.

ἐλευθεροῦν : *Arch.* 88; *Éch.* 307;
Ev. 56; H 28, 35; L IX, 11;
Paix 42, 58; *Panath.* 92, 103,
104; *Panég.* 83, 122, 175;
Phil. 63, 123, 129; *Plat.* 60.

ἔμμετρος : F 10.

ἐμπειρία : AN 35; *Arch.* 48;
Éch. 187, 188, 191, 192, 200,
295; H 5; L VI, 6; N 17, 18;
Panath. 155, 272; *Panég.* 174;
Ph. 139, 152; S 10, 14.

ἐμπολιτεύεσθαι : *Ph.* 5.

ἐναντίωσις : *Aréop.* 54; *Éch.*
251; *Panath.* 144, 203; S 7.

ἐνδεικνύναι (sens juridique) : C
20, 22.

ἔνδεκα (οἱ) : *Éch.* 237.

ἐνθύμημα : *Vie*; *Éch.* 47; *Ev.* 10;
Panath. 2; S 16.

ἐξαιτεῖν : *Att.* 9; *Panath.* 194;
T 5, 12, 21, 47.

ἐπάγγελμα : S 1, 5, 9, 10.

ἔπαινος : *Arch.* 100; *Aréop.* 76;
Att. 30; B 9, 44; D 7, 33, 37;
Éch. 129, 152, 276, 301;
Ev. 6, 73; H 21; L II, 3, 4;
N 43; *Panath.* 35, 36, 73, 110,
112, 236, 251; *Panég.* 75, 186;
Ph. 109, 134, 140.

ἐπιγαμία : *Plat.* 51.

ἐπιγραφεύς : T 41.

ἐπιδεικτικῶς : *Panég.* 11.

ἐπιδειξις : *Or.* 29; *Att.* 32; B
44; *Éch.* 1, 55, 147; H 9;
L I, 5, 6, VI, 4, 5; *Panath.*
233, 271; *Panég.* 17; *Ph.* 17,
25, 93.

ἐπιδικάζεσθαι : *Ég.* 3, 48.

ἐπίκουρος : *Ég.* 38; *Panég.* 147.

ἐπίσταθμος : *Panég.* 120, 162.

ἐπιστάτης : *Éch.* 208; *Panég.*
121; *Ph.* 71.

ἐπιστήμη : AN 24; B 17; D 18;
Éch. 184, 185, 187, 201, 213,
252, 264, 271; F 1; H 1, 9,
31; L VIII 5; *Panath.* 28, 29,
30, 150, 247; S 3, 8, 10, 16.

ἐπωβελία : C 3, 12, 35, 37.

ἐπώνυμοι : C 61.

ἔρανος : B 1; H 20; *Plat.* 57.

ἔρις : *Éch.* 258; F 12; H 1, 6,
41, 46; L V 3; S 1, 20.

ἐριστικὴ φιλοσοφία : S *arg.*

ἐριστικός : AN 51; *Éch.* 261;
Panath. 26; S *arg.*

ἑστία : *Or.* 3.

ἑστίασις : *Aréop.* 29.

ἑταιρεία : *Att.* 6; N 54; *Panég.*
79.

εὐαγγέλια : *Aréop.* 10.

εὐνομεῖν : F 31.

εὐρυθμία : *Ev.* 10; *Ph.* 27.

εὐρύθμως : S 16.

εὐσέβεια : *Aréop.* 30; B 15, 24,
27, 30; *Ev.* 14; H 31, 58;
Paix 33, 34, 63, 135; *Panath.*
124, 183, 204, 217. *Plat.* 60.

εὐσεβεῖν : AN 2; D 13; *Ev.* 28;
Panég. 184.

εὐσεβής : *Éch.* 282, 323; F 20;
Panath. 163, 182; — εὐσεβῶς :
Ev. 38, 39; H 61; *Panég.* 33.

εὐταξία : *Aréop.* 39, 82; *Paix*
102; *Panath.* 115.

εὐφωνία : *Or.* 30.

ἔφορος : *Panath.* 181.

ζημία : AN 29; *Aréop.* 27, 42;
  Att. 47; C 47, 61; D 28; *Éch.*
  14, 100; *Eg.* 4; *Loch.* 17; N
  13, 50, 53; *Paix* 50; *Panath.*
  146, 219; T 21.

ἡγεμονία : *Arch.* 110; *Aréop.* 17;
  Éch. 57, 58, 59, 60, 77, 307; L
  IX 3; *Paix arg.*, 30, 42, 102,
  135, 138, 142, 144; *Panath.*
  52, 67, 115, 143; *Panég.* 17,
  20, 21, 22, 25, 37, 66, 71, 98,
  99, 100, 103, 122, 128, 166;
  Ph. 33, 60.

ἦθος : *Vie*; AN 31; *Aréop.* 40,
  41; *Att.* 28; D 4, 15, 36;
  Éch. 54, 122; *Ev.* 48; H 37;
  N 56; *Paix* 69, 102; *Panath.*
  139, 197, 212, 250; *Panég.*
  82, 152; *Ph.* 26, 114; *Plat.* 34.

ἡμίθεος : AN 49; *Éch.* 45; *Ev.*
  13, 39, 70; H 16, 48; N 42;
  Panath. 41; *Panég.* 84; *Ph.*
  137, 143.

ἥρως : *Ev.* 65; H 63; *Plat.* 60.

θέατρον : *Or.* 29; *Aréop.* 106;
  Paix 14, 82; *Panath.* 122.
θεσμοθέται : *Éch.* 237, 314;
  Loch. 2.
θεωρία : *Aréop.* 53; *Att.* 34;
  Ég. 10; *Panég.* 44, 182; T 4.

ἰαμβικός : F 10.
ἰδέα : AN 34, 48; B 33; *Éch.* 11,
  46, 47, 183; F 4; H 11, 15,
  54, 58; L VI, 8; N 30, 44;
  Panath. 2, 132; *Panég.* 7;
  Ph. 143; S 16.
ἰδιώτης : *Vie*; AN 2, 8, 35, 36;
  Aréop. 14, 72; B 17; D *arg.*;
  Éch. 4, 30, 69, 71, 85, 104,
  148, 201; *Ev.* 24, 25, 27, 66;
  H 9; N 10, 17, 36, 38, 45;
  Paix 24, 96, 119, 120, 143;
  Panath. 16, 23, 79; *Panég.*
  11, 44; *Ph.* 117, 135; S 1, 7, 9,
  14.
ἰδιωτικός : *Ev.* 72.
ἱερός : *Or.* 10 (ἱερὰ ὁδός); *Aréop.*
  29, 66; B 21, 25, 28; *Éch.*
  234; *Ev.* 15; H 58; *Paix* 93,
  126; *Panath.* 107, 145, 163;
  Panég. 96, 156, 157, 180; T 17.
ἱερεύς : B 21.
ἱερεῖον : AN 20.

ἱεροσυλία : *Éch.* 14; *Loch.* 6.
ἱερόσυλος : C 57.
ἱερωσύνη : AN 6; B 15; *Éch.* 71.
ἱππεύς : *Arch. arg.*; *Paix* 118;
  Panég. 148.
ἱππική : *Aréop.* 45.
ἰσηγορία : *Arch.* 97.
ἰσονομία : *Aréop.* 20; *Panath.* 178.
ἰσότης : N 15; *Aréop.* 21, 60,
  61; *Panath.* 241, 242.
ἱστορία : L VIII, 4; *Panath.* 246.

κακηγορία : B 40; *Loch.* 3.
καλλιερεῖσθαι : *Plat.* 60.
καπηλεῖον : *Aréop.* 49; *Éch.*
  287; — καπηλεύειν : AN 1.
κατάστασις (sens rhétorique) :
  F 5.
καταψηφίζεσθαι : *Éch.* 297; T
  56.
κατεγγυᾶν : T 14.
κατηγορία : *Aréop.* 76; *Att.* 2;
  B 4, 6; C 41; *Éch.* 18, 31, 32,
  91, 92, 103, 129, 197, 320;
  H 21; *Loch.* 5; *Panath.* 63,
  218, 250; *Ph.* 147; *Plat.* 12,
  16, 62.
κατήγορος : *Att.* 7; *Éch.* 20,
  30, 35, 40, 41, 42, 56, 90, 97,
  100, 103, 176, 224, 236, 315.
κληρονομεῖν : D 2.
κληρονομία : *Ég.* 43.
κληρονόμος : *Ég.* 2, 9, 32, 42;
  Ph. 136.
κλῆρος : *Ég.* 16, 43, 47, 50.
κληρουχία : *Panég.* 107.
κληροῦν : *Aréop.* 22, 54; *Éch.*
  150.
κλήρωσις : *Aréop.* 23.
κληρωτός : *Panath.* 153.
κλοπή : B 38; *Loch.* 6.
κλωπεία : *Panath.* 211, 218.
κόμμα : F 8.
κύριος (sens juridique) : *Arch.*
  22, 28, 32; *Aréop.* 39, 65;
  C 24, 68; *Ég.* 20, 34, 43; H 19,
  25, 36; N 25; *Panég.* 127, 176.
κῶλον : F 8.
κώμη : *Aréop.* 46; *Éch.* 115, 299;
  H 35; *Panég.* 149.
κωμικός : *Vie*.
κωμῳδία : AN 44.
κωμῳδοδιδάσκαλος : *Paix* 14.

51, 56, 73, 87; *Plat.* 1, 5,
14, 23, 41.
εἰρηνικός : AN 24; *Paix* 136;
Panath. 241, 242; *Ph.* 3; —
εἰρηνικῶς : *Ph.* 46.
εἰσαγγελία : *Éch.* 314; *Paix*
130.
εἰσαγγέλλειν : *Att.* 6.
εἰσφορά : *Aréop.* 51; *Éch.* 108,
156; *Paix* 12, 20; T 41.
ἐκκλησία : *Or.* 34; *Aréop.* 68;
Att. 7; *Paix* 25, 52, 59, 130;
Panath. 13.
ἐκκλησιάζειν : *Aréop.* 10; *Paix*
2, 13.
ἔκσπονδος : *Plat.* 37.
ἐκτυποῦν : S 18.
ἐλευθερία : *Arch.* 7, 43, 64, 83;
Aréop. 20, 65; L VIII, 7;
Loch. 1, 10; *Paix* 141; *Panath.*
68, 97, 131; *Panég.* 52, 95,
117, 140, 185; *Ph.* 104, 139;
Plat. 5, 6, 17, 18, 24, 43, 61;
T 14.
ἐλευθέριος : L VII 12; —
ἐλευθερίως : *Aréop.* 43; *Panég.*
49.
ἐλεύθερος : *Arch.* 51, 97; *Loch.*
6; *Panath.* 180; *Panég.* 104,
106, 123, 124; T 14, 17,
49, 51, 55; — ἐλευθέρως :
Éch. 70.
ἐλευθεροῦν : *Arch.* 88; *Éch.* 307;
Ev. 56; H 28, 35; L IX, 11;
Paix 42, 58; *Panath.* 92, 103,
104; *Panég.* 83, 122, 175;
Phil. 63, 123, 129; *Plat.* 60.
ἔμμετρος : F 10.
ἐμπειρία : AN 35; *Arch.* 48;
Éch. 187, 188, 191, 192, 200,
295; H 5; L VI, 6; N 17, 18;
Panath. 155, 272; *Panég.* 174;
Ph. 139, 152; S 10, 14.
ἐμπολιτεύεσθαι : *Ph.* 5.
ἐναντίωσις : *Aréop.* 54; *Éch.*
251; *Panath.* 144, 203; S 7.
ἐνδεικνύναι (sens juridique) : C
20, 22.
ἔνδεκα (οἱ) : *Éch.* 237.
ἐνθύμημα : *Vie*; *Éch.* 47; *Ev.* 10;
Panath. 2; S 16.
ἐξαιτεῖν : *Att.* 9; *Panath.* 194;
T 5, 12, 21, 47.
ἐπάγγελμα : S 1, 5, 9, 10.

ἔπαινος : *Arch.* 100; *Aréop.* 76;
Att. 30; B 9, 44; D 7, 33, 37;
Éch. 129, 152, 276, 301;
Ev. 6, 73; H 21; L II, 3, 4;
N 43; *Panath.* 35, 36, 73, 110,
112, 236, 251; *Panég.* 75, 186;
Ph. 109, 134, 140.
ἐπιγαμία : *Plat.* 51.
ἐπιγραφεύς : T 41.
ἐπιδεικτικῶς : *Panég.* 11.
ἐπίδειξις : *Or.* 29; *Att.* 32; B
44; *Éch.* 1, 55, 147; H 9;
L I, 5, 6, VI, 4, 5; *Panath.*
233, 271; *Panég.* 17; *Ph.* 17,
25, 93.
ἐπιδικάζεσθαι : *Ég.* 3, 48.
ἐπίκουρος : *Ég.* 38; *Panég.* 147.
ἐπίσταθμος : *Panég.* 120, 162.
ἐπιστάτης : *Éch.* 208; *Panég.*
121; *Ph.* 71.
ἐπιστήμη : AN 24; B 17; D 18;
Éch. 184, 185, 187, 201, 213,
252, 264, 271; F 1; H 1, 9,
31; L VIII 5; *Panath.* 28, 29,
30, 150, 247; S 3, 8, 10, 16.
ἐπωβελία : C 3, 12, 35, 37.
ἐπώνυμοι : C 61.
ἔρανος : B 1; H 20; *Plat.* 57.
ἔρις : *Éch.* 258; F 12; H 1, 6,
41, 46; L V 3; S 1, 20.
ἐριστικὴ φιλοσοφία : S *arg.*
ἐριστικός : AN 51; *Éch.* 261;
Panath. 26; S *arg.*
ἑστία : *Or.* 3.
ἑστίασις : *Aréop.* 29.
ἑταιρεία : *Att.* 6; N 54; *Panég.*
79.
εὐαγγέλια : *Aréop.* 10.
εὐνομεῖν : F 31.
εὐρυθμία : *Ev.* 10; *Ph.* 27.
εὐρύθμως : S 16.
εὐσέβεια : *Aréop.* 30; B 15, 24,
27, 30; *Ev.* 14; H 31, 58;
Paix 33, 34, 63, 135; *Panath.*
124, 183, 204, 217. *Plat.* 60.
εὐσεβεῖν : AN 2; D 13; *Ev.* 28;
Panég. 184.
εὐσεβής : *Éch.* 282, 323; F 20;
Panath. 163, 182; — εὐσεβῶς :
Ev. 38, 39; H 61; *Panég.* 33.
εὐταξία : *Aréop.* 39, 82; *Paix*
102; *Panath.* 115.
εὐφωνία : *Or.* 30.
ἔφορος : *Panath.* 181.

λαγχάνειν : *a)* (magistrature)
Aréop. 23. — *b)* (affaire judiciaire). *Att.* 2 ; C 7, 11, 23, 52 ;
T 21, 31.

λακωνίζειν : *Paix* 108 ; *Panath.*
155 ; *Panég.* 110.

λακωνισμός : *Éch.* 318 ; *Plat.* 30.

λειτουργία (λητ-) : *Vie ; Aréop.*
25 ; *Att.* 32 ; C 58, 60 ; *Éch.* 5,
145, 146, 154, 156, 158 ; *Ég.*
36 ; N 56 ; *Paix* 20, 128 ;
Panath. 145.

λειτουργεῖν (λητ-) : *Att.* 35 ;
C 64 ; *Éch.* 145, 150 ; *Paix* 13.

λέξις : *Éch.* 47 ; *Ev.* 10 ; F 9,
10 ; L IX 5 ; *Ph.* 4, 27, 94.

ληξιαρχικὸν γραμματεῖον : *Paix*
88.

λογισμός : *Aréop.* 3 ; B 23 ; *Éch.*
221, 290, 292 ; F 25, 30, 31 ;
H 45 ; L VI, 11 ; N 46 ; *Paix*
110 ; *Panath.* 69, 261 ; *Ph.* 29,
75.

λογογράφος : B *arg.*

λογοποιός : B 37 ; *Éch.* 137 ;
Ph. 109.

λόγος δικανικός : *Vie ; Or.* 46 ;
S *arg.* 20 ; — ἐριστικός. *Or.*
7 ; AN 51. *Éch.* 261. — μικτός.
Éch. 12. — πολιτικός. *Or.* 7 ;
AN 51 ; *Éch.* 77 ; S 9, 20, 21. —
προτρεπτικός D 3. — ῥητορικός. S *arg.* — συμβουλευτικός. *Vie ; Or.* 5, 46.

λοχαγός : *Éch.* 116 ; *Panath.* 169.

λωποδύτης : *Éch.* 90.

μαθητής : *Vie ; Or.* 6 ; AN 13 ;
B 5, 28, 29 ; D *arg.* ; *Éch.*
5, 30, 31, 41, 42, 47, 87, 92,
98, 183, 185, 205, 220, 222, 235,
243, 296 ; F 17, 22 ; L, I, 4,
IV 10 ; *Panath.* 16, 28, 101,
209 ; *Panég.* 50 ; S *arg.*, 5, 6,
7, 10, 12, 17.

μαθητεύειν : *Or.* 10, 13.

μαρτυρία : *Arch.* 32 ; C 56 ; T 32.

μαρτύριον : *Arch.* 32.

μάρτυς : C 8, 11, 15, 16, 54, 57 ;
Éch. 93 ; *Ég.* 12 ; *Euth.* 4, 7 ;
Ev. 22 ; H 38 ; N 46 ; T 2, 12,
13, 14, 16, 23, 37, 38, 40, 41,
53, 54.

μαστιγοῦν : T 15.

μάχιμος : B 18 ; *Panath.* 49.

μελέτη : D 18 ; *Éch.* 177, 198,
209, 228, 291, 309 ; *Paix*
136 ; *Panath.* 28.

μετάστασις : *Arch.* 40 ; C 36.

μεταφορά : *Ev.* 9.

μετοικεῖν : *Att.* 12, 47 ; *Ég.* 12,
23 ; L VIII, 4 ; *Panég.* 105.

μέτοικος : *Paix* 21, 53.

μέτρον : AN 7 ; *Éch.* 45, 47 ; *Ev.*
10, 11.

μηδισμός : *Panég.* 157.

μηλόβοτος : *Plat.* 31.

μηνυτής : *Att.* 7.

μιαιφονεῖν : *Panath.* 181.

μικρολογία : *Éch.* 2, 262 ; S 8.

μικρολόγος : *Panath.* 8.

μισθοφορά : L II 9 ; *Panath.* 82 ;
Ph. 96.

μισθοφόρος : *Paix* 112 ; *Ph.* 55.

μισόδημος : *Aréop.* 57 ; *Éch.* 131.

μνᾶ : *Or.* 30 ; C 7, 14 ; *Éch.* 288 ;
Euth. 14 ; S 3.

μνησικακεῖν : *Att.* 43 ; C 3, 23 ;
Plat. 14.

μοναρχία : *Vie ;* AN 5, 8 ; D 36 ;
ℓ.ch. 64, 71 ; H 36 ; L II, 9,
IV 6, V 3, VI, 11 ; N 15, 17,
18, 22, 25, 26, 54, 125, 151 ;
Paix 111, 115 ; *Panath.* 119,
132 ; *Panég.* 125, 151 ; *Ph.* 65,
106, 107, 108.

μόναρχος : L IV 6.

μουσική : *Éch.* 46, 267 ; *Ev.* 1,
4,50 ; L VIII, 1 ; *Panég.* 159.

μουσικός : L VIII, 4 ; —
μουσικῶς : L VI, 6 ; S 16.

μυθολογεῖν : AN 49 ; *Arch.* 24 ;
Ev. 36.

μῦθος : AN 49 ; D 50 ; *Ev.* 66 ;
Panég. 158.

μυθώδης : AN 48 ; *Panath.* 1,
237 ; *Panég.* 28.

μυστήριον : *Att.* 6 ; *Panég.* 157.

νεώριον : *Paix* 98.

νεώσοικοι : *Aréop.* 66.

νεώτερα πράγματα : *Aréop.* 59 ;
Att. 6.

νόθος : N 42.

νόμιμα : *Arch.* 1 ; *Aréop.* 38.

νομοθετεῖν : AN 8 ; *Aréop.* 16,
46, 59 ; B 22, 26, 40 ; *Éch.* 232,
255 ; N 7 ; *Panath.* 154.

39, 50, 58, 63, 68; L I, 7, 8,
II, 2, 5, 14, 15, 16, 19, 21, 22,
III, 1, 2, VI, 3, VII, 3, 7, 9,
VIII, 3, 4, 5, 6, IX, 1, 3, 4, 5,
7, 9, 11, 13, 19; *Loch.* 4,
9, 12, 13, 20; N 6, 10,
17, 20, 23, 24, 27, 32,
41, 55, 56, 63; *Paix* 1, 5,
6, 10, 12, 13, 14, 15, 16, 17,
19, 20, 21, 22, 23, 28, 29,
30, 37, 39, 41, 42, 49, 51,
54, 57, 64, 68, 70, 71, 72, 74,
76, 78, 79, 83, 86, 88, 89, 90,
92, 93, 94, 95, 96, 99, 104,
105, 108, 111, 116, 118, 120,
121, 122, 124, 125, 126, 127,
129, 133, 134, 136, 137, 138,
139, 140, 142, 145; *Panath.* 2,
5, 12, 15, 24, 35, 37, 39, 40, 41,
42, 44, 45, 46, 47, 48, 50, 53,
54, 56, 58, 59, 62, 63, 64, 65,
66, 67, 69, 70, 72, 77, 79, 80,
81, 83, 89, 90, 91, 93, 94, 96,
97, 98, 99, 100, 108, 112, 113,
114, 116, 117, 119, 120, 121, 124,
126, 128, 129, 130, 133, 136,
137, 138, 140, 141, 142, 143, 148,
156, 157, 158, 159, 161, 162,
163, 164, 165, 166, 169, 170,
171, 173, 174, 177, 178, 179,
189, 190, 191, 192, 193, 195,
198, 226, 231, 236, 237, 248,
251, 253, 254, 255, 256, 257,
258, 261, 262; *Panég.* 16, 17, 18,
20, 21, 23, 24, 26, 28, 29, 31,
35, 36, 37, 38, 44, 46, 47, 50,
51, 52, 54, 55, 56, 57, 61, 62, 64,
66, 67, 68, 70, 73, 75, 77, 79,
80, 81, 83, 91, 92, 93, 94, 95,
96, 97, 98, 99, 100, 101, 102,
103, 104, 107, 113, 115, 116,
119, 120, 122, 126, 127, 129,
131, 136, 137, 139, 141, 161,
163, 169, 170, 173, 175, 176,
178, 181, 185, 186, 188; *Ph.
arg.* 2, 3, 5, 8, 9, 14, 20, 22, 23,
30, 31, 33, 35, 36, 40, 41, 43,
45, 46, 48, 51, 53, 54, 56, 57, 58,
59, 60, 61, 64, 65, 68, 69, 73,
80, 82, 83, 87, 89, 96, 99, 100,
106, 107, 111, 117, 120, 122,
123, 127, 128, 140, 142, 146;
Plat. 1, 2, 6, 7, 8, 9, 10, 13,
16, 17, 18, 19, 20, 21, 26, 28,
30, 31, 33, 34, 35, 36, 39,
40, 41, 43, 46, 52, 53, 56, 57,
59, 62; T 4, 9, 19, 47, 52.

πολιτεία : *Vie*; *Or.* 8; AN 8, 16;
Arch. 11, 48, 66, 76, 81;
Aréop. arg., 12, 14, 18, 20,
23, 28, 55, 57, 59, 62, 65, 70,
71, 78, 79; *Att.* 17, 20, 36,
38, 41; B 17, 19, 20, 32; C
16, 25, 42, 43, 48, 49; *Éch.*
70, 127, 317; *Euth.* 2; *Ev.*
46, 51, 66; H 36; L IV, 6,
VI, 11, VIII, 9, IX, 4; *Loch.*
11, 20; N 10, 12, 14, 15, 16,
22, 27, 54; *Paix* 51, 53, 69,
75, 77, 90, 95, 99, 133; *Panath.* 54, 99, 109, 111, 112,
113, 114, 116, 118, 130, 131,
132, 134, 135, 138, 148, 151,
241, 259; *Panég.* 16, 39, 103,
104, 105, 106, 114, 115, 125,
142; *Ph.* 12, 127; *Plat.* 8.

πολιτεύεσθαι : AN 3; *Arch.*
35, 59; *Aréop.* 15, 41, 53,
55, 61, 70, 76, 80; *Att.* 45;
C 43, 46, 48, 58; D 36; *Éch.*
24, 70, 115, 132, 133, 144,
159, 231, 282, 293; *Ég.* 13;
H 5, 34; L I, 10, VIII, 7,
IX, 9; N 24, 52; *Paix* 38, 49,
75, 81, 104, 126; *Panath.* 11,
31, 41, 131, 144, 151, 178,
197, 200; *Panég.* 27, 150;
Phil. 81, 96, 140 S 14.

πολίτευμα : *Aréop.* 78, S 14.

πολίτης : *Vie*; *Or.* 1, 33; AN
17, 21, 23, 29; *Arch.* 44, 45,
59, 64, 67; *Aréop.* 20, 31, 32,
35, 43, 47, 52, 53, 54, 59, 67,
69, 82, 83; *Att.* 3, 14, 16, 18,
20, 24, 25, 27, 28, 31, 32, 37,
38, 40, 42, 47; C 2, 16, 38,
41, 50, 67; *Éch.* 18, 22, 33, 38,
44, 67, 86, 106, 137, 144, 164,
165, 168, 171, 190, 220, 224,
226, 235, 241, 251, 252, 278,
313, 318, 319; *Ég.* 7, 13, 31,
36, 37; *Ev.* 21, 22, 30, 31,
42, 54, 66; H 32, 33, 36, 37;
L II, 6, V, 2, VI, 9, VII, 3, 4, 8,
9, VIII, 3, 4; *Loch.* 2, 10,
11, 14, 16, 17, 18, 21; N 28,
32, 35, 37, 45, 55; *Paix*
4, 48, 50, 53, 72, 77, 88, 89,
92, 98, 112, 119, 124, 127, 131,
144; *Panath.* 10, 94, 132, 146,
148, 165, 237; *Panég.* 74, 77,
105, 107, 110, 111, 116, 157;
Ph. 52, 81, 106; *Plat.* 35, 49.

πολιτική : S *arg.*

πολιτικός : *Or.* 4; AN 21, 51; *Aréop.* 55; *Éch.* 46, 77, 260; *Ev.* 10, 46; H 9; L IX, 13; *Panath.* 11; *Panég.* 113, 171; S *arg.*, 9, 20, 21.

πολιτικῶς : *Panég.* 79, 151.

πολῖτις : *Plat.* 51.

πομπή : *Aréop.* 53.

πόροι : *Paix* 82.

πραγματεία : *Or.* 13; AN 18; *Arch.* 80; D 44; *Éch.* 9, 31, 38, 40, 147, 193, 239, 270; L IX, 14; *Panath.* 28, 43, 147, 167, 210, 270; *Ph.* 7, 87, 129.

πρεσβεία : *Paix* 22, 68; *Panath.* 165, 170; *Plat.* 24.

πρέσβεις : *Aréop.* 65; *Att.* 1, 9; *Paix* 25; *Panath.* 143, 160, 162; *Plat.* 29; *Ph.* 15, 69.

πρεσβεύειν : L VI, 1; *Panég.* 149, 177.

προβολή : *Éch.* 314.

προκαλεῖσθαι : *Or.* 44; *Ph.* 91; T 51.

προκρίνειν (*proposer pour candidat*) : *Aréop.* 22, 23; *Panath.* 145.

προοίμιον : *Vie*; D *arg.*; *Éch.* 71; F 4; H *arg.*; *Paix arg.*; *Panath.* 33; *Panég.* 13.

πρόσοδος : *Aréop.* 1, 3, 15, 24, 34, 84; B 21; H 66; *Paix* 21; *Ph.* 5, 32.

προστάτης : *Éch.* 232, 313; *Paix* 53, 54; *Panath.* 15, 143, 151; *Panég.* 103; *Ph.* 13.

πρυτανεία : C 12.

πρυτανεῖον : *Éch.* 95.

πρυτάνεις : *Paix* 15; T 34.

ῥαψῳδεῖν : *Panath.* 18, 33.

ῥῆμα : *Éch.* 166.

ῥητορεία : *Panath.* 2; *Phil.* 26; S 21.

ῥητορεύειν : *Or.* 12; L VIII, 7; *Ph.* 25.

ῥητορική : *Vie*; *Or.* 36; F 2, 8, 15; S *arg.*

ῥητορικός : *Éch.* 256; N 8.

ῥήτωρ : *Vie*; *Or.* 2, 16, 41; *Aréop.* 14; *Att.* 7; *Éch.* 30, 105, 136, 138, 185, 190, 200, 231, 234; *Ev.* 40; F 1, 11, 15, 18; *Paix* 5, 26, 124, 129;

Panath. 12, 15; *Phil.* 2, 81; *Plat.* 3, 4, 38; S 9.

ῥυθμός : *Éch.* 46; *Ev.* 10; F 10.

σατράπης : *Panég.* 152; *Ph.* 104.

σκιραφεῖον : *Aréop.* 48; *Éch.* 287.

σοφία : B 24; D 19; *Éch.* 111, 270, 312; *Ev.* 23; H 1, 21, 54; *Panath.* 228; S 2, 7.

σοφίζεσθαι : S *arg.*

σοφιστεύειν : B *arg.*; S *arg.*

σοφιστής : *Vie*; *Or.* 8; AN *arg.*, 13; B *arg.*, 43; D *arg.*, 51; *Éch.* 2, 4, 148, 155, 157, 168, 197, 203, 215, 220, 221, 235, 237, 268, 285, 313; F 8, 17; H 2, 9; *Panath.* 5, 18; *Panég.* 3, 82; *Ph.* 12, 29; S *arg.*, 14, 19.

σπονδή : *Panath.* 169.

στάσις : *Arch.* 11, 65; *Att.* 26, 37; C 31, 44; L II, 20, VIII, 3, IX, 8; N 41; *Paix* 88, 96, 99; *Panath.* 99, 259; *Panég.* 79, 114, 168, 174; *Ph.* 107, 111.

στατήρ : *Éch.* 156; T 35, 40.

στεφανίτης ἀγών : *Éch.* 301; L IV, 10.

στηλιτής : *Att.* 9.

στοιχεῖον : AN 16; L VI, 8.

στρατηγεῖν : *Att.* 15, 22, 26; *Éch.* 107; *Ev.* 56; L I, 9, VIII, 10, IX, 9; *Panég.* 80, 142, 154, 185; *Ph.* 101, 140.

στρατηγία : *Aréop.* 12; *Éch.* 117, 127, 131; *Ev.* 38; L IX, 1; *Panath.* 105; *Ph.* 111, 140.

στρατηγός : *Aréop.* 81; *Att.* 7, 29; C 47; *Éch.* 30, 106, 116, 117, 119, 128; *Ev.* 55, 56; N 24, 25; *Paix* 50, 54, 55, 134; *Panath.* 51, 76, 100, 104, 143; *Panég.* 35, 88, 142, 146, 150; *Ph.* 63, 81, 125.

στρατιώτης : *Att.* 16, 19, 20; B 19; *Éch.* 124, 180; *Panath.* 79, 82; *Panég.* 142, 148, 150, 185; *Ph.* 91, 96, 125.

στρατιωτικός : L II, 19; *Ph.* 105.

στρατιωτικῶς : *Aréop.* 7; *Panath.* 80.

στρεβλοῦν : T 15.

σύγγραμμα : AN 7, 42; *Éch.* 14, 33; H 2, 11; L I, 5.

συγγραφεύς : *Aréop.* 58; *Éch.* 35.

συκοφαντεῖν : *Or.* 3; *Att.* 1;

τραγῳδεῖν : *Or.* 10; *Éch.* 136; *Ev.* 6.

τραγῳδία : *Or.* 10, 46; AN 48.

τραγῳδοδιδάσκαλος : *Panath.* 168.

τράπεζα : T 2, 4, 12, 40, 43, 44, 50, 53.

τριηραρχεῖν : *Vie*; *Or.* 8, 18; *Éch.* 145.

τριπραρχία : *Or.* 44; *Att.* 35. C 59; *Éch.* 4; *Paix* 20; *Panath.* 20.

τριήραρχος : C 59.

τριήρης : *Arch.* 5; *Aréop.* 1; *Att.* 21; *Éch.* 109, 111; *Ev.* 1, 47; *Paix* 12, 29, 48, 79, 84, 86, 98; *Panath.* 49, 50; *Panég.* 90, 93, 97, 98, 107, 142; *Ph.* 53.

τρόπαιον : *Arch.* 10, 54, 99, 111; *Att.* 21; H 67; L IX, 3; *Panég.* 87, 150, 180; *Ph.* 112, 148; *Plat.* 59.

τροχαικός : F 10.

τυραννεῖν : *Arch.* 45; *Att.* 38; *Ev.* 27, 28, 64, 71; H 34, 37; L VI, 11; N arg., 11, 28; *Paix* 91; *Pan.* 80, 105.

τυραννεύειν : AN 4; *Ev.* 39; L VII 3; N 25; *Paix* 113.

τυραννικός : AN 53; *Att.* 25; *Ev.* 46, *Paix* 88, 91, 142; *Panath.* 125,

τυραννικῶς : L VII, 6; *Ph.* 154.

τυραννίς : AN 21, 34; *Arch.* 45; *Att.* 25; *Ev.* 27, 40, 63, 78; L VI, 12; N 16, 22, 24, 25; *Paix* 89, 115, 143; *Panég.* 106; *Ph.* 81.

τύραννος : AN 4, 35, 50; *Arch.* 44, 63; *Aréop.* 16, 26; *Att.* 26; *Éch.* 30, 232, 306; *Ev.* 26, 31, 32, 34, 66; N 23, 55; *Paix* 91, 99, 114, 123; *Panath.* 147, 148, 243; *Panég.* 117, 125, 126.

ὑδρία : T 33.

ὑπηρεσία : *Panég.* 142.

ὑπηρέσιον : *Paix* 48.

ὑπόδικος : *Loch.* 2.

ὑπόσπονδος : *Panég.* 147.

φαίνειν (*dénoncer*) : C 20; *Éch.* 99; T 42.

φεύγειν : *a*) (*être exilé*) : *Arch.* 68, 100; *Aréop.* 65, 67; *Att.* 9, 14, 15, 25, 40, 42, 45; B 39; C 7, 50; *Ég.* 11; *Ev.* 27; H 8, 68; L VII, 8, VIII, 3, 4, IX 13; *Panath.* 195; *Panég.* 92; *Ph.* 58; *Plat.* 29, 34. — *b*) (*être poursuivi en justice*) : *Att.* 46; C 1, 2, 33, 35; *Éch.* 17, 21, 101, 144, 150, 176; *Loch.* 8, 16; T 55.

φιλαθήναιος : L V, 2.

φιλέλλην : *Ev.* 50; *Panath.* 241; *Panég.* 96; *Ph.* 122.

φιλολογία : *Éch.* 296.

φιλοσοφεῖν : *Or.* 5; AN 35; D 3; *Éch.* 45, 121, 250, 285; *Ev.* 78; L VI, 10, VII, 3, IX, 15; N 1, 9; *Paix* 5, 116; *Panath.* 11, 236, 263; *Panég.* 5, 186; S 14, 18.

φιλοσοφία : AN 35, 51; *Aréop.* 45; B 1, 22, 28, 30, 49; D 4; *Éch.* 10, 30, 41, 48, 50, 147, 162, 170, 175, 176, 181, 183, 186, 195, 205, 209, 215, 224, 243, 247, 266, 270₇ 279, 292, 304, 305, 312; *Ev.* 8, 77, 81; H 6, 67; L V, 3, VI, 8; *Panath.* 9, 19, 209, 246, 260; *Panég.* 10, 47; *Ph.* 29, 84; S arg. 1, 11, 21.

φιλόσοφος : B 17, 48; D 40; *Éch.* 271, 277; F 8; H arg., 66; L V, 2; *Paix* 145; *Panath.* 240, 271.

φονεύς : *Panég.* 111.

φονικά : *Panég.* 40.

φόνος : C 52; *Panath.* 121.

φόρος : H 27; *Panath.* 63, 67, 69, 116; *Panég.* 120; *Plat.* 10.

φράσις : *Vie*.

φρατρία : *Paix* 88.

φρόνησις : AN 21; *Aréop.* 14; B 21; D 6, 40; *Éch.* 71, 84, 207, 209, 212, 250, 271, 294; *Ev.* 41, 65, 80; L V, 5, VII, 1, VIII, 5, IX, 4, 7; N 23; *Panath.* 32, 82, 127, 138, 159, 196, 204, 217, 248; *Ph.* 110; *Plat.* 61. S 2.

φρουρά : *Paix* 16; *Panég.* 163; *Plat.* 13, 19.

φρουρεῖν : *Aréop.* 65; *Ég.* 19; *Paix* 92.

φυγαδεύειν : L VII, 8, IX, 9; *Paix* 98.

TABLE DES MATIÈRES

ACHEVÉ D'IMPRIMER
EN MAI 1962
SUR LES PRESSES
DE
L'IMPRIMERIE DURAND
A CHARTRES, EURE-ET-LOIR

————

DÉPÔT LÉGAL : 2ᵉ TRIMESTRE 1962.
IMPR. N. 3552, ÉDIT. N. 954.